WALTER H. SOKEL · DER LITERARISCHE EXPRESSIONISMUS

WALTER H. SOKEL

DER LITERARISCHE EXPRESSIONISMUS

DER EXPRESSIONISMUS
IN DER DEUTSCHEN LITERATUR
DES ZWANZIGSTEN JAHRHUNDERTS

ALBERT LANGEN · GEORG MÜLLER
MÜNCHEN

Die vom Verfasser durchgesehene und autorisierte Übersetzung besorgten
Jutta und Theodor Knust

Titel der amerikanischen Originalausgabe:
»The Writer in Extremis« · Stanford University Press · 1959

Gesamtherstellung: Druckerei Walter Hötzenberger, Wien
Umschlagentwurf: Dorothee Tilgner
Printed in Austria

INHALT

EINFÜHRUNG

Um das Jahr 1910 fand in der abendländischen Kunst und Literatur eine umfassende Revolution statt, die durchaus im Zusammenhang mit den naturwissenschaftlichen Umwälzungen jener Zeit stand. Zwischen 1905 und 1910 entwickelten Picasso und seine Anhänger den Kubismus in der Malerei, während Apollinaire und Max Jacob eine »kubistische« Poesie einleiteten, die Apollinaire später Surrealismus nannte. Im Jahr 1910 schrieb Marinetti sein Manifest des Futurismus. T. S. Eliot begann seinen *Prufrock* 1911, Joyce den *Ulysses* 1914. Im Jahr 1913 rief Strawinskys *Sacre du printemps* einen Aufruhr des Pariser Publikums hervor. Einsteins Arbeit zur *speziellen Relativitätstheorie* war 1905 erschienen, und wenige Jahre früher, 1900, hatte Freud seine *Traumdeutung* veröffentlicht. Diese Männer und andere, ihnen ähnliche, haben unsere Welt revolutioniert und unsere Vorstellungen vom Universum und vom Ich verändert. Der erste Weltkrieg mit seinen Nachwirkungen war das politische Gegenstück zu diesem Umbruch, der erst jetzt allmählich eine neue Tradition bildet — die Tradition der Moderne. Doch wie schockierend und umstürzend diese »Geburt der neuen Epoche« für ihre Zeitgenossen auch gewesen sein mag, sie war eigentlich nicht neu, sondern nur ein Höhepunkt von Entwicklungen, die bereits das ganze neunzehnte Jahrhundert charakterisierten und ihre Wurzeln in noch früheren Zeiten hatten.

Der Ausdruck Expressionismus bezeichnet einen Aspekt dieser modernen Revolution in Kunst und Literatur, einen Aspekt, der zwischen 1910 und 1925 in Deutschland besondere Bedeutung erhalten hat. Doch seine Grundzüge überschreiten die nationalen Grenzen und bilden einen integreken Bestandteil der modernen Literatur und Kunst. Expressionistische Grundgedanken erfüllen O'Neills *Der große Gott Brown,* Thornton Wilders *Unsere kleine Stadt* und *Wir sind noch einmal davongekommen,* die Episode »Nighttown« in James Joyces *Ulysses,* Elmer Rices *Die Rechenmaschine* und einige Werke von Sean O'Casey, Tennessee Williams, Samuel Beckett, Friedrich Dürrenmatt und andern. Aber der Expressionismus enthält auch viele Züge, die ihn als eine deutsche Erscheinung aus der Zeit des ersten Weltkrieges einordnen.

Der Ausdruck Expressionismus wurde bereits 1901 in Frankreich geprägt, um Matisse und andere *Indépendents* von den voraufgehenden impressionistischen Malern zu unterscheiden. In Deutschland wurde der Begriff zunächst auf Malergruppen in Dresden, Berlin und München angewendet, die dem Stil von Gauguin, van Gogh und Munch folgten und ihn weiterentwickelten. Bald wurde der Ausdruck auf die neue Dichtung, das Drama und die erzählende Prosa, übertragen, die nach 1910 überwiegend zunächst in avantgardistischen Zeitschriften — etwa *Der Sturm, Die Aktion* und *Die weißen Blätter* — oder von fortschrittlichen Verlegern wie Kurt Wolff in Leipzig veröffentlicht wurden, der viele Expressionisten in eine Reihe von Büchern und Broschüren aufnahm, die er *Der jüngste Tag* nannte. Auch Jahrbücher und Anthologien propagierten den Expressionismus; die bedeutendste dieser Anthologien war *Menschheitsdämmerung* von Kurt Pinthus. Der apokalyptische Titel ist zweideutig, da das Wort Dämmerung ja sowohl den Abend wie den Morgen bezeichnet. Diese besondere Zweideutigkeit — in der sich die Gegensätze Pessimismus und Optimismus widerspiegeln — sollte ein entscheidendes Merkmal des deutschen Expressionismus werden.

Wir müssen unterscheiden zwischen dem Expressionismus als einer Form der modernen Kunst und Literatur, die ihre Vorläufer in der *Apokalypse,* in Dantes *Inferno,* in den Bildern von Bosch, Grünewald, Rembrandt, Goya und der Dichtung Blakes hat, und dem Expressionismus als einer eigentümlichen deutschen Erscheinung, die Elemente — ganz besonders den heftigen Konflikt zwischen den Generationen — enthält, wie sie sich in der experimentellen Literatur anderer Länder nicht in diesem Maße finden. Die Geschichte der deutschen Literatur wird seit den siebziger Jahren des achtzehnten Jahrhunderts von Revolten jugendlicher Dichter und Schriftsteller geprägt, die sich nicht nur einen neuen Stil des Schreibens, sondern auch eine neue Lebensweise zum Ziel setzen. Der Expressionismus ist die letzte und intensivste dieser Revolten. Der Gipfel der expressionistischen Welle wird stets mit den deutschen Revolutionen von 1918 und 1919 in Verbindung gebracht, und dem Expressionismus galten Hitlers Angriffe gegen »entartete Kunst« und »Kulturbolschewismus«. Anderseits setzten die Nazis, selber Angehörige der expressionistischen Generation, das bizarre Entsetzen von Kafkas Erzählungen und Heyms Visionen in soziale Wirklichkeit um. Hannah Arendt spricht von dem »politischen Expressionismus« des totalitären Terrors, und ein holländischer Forscher sieht in der expressionistischen Dichtung »den Schatten des Nihilismus«, der sich zwei Jahrzehnte später zur

Nacht der Barbarei verdichten sollte. Auf die Ähnlichkeit zwischen der expressionistischen Sehnsucht nach dem »totalen Menschen« und dem folgenden Regime des totalen Staates wurde bereits 1933 hingewiesen. Günther Anders hat Franz Kafka der heimlichen Mitschuld bei der Erzeugung der totalitären Geisteshaltung angeklagt, und Albert Camus hat die Verbindungen zwischen den Gefühlen des literarischen »Modernismus« und der totalitären Phantasie beleuchtet. Daß man den Expressionismus ebenso als die Antithese — und als das kulturelle Hauptopfer — des Nazismus wie auch als seinen Vorläufer und Verwandten betrachten kann, zeigt die Kompliziertheit und die innere Reichweite dieser Bewegung sowie ihre zentrale Situation in der Geistesgeschichte Mitteleuropas. Deshalb ist der Expressionismus für uns von doppeltem Interesse. Einerseits bildet er einen Teil der großen internationalen Bewegung der Moderne in Kunst und Literatur; anderseits ist er ein turbulentes und entscheidendes Kapitel in der unheilvollen Geschichte des modernen Deutschlands.

Aus dieser Zweiseitigkeit des Expressionismus folgt, daß es keine stilistische Einheitlichkeit unter den deutschen Expressionisten geben kann. Politische Expressionisten, wie Frank, Rubiner und Toller, stellten ihre Botschaft über alles andere. Dagegen bedeutete Expressionisten wie Kafka, Trakl, Heym, Barlach und Benn ihre Kunst mehr als alles andere; sie waren echte Pioniere der modernen Literatur und leisteten hervorragende Beiträge zu der internationalen Bewegung. Doch es gab auch viele Expressionisten — Werfel, Otten und Rubiner zum Beispiel —, die kaum zur Moderne gehörten. Sie injizierten nur revolutionäre oder ekstatische Raserei in grundsätzlich konservative Formen. Wolfgang Paulsen unterschied in seiner bahnbrechenden Untersuchung des Expressionismus *Aktivismus und Expressionismus* zwischen politischen Aktivisten und echten Expressionisten. Vielleicht wäre es sogar noch zutreffender, zwischen Expressionisten, die zum künstlerischen Erfolg der internationalen modernen Bewegung beitrugen — und zu ihnen gehören auch Aktivisten wie Sternheim —, und jenen zu unterscheiden, die lediglich einige wenige Kunstmittel der Moderne kopierten, im Grunde jedoch altmodisch in ihrer Form blieben.

So überaus ungleichartige ausländische Autoren wie Walt Whitman, Tolstoi, Dostojewskij, Strindberg und Rimbaud übten den größten Einfluß auf verschiedene Expressionisten aus. Doch Dichter wie Werfel, tief von Walt Whitmans ekstatischer Menschenliebe beeindruckt, oder Rubiner, der Tolstois radikale Ablehnung esoterischer Kunst verehrte, hätten kaum Rimbauds eiskalt »unverantwortliche« *Illuminations* anerkennen können, die wiederum die besten Dichter des frühen Expressionismus, Heym und Trakl, stark beeinflußten. Indessen zeigt das Beispiel Rimbauds, daß sich nicht immer eine scharfe Trennungslinie zwischen dem künstlerischen Experiment und der geistigen Revolte ziehen läßt. Für die Expressionisten verschmolz Rimbauds experimentelle Dichtung mit der Legende seines Lebens. Rimbaud, der bei den Deutschen im Jahr 1907 in einem Gemisch von mittelmäßigen Übersetzungen und legendenhafter Hagiographie eingeführt worden war, wurde für die Expressionisten zu einem Symbol. Obwohl Rimbaud seine Dichtung verwarf, als er sich auf den Weg nach Afrika machte, um Händler zu werden, sahen die Expressionisten seine Kunst und sein Leben zu einer größeren Einheit verschmolzen: die Existenz als geistiges Abenteuer und als heftige Ablehnung der europäischen Ordnungen — zunächst in der traditionellen Dichtung, sodann in der traditionellen Lebensweise.

Unter der Oberfläche der stilistischen Vielgestalt findet sich im Expressionismus eine geistige Einheitlichkeit. Kurt Pinthus nennt in der Einführung zu seiner Anthologie *Menschheitsdämmerung* dieses gemeinsame Element der expressionistischen Dichter »die Intensität und den Realismus des Gefühls, der Gesinnung, des Ausdrucks, der Form«. Titel wie *Menschheitsdämmerung*, *Der jüngste Tag*, *Weltende*, *Dämonen der Städte*, *Vatermord* und *Gas* enthüllen ein Äußerstes an Apokalyptischem, das dem Expressionismus seine bezeichnende Note verlieh. Ludwig Meidners Drucke zusammenstürzender Städte und das Gemälde *Der Schrei* des Norwegers Munch, die den Aufschrei des tiefsten Entsetzens darstellen, entsprechen der expressionistischen Schreibweise. Hermann Bahr, der Wiener Kritiker, Bühnenschriftsteller und Essayist, bezeichnete gerade den Schrei als das Hauptmerkmal des Expressionismus. Viele Expressionisten bemühten sich, dem Aussehen der gedruckten Seite die gleiche Wirkung zu verleihen, die Munch mit seinem Gemälde erzielte. Manche Schriftsteller verliehen ihren ausbrechenden Gefühlen durch monosyllabische Aufschreie, rasende Hyperbeln und Kanonaden von Ausrufezeichen Ausdruck. Andere vermochten, wie Kafka in seinen ruhig gezügelten Alpträumen oder Kaiser in seinen dolchscharfen Dialogen, das gleiche Gefühl mit unendlich viel größerer künstlerischer Wirksamkeit auszudrücken.

Der Expressionismus als abstrakte Form, als Teil der modernen Bewegung, und der Expressionismus als Aufschrei entstammen der gleichen Quelle — dem Subjektivismus. Dieser Subjektivismus wiederum ergibt sich aus einer eigentümlichen sozial-kulturellen Konstellation, die seit dem achtzehnten Jahrhundert in Deutschland heimisch ist. Deutschland war die Heimat sowohl der »autonomen Kunst«, einer Abstraktheit im besten Sinne, als auch einer Tradition rhetorischer Formlosigkeit, einer Abstraktheit im schlimmsten Sinne. Dieser doppelseitige Aspekt der Abstraktheit liegt auch dem Expressionismus zugrunde, der in gewissen deutschen Traditionen fest verwurzelt ist, selbst wenn er gegen andere rebelliert. Doch schließlich bildet die Abstraktheit auch die Grundlage des gesamten Phänomens der Moderne.

Die vorliegende Untersuchung stellt sich die Aufgabe, zu einem Verständnis des Expressionismus zu gelangen. Dazu muß versucht werden, einige der philosophischen Voraussetzungen, die der Wirklichkeit der modernen Kunst und Literatur zugrunde liegen, aufzuzeigen: die soziale Situation, in der diese Voraussetzungen zum erstenmal formuliert wurden; die formale Grundtendenz des Expressionismus in ihrem Verhältnis zu andern modernen Tendenzen; und vor allem die sozial-personalen Probleme oder »der existentielle Standort« der Expressionisten. Soziale und psychologische Faktoren müssen in der Geschichte der Literatur als einer Dimension des menschlichen Geistes berücksichtigt werden. Stilgeschichte ist keine Geschichte von Schachzügen in einem Vakuum. Sie ist eng mit den Problemen verbunden, denen sich schöpferische Menschen gegenübersehen, die sie zu umgehen oder zu lösen bemüht sind. Und das trifft ganz besonders für eine Bewegung wie den Expressionismus zu, in der, wie wir sehen werden, der Verlust der Sicherheit, den der schöpferische Künstler hinsichtlich der Berechtigung seiner Kunst und seiner Existenz erlitten hat, eine entscheidende Rolle spielt.

In dem Bestreben, das komplizierte und vielgestaltige Phänomen des Expressionismus zu erhellen, wird die vorliegende Untersuchung hoffentlich auch zu einem tieferen Verständnis des »modernen« Künstlers beitragen und einige Aspekte der Sozial- und Kulturgeschichte Deutschlands im zwanzigsten Jahrhundert klären.

ERSTER TEIL

DIE NEUE FORM

REINE FORM UND REINE FORMLOSIGKEIT

Die moderne Kunst bricht mit dem jahrhundertealten Postulat, das Aristoteles formuliert hat und nach dem die Kunst Mimese oder Nachahmung der Natur sei. Natürlich ist die Lehre des Aristoteles verschiedenartig interpretiert worden. Einigen bedeutete sie, daß Kunst die Illusion des Lebens schaffe, wozu die Maler die Perspektive und die Schriftsteller die Psychologie benutzten. Andere meinten, die Kunst wähle das sittlich und ästhetisch Beste in der Natur und im Menschen aus, um den Beschauer zu erziehen und ihn zu veranlassen, großen und edlen Vorbildern nachzueifern. Wieder andere glaubten, die Kunst solle sich mit dem Schmutzigen und Erbärmlichen im Leben beschäftigen, um die Öffentlichkeit durch Abscheu zur Besserung anzuleiten. Die Belehrung, das Didaktische in der Kunst, läßt sich leicht mit der Mimese verknüpfen, obwohl sie nicht dasselbe ist.

Im Gegensatz zur Auffassung von der Mimese, die der plastischen Kunst besonders angemessen ist, steht die Ansicht des Plato und des Longinus, daß nämlich die Kunst ihren Urspung in der Inspiration und nicht in der Beobachtung habe. Der Künstler, und vor allem der Dichter, lausche seiner inneren Stimme und verleihe dem Ausdruck, was die Gottheit ihm »eingehaucht« habe. Die Wahrheit ist hier nicht der sensorische Schauplatz der Natur, sondern etwas Verborgenes, das der Offenbarung bedarf. Da diese Art von Wahrheit spirituell, nicht greifbar ist, muß der Künstler angemessene Symbole für ihre Offenbarung finden.

Und welches sind die Symbole, die der Dichter verwendet, um seine innere Wahrheit zu offenbaren? Wie kann er das Unsichtbare augenscheinlich machen? Die Symbole sind natürlich Worte — und in der plastischen Kunst Formen; diese Worte oder Formen vertreten Gegenstände und Gegenstandsteile, die sich in der natürlichen Welt finden. Sollen sie eine geistige Wirklichkeit ausdrücken, dann müssen sie derart zusammengestellt sein, daß sie es dem unsichtbaren Geist ermöglichen, durch das sichtbare Material hindurchzuscheinen. Die *Apokalypse*, Dantes *Göttliche Komödie*, Boschs Gemälde zeigen, daß der beste Weg dazu der ist, diese natürlichen Gegenstände auf eine bedeutsame und dennoch phantastische Weise miteinander zu verbinden. Dante verwendet metaphorische Vergegenwärtigungen, um psychische und geistige Situationen sichtbar zu machen. Die verdrehten Köpfe der Wahrsager in seinem *Inferno*, die nach hinten, statt nach vorn schauen; die drückend schweren Mäntel der Heuchler, außen vergoldet, doch innen bleiern; die sich verändernden Gestalten der Diebe, die nie sie selber bleiben können, sondern dauernd ihre Gestalt mit Schlangen austauschen: dies alles sind erweiterte Metaphern, die in Bildern die innere Wirklichkeit der Sünde und gleichzeitig den psychischen Zustand des Sünders darstellen.

In seiner Verwendung der Metapher nimmt Dante die grundlegende Methode des Expressionismus vorweg. Doch Dantes phantastische Bilder sind Teil eines universalen Gebäudes geistiger Bezüge, nämlich desjenigen des katholischen Christentums. Deshalb sind sie selbst dann logisch sinnvoll, wenn das geistige Gebäude, die ihnen zugrunde liegende Lehre, intellektuell nicht anerkannt wird. Denn schon das Vorhandensein eines universalen Planes, den der Autor voraussetzt und der Leser — selbst wenn er ihn ablehnt — versteht, schafft den Zusammenhang, in dem das phantastische Bild Sinn erhält. Die Verwandlung des Diebes in eine Schlange ist verständlich, wenn wir wissen, daß der Mann die Seele eines Sünders ist, die in der Hölle für die Verbrechen auf Erden leidet. Das Symbol gehört zu einem sinnvollen Universum, zu einem Kosmos und damit zu einem sinnvollen Ganzen der Darstellung. Dante interpretiert eine Lehre. Seine Interpretation ist individuell, aber die Lehre ist es nicht.

Das ausdrücklich ausgesprochene oder stillschweigend vorausgesetzte Vorhandensein eines Kosmos trennt Dante und die gesamte darstellende christliche Literatur und Kunst — und sogar die Romantiker — von der Moderne und verbindet sie der Mimese. Die bildhaften Vergegenwärtigungen der Moderne dagegen sind häufig im Leeren aufgehängt wie die aneinander lehnenden Leitern in Rilkes fünfter Duineser Elegie, die sich, »wo Boden nie war«, nur gegenseitig stützen, eine Situation, die das Bestreben der modernen Kunst treffend symbolisiert.

Sowohl historisch wie auch erkenntnistheoretisch steht die Lehre von der Mimese im Zusammenhang mit dem Glauben an einen Kosmos. Für Aristoteles war die Natur ein Kosmos, nämlich zu Stoff materialisierte Form oder zur Form gestalteter Stoff. Gott, reine Form, belebt die ganze Natur. Mit der Nachahmung der Natur imitiert der Künstler notwendigerweise auch Formen, da Form überall in der Natur vorhanden ist. Durch den Schaffensprozeß vollbringt der Künstler, was Gott durch sein bloßes Dasein vollbringt: er gestaltet Stoff zur Form. Der literarische Naturalismus anerkennt, selbst wenn er häufig den Glauben an Gott ablehnt, doch noch das Vorhandensein eines wahrnehmbaren Universums, von dem das Ich ein Teil ist. Sogar die Romantiker, so nahe sie in mancher Hinsicht der Moderne auch stehen, glaubten noch an eine letzte Einheit zwischen Mensch und Natur. Sie waren noch nicht bereit, die ganze Lehre Kants anzuerkennen, die unerbittliche Entfremdung zwischen Mensch und Natur bedeutet, eine Lektion, die nahezu alle Modernen gelernt haben, ob sie Kant nun kennen oder nicht. Die philosophische Grundlage der Moderne, dazu ein gut Teil ihres Programms finden sich bei Kant.

Die Natur ist für Kant kein gegebenes System, in dem der Mensch seinen Platz hat, sondern eine Auslegung, die unser Geist den Phänomenen aufzwingt. Ohne den Geist gäbe es keine Natur, da es keine quantitativen Formulierungen, Naturgesetze genannt, und deshalb auch kein geordnetes Universum gäbe. Wir sind es, die die Erscheinungen durch Kausalität und Relation verknüpfen. Wir sind es, die die Erscheinungen in einer Folge wahrnehmen müssen und diese subjektive Notwendigkeit Zeit nennen; wir sind es, die die Erscheinungen nur örtlich bestimmt wahrnehmen können und diese subjektive Notwendigkeit Raum nennen. Doch weder Raum noch Zeit sind gegebene Tatsachen oder empirische Begriffe. Sie konstituieren sich in unserer Anschauung. Sie sind jedoch keine objektiven Absoluta, die außerhalb von uns bestehen. Die Herkunft der Erscheinungen ist stets unerkennbar. Die Wände unseres Kopfes bilden unüberwindliche Schranken zwischen uns und dem Ding an sich.

Die *Kritik der reinen Vernunft* entlarvt die Welt als das Produkt unseres Geistes und erklärt das Übernatürliche als unerkennbar. Mit diesen zwei Schlägen zerschmettert Kant die Grundlagen der Auffassungen von Kunst als Mimese und als Offenbarung. Denn wenn die Natur, wie wir sie erfahren, außerhalb unseres Geistes nicht existiert, wird die Nachahmung der Natur zu einer recht zweifelhaften Angelegenheit, und dem Subjektivismus sind Tür und Tor geöffnet; und wenn der Mensch keinen Zugang zum Übernatürlichen hat, ist dessen Offenbarung unmöglich[1]). So trägt die *Kritik der reinen Vernunft* mehr als allgemein erkannt wird dazu bei, sowohl das Klima der modernen Kunst wie das der modernen Naturwissenschaft zu erzeugen. Die moderne Kunst hat die Illusion des dreidimensionalen Raumes zugunsten eines frei konstruierten Raumes aufgegeben, und der Künstler wird keine

[1]) Vgl. Kants Polemik in *Träume eines Geistersehers* gegen Swedenborg, der die Romantiker und die französischen Symbolisten inspirierte.

Abweichung von den Gesetzen der Kausalität und der Wahrscheinlichkeit scheuen, wenn sie der Verwirklichung des ihm vorschwebenden Formgedankens dienen. Die absolute Kunst, das heißt Kunst als völlig freies Schaffen oder reiner Entwurf, wurde nach Kants *Kritik der reinen Vernunft* theoretisch denkbar. Aber erst die *Kritik der Urteilskraft* machte ihre schwerwiegenden Folgen für die Kunst sichtbar.

Die unumschränkte Freiheit des Künstlers, nach seinen Absichten zu schaffen, ist das entscheidende Fundament von Kants Ästhetik. Die absolute Souveränität des Künstlers bedeutet nicht chaotische Formlosigkeit, sondern die Anwendung einer von ihm entdeckten oder gewählten Form: »die musterhafte Originalität der Naturgabe eines Subjekts im *freien* Gebrauch seiner Erkenntnisvermögen.« Wie Lessing und Herder erwartet Kant, daß das Genie sich seine Gesetze selbst gibt. Er macht den Künstler frei von allen äußeren Fesseln und nichtkünstlerischen Rücksichten. Naturnachahmung, moralische Tendenz, empirische Wahrheit, religiöser Glaube — sie alle werden als unerheblich für die Kunst betrachtet. Das selbstgewählte Ziel und die frei sich selbst auferlegte Form, in der er seine besondere Absicht ausdrückt, sind die einzigen Belange des Künstlers. Das Kunstwerk ist ein Universum aus eigenem Recht. Es ist eine »andere Natur«, weder die Kopie einer sensorischen noch die Offenbarung einer übernatürlichen Welt. Der Künstler ist mehr als Entdecker von Symbolen, sogar mehr als Prophet der Wahrheit — er ist Schöpfer und Gesetzgeber eines Weltalls; und dieses Weltall der Kunst ist das einzige, in dem der Mensch völlig frei vom Joch empirischer Notwendigkeit und vom kategorischen Imperativ des Sittengesetzes ist. So erhält die Kunst eine weit größere Bedeutung, als sie in früheren Lehren der Ästhetik besaß. Sowohl die Kunst als Mimese wie auch die Kunst als Offenbarung waren andern physischen oder spirituellen Wirklichkeiten dienstbar, Mittel zum Zweck gewesen; für Kant wurde die Kunst zum Selbstzweck. Und da sie der einzige Bezirk ist, in dem der Mensch frei zu sein vermag, wurde sie auch die Erlösung des Menschen. In der Kunst wurde der Mensch zum Gott — nicht dadurch, daß er Gott entdeckte oder offenbarte, sondern dadurch, daß er schuf, wie ein Gott schafft. Die Kunst übernahm die Großartigkeit, aber auch die Bürde der Religion. Schiller, der in seinen *Briefen über die ästhetische Erziehung des Menschen* Kants Ideen mit großem Scharfsinn weiterentwickelte, feierte den ästhetischen Zustand als das Tor zur höchsten menschlichen Vollendung und trug so zur Entstehung jener Religion der Kunst bei, die wir bei Wagner, im französischen Symbolismus und in der Moderne im allgemeinen finden. Aber die beiden für die Entwicklung der modernen Ästhetik entscheidenden Beiträge Kants waren die klare Unterscheidung zwischen ästhetischen und logischen Ideen und der Begriff des Organismus.

Nach Kant unterscheiden sich ästhetische Ideen, das heißt die Ideen, die ein Kunstwerk bilden, durchaus von Vernunftideen oder logischen Gedanken:

»Unter einer ästhetischen Idee aber verstehe ich diejenige Vorstellung der Einbildungskraft, die viel zu denken veranlaßt, ohne daß ihr doch irgendein bestimmter Gedanke, d. i. *Begriff*, adäquat sein kann, die folglich keine Sprache völlig erreichen und verständlich machen kann. — Man sieht leicht, daß sie das Gegenstück (Pendant) von einer *Vernunftidee* sei, welche umgekehrt ein Begriff ist, dem keine *Anschauung* (Vorstellung der Einbildungskraft) adäquat sein kann.«[1])

Die fundamentale Bedeutung dieser Stelle für das Verständnis der modernen Kunst und Literatur kann gar nicht überschätzt werden. I. A. Richards' Unterscheidung zwischen wissenschaftlicher und gefühlsbetonter Sprache vorwegnehmend, spricht Kant hier nicht nur die Trennung zwischen Kunst und logischer Abhandlung aus, sondern auch die zwischen Kunst und empirischer Erfahrung, aus der die Logik ihre Begriffe abstrahiert. Diese Trennung liegt der Ausübung der modernen Kunst zugrunde und ruft ihre verwirrenden Eigenschaften hervor.

Logische Begriffe, »Vernunftideen«, werden, wie Kant in seiner *Kritik der Urteilskraft* festgestellt hatte, aus der empirischen Erfahrung abstrahiert. Die Sprache der Wissenschaft ist beispielsweise einfach die präziseste und knappste Art, sinnvolle Feststellungen über Tatsachen zu treffen. Sie unterscheidet sich nur dem Grad nach von der Alltagssprache, insofern die Alltagssprache darauf abzielt, faktische Mitteilungen zu übermitteln. Doch da sich die Sprache der Logik auf die Beobachtung äußerer Tatsachen gründet, ist sie der Wiedergabe innerer Erlebnisse nicht gewachsen. Der Grundsatz der Logik und empirischen Erfahrung, der uns sagt, daß ein Gegenstand nicht gleichzeitig an mehreren Orten sein kann, gilt nicht für unsere Gefühle. Unsere emotionalen Erlebnisse sind komplizierter als unsere faktische Erfahrung. In unserm In-

[1]) Kant, Kritik der Urteilskraft, »Von den Vermögen des Gemüts, welche das Genie ausmachen«.

nenleben können wir uns Objekte vergegenwärtigen, die gleichzeitig an mehreren verschiedenen Orten und in mehreren Zuständen oder unter verschiedenen Umständen vorhanden sind. Begegnen wir einem Bettler, vermögen wir in ihm den Millionär zu sehen, der er einst war oder doch hätte sein können, und gleichzeitig den revolutionären Führer, der er vielleicht morgen sein wird. In unserm Innenleben vermögen wir dasselbe Objekt gleichzeitig zu lieben und zu hassen, die Schlange im Dieb oder ein schönes Mädchen in einer Rose zu sehen. Die Kunst ist die Sprache, die diese metalogische Wirklichkeit ausdrücken kann.

Wenn die Kunst ihrer besonderen Funktion gerecht werden soll, muß sie sich einer völlig anderen Sprache bedienen als der, mit der wir faktische Mitteilungen übermitteln. Es muß eine Sprache der mitschwingenden Nebenbedeutungen sein. In der Musik ist das schon lange erkannt oder wenigstens stillschweigend angenommen worden. Doch die Literatur verwendet die gleichen Spracheinheiten wie die begriffliche oder faktische Sprache. Tatsachenberichte benutzen genau dieselben Worte, die auch die Poesie verwendet, obwohl es sich um zwei verschiedene Sprachgattungen handelt. Kant definierte den Unterschied zwischen ihnen und befreite so die Dichtung von der Täuschung, sie müsse die empirische oder die sittliche Wahrheit wiedergeben und den Regeln der logischen Erörterung gehorchen, die einem völlig andern Zweck dienen.

Kant erkannte die Metapher als »das ästhetische Attribut« der Sprache und stellte sie den »logischen Attributen« der begrifflichen Sprache gegenüber. Die Metapher entspricht dem Akkord in der Musik oder der Farbschattierung in der Malerei. Sie ist das Hauptmittel bei der Umwandlung einer Sprache logischer Ideen in eine Sprache ästhetischer Ideen, wie sie die Literatur braucht. Kant definiert die Funktion »ästhetischer Attribute« auf folgende Weise:

»Sie stellen nicht, wie die *logischen Attribute*, das, was in unseren Begriffen ... liegt, sondern etwas anderes vor, was der Einbildungskraft Anlaß gibt, sich über eine Menge von verwandten Vorstellungen zu verbreiten, die mehr denken lassen, als man in einem durch Worte bestimmten Begriff ausdrücken kann; und geben eine *ästhetische Idee*, die jener Vernunftidee statt logischer Darstellung dient, *eigentlich aber um das Gemüt zu beleben*, indem sie ihm die Aussicht in ein unabsehliches Feld verwandter Vorstellungen eröffnet.«[1])

[1]) A. a. O., V. (Letzte Hervorhebung vom Verfasser).

Nach dieser Stelle unterscheidet sich die ästhetische Darstellung vor allem in der ihr zugrunde liegenden Absicht von der logischen. Diese Absicht zielt weder darauf ab, uns zu belehren oder zu bessern, noch zu unterrichten oder zu predigen, ja nicht einmal darauf, uns durch den Anblick reiner Schönheit zu erheben. Ihre einzige Absicht ist es, unser Innenleben durch das Hervorrufen unerwarteter Assoziationen anzuregen. Das ästhetische Attribut erweitert den Spielraum unserer Gedanken und Gefühle, beschleunigt ihr Strömen und damit gleichzeitig unsern psychischen »Stoffwechsel«. Sie wirkt als geistiges Erregungsmittel.
Mit dem Begriff des »ästhetischen Attributs« nimmt Kant Mallarmés Unterscheidung zwischen den beiden Aspekten eines Wortes — der *parole immédiate* und der *parole essentielle* — vorweg. *La parole immédiate* ist das Wort als abstrakter Begriff, ein zweckmäßiges Zeichen, um uns in den Erfordernissen des täglichen Lebens zu informieren; durch dieses Zeichen erhalten wir wichtige Mitteilungen und geben sie an andere weiter. *La parole essentielle* ist das gleiche Wort als ästhetisches Phänomen, ein Mittel, um Gefühlswirkungen hervorzurufen und seltsame Welten, vergessene Kontinente unserer Seele heraufzubeschwören. Es ist mehr als ein geistiges Tonikum — es ist Magie.
Von Mallarmés Unterscheidung ist es nur ein Schritt bis zu Kafkas Definition der Kunst: »... die Kunst enthülle die Wirklichkeit, hinter der die Vorstellung zurückbleibt.«[1]) So führt uns der Weg von Kants *Kritik der Urteilskraft* mitten ins Herz der Moderne. Und tatsächlich scheinen Kafkas Geschichten von dem unerkennbaren Ding an sich und von dem vergeblichen Kampf des Menschen zu handeln, aus dem Gefängnis seines Kopfes auszubrechen in eine Wirklichkeit, die er niemals zu erkennen vermag. Wir erinnern uns dabei, daß die Lektüre von Kants *Kritik der reinen Vernunft* das erschütterndste und entscheidende Erlebnis für Kafkas Vorgänger im Stil wurde: für den enterbten Romantiker Heinrich von Kleist.
Der Begriff des Organismus war gemeinsamer Besitz des deutschen Idealismus; er wurde nicht nur von Kant, sondern auch von Goethe und Herder entwickelt und fand in Schillers *Briefen über die ästhetische Erziehung des Menschen* brillante Anwendung auf die Kunst. Schiller betrachtete das Kunstwerk als dem Organismus ähnlich. Das funktionelle Verhältnis all seiner Teile und nicht der

[1]) Zitiert nach Wilhelm Emrich »Die poetische Wirklichkeitskritik Franz Kafkas«. Orbis Litterarum, XI (1956), 215—28.

Inhalt drückt seinen Sinn aus. Die Idee eines Kunstwerkes kann nicht in einem seiner Teile, sondern nur in der Struktur oder Form des Ganzen liegen. Die Idee eines Dramas findet sich beispielsweise in keiner der von den einzelnen Personen des Dramas gehaltenen Reden, sondern in dem Verhältnis von Reden und Ereignissen und in dem schließlichen Ergebnis dieser Ereignisse. Keine der Reden drückt für sich allein die dramatische Idee aus. Das Wesen eines Kunstwerks kann überhaupt nichts direkt Ausgesprochenes, sondern nur die unsichtbare, immaterielle Form sein. Schiller beantwortet die Frage des Vorranges zwischen Inhalt und Form entschieden zugunsten der Form:

»In einem wahrhaft schönen Kunstwerk soll der Inhalt nichts, die Form aber alles tun: denn durch die Form allein wird auf das Ganze des Menschen, durch den Inhalt hingegen nur auf einzelne Kräfte gewirkt. Der Inhalt, wie erhaben und weitumfassend er auch sei, wirkt also jederzeit einschränkend auf den Geist, und nur von der Form ist wahre ästhetische Freiheit zu erwarten. Darin also besteht das eigentliche Kunstgeheimnis des Meisters, daß er *den Stoff durch die Form vertilgt.*«[1])

Form soll den Inhalt vertilgen! Mit dieser erstaunlichen Formulierung nimmt Schiller das Programm der nicht-gegenständlichen Kunst des expressionistischen Malers Kandinsky vorweg, dessen Theorien, in seinem Buch *Über das Geistige in der Kunst* (1912) niedergelegt, ebenso ungeheuren Einfluß auf die deutschen Maler und Schriftsteller des Expressionismus wie auf die abstrakten Expressionisten des heutigen Amerikas ausübten. Natürlich dachte Kandinsky nicht an Schiller, als er seine Abhandlung schrieb; er bezieht sich auf Wagner, Monet, Maeterlinck und den Kunsthistoriker Worringer, dessen *Abstraktion und Einfühlung* (1908) von großer Bedeutung für die Ästhetik der modernen Kunst wurde. Dennoch ist Kandinskys Theorie im Grunde eine konsequente Fortführung von Schillers Erklärung.

Mit diesen drei Begriffen — souveräne Freiheit des Genies, sich eigene Gesetze zu suchen und sie anzuwenden, Unterscheidung der ästhetischen von den logischen Ideen und Absorbierung des Inhalts durch die organische Form — legte der deutsche Idealismus das Fundament für das Gebäude der Moderne. Hier stehen wir einem scheinbaren Paradoxon gegenüber. Die deutsche Kultur, weniger für ihr Formgefühl als für das Gegenteil berühmt, hat das Ideal der absoluten Form aufgestellt. Wir werden dem gleichen Para-

[1]) Schiller, Ästhetische Briefe, 22. Brief.

doxon im Expressionismus begegnen, wo sich das stärkste Gefühl für formale Abstraktion neben höchst chaotischer Formlosigkeit findet. Wie läßt sich dieses Paradoxon erklären?

Der Begriff »abstrakt« umfaßt, wie wir wissen, zwei völlig verschiedene Phänomene: einerseits die Stilisierung und anderseits den rhetorischen Mangel an Konkretem. Beide werden abstrakt genannt, weil es beiden an der vollen, körperlich dreidimensionalen Illusion des Lebens mangelt, nach der die realistische Kunst strebt.

Um diese beiden Arten von Abstraktheit in der deutschen Literatur und Geisteswelt und ihr Verhältnis zueinander zu verstehen, wird es dienlich sein, die soziale Struktur zu betrachten, in der die beiden Formen der Abstraktheit entstanden sind. Dann werden wir feststellen, daß das scheinbare Paradoxon in Wirklichkeit zwei parallel laufende Versuche darstellt, mit der gleichen Situation fertig zu werden. Die Untersuchung des schöpferischen Prozesses in einem sozialen Zusammenhang erhellt die Formen und Grundsätze der Kunst vielleicht mehr als jede Geschichte der Ideen oder als eine Ästhetik, die man in einem Vakuum betrachtet.

Wir haben drei Grundvorstellungen von der künstlerischen Schöpfung festgestellt: die Nachahmung der Natur, die Offenbarung und das freie Schaffen oder die autonome Kunst. Jede dieser Grundvorstellungen geht von einer andern Beziehung zwischen dem Künstler und seinen Mitmenschen aus.

Die Lehre von der Mimese entstand im griechischen Stadtstaat, in dem die Kunst eine zentrale Stellung einnahm. Der Bildhauer meißelte Statuen der Götter, die der Staat verehrte. Ohne eine entsprechende Huldigung an die Götter hätte der Stadtstaat nicht am Leben bleiben können. Der Staat war ebenso unbedingt auf den Künstler angewiesen, wie der Künstler auf den Staat. Der Künstler war ein lebenswichtiger Bürger. Wenden wir uns der Literatur zu, begegnen wir der gleichen Situation. Der Dramatiker ahmte die Taten aus den alten Mythen nach, die die Grundlage der religiösen Kulte bildeten. Seine Modelle waren wie die des Bildhauers die Gegenstände der städtischen Gottesverehrung, und sein Drama wurde zu einer staatlichen Feier. Der Dichter leistete wie der bildende Künstler der Gemeinschaft einen entscheidenden Dienst. Ebenso wie er nicht auf die Gesellschaft verzichten konnte, die ihm ihre Mythen lieferte, konnte die Gesellschaft ihn nicht entbehren. Die Nachahmungstheorie des Aristoteles setzt also nicht nur einen Kosmos voraus, sondern auch eine stabile, fest in sich

verknüpfte Gesellschaft, in der die Kunst eine lebenswichtige Funktion ausübt.
Das aristotelische System wurde von der katholischen Kirche des mittelalterlichen Europas gepflegt, die in mancherlei Hinsicht ihre zentrale religiöse Rolle vom antiken Stadtstaat geerbt hatte. Der Begriff der Mimese wurde in katholischen Ländern wiederbelebt. Doch nicht die Kirche, sondern die höfischen Gesellschaften Italiens in der Renaissance und vor allem Frankreichs im siebzehnten Jahrhundert riefen seine neue Blüte hervor. Die Gesellschaft hatte sich aus der Gemeinde freier Bürger zur höfischen Gesellschaft gewandelt, aber für den Künstler und den Dichter war die Situation der im antiken Griechenland sehr ähnlich. Durch ihn feierte und verherrlichte sich die höfische Gesellschaft. Genau wie der griechische Bildhauer die Athleten und Jungfrauen seiner Stadt zu Göttern und Göttinnen der religiösen Verehrung idealisiert hatte, so idealisierte Racine die Herren und Damen des Hofes in seinen Tragödien zu Helden und Heldinnen der Mythe. Auch Molières Komödie bezog ihre Normen aus der Gesellschaft, um jene zu geißeln, die von ihnen abwichen. Im Frankreich des siebzehnten Jahrhunderts übte der Dichter — der tragische wie der komische — eine unerläßliche Funktion aus, selbst wenn sie nicht mehr kultischer und religiöser Natur war. Die Gesellschaft bedurfte seiner, weil sich ihr Glanz ohne ihn nicht vollständig manifestieren ließ. Sie brauchte ihn als Schmeichler und Unterhalter, der ihr erlaubte, über jene zu lachen, die nicht wirklich zu ihr gehörten. Sogar als ein Jahrhundert später die Gesellschaft selbst zum Ziel von Voltaires geißelndem Witz wurde, blieb sie doch das Modell. Statt ihrem Ruhm und Glanz wurde nun ihrer Dummheit, Heuchelei und ihrer Albernheit der Spiegel vorgehalten[1]). Und in diesem achtzehnten Jahrhundert stieg der Literat in Westeuropa zu einer bisher unvorstellbaren Höhe. Als Gegner der Könige und Adeligen, von der Aristokratie gefürchtet und gefeiert, und als Sprecher des Bewußtseins des aufstrebenden Bürgertums spielte er nun eine Rolle, glanzvoll wie nie zuvor.
In Deutschland dagegen war die Situation völlig andersartig. Das Deutschland des achtzehnten Jahrhunderts besaß keine »Gesellschaft« im Sinne der französischen und englischen. Es hatte weder eine Hauptstadt noch einen höfischen Mittelpunkt, wo sich eine kultivierte Aristokratie versammeln und ein verfeinerter literari-

[1]) Die bemerkenswerte Ausnahme bildete Rousseau und bis zu einem gewissen Grade auch schon La Bruyère. Beide stammten interessanterweise aus niedrigen Gesellschaftsschichten.

scher Stil aus gesellschaftlichem Gespräch und höfischer Sitte entstehen konnte. Die zahlreichen Höfe Deutschlands waren zu unbedeutend, als daß sie die Entwicklung einer »höfischen Gesellschaft« erlaubt hätten; und die einzige Monarchie, die mächtig genug dafür gewesen wäre, wurde zuerst von einem Korporal, dann von einem kauzigen und galligen Soldatenphilosophen beherrscht, der in seinen reifen Jahren die Gesellschaft verachtete und auf die deutsche Sprache herabsah; danach von einem religiösen Fanatiker und schließlich von einer frommen Null. Deutschlands Tragik lag darin, daß sich die Kultur als unfähig erwies, anziehend auf die preußische Monarchie zu wirken.

Waren die Kleinfürsten Deutschlands reich genug — und fast alle waren unbarmherzig und eitel genug, so zu tun, als wäre es der Fall —, dann jagten sie sich gegenseitig die Künstler und Musiker ab. Fürsten und Bischöfe gaben Aufträge für Gemälde, Skulpturen, Schlösser, Gärten, Opern und Concerti, um sich selbst zu verherrlichen. Wie die prachtvolle Spätblüte des Barock und des Rokoko in Deutschland zeigt, gediehen die Geschäfte für den nicht-literarischen Künstler in Deutschland gut. Doch der Schriftsteller war davon ausgenommen. Für ihn hatte man keinen Bedarf, und er fand kein Publikum.

Die Tatsache, daß die meisten Höfe in seinem Sprachgebiet es verschmähten, die deutsche Sprache zu benutzen, erwies sich als ein Unglück für den deutschen Literaten. Der Mann, den viele von ihnen bewunderten, Friedrich der Große, gab selbst zu, daß er die deutsche Sprache nur mangelhaft beherrschte und die deutsche Literatur verachtete. Das Werk der deutschen Philosophie, das von größtem Einfluß auf die aufblühende deutsche Literatur war, Leibniz' *Nouveaux essais* (1765 veröffentlicht), war in französischer Sprache geschrieben; und Goethe empfand es als sein Unglück, mit einem so kümmerlichen Medium wie der deutschen Sprache arbeiten zu müssen. Der deutsche Literat wurde von der Aristokratie nicht gebraucht, die entweder nur Französisch sprach und las oder zu bäurisch und ungehobelt war, um die Schöne Literatur würdigen zu können.

Der deutsche Schriftsteller hatte nicht nur keine höfische Gesellschaft als Publikum — schlimmer noch, die Gesellschaft konnte ihm nicht als Modell dienen. Er vermochte die winzigen Höfe nicht zu verherrlichen, die ihn abwiesen und ohnehin nicht den Stolz und die Begeisterung hervorriefen, die den Bürger Westeuropas veranlaßten, sich mit seinem Monarchen und seiner Nation zu identifizieren. Abgesehen von Preußen waren diese deutschen Fürstentümer zu unbedeutend und ihre Potentaten zu sehr unverschämte Bedrücker, als daß sie die Dichter und Schriftsteller dazu hätten inspirieren können, sie zu idealisieren. Wenn der deutsche Schriftsteller die höfische Gesellschaft überhaupt betrachtete, dann mit Abneigung, Spott und Haß. Innerlich von seinen starken religiösen Gefühlen bestärkt (die der Pietismus unmittelbar und mittelbar nährte), fühlte er sich der »Gesellschaft« mit ihren unvorstellbar kleinlichen Intrigen und ihrem herzlosen Egoismus hoch überlegen. Ob er von ihr ausgeschlossen war oder von oben herab begönnert wurde, innerlich verachtete er ihre Konventionen, selbst wenn er sich ihnen äußerlich unterwarf. Da er keine andere kannte, verachtete er die »Gesellschaft« als solche und lehnte, wenn er den Mut dazu fand, jede Konvention als unnatürlich ab. Sitte und Verfeinerung — kurz: Form — verbanden sich in seinen Augen mit den parfümierten, heuchlerischen und lächerlich engstirnigen Lakaien und Speichelleckern des Hofes. Da die Form mit der französischen Sprache gleichgesetzt wurde, empfand er sie als fremd und undeutsch.

Die feindliche Einstellung des deutschen Intellektuellen den Konventionen gegenüber hatte, wie Nietzsche feststellte, bleibende und unheilvolle Auswirkungen auf sein Verhältnis zur künstlerischen Form, zum Stil im allgemeinen:

»Die Form gilt uns Deutschen gemeinhin als eine Konvention, als Verkleidung und Verstellung und wird deshalb, wenn nicht gehaßt, so doch jedenfalls nicht geliebt; noch richtiger würde es sein, zu sagen, daß wir eine außerordentliche Angst vor dem Worte Konvention und auch wohl vor der Sache Konvention haben. In dieser Angst verließ der Deutsche die Schule der Franzosen: denn er wollte natürlicher und dadurch deutscher werden. Nun scheint er sich aber in diesem ›Dadurch‹ verrechnet zu haben ... Indem man zum Natürlichen zurückzufliehen glaubte, erwählte man nur das Sichgehenlassen, die Bequemlichkeit und das möglichst kleine Maß von Selbstüberwindung«.[1])

Die deutsche Formlosigkeit, die Nietzsche so gut kritisiert, muß im Licht der deutschen Sozialtraditionen betrachtet werden. Form, Geschmack, Flüssigkeit und Leichtigkeit des Stils, Scharfsinn, Gefühl für literarischen Takt und vor allem Lebendigkeit und Genauigkeit der Beobachtung sind Eigenschaften, die man in der

[1]) Nietzsche, »Vom Nutzen und Nachteil der Historie für das Leben«, in Unzeitgemäße Betrachtungen, V.

Isolierung nicht erwirbt. Sie sind auf ein lebhaftes und zuchtvolles Gesellschaftsleben angewiesen. Wie der Gesellschaftstanz, die erste Fertigkeit der »höfischen Gesellschaft«, werden diese Vorzüge durch dauernde Übung auf dem Parkett der Gesellschaft — des Hofes und später des Salons — erworben. Die einzigen Salons, die im kulturellen Leben Deutschlands berühmt wurden, waren die einiger Jüdinnen, deren Familien erst kurz zuvor Mitglieder der deutschen Gemeinschaft geworden waren.
Die Deutschen hatten keine Modelle, die sie nachahmen konnten. Die entscheidenden Wechselbeziehungen zwischen der Aristokratie der Geburt und der des Geistes hat es in Deutschland nie oder nur selten gegeben. Es gab keine geistreichen Menschen, von denen die großen Schriftsteller die Kunst der markanten Formulierung hätten lernen, und keine brillanten Gespräche, an denen sie ihre Feder wie ihre Ausdrucksweise hätten schärfen können. Sie fanden weder große oder interessante Charaktere zu porträtieren noch bedeutende Taten zu feiern oder zu berichten. Die deutschen Geistigen waren Selfmademen des Geistes.
Wenn der deutsche Schriftsteller die Hofgesellschaft doch einmal als Thema benutzte, wie Lessing es in *Emilia Galotti* und Schiller in *Kabale und Liebe* taten, dann geschah es, um diese Gesellschaft zu geißeln und zu verurteilen[1]). Daraus erklärt sich, daß in der deutschen Literatur des späten achtzehnten Jahrhunderts ein kraftvolles Gesellschaftsdrama im halbnaturalistischen Stil entstand, das Diderot an Kühnheit und Radikalismus übertrifft und bereits ein Bindeglied zu Ibsen und Strindberg bildet. Doch ein sehr kritisches Klima ist der Entwicklung eines robusten Realismus in der Literatur weniger günstig als eine sanft ironische und im Grunde zustimmende Atmosphäre. Schillers Jugenddramen zeigen, daß eine überwiegend negative Einstellung zur Gesellschaft von der wirklichkeitsgetreuen Beobachtung fort und zu Übertreibung, Verzerrung, zu Kraßheit und Abstraktheit führt — Eigenschaften, die im Expressionismus wiedererscheinen, der in mancher Hinsicht der unmittelbare Erbe des Schillerschen Sturm und Drangs ist.
Die Armut der deutschen Literatur an guten Romanen und Komödien steht in engstem Zusammenhang mit diesem Fehlen einer ruhig beobachtenden Einstellung zur gesellschaftlichen Wirklichkeit. In einem der höfischen Gesellschaft feindlichen Klima verwandelt sich die Komödie entweder zur bissigen Parodie, für die es in der

[1]) Die klassischen Dramen Goethes und Schillers, am Weimarer Hof geschrieben, bilden aus Gründen, die bald offensichtlich werden, eine bedeutsame Ausnahme.

deutschen Literatur zahlreiche ausgezeichnete Beispiele von Lenz und Büchner bis zu Brecht gibt, oder sie ertrinkt im Pathos. Beide Möglichkeiten werden im Expressionismus überreich verwirklicht. Auch der Roman steht in ursächlichem Zusammenhang mit jenem komischen Geist der Objektivität, der imstande ist, die menschlichen Schwächen vor dem soliden Hintergrund der sozialen Wirklichkeit zu sehen, zu beobachten und darüber zu lächeln — statt Grimassen zu schneiden[1]). *Don Quixote,* der Prototyp des europäischen Romans, beginnt als humoristische Erzählung, und der englische Roman des achtzehnten Jahrhunderts hat sich von seinen Ursprüngen in der Komik noch nicht gelöst[2]).

Anders als sein britischer Kollege fand der deutsche Schriftsteller, der keine Beziehung zur höfischen Gesellschaft hatte oder ihr feindlich gegenüberstand, keine andere Gesellschaftsschicht, die ihm als Ersatzmodell für sein Werk dienen konnte. Seine kleinstädtische oder ländliche Umgebung konnte ihn nicht zur Mimese inspirieren — denn er fühlte sich von ihr ebenfalls isoliert —, wenn er auch, falls er sich darum bemühte, zu einem treffenden und bewegenden Realismus in der Darstellung kleinbürgerlichen Lebens zu gelangen vermochte, wie Goethes Gretchen-Episoden zeigen. Doch seine höhere Bildung sonderte ihn von der Familie und den Kindheitsfreunden ab. Die Fürsten brauchten, selbst wenn sie keinen Bedarf an deutschen Literaten hatten, doch gebildete Schreiber in ihren zahlreichen Amtsstuben; und der Posten eines Juristen, Geistlichen oder Professors war die Rettung des deutschen Schriftstellers vor dem Verhungern. Infolgedessen gab es viele hochgebildete Deutsche, denen die Bildung nichts anderes eintrug als die Fesselung an eine stumpfsinnige Amtstätigkeit. Von ihren ungebildeten Mitbürgern isoliert, von der Aristokratie ausgeschlossen, verstreut über viele verschlafene kleine Residenzen in einem großen, sich auflösenden Reich, ohne Salons und Kaffeehäuser, in denen er seinesgleichen fände, besaß der deutsche Intellektuelle nichts, worauf er schauen konnte, als sich selber und das ungeheure, ungenutzte in seinem Geist gespeicherte Wissen. Das war der, in Goethes *Werther* so treffend wiedergegebene, existentielle Standort jener Männer, die in Theorie und Praxis die Nachahmungslehre stürzten.

[1]) Wolfgang Kayser weist darauf hin, daß die Groteske in Gesellschaften entsteht, die ihre festen Maßstäbe und Ordnungen verloren haben.

[2]) Samuel Richardson weicht natürlich wegen seiner viel engeren Beziehung zum emotionalen Protestantismus des Bürgertums von der herrschenden Tradition ab, die Defoe, Fielding, Smollet und Sterne vertreten. Vgl. die Erörterung dieses Problems bei Herbert Schöffler, Protestantismus und Literatur: Neue Wege zur englischen Literatur des 18. Jahrhunderts (Leipzig 1922), pp. 163 ff.

Wenn der deutsche Schriftsteller auch nichts besaß, was er imitieren oder was ihm als Modell dienen konnte, so hatte er doch ein ungeheures Reservoir aufgestauter Emotionen, die nach Ausdruck drängten. Seine Isolierung, die glühende Verbundenheit mit wenigen Freunden, die große Frömmigkeit und seine einsame Liebe zur Natur, die seine Zuflucht wurde, verlangten nach Ausdrucksmöglichkeiten, und bisweilen brachen seine Gefühle mit explosiver Kraft hervor. Daraus erklärt sich die alles überflutende Woge, die Rousseau in Deutschland hervorrief, wo man ihn als den universalen Befreier empfand. Rousseau verlieh dem deutschen Schriftsteller das Recht und gab ihm den Mut, sich ohne Rücksichten auf äußerliche Erwägungen wie Geschmack, Form und das Zartgefühl seines Publikums auszudrücken. Rousseaus scharfe Unterscheidung zwischen Gesellschaft und Natur zerstörte die der Mimese zugrunde liegende stillschweigende Voraussetzung, daß die Gesellschaft ein Teil, und zwar der bedeutendste Teil der vom Künstler nachzuahmenden Natur sei. Gewiß, Rousseau glaubte an eine neu zu errichtende Gesellschaft. Er verurteilte die bestehende als korrupt und verderbt, wollte die Gesellschaft als solche jedoch nicht ganz abschaffen. Aber diese Seite Rousseaus war es nicht, die in Deutschland besonders wirksam wurde. Nicht *Le contrat social*, sondern *La nouvelle Héloise*, *Les confessions* und *Emile* riefen die Begeisterung der Deutschen hervor. Der *Gesellschaftsvertrag* war bedeutungslos für ein Land, das bisher noch keine nationale Gesellschaft hervorgebracht hatte, und wurde deshalb von den deutschen Schriftstellern und Philosophen weithin ignoriert. Dennoch ermutigte Rousseau den deutschen Schriftsteller dazu, sich selbst und seine eigene Natur unmittelbar auszudrücken, statt die Natur in andern zu beobachten und zu beschreiben.

Diese Tendenz, die der Ästhetik des Sturm und Drang zugrunde liegt, ist eine primitive oder naive Form des Expressionismus. Der Schriftsteller imitiert nicht ein außer ihm liegendes Modell, sondern gewissermaßen sich selbst. Entweder legt er seine Seele bloß und schreibt die Biographie seines innersten Ichs, oder er gibt seine Gefühle unmittelbar wieder, »singt, wie der Vogel singt«, schreit seine Freude und weint seinen Schmerz in dem gleichen Augenblick, da er sie verspürt, oder doch bald danach hinaus. Im ersten Fall drängt es den Schriftsteller, sein Unterbewußtsein, seine Traumwelt zu erforschen; und die Entwicklungslinie führt, wie sie Marcel Raymond nachgezeichnet hat, von Rousseau zum Sturm und Drang, zur Romantik, zum Surrealismus und zu der, wie wir hinzusetzen könnten, intellektuellen und modernisierenden Erscheinungsform des Expressionismus. Im zweiten Fall führt die Linie vom Sturm und Drang zur Volksliedschule der Romantik, der jüngeren oder Heidelberger Romantik, und schließlich zum naiven oder rhetorischen Expressionismus, wie man ihn nennen könnte. Diese Art des Expressionismus ist keineswegs modern, sondern einfach eine wiederbelebte und extremistische Form des Sturm und Drangs, radikalisiert durch die Situation des Schriftstellers, die durch die Verpreußung und Industrialisierung Deutschlands im Zweiten Reich noch ungemein erschwert wurde. Die stilistischen Einflüsse stammen zum Teil von den Schriftstellern des Sturm und Drangs selber, vor allem vom jungen Schiller, der großen Einfluß auf die jugendlichen Expressionisten ausübte. Die Personen in Paul Kornfelds, Walter Hasenclevers und Fritz von Unruhs Dramen wirken häufig wie radikalere Brüder von Karl und Franz Moor, Ferdinand Walter oder Fiesco. Doch das expressionistische *Ich-Drama* folgt auch der Tradition von Goethes *Faust,* einem Werk, das im Sturm und Drang konzipiert und begonnen wurde. Die Expressionisten schätzten Autoren des Sturm und Drangs, wie Lenz und Klinger, sehr hoch. Georg Büchner bildet im neunzehnten Jahrhundert ein interessantes Bindeglied zwischen dem Sturm und Drang und dem Drama Wedekinds, Johsts und Bert Brechts. Nietzsche wurde für die Expressionisten, was Rousseau für den Sturm und Drang gewesen war; doch der deklamierende und pseudo-biblische Nietzsche aus *Also sprach Zarathustra* formte mehr als der brillante Aphoristiker des *Jenseits von Gut und Böse* den Stil der naiven Expressionisten. Der Sturm und Drang war glücklicher daran, da er die wirkliche Bibel und nicht Nietzsches ungeheuer populäre Pseudo-Bibel als Inspiration gehabt hatte. Und was Macphersons *Ossian* und Percys *Balladen* für den Sturm und Drang gewesen waren, wurde Walt Whitman für die naiven Expressionisten Werfel, Wegner, Rubiner, den frühen Iwan Goll und für den halbmodernen Ernst Stadler.

Zwischen dem Sturm und Drang und dem naiven Expressionismus finden sich auffallende stilistische Analogien. Beide Bewegungen neigen zum Sprunghaften und Hektischen im Stil, der durch abgerissene Ausrufe und Satz-Bruchstücke gekennzeichnet wird. Obwohl er lebendig und eindrucksvoll ist, droht er den Zusammenhang zu verlieren und durch willkürliche Assoziationen abzulenken, die den Leser verwirren und den Autor zu Abschweifungen verleiten. Die größte Gefahr dieser Formlosigkeit ist nicht ihre

Aufrichtigkeit, sondern das Gegenteil — während der Autor sich noch für aufrichtig hält, ist er bereits rhetorisch geworden. Die zwischen dem Auftreten des Gefühls und seiner Niederschrift verstrichene Zeit genügt, das Gefühl zu verfälschen, wenn die Aufrichtigkeit das leitende Kriterium des Schaffens ist. Das Verstreichen der Zeit erlaubt außerhalb liegenden Assoziationen oder einer unbewußten Zensur, sich zwischen Herz und Federspitze zu schleichen — und wir erhalten an Stelle des echten Gefühls sein leeres rhetorisches Abbild. Das konsequente Extrem des naiven Expressionismus ist das automatische Schreiben, wie es viele Surrealisten praktizieren. Dieses automatische Schreiben bietet Sätze von hinreißender Schönheit in einem Meer platter Langeweile. (Der Bewußtseinsstrom des inneren Monologs stammt keineswegs vom naiven Expressionismus her, sondern aus einer systematischen Ausweitung des wissenschaftlichen Naturalismus.)

Schon das äußere Bild der Druckseiten bei Gedichten der Expressionisten Johannes R. Becher und Wilhelm Klemm bedeutet einen Angriff gegen den Leser. Ausrufe-, Fragezeichen und Gedankenstriche folgen den Ein-Wort-Sätzen in drohenden Krescendos. Hier schreit das rousseausche Ich nicht nur seine Qual ohne jede Rücksicht auf die Trommelfelle und Manieren der Gesellschaft heraus, sondern es greift die Gesellschaft an, verfolgt, bedroht und bedrängt sie. Sein Brüllen und Schreien ist — wie ein Koller, der sich Aufmerksamkeit erzwingt — der verzweifelte Versuch, eine Beziehung zur Gesellschaft herzustellen, doch nach den Bedingungen des Ich, nicht nach denen der Gesellschaft.

Das Drama des Sturm und Drangs ist ebenso wie das des Expressionismus übervoll von bitteren, heftigen und oft tödlichen Familienkonflikten. Auf dem Höhepunkt des Sturm und Drangs, im Jahr 1775, wurden drei Dramen zu einem Preisausschreiben eingereicht. Alle drei behandelten einen Brudermord. Das berühmteste Drama mit einem zum Brudermord führenden Konflikt ist Schillers *Die Räuber*. Doch im Sturm und Drang ist auch das Verhältnis zwischen Eltern und Kindern häufig überaus gespannt, wie sich in Schillers *Kabale und Liebe*, Klingers *Zwillingen*, Leisewitz' *Julius von Tarent* und sogar in der Gretchen-Episode im *Faust* zeigt. Im Expressionismus ist die Revolte der Söhne gegen ihre Väter — häufig mit vatermörderischem Ausgang — eines der wesentlichen Themen. Diese Konzentrierung auf Familienspannungen illustriert drastisch die tief persönliche Inspiration und den Subjektivismus, die beiden Bewegungen gemeinsam sind.

Der naive Expressionismus verhält sich zum eigentlichen Expressionismus von Trakl, Kafka oder Barlach wie der Gasnebel zum leuchtenden Stern: ein Inkubationszustand, aus dem das vollendete Werk hervorgehen kann. Zwischen dem naiven und dem eigentlichen Expressionismus besteht ein Verhältnis, das dem zwischen Sturm und Drang einerseits und der klaren Formvollendung anderseits ähnelt, die Kant mit seiner Lehre von der autonomen Kunst meint und die Schiller in seiner klassischen Periode ausspricht. Der gleiche Subjektivismus, der den Sturm und Drang hervorrief, findet sich auch in Kants und Schillers Lehre. Beiden ist die souveräne Nichtbeachtung der Gesellschaft durch den Künstler gemeinsam. Der reinen Abstraktion des Modernen wie dem formlosen Schrei des naiven Expressionisten liegt dieselbe Gleichgültigkeit gegen die Welt in ihrem zweifachen Aspekt als Modell und als Publikum zugrunde. Wie der naive Expressionist sich nicht dafür interessiert, ob er den öffentlichen Geschmack und die Sitte verletzt, so ist es dem wahren Modernen gleich, ob das Publikum ihn zu begreifen vermag oder nicht. Beide sind zu keinem Kompromiß bereit. Absichtlich entfremden sie sich ihre Zuhörerschaft und bauen bewußt Hindernisse zwischen sich und dem Publikum auf. Kant, der die Vorstellung einer objektiv existierenden Welt zugleich mit der der Mimese zerstörte, blieb sein Leben lang ein glühender Bewunderer Rousseaus; und in gewisser Hinsicht vollendete er Rousseaus halbfertiges Werk. Rousseau hatte die Gesellschaft vom Individuum abstrahiert und den natürlichen Menschen — der »nackte Mensch« wird zu einem Lieblingsausdruck der Expressionisten — in seiner Reinheit gerühmt. Kant abstrahierte sogar die Natur vom Menschen, so daß der nackte Geist übrigblieb, den weder eine gesellschaftliche noch eine natürliche Welt umgab. Rousseau hatte — in den Augen seiner deutschen Bewunderer — geglaubt, der Mensch könne ohne Gesellschaft existieren. Kant meinte, der Mensch könne ohne eine Welt leben. Das ist ein Unterschied im Grad der Abstraktion — der gleiche Unterschied, den wir in der expressionistischen Bewegung wiederfinden.

Der gewalttätige Ausdruck des eigenen Ich und die absolute Kunst sind nicht die beiden einzigen Möglichkeiten, die dem von seiner Umgebung isolierten schöpferischen Geist offenstehen. Der schöpferische Geist kann versuchen, sich sein Publikum selbst zu schaffen, indem er die Umwelt erzieht. Für den deutschen Literaten des späten achtzehnten Jahrhunderts bedeutete das eine zweifache

Mission: seine Landsleute zu erziehen und eine deutsche Nation zu schaffen. Der deutschen Klassik, zu der sich Herders, Goethes und Schillers Sturm und Drang entwickelte, bot Weimar einen Mittelpunkt, von dem eine pädagogisch-kulturelle Botschaft in das ganze Deutschland hinein ausstrahlen konnte. Der Hof von Weimar hatte sich dem deutschen Intellekt geöffnet, und die Symbiose zwischen den beiden Aristokratien der Geburt und des Geistes vermochte etwas länger als ein Jahrzehnt die größten Schriftsteller Deutschlands zu inspirieren. In diesem einen Augenblick der Geschichte, als Napoleons Hammerschläge das Heilige Römische Reich zerbrachen, jenes verschwommene Erste Reich, hoffte der deutsche Idealismus die Deutschen zu einer »Nation der Menschlichkeit«, einem zweiten Griechenland, einem Gebiet ästhetischer und geistiger Vollendung zu erziehen. Schillers *Briefe über die ästhetische Erziehung des Menschen*, Herders *Briefe zur Beförderung der Humanität* und Goethes *Wilhelm Meister* legen Zeugnis für diesen Glauben von Weimar ab. Doch diese Hoffnung war von einer eigentümlich unrealistischen, abstrakten Art, die ihr gefehlt hätte, wäre Weimar Berlin oder Wien gewesen. In jedem Fall fand das Beispiel des winzigen Herzogtums keine Nachahmung; die großen Höfe des deutschen Reiches eiferten ihm nicht nach, und das erste Weimarer Experiment blieb wie das entsprechende Experiment in unserm Jahrhundert platonisch in verschiedenen Bedeutungen des Wortes. Nach Schillers Tod im Jahr 1805 glaubte selbst Goethe, der einsame Überlebende des Traums von Weimar, nicht mehr daran[1]).

Wenn es dem Geist von Weimar auch nicht gelang, in der politisch-sozialen Sphäre des deutschen Lebens Ergebnisse hervorzubringen, hinterließ er der deutschen Literatur doch ein Vermächtnis stolzer Didaktik und hohen sittlichen Ernstes, das die radikale Ästhetik Kants und Schillers um ihre Früchte brachte. Die ungemein originellen und revolutionären Erkenntnisse des deutschen Idealismus standen im Zusammenhang mit Elementen, die in genau entgegengesetzte Richtung führten. Schiller bietet ein treffendes Beispiel für diese Ambivalenz im deutschen Idealismus. Am Ende seiner *Ästhetischen Briefe* schmuggelt er jene moraldidaktische Ansicht, die er vorher so unbarmherzig ausgemerzt hatte, wieder in seine Ästhetik hinein. Obwohl die Kunst vom Moralisieren befreit werden sollte, blieb sie doch ein Mittel für die

[1]) Eine Erörterung der zunehmenden Desillusionierung Goethes findet sich bei Johannes Hoffmeister Die Heimkehr des Geistes.

Erziehung des Menschen zur sittlichen Vollendung. Die Kunst sollte den Menschen frei machen, damit er sich den moralischen Zustand selbst wählen konnte. So versuchte Schiller zwei radikal entgegengesetzte Anschauungen miteinander zu versöhnen und zu verbinden: die moraldidaktische und die rein ästhetische.

Schillers Einfluß und dazu die dauernde Notwendigkeit für die deutschen Schriftsteller, sich ihr Publikum selber zu schaffen, eine Nation zu erziehen, die entweder der Vergangenheit oder der Zukunft — doch nie der Gegenwart — angehörte, machte es den Deutschen schwer, eine auf rein formale Erwägungen gegründete Kunst auszuüben. Eine Tendenz zum Moralpredigen hemmte den Fortschritt der deutschen Literatur zur absoluten Kunst. Diese Tendenz zeigt sich besonders im Expressionismus und läßt viele expressionistische Werke überlebt und trotz experimenteller Einzelheiten seltsam antiquiert erscheinen. Hoher sittlicher Ernst treibt zum Beispiel Fritz von Unruh zu einer rhetorischen Direktheit, die dem abstrakten Konzept seines Werkes zuwiderläuft und zudem seine Sprache herabmindert. Das Bemühen, moraldidaktischen mit rein ästhetischem Radikalismus zu verbinden, veranlaßt Unruh, wie manchen geringeren Expressionisten aus der Nachfolge Schillers, nach zwei Richtungen hin zu sündigen. Er muß gegen die greifbare Frische des Realismus sündigen; doch gleichzeitig vergeht er sich auch an der strengen Konsequenz der »abstrakten« oder »absoluten« Kunst. Die Vereinigung von missionarischem Eifer und formaler Abstraktion erwies sich für viele Expressionisten als künstlerisch schwächend.

Schillers reife Dramen wurden durch sein scharfes Empfinden für den dramatischen Konflikt, begründet in der brillanten antithetischen Arbeitsweise seines Geistes, die sich aus seinem Satzaufbau nachweisen läßt, davor bewahrt, zu rhetorischen Abstraktionen zu werden. Dieses Vermögen führte Schiller zu einer sehr fesselnden und ästhetisch kraftvollen Abstraktheit. Es handelt sich dabei um eine »französische« Eigenschaft des deutschen Stils, und seine größten Vertreter, Schiller, Heine und Nietzsche, fühlten sich besonders zur französischen Literatur hingezogen, Schiller zum Beispiel zum neuklassischen Drama Racines. Diese scharf antithetische und epigrammatische Intellektualität lebt auch in Thomas Manns essayistischer Ironie weiter, die sich allerdings weniger in seinen Essays als in seiner großen erzählenden Prosa findet. Auch das ist eine sehr wichtige Tendenz im Expressionismus, wo sie sich in dem provozierenden und anregenden Stil Heinrich Manns und

in den Dialogen Wedekinds, Sternheims, Kaisers und Tollers findet.
Schillers moraldidaktischer Hang wurde von Goethes Weimarer Bildungsideal ermutigt, doch ebenfalls von Kants säkularisiertem Protestantismus in der *Kritik der praktischen Vernunft.* Diese beiden Einflüsse störten die Entwicklung einer Dichtung nach rein »ästhetischen Ideen«. Coleridge, von der Neigung zur Didaktik weniger beschwert als die Deutschen, trug mehr dazu bei, die Folgen von Kants Befreiung der schöpferischen Imagination in Theorie und Praxis zu entwickeln. Doch Schopenhauer tat den entscheidenden Schritt über Kant hinaus auf dem Weg zur absoluten Kunst. Indem er die Unvereinbarkeit der menschlichen Bestrebungen mit der menschlichen Existenz aufzeigte, vollendete er den Prozeß, den Kant eingeleitet hatte.

MUSIK UND EXISTENZ

Für Schopenhauer ist das Ding an sich der Wille, ein blindes, rasendes, zielloses Streben ohne jeden menschenwürdigen Sinn. Die Natur ist die vom Willen angenommene Maske. Das vielfältige Schauspiel von Formen und Arten, die der Geist in der Natur wahrnimmt, ist nicht die letzte Wirklichkeit, sondern verbirgt deren Entsetzlichkeit vor unseren Augen. Der Wille gebiert und verschlingt Myriaden von Lebewesen, in deren blindem Kampf ums Dasein der blinde Wille mit sich selber kämpft und sich dauernd selbst verschlingt. Das einzige Entrinnen aus diesem Wahnwitz bietet entweder die buddhistische Verleugnung des Willens, das Nirwana, oder — für Schopenhauer das Zweitbeste — die Erhöhung und Umformung des Willens in die Vorstellung, ein Objekt ästhetischer Kontemplation. Dieses ist die Aufgabe der Musik. Alle andern Künste stellen die illusorische Welt der Natur dar; sie sind bloße Vorstellungen von Vorstellungen. Doch die Musik, die nichts Bestimmtes darstellt, offenbart uns die absolute Wirklichkeit, die rasende, nie aufhörende Energie hinter allen Formen und Erscheinungen, den Willen selbst. So wird durch die Musik die Kunst zur Erlösung.
Schopenhauer postuliert ein sinnloses Universum, in dem sich die Kluft zwischen dem Menschen und der Natur, die Kant — und übrigens auch Hobbes und Hume — aufgerissen hatten, weiter öffnet als je zuvor und weder von der pantheistischen Mystik

der Romantiker noch von Kants oder Schillers Moralgesetz überbrückt wird. Sein Bild des Universums, das die menschliche Existenz jeglicher — auch nur möglichen — Sinngebung oder Absicht entfremdet, ist völlig modern. Schopenhauers Wille unterscheidet sich in nichts von Melvilles oder Joyces Schau Gottes als des Rachens eines universalen Todes. Er nimmt die Ansicht von der Natur, wie sie der Darwinismus förderte, vorweg. Er liegt einem großen Teil des Existentialismus zugrunde. Die letzte Wirklichkeit ist bedeutungslos für die menschliche Existenz. Deshalb muß die Kunst, die die Wirklichkeit offenbart, frei sein von den Illusionen natürlicher Formen, von begrifflichem Inhalt oder sittlicher Tendenz. Es ist eine Kunst ohne Ideen oder richtiger: eine Kunst, in der die Ideen mit der Form zusammenfallen und keine Verbindung zwischen dem funktionellen, sich selbst genügenden Universum des Werkes und dem außerhalb des Werkes liegenden illusorischen Kosmos der empirischen Erfahrung schaffen. Eine solche Kunst ist aus zwei Gründen Erlösung: sie befreit den Menschen aus der Schlinge praktischer Interessen, mit denen ihn der Wille narrt und dazu verlockt, nach seinem Geheiß zu tun; und sie entlarvt den sinnlosen Kampf ums Dasein, dem sowohl die Logik wie die Moral dienstbar sind, indem sie danach trachten, ihn zu regulieren, statt ihn zu beseitigen, und läßt uns die Wahrheit schauen — den Pulsschlag des Willens, der durch die Ewigkeit klopft. Doch allein schon durch den Prozeß, die Sinnlosigkeit der Wirklichkeit zu enthüllen, erzeugt die Musik Form und Sinn. Sie fängt den formlosen Willen in eine vom Menschen geschaffene Form ein. Sie erhebt die Wirklichkeit zu einer Idee. Sie verteidigt den Menschen gegen den Willen, indem sie den Willen fesselt und so zu einer Großtat des Menschen wird. Die Musik wird zur Erlöserin des Menschen wie schon früher die Kunst für Schiller und die Romantiker, weil sie den Menschen von der Verblendung befreit, ihn in das Wissen einführt und in einem sinnlosen Universum Sinn schafft. Sie ist nicht ein Mittel der Erlösung, sondern die Erlösung selbst. Dies ist die Tragweite von Schopenhauers Ästhetik, die Wagner, Baudelaire, Mallarmé und die französischen Symbolisten allgemein faszinierte; von ihnen wurde sie weiterentwikkelt und bildet das Fundament der Moderne[1]).

Schopenhauers Ästhetik ist die konsequente Fortführung derjenigen Kants. Die Musik in ihrer reinsten Form ist nichts anderes als

[1]) Über den Einfluß Schopenhauers auf die französischen Symbolisten vgl. Lehmann, The Symbolist Aesthetics in France 1885—1895, pp. 57—67.

eine ästhetische Idee. Ihre Form ist ihr Inhalt, und ihr Inhalt ist untrennbar von ihrer Formgebung. Das ist natürlich auch die Grundkonzeption der Klassik Goethes und Schillers und der Romantik Schellings; sie ist wesentlich für den ganzen deutschen Idealismus. Doch bei Schopenhauer verbindet sie sich mit der Überzeugung von einem sinnlosen, ja sinnwidrigen Universum. Diese eigentümliche Mischung von Idealismus und Nihilismus erklärt die Faszination, die Schopenhauer auf die entstehende Mentalität der Moderne ausübte. Die Akkorde der Musik im Schopenhauerschen Sinn bedeuten die Widerrufung des Willens, während ebendieser Wille dargestellt wird. Thematische Variationen, Harmonie, Kontrapunkt haben nicht die mindeste Beziehung zur praktischen Wirklichkeit. Sie porträtieren nicht die Natur; sie mahnen uns nicht zu sittlichem Verhalten; sie liefern keinerlei Informationen außer denen über ihre eigene formale Struktur. Die uneigennützige, spielerische Absicht des Künstlers, seine souveräne Freiheit bestimmen allein den Charakter seines Werkes.

Aber wenn die Musik völlig ohne empirischen »Sinn« ist, mangelt es ihr doch nicht an »Inhalt«. Sie übermittelt Emotionen, ehe die praktischen Bedürfnisse des Lebens, d. h. des »Willens«, sie zu deutlichen Gefühlen und begrifflich festgelegten Gedanken geformt und verengt haben, und enthüllt so den nackten Willen, wie er existiert, bevor er die Masken der Individuation annimmt. Die Musik offenbart ein universales Verlangen ohne Absicht und Ziel, ein emotionales Absolutum, die Wirklichkeit in ihrem wahren und ursprünglichen Zustand. Mit dieser radikalen Wendung, die Schopenhauer der Ästhetik des deutschen Idealismus gab, übte sie ihren ungeheuren Anstoß auf Frankreich aus und führte — entweder unmittelbar oder auf dem Weg über Wagner — zum Entstehen der Moderne.

Die Musik löste die Bildhauerei als die wesentliche Kunst des Abendlandes ab. Die freie Komposition funktioneller, sich selbst genügender Universen ersetzte die Nachahmung natürlicher Formen als Hauptzweck und -absicht aller Künste. In der Malerei bedeutete dies, daß keinerlei Ähnlichkeit mit den äußeren Gegenständen — zum Beispiel Landschaften oder Personen —, sondern ausschließlich die Intentionen des Künstlers seine Anordnung von Farben und Linien auf der Leinwand bestimmen sollten. Für die Literatur hieß es: die Struktur eines Gedichtes, Dramas oder einer Erzählung brauchte nicht mehr mit einer äußeren Richtschnur übereinzustimmen; die Bilder in einem Gedicht mußten einander nicht mehr in einem einleuchtenden und logischen Ablauf folgen; die Handlungen der Personen in Dramen oder Novellen brauchten sich nicht mehr nach der psychologischen Glaubwürdigkeit zu richten; Metaphern konnten aus ihrem Zusammenhang herausgerissen und willkürlich oder autonom benutzt werden, genau wie van Gogh und Gauguin die Farbe verwendeten, um unmittelbar die Gefühlswerte der Komposition ohne Rücksicht auf die sich auf die empirische Erfahrung stützenden Erwartungen des Betrachters auszudrücken. Die Aneignung dieser Grundbegriffe der musikalischen Komposition durch andere Künste ist wahrscheinlich das beherrschende Einzelmerkmal der gesamten Moderne.

Die eigentliche Moderne beginnt erst dann, wenn das Prinzip der musikalischen Komposition nicht mehr nur *neben* den älteren Belangen der Kunst — Glaubwürdigkeit, logischer Gedankenablauf, Genauigkeit der Darstellung und Porträtähnlichkeit — besteht. Thomas Mann und Marcel Proust können, obwohl sie große symphonische Komponisten sind, nicht als völlig modern betrachtet werden, weil die symphonische Struktur ihrer Romane sich nur neben älteren und traditionellen Kriterien oder Belangen findet. Sie gehen nicht so radikal von der Tradition des Charakterporträts ab wie Joyce in *Finnegan's Wake* oder wie Kafka. Für das Moderne spricht mehr die Ausschließlichkeit des musikalischen Prinzips als seine bloße Anwendung neben andern Prinzipien. Kandinsky ruft alle Künste auf, zu werden wie die Musik. Paul Valéry nennt die Architektur und die Musik die Erzkünste, denen alle andern nacheifern sollten. Und wir stellen fest, daß Architektur und Musik die einzigen Künste sind, in der die Darstellung des Menschen oder irgendeines natürlichen Gegenstandes fast unmöglich ist; nahezu sämtliche Bezüge auf ein äußeres Universum sind verbannt und die Arbeitseinheit — zum Beispiel der einzelne Akkord — erhält ihre Bedeutung ausschließlich von ihrer Funktion im Ganzen[1]).

Diese Musikalisierung steht üblicherweise in Verbindung mit dem Glauben, daß es in dem Universum außerhalb des Menschen keinen Sinn gebe, ja überhaupt nirgends außerhalb des Ich, und daß der Mensch durch die Schaffung eines künstlichen Universums formaler Beziehungen den einzigen Sinn erzeuge, den es überhaupt gibt.

[1]) In der Architektur bezieht sich die Bedeutung des Ausdrucks »Funktion« allerdings auf die Nützlichkeit innerhalb eines äußeren Universums; aber das gilt auch für die Musik, insofern sie nämlich für einen bestimmten Zweck geschrieben ist — etwa um den Auftrag eines Mäzens zu erfüllen oder um die Zuhörer zu einer bestimmten emotionalen Haltung zu veranlassen. Diese außerkünstlerische Nebenabsicht ändert nichts an der Tatsache, daß diese beiden Künste gleicherweise nicht-darstellend und unabhängig von einem außerkünstlerischen Bezugssystem sind.

Oder sie gründet sich auf den Glauben, daß es zwar außerhalb des Menschen einen Sinn gebe, daß man ihn jedoch nur schwer erkennen und sich zu ihm in ein Verhältnis setzen könne. In diesem Fall vermag der Akt des künstlerischen Schaffens oder der Selbstenthüllung des Menschen zu klären, was eines seiner Sinnesorgane wahrnimmt. Hier wird die Kunst abermals der einzige Weg zum Sinn. Der Haß oder die Gleichgültigkeit der Natur oder dem »Natürlichen« gegenüber kennzeichnen die Moderne. Sie lehnt das »Gegebene« ab und bemüht sich, es zu transzendieren. Yeats' »Artificium der Ewigkeit« könnte ihr als Motto dienen.

Die Anziehungskraft des deutschen Idealismus in der Schopenhauerschen und Wagnerschen Form traf im nachnapoleonischen Europa, insbesondere in Frankreich, auf eine bemerkenswert verwandelte gesellschaftliche Situation des Schriftstellers und Künstlers. Die Symbiose von Künstler und Gesellschaft, aus der die Theorie der Mimese stammte, war nach dem endgültigen Sieg der Bourgeoisie nicht mehr vorhanden. Die Einführung deutscher Ideen in das Frankreich und Westeuropa des neunzehnten Jahrhunderts wurde von einer Entwicklung begleitet, in deren Verlauf sich die soziale Stellung des westlichen — und insbesondere des französischen — Künstlers der des deutschen Literaten anzugleichen begann. Der ernsthafte Künstler verlor in der neu entstehenden nicht-kultischen und nicht-aristokratischen Gesellschaft seine Funktion. Die bürgerliche Gesellschaft war weder eine politisch-religiöse Gemeinschaft wie der antike Stadtstaat noch ein Zentrum von Eleganz und Pracht wie die Höfe der Renaissance und des siebzehnten Jahrhunderts. Sie hatte nicht das Bedürfnis, sich feiern zu lassen. Sie war ungeordnet und dezentralisiert, wenn auch die Salons die Tradition der Höfe für lange Zeit fortsetzten. Alles, was die dezentralisierte bürgerliche Gesellschaft wünschte, war Unterhaltung als Ablenkung von ihren anspruchsvollen Aufgaben des Geldverdienens. Der Künstler hatte drei Möglichkeiten. Er konnte Fabrikant von Artikeln der ablenkenden und zerstreuenden Unterhaltung werden wie Dumas père. Er konnte auch die von Cervantes, Swift und Voltaire begründete satirische Tradition fortsetzen, sie mit der technisch-naturwissenschaftlichen Einstellung des Industriebürgertums verbinden und damit das schaffen, was man später Naturalismus nennen sollte. Balzac im Roman und Dumas fils im Drama vereinigten so Unterhaltung mit dem ernsthaft beobachtenden Geist des literarischen Naturalismus. Im Naturalismus triumphiert allerdings noch einmal die Theorie der

Mimese. Doch die Einstellung des Künstlers zur Gesellschaft hat sich gewandelt. Er tritt zur Seite und richtet die scharfe Linse seines naturwissenschaftlichen und reformerischen Geistes auf die Risse und Greuel, die die Gesellschaft seinem Blick bietet. Hier gibt es keine Verherrlichung und kein Feiern. Der Naturalist sieht nicht Glanz und Annehmlichkeit der Gesellschaft, sondern ihre Übel und ihre Tyrannei. Die Lehre von der unausweichlichen und zermalmenden Allmacht des Milieus betrachtet die Gesellschaft eher als eine ungeheuerliche denn als eine wohltätige Wirklichkeit, genau wie die Natur nach Schopenhauer und Darwin nicht als Kosmos, sondern als der ungeheuerliche Rachen der ewigen Vernichtung gesehen wurde. Der von der eigenen Wucht bis ins Extrem getriebene Naturalismus bereitete die Todesschläge gegen die Mimese vor, aus der er stammte. Zolas Freund Cézanne ging in der Malerei weit über die Mimese hinaus, und der extreme Naturalismus der Bewußtseinstechnik des inneren Monologs endete in den musikalischen Strukturen von T. S. Eliot und James Joyce. Die dritte Möglichkeit, die der Künstler im bürgerlichen neunzehnten Jahrhundert hatte, war die, die fehlende Funktion zu seinem Schicksal zu machen und völlig frei zu werden: poète maudit und Moderner. Der asoziale und antisoziale Charakter der französischen Symbolisten, auf die Schopenhauers Philosophie und Wagners Musik besonderen Einfluß ausübten, ist durchaus bekannt. Doch schon vor dem Erscheinen des Symbolismus betrachtet Gérard de Nerval, Bindeglied zwischen E. T. A. Hoffmanns Romantik, Baudelaire und dem Surrealismus, den »Elfenbeinturm« als Lebensform. Auf einer der ersten Seiten, auf denen dieser Ausdruck auftritt, wird der Elfenbeinturm, das Symbol der hochmütigen Abwendung des Künstlers von der Welt, als ein Schicksal betrachtet, das dem empfindsamen Geist von der Natur der neuen, nach den napoleonischen Kriegen entstehenden Gesellschaft aufgezwungen wird:

»Wir lebten damals in einer seltsamen Epoche, wie sie gewöhnlich auf Revolutionen oder den Verfall großer Regierungen folgt. Es war nicht mehr der ritterliche Heroismus der Fronde, das elegante, geputzte Laster der Régence oder die Skepsis und die wahnwitzigen Orgien des Directoire. Es war eine Zeit, in der sich Aktivität, Zögern und Trägheit mit verwirrenden Utopien, Philosophien und religiösen Bestrebungen, verschwommenen Enthusiasmen, halbherzigen Vorstellungen von einer Renaissance, Erschöpfung nach vergangenen Kämpfen und unsicheren Optimismen begegneten

— nicht unähnlich der Epoche des Peregrinus und Apuleius... Wir hatten das Alter des Ehrgeizes noch nicht erreicht, und die gierige Jagd nach Ehren und Posten veranlaßte uns, allen Sphären der Aktivität fernzubleiben. Die einzige uns gebliebene Zuflucht war der Elfenbeinturm des Dichters, in dem wir immer höher stiegen, um uns von der Masse abzusondern.«[1])
Während Schopenhauers Philosophie und die Naturwissenschaft des neunzehnten Jahrhunderts die Vorstellung von einem sinnerfüllten natürlichen Kosmos beseitigen, zerfällt auch die Vorstellung von einem sinnerfüllten sozialen Kosmos. Chaos läßt sich jedoch nicht von der Kunst imitieren. Es kann höchstens in dem artifiziellen Universum der Surrealität transzendiert oder neu erschaffen werden.
Schopenhauers höchste Würdigung der Musik enthielt die stillschweigende Folgerung, daß die Aufgabe der Kunst die sei, die Welt unterhalb der Ebene der Individuation darzustellen — die Welt als Wille, nicht als Vorstellung. Nietzsche pries die kollektive Ekstase des »Geistes der Musik«, der uns von der Tragödie der Individuation befreie und mit der Quelle vereinige, aus der Schöpfung wie Zerstörung fließen: mit dem alles verschlingenden, alles schaffenden Willen. Keineswegs beklagte Nietzsche die zerstörende Gewalt des Willens, wie der »bourgeoise« Schopenhauer sie noch beklagt hatte, sondern freute sich an der Möglichkeit einer ekstatischen Vereinigung mit ihm. Rimbaud, zehn Jahre jünger als Nietzsche, gelangte ein Jahr früher als der jugendliche deutsche Professor zu einer heftigeren Form des Dionysischen. Der Dichter müsse sein individuelles »Ich«, seine »bürgerliche« Schale vernichten oder mindestens in Unordnung bringen, damit das verschüttete Wesen der Welt aus seinen Visionen und Halluzinationen hervorbrechen könne. Rimbaud postulierte nicht nur die Zerstörung des Ich, sondern auch die Zerstörung der Welt. Er rief nach der »Zeit der Mörder«, die die Sozialstruktur vernichten sollten, wie der Dichter die übliche Sprachstruktur auflösen müsse, um zum Gott zu werden und ein neues Universum aus den Ruinen des alten zu schaffen, ein reineres und vollkommeneres Universum als das Jehovas, des langweiligen Tyrannen, den alle achtbaren Leute, vor allem Rimbauds engstirnige, tyrannische Mutter, verehrten. In gewalttätiger Form nimmt Rimbaud Nietzsches Umwertung aller Werte und den Begriff des Übermenschen, des neuen menschlichen Gottes, vorweg.

[1]) Nerval, *Sylvie* (1854) in *Œuvres complètes*, 1926—31.

Doch es gibt mehrere Wege, um die »Musikalisierung« und die Erschaffung des artifiziellen Universums der »Surrealität« zu erreichen. Als einen davon könnte man den Surrealismus bezeichnen. Er leitet sich von der Romantik, Nerval, Baudelaire und besonders von Rimbaud her. Er ist subjektiv und schafft die Surrealität, die Überwirklichkeit, mit Hilfe von Traumbildern und Halluzinationen — immer jedenfalls mit Hilfe der geistigen Vergegenwärtigung. Nietzsches Begriff vom Dionysischen ist ihm gar nicht fern.

Im Gegensatz zum Surrealismus steht ein anderer, sehr wichtiger Zweig der Moderne, der Mallarmé näher ist als Rimbaud, Bergsons heiterer Rückgewinnung der zeitlosen Erinnerung in der Intuition näher als Nietzsches die Zeit mißachtender Ekstase. Valéry, T. E. Hulme, Pound, Eliot und Joyce vertreten diesen Zweig. Sein Äquivalent in der Malerei ist der von Cézanne stammende Kubismus. Ich werde diese Form der Moderne »kubistisch« nennen; dieser Ausdruck ist als gemeinsamer Nenner viel angemessener, als es auf den ersten Blick scheinen will. Der Kubismus strebt in erster Linie durch intellektuelle Mittel nach »Surrealität« und Musikalisierung. Er ist weit stärker experimentell als der Surrealismus, doch gleichzeitig viel objektiver. Sein Ausgangspunkt ist eher eine objektive Situation als das individuelle Unbewußte. Er stützt sich zwar ebenfalls auf das letztere, benutzt es jedoch nur als eines von mehreren Mitteln. Er betont stärker das strukturelle Element als die auffallende sichtbare Einzelheit. Der literarische »Kubismus« experimentiert weniger mit der Metapher, der bildlichen Sprache, als mit der Sprache im ganzen.

Expressionismus ist ein Sammelbegriff, der beide Formen der Moderne umfaßt. Es gibt surrealistische Expressionisten, vor allem die Dichter Heym, Lichtenstein, van Hoddis; doch auch Trakl, Kafka und mehrere Dramatiker kommen diesem surrealistischen Expressionismus sehr nahe. Und es gibt kubistische Expressionisten; der ausgeprägteste unter den Kubisten ist Gottfried Benn. Die Dichter des *Sturm*-Kreises und die Dramatiker Wedekind, Sternheim und Kaiser stehen dieser Richtung sehr nahe. Doch die entscheidende formale Tendenz des Expressionismus, der eigentliche Expressionismus, ist dem Surrealismus enger verbunden als dem Kubismus. Dieser eigentliche Expressionismus ist subjektiv, traumhaft, visionär — nicht so sehr auf das Objekt gerichtet, nicht intellektuell und sprach-experimentierend. Vom Surrealismus unterscheidet ihn indessen seine existentielle Ernsthaftigkeit und

Konsequenz. Der eigentliche Expressionismus ist die existentielle oder proto-existentialistische Form der Moderne.
Alle drei Schulen der Moderne zielen auf die Musikalisierung und Funktionalisierung der Kunst ab, auf die Preisgabe äußerer Systeme und auf die Schaffung sich selbst genügender künstlicher Universen. Sie lehnen die Mimese und Porträtkunst zugunsten einer Mischung aus freiem Schaffen und Offenbarung ab. Alle verwerfen die traditionelle Charakterisierungstechnik in der Literatur.
Die Musikalisierung des Symbols und die mit ihr Hand in Hand gehende Zerstörung des traditionellen Persönlichkeitsbegriffs sind die stärksten Bindeglieder zwischen allen Erscheinungsformen der modernen Kunstrichtungen, doch ganz besonders zwischen dem Surrealismus und dem Expressionismus. Eine kurze Untersuchung des Symbols und der tiefgreifenden Veränderungen, die seine Bedeutung in der Poesie, dem Drama und in der erzählenden Prosa des neunzehnten und zwanzigsten Jahrhunderts erlebte, wird uns zum Kern des Problems der Moderne führen.
Für Goethe bedeutet das Symbol den »Zusammenwurf« eines individuellen Charakters oder einer Einzelerscheinung mit einer umfassenden Idee. Das Symbol ist eine Szene oder Gestalt in einem Kunstwerk, die als ausgewachsenes Individuum a priori vorhanden ist — im Gegensatz zur Allegorie —, vertritt jedoch gleichzeitig die Gesamtheit ähnlicher Fälle und damit eine universale Idee. Goethe betont nachdrücklich, daß das Symbol, um wirksam zu sein, vor allem umfassend und sinnvoll in sich sein muß. Und in der Tat kann die im Sinnbild verkörperte universale Wahrheit poetisch nur dann wirksam werden, wenn dieses Symbol ein autonomes, sich selbst genügendes Dasein führt und einen überzeugenden Eindruck von seiner Realität wiedergibt[1]).
Goethes Symboltheorie bewahrt das Prinzip der Mimese in seiner illusionistischsten Form: das Kunstwerk müsse die Illusion hervorrufen, daß es die empirische Wirklichkeit reproduziere. Sie bildet eine auffallende Parallele zu seiner Vorstellung von der Persönlichkeit, der typischen Person, in der die Forderungen der individuellen Besonderheit oder des »Charakters« und die der gesellschaftlichen Übereinstimmung oder des »Universalen« eine vollkommene Synthese eingehen. Sowohl das Symbol wie die Persönlichkeit zeigen auf verschiedene und doch eng zusammengehö-

[1]) Der Unterschied zwischen Symbol und Allegorie bei Goethe wird ungewöhnlich gut von Johannes Hoffmeister in seiner Einführung zu Goethes *Märchen*, p. 8 ff., dargestellt. Meine Untersuchung über den Begriff des Symbols bei Goethe und Schelling stützt sich zum Teil auf René Wellek, *A History of Modern Criticism*: 1750—1950, I, 210—11; II, 76.

rige Weise, wie Goethe sich beharrlich bemüht, das Individuum zugleich mit der Idee der kosmischen und gesellschaftlichen Ordnung zu bewahren. Die Bildung formt die Persönlichkeit; doch der Ausdruck stammt von der bilder-schaffenden Tätigkeit (dem Bilden) des gestaltenden Künstlers her. Die Ideale der griechischen Bildhauerei (und die Schatten Winckelmanns) liegen Goethes Begriff des Symbols zugrunde. Eine vollendet gestaltete menschliche Figur verkörpert eine allgemeine Macht, die Gottheit nämlich, die die Statue darstellt.

In der Praxis stimmte Goethe gewöhnlich nicht mit seiner Theorie überein. Besonders in den Alterswerken neigte er dazu, die allgemeine auf Kosten der individuellen Komponente des Symbols zu verstärken und näherte sich damit der Allegorie. Die Gestalt der *Sorge* im zweiten Teil des *Faust* bietet dafür ein gutes Beispiel. Diese weibliche Figur ist allegorisch, nicht symbolisch, weil sie sich uns nicht als faßbares Individuum, sondern offensichtlich als Verkörperung einer universalen Idee, der Idee der Sorge, darstellt. Jeder Leser versteht sofort, was sie ist. Die expressionistische Gestalt bleibt dagegen, wie wir sehen werden, geheimnisvoll, weil sie keine universale Idee verkörpert und natürlich auch kein Individuum ist. Das Allegorische ist nur dann möglich, wenn ein universales Gebäude geistiger Zusammenhänge vorhanden ist, das Autor und Leser gleichermaßen anerkennen.

Bei Schelling zeigt sich die enge Verbindung zwischen der klassisch-romantischen Vorstellung vom Symbol und der Kunst des antiken Griechenlands noch deutlicher als bei Goethe. Für Schelling sind die Götter der griechischen Mythen die besten Beispiele des Symbolismus. Sie sind scharf profilierte Individuen, die allgemeine Naturkräfte oder allgemeine geistige Aspekte darstellen. In Hegels Ästhetik behält das Symbol die gleiche Rolle. Nach Hegel läßt die Kunst eine universale Idee in einem individuellen Phänomen transparent werden. Diese Ansichten über das Symbol setzen also das Nebeneinanderbestehen der Persönlichkeit und einer kosmischen Ordnung sowie die Möglichkeit einer engen Beziehung zwischen ihnen voraus.

Die großen Realisten des neunzehnten Jahrhunderts, vor allem Flaubert und Ibsen, taten einen entscheidenden Schritt auf dem Wege zur absoluten Kunst, indem sie einzelne Ereignisse, Objekte oder individuelle Personen in ihren Werken zu Symbolen nicht für universale Mächte oder Ideen machten, sondern zu Symbolen der ästhetischen Idee des Werkes selbst. Obwohl die selbst-verständliche »realistische« Existenz des selbständigen Einzelereignisses, -objekts oder der individuellen Person erhalten bleibt, wird das Symbol auch zu einer Funktion innerhalb des Werkes. Jeder Leser von Ibsens *Wildente* und *Rosmersholm* muß sich der bedeutenden und besonderen Rolle des Symbolismus in diesen Modelldramen des europäischen Realismus bewußt sein, und diese Tendenz verstärkt sich natürlich noch in Ibsens Alterswerken. Es ist allgemein bekannt, wie sehr die großen Modernen Joyce und Kafka die Meister des Realismus des neunzehnten Jahrhunderts, Ibsen und Flaubert, bewunderten. Diese Bewunderung ist, wie unsere Untersuchung zeigen wird, nicht zufällig. Die Modernen entwickelten Möglichkeiten, die in der Methode des Realismus des neunzehnten Jahrhunderts enthalten waren, konsequent bis zum Extrem. Für unsere Erörterung wähle ich ein Beispiel aus Flauberts *Madame Bovary*.

In *Madame Bovary* erscheint mehrmals ein blinder, verunstalteter Bettler an der Postkutsche, in der Emma Bovary nach dem Stelldichein mit ihrem Liebhaber Léon nach Hause fährt. Als Emma Bovary später Gift genommen hat und im Sterben liegt, hört sie den Bettler draußen auf der Straße unter ihren Fenstern. Diese Gestalt existiert als plastisches und glaubwürdiges Individuum außerhalb des Lebens der Heldin. Das Auftauchen an der Postkutsche ist logisch erklärlich, weil dort eine gute Gelegenheit zum Betteln gegeben ist. Das Wiederauftauchen des Bettlers vor Emmas Wohnung zur Zeit ihres Todes ist ebenfalls gerechtfertigt. Der Autor hat sich die Mühe gemacht, eine vernünftige Erklärung für dieses Zusammentreffen zu geben. Der Apotheker, Monsieur Homais, hat dem Bettler vorgeschlagen, ihn aufzusuchen, um mit ihm über die Möglichkeit einer Heilung zu sprechen. Der Bettler klammert sich an diesen Strohhalm der Hoffnung und tastete sich nach Yonville, der Stadt, in der Madame Bovary und Monsieur Homais lebten — gerade an dem Tag, an dem Emma Bovary starb. Die dreidimensionale Realität des Bettlers wird weiter dadurch bekräftigt, daß Monsieur Homais seinem Unwillen über die »überholten mittelalterlichen Zustände« in Frankreich, wie sie das Dasein eines solchen unglücklichen Menschen beweist, Ausdruck verleiht. Dadurch, daß Flaubert die verschiedenartigen Reaktionen von Individuen auf den Bettler betont — den politischen Unwillen von Monsieur Homais, Emmas instinktives ästhetisches Entsetzen und ihre Melancholie, die hartherzige Brutalität des Kutschers —, überzeugt er uns von der tatsächlichen Realität dieser Gestalt.

Flaubert hat ihn in die Perspektive gesetzt, in der die Schöpfung des Künstlers wie eine Erscheinung des wirklichen Lebens wirkt. Dennoch spüren wir außerdem, daß der Bettler in dem Roman auch aus andern Gründen erscheint als deshalb, weil der Autor der Lehre der Mimese gemäß soziales Elend porträtieren oder durch den Bettler die universale Idee menschlicher Erbärmlichkeit darstellen will. Das gräßliche Gesicht, das vor Emmas Augen auftaucht, die bebende Stimme, die sie in ihrem Todeskampf quält, sagen etwas über sie aus, was der Autor auf andere Weise nicht so bündig und lebhaft hätte ausdrücken können.

Der Bettler wird in die Handlung eingeführt, als Emmas romantische Illusionen über ihr Liebesverhältnis noch nicht zerstört sind. Das wahre Gesicht dieses Verhältnisses, seine schmutzige Erbärmlichkeit, ist ihrem romantischen Geist noch nicht klargeworden. In diesem Punkt der Geschichte taucht der Bettler auf, zeigt der erschütterten und angewiderten Dame sein entsetzliches Gesicht und singt ein Liedchen vom Wunsch einer Jungfrau nach Liebe im Mai. Daß das grauenhafte Gesicht vor ihr enthüllt wird, läßt die schreckliche Enthüllung des wahren Gesichts ihrer Liebe ahnen. Zusammen mit dem idiotisch sentimentalen und wollüstigen Lied gibt dieses Gesicht die Essenz von Emmas Leben wieder.

Der Bettler steht in einer funktionellen Beziehung zu Emma Bovarys innerem Leben. Seine Auftritte nehmen die Hauptidee des Werkes und das Wesen der Existenz der Heldin vorweg, laufen mit ihnen parallel und unterstreichen sie. Die Gestalt, der Charakter, ist zum Symbol geworden. Doch das Symbol vertritt nicht wie bei Goethe oder Hegel eine universale Idee; es spiegelt die ästhetische Idee des Werkes wieder, wie Kant es ausdrückt. Flauberts symbolische Gestalt verkörpert die Idee der Handlung. Der Bettler beeinflußt die Emotionen des Lesers auf eine Weise, die die von der Handlung hervorgerufenen emotionalen Wirkungen verstärkt. Deshalb entspricht er Kants Begriff des »ästhetischen Attributs«. Die Gestalt wird wie eine Metapher verwendet. Wie die Metapher die emotionale Bedeutung eines Abschnitts sichtbar macht und dadurch betont, so verstärkt der Bettler in Flauberts Roman die emotionale Wirkung des ganzen Buches. Er entspricht der musikalischen Variierung des Hauptthemas.

Flaubert dehnt die Rolle des Symbols sogar noch weiter aus. Er macht es zum Ausdrucksmittel der inneren Zustände seiner Hauptgestalt. Das erste Auftreten des Bettlers im Roman macht Emmas verborgene Gefühle über ihr Liebesverhältnis und ihr Leben klar.

Sie ist sich ihrer zu dieser Zeit nicht bewußt, und der Autor bemüht sich, sie nicht deutlich auszusprechen. Doch der Bettler erweckt eine tiefe Melancholie in ihr. Diese Melancholie hat keine näher erläuterte Ursache. Die Ursache ist nicht das Auftreten des Bettlers als solches. Emma hat eben ihren Liebhaber verlassen und ist seelisch ganz von ihrem Liebesverhältnis erfüllt. Doch die verdrängte Vorahnung ihrer Verzweiflung, die die Umstände eines Tages in ihr Bewußtsein heraufheben werden, hat in der Existenz des Bettlers und in seinem albernen Lied eine Verkörperung gefunden. Gerade in dem Werk, das im neunzehnten Jahrhundert die Krönung des Realismus darstellt, nimmt Flaubert ein Kunstmittel vorweg, das wesentlich für den Expressionismus ist. Er drückt die verdrängten Gefühle oder die unterdrückte Bewußtheit der Hauptgestalt dadurch aus, daß er sie in einer andern Gestalt verkörpert; diese symbolische Gestalt wird damit zum gegenständlichen Korrelat für innere Zustände, die die Hauptgestalt vor sich selbst verheimlicht. Der Autor macht das, was der Gestalt unbekannt, aber bezeichnend für sie und in ihr verborgen ist, dem Leser sichtbar, ohne es ihm geradezu zu berichten, wie es die traditionelle Erzählung üblicherweise tat.

Die beiden traditionellen Methoden, über die inneren Zustände einer Gestalt zu unterrichten, waren die dramatische Methode, die Gestalt und Emotionen durch Tun und Reden erschloß, und die erzählerische Methode, in der der Autor selbst uns über Emotionen und Gedanken seiner Gestalt informiert und dazu Stellung nimmt. Homer zeigt uns Achilles, wie er schreit und sich im Staub wälzt; Virgil sagt uns, daß Äneas traurig sei und beschreibt uns seine Gedanken. Der Vorteil der dramatischen Methode ist ihre Lebendigkeit, der der erzählerischen Methode ihre analytischen Möglichkeiten: sie kann uns über Emotionen unterrichten, die die Gestalt sich selber nicht bewußt werden lassen mag, über Dinge, die mit dieser Gestalt zusammenhängen und die diese selbst nicht kennt, und vor allem über Gefühle, die die Gestalt zwar kennt, die sie jedoch andern nicht zu zeigen und vielleicht nicht einmal ganz vor sich selber zuzugeben wagt. Autoren, die sich mit gehemmten und innerlich gespaltenen Charakteren beschäftigen — wie Henry James und Proust —, Meister der Charakteranalyse, benutzen die dramatische Methode selten. Doch auch die erzählerische Methode besitzt Nachteile. Zu allererst mangelt es ihr leicht an Lebendigkeit und Unmittelbarkeit, und sie kann durch ihr intellektuelles Vorgehen überladen werden. Das bedeutet nach Kandinsky ein ernstes Problem für den modernen Schriftsteller. Wie kann er den komplizierten, gehemmten und ambivalenten Emotionen des modernen Menschen gerecht werden, ohne die Lebendigkeit des Effekts zu opfern? Das Problem wird besonders akut im Drama, in dem der Monolog das Hauptmittel zur Äußerung der inneren Zustände einer Gestalt gewesen ist. Doch der Realismus verbannte den Monolog, und überdies ist der Monolog ohnehin nicht imstande, das Unbewußte der Gestalt auszudrücken. Was kann der Dramatiker tun, damit sein Publikum weiß oder richtiger: spürt, was in den Seelentiefen einer Gestalt liegt? Hier zeigten Ibsens Symbolismus, wie ihn Maeterlinck weiterentwickelte, und — wie Kandinsky nachweist — Wagners Leitmotiv den Weg zu einer neuen Lösung.

Wagner drückt das Wesen einer Gestalt oder einer Gefühlssituation durch eine Tonfolge aus, die bestimmte Gefühlsreaktionen im Hörer hervorrufen soll. Die Gestalt wird nicht wie in der erzählerischen Methode analysiert; sie handelt und spricht auch nicht wie in der dramatischen Methode. Der Charakter der Gestalt ist in einem ästhetischen Attribut enthalten, in dem musikalischen Thema, das dem Publikum eine Gefühlshaltung suggeriert. So wird das Leitmotiv zum Symbol. Doch es ist ein Symbol, das, anders als das Symbol nach Goethes Definition, nicht eine universale Idee darstellt, sondern als Ausdrucksfunktion im Kunstwerk dient. Auf die Literatur übertragen, kann das leitmotivische Symbol ein Vergleich oder eine Metapher sein, es kann sich um Aussehen und Gesten einer Gestalt handeln (Thomas Manns früher Gebrauch des Leitmotivs), oder das Symbol mag die Form einer selbständigen Gestalt annehmen, wie es bei Flaubert zum Teil der Fall ist. Wird dieses Kunstmittel bis zum Äußersten durchgeführt und erstreckt es sich auf die gesamte Komposition des Werkes, so wird es zum Expressionismus. Dann hört der symbolische Charakter auf, das Porträt einer dreidimensionalen Person zu sein, und wird zu nichts als einer funktionellen Idee des Werkes. Gewiß, auch in diesem Fall weist das Symbol über sich selbst hinaus; doch es greift nicht in eine äußere Welt, einen Kosmos, sondern nach innen, zurück in das Werk, dessen Teil es bildet. Die Gestalt wird damit zu etwas Ähnlichem wie einem Ton in der Musik, der seine Bedeutung nicht daraus ableitet, daß er irgend etwas Objektives in der äußeren Welt darstellt, sondern allein daraus, daß er eine Funktion in einer in sich geschlossenen künstlichen Welt — in einer Komposition — hat.

In dem ersten rein expressionistischen Drama, August Strindbergs *Nach Damaskus* (1898), tritt ebenfalls ein Bettler auf; doch anders als bei Flaubert ähnelt dieser Bettler keinem wirklichen Menschen. Seine Art zu sprechen, sein Aussehen, sein Aufenthalt weisen Analogien zur Existenz des Helden auf, die zwischen zwei verschiedenen, empirisch existierenden Personen nicht möglich wären. Als er dem Helden zum erstenmal begegnet, spricht er die innersten Gedanken des Helden aus. Er erzählt von Erlebnissen, die genau jenen gleichen, die der Held selber hinter sich hat. Er trägt eine Narbe auf der Stirn, die der auf der Stirn des Helden völlig gleicht. Der Held hat die Wunde von seinem Bruder empfangen; der Bettler sagt, er habe sie von »einem nahen Verwandten« erhalten. Zu diesen unheimlichen Ähnlichkeiten kommt noch, daß der Bettler häufig an Orten und zu Zeiten erscheint, wo er unmöglich sein könnte, wenn er eine Gestalt der empirischen Existenz wäre, wie es Flauberts Bettler doch immer bleibt. In Strindbergs Drama wird das Auftreten des Bettlers von der emotionalen Situation des Helden bestimmt und nie der empirischen Kausalität oder Wahrscheinlichkeit entsprechend erklärt — so unerwartet die Zeiten und Orte seines Auftretens auch sein mögen —, dadurch wird der Leser verwirrt und irregeführt. Lesen wir das Stück jedoch sorgfältig, dann wird uns klar, daß Strindberg nicht die Absicht hat, uns zu mystifizieren, sondern die, ein funktionelles Verhältnis zwischen dem Helden und dem Bettler auszudrücken. Wenn der Held versucht, seine Selbstverachtung und seinen Selbsthaß in herausforderndem und misanthropischem Stolz zu ersticken, wird der Bettler sichtbar. Dem Helden wird gesagt, daß er und der Bettler zusammengehören, doch diese Vorstellung empört ihn. Als er diesem seltsamen Bettler zum erstenmal begegnet, beleidigt und verhöhnt er ihn. Im Verlauf des Dramas gerät er in einen Zustand, der dem des Bettlers immer ähnlicher wird, und nimmt viele Merkmale an, die der Bettler aufweist.

Dieser Bettler ist keine Dramenfigur im herkömmlichen Sinn dieses Wortes. Er besitzt keinerlei glaubwürdige Existenz als dreidimensionale Person neben dem Helden. Er ist ganz, was Flauberts Bettler zum Teil ist — ein Aspekt der Hauptgestalt und eine Andeutung ihres Geschicks. Er ist die Entwürdigung, die der hochmütige Held fürchtet, und die Resignation, die er noch nicht gelernt hat. Er ist die Verkörperung der verdrängten und nicht verwirklichten Gefühle und Gedanken des Helden und die Personifizierung einer Existenzmöglichkeit, auf die sich der Held zube-

wegen muß. Er ist buchstäblich die Verkörperung eines Leitmotivs, ein ästhetisches Attribut in der Maske einer menschlichen Gestalt, eine Funktion der dramatischen Idee.
Eine gewisse Entmenschlichung ist bei dieser Verschiebung von der Bildhauerei zur Musik als der primären Kunst unvermeidlich. Die mit anatomischer Genauigkeit gemeißelte oder gezeichnete menschliche Gestalt hört auf, die Richtschnur der plastischen Kunst zu sein. Der mit psychologischer Genauigkeit gezeichnete menschliche Charakter ist nicht mehr die Richtschnur der Literatur. In der Art der kubistischen Malerei, die die menschliche Gestalt durch Verzerrung unkenntlich macht, ruft Kafka, der einen Reisenden in ein Ungeziefer verwandelt, aus, daß es »ein für allemal« mit der Psychologie aus sein müsse. Und der Expressionist Paul Kornfeld prangert das psychologische Porträt als das Erzübel der Literatur an. Die moderne Kunst und Literatur bemüht sich, die Kunst auf ihre reine Essenz zurückzuführen. Die Kunst ist immer die Komposition formaler Beziehungen gewesen, durch die eine ästhetische Idee ausgedrückt wird; und so muß es immer sein. Doch die reine Natur der Kunst, das, was die Griechen »Poesie« nannten, das Hervorbringen expressiver Formen, ist mit wesensfremden Elementen wie Moral, Religion und vor allem mit der Mimese, der Nachahmung der Natur, vermengt worden. Die Moderne bemüht sich, das Wesen der Kunst zu abstrahieren, indem sie alle fremden Rücksichten verbannt oder dem Künstler mindestens den Unterschied zwischen dem Wesentlichen und dem Unwesentlichen in seiner Tätigkeit bewußt macht[1]). In der traditionellen Literatur mag man sich eine Gestalt als etwas anderes — noch neben ihrer ästhetischen Funktion — vorstellen; sie kann das Porträt einer lebenden oder historischen Persönlichkeit, einer sittlichen Idee, einer psychologischen Krankengeschichte sein. In der modernen Literatur wird ihre ästhetische Funktion einfach sehr viel bewußter betont und in extremen Fällen sogar von allen andern Rücksichten getrennt. Selbstverständlich finden sich innerhalb der Moderne viele Grade der Abstraktion.
Das erste expressionistische Drama zeigt uns nicht nur eine völlig als ästhetisches Attribut konzipierte Gestalt, sondern — und das ist von entscheidender Bedeutung — alle Personen sind so aufgefaßt. Das Drama ist eine Komposition von der Wesensexistenz des Helden, und jede Gestalt spielt die Rolle eines Leitmotivs in der Musik, das einen Aspekt oder eine Möglichkeit des Helden —

[1]) Diese Realisierung der wahren Natur der Kunst nennt Kandinsky »konkrete Kunst«.

genannt Der Unbekannte — ausdrückt. Die Dame verkörpert das Bindeglied des Unbekannten mit dem Leben. Sie ist namenlos wie der Held selbst, weil sie nicht das Porträt einer bestimmten Frau ist, sondern jene Amalgamierung des Sexuellen mit dem Erhabenen, des Infernalischen mit dem Himmlischen, durch die das Leben den Mann herausfordert, beunruhigt, quält und inspiriert. Sie besitzt viele konkrete Eigenschaften, die sich auf Strindbergs Erinnerungen an seine beiden ersten Ehefrauen stützen. Ihre Eltern beispielsweise leben im Gebirge, genau wie die Eltern von Strindbergs zweiter Frau in den österreichischen Alpen wohnten. Doch diese spezifisch biographischen Züge werden auf überaus abstrakte Weise benutzt. Sie sollen nicht die Persönlichkeit der Dame anschaulich machen, sondern ihre Funktion im Leben des Unbekannten definieren. Der Unbekannte hat ihrem Mann, dem Arzt, einmal unrecht getan; nun erscheint dieser Arzt als das gehaßte und gefürchtete Leitmotiv der Schuld des Helden und als Barometer seines Schuldgefühls und seiner Reue. Cäsar, ein Irrer, den der Arzt in seinem Haushalt beschäftigt, funktioniert als Leitmotiv des Größenwahns des Helden, den er karikiert; er ist überhaupt nur aufgenommen worden, um den Unbekannten zu reizen und zu erschrecken. Denn dieser Irre ist eine Andeutung der Gefahr, die der störrische Stolz des Helden für ihn selbst bildet. Die Eltern der Dame funktionieren als Spiegel der Gefühle des Unbekannten. Ihre Schroffheit ihm gegenüber spiegelt seine eigene Feindseligkeit und sein Schuldbewußtsein wider. Das allmählich erwachende Mitleid der Mutter gibt ein Abbild von seiner eigenen allmählich erwachenden Demut und Liebesfähigkeit.

Die Personen im expressionistischen Drama sind häufig keine leblosen Abstraktionen. Im Gegenteil, oft handeln sie in auffallender und eigentümlicher Weise. Sie haben stark ausgeprägte individuelle Züge und legen ein bizarres Sonderlingsbenehmen an den Tag. Im ersten deutschen expressionistischen Drama, Reinhard Sorges *Der Bettler* (1912), rast der Vater des Bettlers, ein wahnsinniger ehemaliger Ingenieur, Der Vater genannt, durch die Wohnung und schlägt auf eine alte Spielzeugtrommel. Er plant ein ungeheures technisches Projekt, das die Kraft der Marskanäle für die Bereicherung der Welt nutzen soll, und erörtert dieses Vorhaben ausführlich. Eines Sonntagsmorgens tötet er einen Vogel, weil ihm die rote Tusche ausgegangen ist, die Läden geschlossen sind und er das Blut des Vogels für seine Zeichnungen benutzen will. Doch schon die Tatsache seiner auffällig grotesken Eigenschaften zeigt, daß dieses höchst individuelle Verhalten nicht als Charakterbeschreibung dienen soll. Der Vater bildet eine musikalische Variation des Messiasthemas in *Der Bettler*. Sein größenwahnsinniger messianischer Traum funktioniert als Kontrapunkt zur Suche des Sohnes nach Sinn und Erlösung. Im Gegensatz zum Idealismus des Sohnes bildet der Vater den materialistischen Kontrapunkt in der Komposition. Er mißversteht das Messiasthema auf materialistische Art als technischen Fortschritt und Bereicherung. Die brutale Tötung des Vogels ist ein Akkord, der diese kontrapunktische Funktion des Vaterthemas akzentuiert.

Die Grenzlinie zwischen diesen existentiellen Leitmotiven und dramatischen Gestalten im traditionellen Sinn läßt sich nicht immer leicht ziehen. Doch irgendeine seltsame Einzelheit, eine Verzerrung oder unglaubwürdige Übertreibung, ein grotesker Zug, eine absichtliche Widersinnigkeit, das Auftreten an empirisch unmöglichen Orten und zu unmöglichen Zeiten reißen uns immer wieder aus der Illusion, daß wir es in diesen Dramen mit dreidimensionalen Personen von Fleisch und Blut zu tun haben könnten. Diese Gestalten ähneln weder empirischen Persönlichkeiten noch allegorischen Abstraktionen, sondern Traumgestalten. Und tatsächlich nannte Strindberg seine ersten expressionistischen Dramen »Traumspiele«.

Sowohl der Surrealismus als auch der Expressionismus sind stark am Traum interessiert. Jacques Rivières *Einführung in die Metaphysik des Traumes* bildete im Jahr 1908 die Ouvertüre zum Surrealismus in Frankreich, wie Strindbergs »Traumspiele« aus den Jahren 1898 und 1902 den Expressionismus in Deutschland einleiteten. Trotz der starken Ähnlichkeit besteht ein gewisser Unterschied. Der französische Surrealismus wurde stets stärker von tatsächlichen Träumen und Halluzinationen fasziniert. Dem Beispiel Rimbauds und selbst Gérard de Nervals folgend, suchten die französischen Surrealisten tatsächliche Traumbilder und halluzinatorische Szenen so einzufangen, wie die Psyche sie ihnen diktierte. Nerval führte diese Methode in seinem Roman *Aurélie* ein und nahm an, daß sich das Übernatürliche in Träumen offenbare. Nach Rimbauds *Lettre du voyant* ist es das Ziel des Dichters, die Gewohnheitshülle des Ich zu zerrütten und damit die dämonischen Schöpfungskräfte oder »den Willen«, wie es Schopenhauer und Nietzsche bezeichnen würden, zu entfesseln. Der gesunde Menschenverstand mit seinen geordneten Wahrnehmungen eines kausal bestimmten Universums müsse erschüttert und ver-rückt werden.

Die unbewußte Schöpferkraft des Dichters werde dann in Form von Visionen und Halluzinationen auftauchen, die ein neues Universum formen, das der Dichter als der neue Gott schaffe. Marcel Raymond hat darauf hingewiesen, daß diese »Illuminationen« nicht unbedingt formlos sein müßten. Ihre Form ergebe sich wie die der Träume zugleich mit den ihnen innewohnenden Visionen. Sie besäßen eine fest umrissene Struktur, und der Dichter brauche ihr nur treu zu bleiben und alle ichbewußten Gedankengänge und Gefühlsregungen seiner empirischen Person auszusperren. Die Methode Rimbauds und Nervals, die auf der Überzeugung begründet ist, daß Dichtung und Traum oder Halluzination eine göttliche, dämonische Wirklichkeit offenbare, blieb die der meisten Surrealisten. André Breton brachte sie in einem Surrealistischen Manifest aus dem Jahr 1924 in ein System und setzte die Wirklichkeit, die sich so offenbaren sollte, mit dem Unbewußten Freuds und Jungs gleich.

Strindberg, der im ganzen einen größeren Einfluß auf den deutschen Expressionismus ausübte als Rimbaud, nahm eine etwas andere Stellung zum Traum ein als die Surrealisten. In seinem Vorwort zu *Ein Traumspiel* (1902) schreibt er, der Verfasser habe »*versucht, die unzusammenhängende, aber scheinbar logische Form des Traumes nachzubilden.* Alles kann geschehen, alles ist möglich und wahrscheinlich. Die Gesetze von Raum und Zeit sind aufgehoben; die Wirklichkeit steuert nur eine geringfügige Grundlage bei, auf der die Phantasie weiter schafft und *neue Muster webt:* ein Gemisch von Erinnerungen, Erlebnissen, freien Erfindungen, Ungereimtheiten und Improvisationen.«[1])

Strindberg erklärt uns, daß er beabsichtigt, Form und Muster von Träumen zu kopieren, nicht jedoch ihre tatsächlichen Inhalte. Er ist weniger an Offenbarung als an der freien Komposition eines Universums reiner Ausdruckskraft interessiert. Er will ein Universum schaffen, in dem die empirischen Gesetze der Kausalität und der logischen Beziehung aufgehoben sind und nur eine einzige Absicht herrscht: der Wille, eine unsichtbare Situation auszudrükken. Der expressionistische Dramatiker konzentriert sich wie der Träumer völlig auf die Absicht, eine innere Welt darzustellen, und läßt sich nicht durch die Anpassung an die äußere Realität von seiner Absicht abbringen.

Die physische Bühne, die Umgebung des Helden, ist nicht mehr der festgelegte Rahmen einer Szene oder eines Akts, sondern wird

[1]) Übersetzt von Willi Reich. Hervorhebungen vom Verfasser.

zu einer Projektion seines inneren Ichs. Denn die Vorstellung einer aufgebauten Bühne schließt die Vorstellung von einer festgelegten äußeren Natur ein, in der die Aktionen stattfinden, die die Kunst imitiert. Strindberg und die Expressionisten dachten sich die Welt, wie sie in der Kunst dargestellt werden sollte, nicht als einen gegebenen Raum der Natur, sondern als ein Feld von der Seele ausstrahlender magnetischer und Gravitations-Kräfte. Die Kulissen der expressionistischen Bühne verändern sich mit den psychischen Kräften, die in ihnen umherwirbeln, genau wie der Weltraum der Relativitätslehre von der Materie, die er enthält, modifiziert wird. Die expressionistische Dramengestalt ist keine feststehende Einzelpersönlichkeit, sondern die Kristallisation psychischer Kräfte, die die Szene um sie her modifiziert. Landschaften spiegeln die Gefühlssituation der Gestalten wider. Das Gebirge, durch das Strindbergs Unbekannter und seine Dame in *Nach Damaskus* reisen, um die Eltern der Dame zu besuchen, nimmt ein wildes und erschreckendes Aussehen an und spiegelt so die Angst des Helden vor dem bevorstehenden Besuch wider. Deshalb ändern sich die Szenen rasch. Über das, woran sich die Personen erinnern, wird nicht nur gesprochen, sondern es wird unverzüglich als Szene, die vor unserm Auge aufleuchtet, hingestellt. Der Expressionismus ersetzt — wie der Traum — die intellektuelle Analyse durch die unmittelbare visuelle Darstellung. Infolgedessen entfernt er sich so weit von den drei Einheiten, wie sich das Drama überhaupt nur davon zu entfernen vermag. Das expressionistische Drama ist die extreme Entwicklung von Tendenzen, die bereits im elisabethanischen und barocken Drama, besonders in seiner Shakespeareschen Form, mit seinem raschen Szenenwechsel und der eher erzählend-historischen als analytischen Struktur ruhten. In mancherlei Hinsicht bildet das »Traumspiel« den Höhepunkt der Theatertradition, die vom Mirakel- und Passionsspiel über das Barockdrama und die Barockoper zum *Faust, Peer Gynt,* zur Romantik und zum Wagnerschen Gesamtkunstwerk führt. Strindbergs Konzeption des *Traumspiels* und sein Vorwort, in dem er die ganze Welt mit einem Traum des göttlichen Träumers vergleicht, erinnert an Calderon, den gesamten spanischen Barock, Grillparzer und vor allem an die Dramen von Shakespeares später oder »barocker« Periode: *Der Sturm* und *König Lear.* »Wir sind vom gleichen Stoff, aus dem die Träume sind«, ist nicht weit von den Voraussetzungen des Traumspiels entfernt, und die Heideszenen im dritten Akt von *König Lear,* in der die Natur zu einer dynami-

schen Projektion eines rasenden Geistes wird, stehen dem Expressionismus sehr nahe.
Das expressionistische Drama zerstört nicht nur die Einheit von Raum, Zeit, Handlung und Person; es verwandelt die Zeit wie den Raum in eine Funktion des Ausdrucks. Bisweilen beschleunigt es den Lauf der Zeit in phantastischem Ausmaß oder kehrt den Zeitablauf um. Ein junger Mann, der mit einem Blumenstrauß in der Hand auf sein Mädchen wartet, altert vor unsern Augen und wird hinfällig, während er sich noch immer an seinen Blumenstrauß klammert; damit demonstriert er die Beständigkeit seiner Liebe. Ein Greis wird auf der Bühne verjüngt und drückt damit Jugendlichkeit im Alter oder das Verlangen aus, das Leben noch einmal ohne die Fehler und Trümmer der Vergangenheit zu beginnen.
Der Expressionist übersetzt die Gefühle seiner Personen unmittelbar in Handlungen. Die Personen plappern ihre innersten Gedanken nicht einfach heraus; sie spielen sie sofort vor. In Paul Kornfelds Drama *Die Verführung* begegnet der Held einem Mädchen, fällt ihr sehr bald zu Füßen, gesteht ihr seine Liebe und versucht, sie zu umarmen. Wenige Augenblicke später tritt ihr Verlobter ins Zimmer. Der Held beleidigt ihn sofort mit den heftigsten Ausdrücken, schiebt ihn aus dem Zimmer und erwürgt ihn im Vorraum. Wie in Träumen wird der Wunsch zur Tat, das Gefühl zum Ereignis. Die Welt ist nicht die Quelle der Erfahrung, sondern eine Struktur mit der Bestimmung, Gefühlen Ausdruck zu geben. Um den Ausdruck stärker zu betonen, verzerrt der Expressionist genau wie der träumende Geist Züge der Realität durch Übertreibung. Walter Hasenclevers Drama *Der Sohn* (1914), der erste Bühnenerfolg des deutschen Expressionismus, bietet ein gutes Beispiel dieser Technik. Das Drama stellt den bitteren Konflikt zwischen Vater und Sohn dar, der im deutschen Familienleben jener Zeit häufig ist und den bereits die Naturalisten der vorherigen Generation behandelt hatten. Doch Hasenclever übertreibt drastisch und abstrahiert so das Wesen des Konflikts von den zufälligen Beimischungen der empirischen Realität. Der Vater hält den Sohn buchstäblich als Gefangenen und stellt eine Gouvernante als Kerkermeister ein. Der Sohn ist zwanzig Jahre alt, wodurch das extrem Groteske der Situation noch verstärkt wird, da kein wirklicher Vater, wie tyrannisch er auch sein mag, daran denken würde, für einen Zwanzigjährigen eine Gouvernante einzustellen. Der Vater verbietet dem Sohn, je das Haus zu verlassen. Doch

eine Gruppe junger Leute ist ihm behilflich, durchs Fenster zu entfliehen.
Auch die Sprechweise benutzt das expressionistische Drama eher funktionell als beschreibend. Im realistischen Drama besitzt jede Gestalt ihr mehr oder minder festgelegtes Idiom, genau wie sie eine mehr oder minder konstante Persönlichkeit besitzt — durch Milieu, Vererbung und die Gesamtheit der Erlebnisse geformt. Natürlich kann sich der Charakter im Lauf des Stückes ändern, doch solche Veränderungen sind die Auswirkung von Erlebnissen, die in der Handlung des Dramas dargestellt werden. Die Sprechweise einer Gestalt gibt ihre Persönlichkeit und ihr Milieu wieder. Wie im wirklichen Leben können wir eine Gestalt an ihrer Sprache erkennen und einordnen. Ihre Sprache unterscheidet sie von der anderer Gestalten; sie bezeichnet die Grenzen ihrer Individualität und hebt sie von andern Individuen ab. Der Realist strebt nach der Vielfalt von Akzenten und Idiomen, wie sie ihm die soziale und geographische Verschiedenheit des tatsächlichen Lebens nahelegt. Der Expressionist kehrt dieses Prinzip um, da die Sprache für ihn kein Mittel der Charakterisierung, sondern eine Funktion des Ausdrucks ist. Die Sprechweise einer Gestalt verändert sich, wie sich ihre Stimmung wandelt. Wenn sich im realistischen Drama auch Gefühlsnuancen in der Sprechweise der Gestalten widerspiegeln, so übertreibt der Expressionismus solche Veränderungen ungeheuerlich. In Augenblicken der Verzweiflung, der Freude, der Erleuchtung oder der Wonne beginnt die expressionistische Dramengestalt gleichsam zu fliegen — sowohl körperlich wie sprachlich. Sie erhebt sich von ihrem Sitz, gibt ihre gewöhnliche, trockene und gedrechselte Prosa auf und bricht in hymnische, rhapsodische oder elegische Lyrismen aus. Die meisten expressionistischen Stücke bieten solche Opernarien, die Kornfeld ausdrücklich als integrales Element des echten Dramas fordert. Normalerweise strebt der Expressionist jedoch nach einer stilisierten Gleichförmigkeit der Sprache, die an das klassische Drama erinnert. Diese Gleichheit der Sprechweise aller Gestalten spiegelt jedoch nicht wie im klassichen Drama den Zusammenhalt einer idealisierten gesellschaftlich-kulturellen Elite wider, sondern unterstreicht die Tatsache, daß die auftretenden Personen sämtlich Fragmente einer einzelnen Seele sind.
Im expressionistischen Drama darf nichts gefühlsmäßig neutral bleiben. Vor allem das Licht wird zu einem überaus wichtigen Schauspieler im Stück. Im Helldunkel, dem Stil seines Alters,

nahm Rembrandt den Expressionismus im funktionellen Gebrauch von Licht und Dunkelheit vorweg. Das Licht dient dazu, das Wesentliche auf dem Bild hervorzuheben. Es holt einen Menschen — Petrus zum Beispiel — »in den Scheinwerfer«. Die Expressionisten trugen Rembrandts Chiaroscuro mit seiner Scheinwerferwirkung aufs Theater. Wenn eine Gestalt sich in lyrischer Rede ergeht, verdunkelt sich um sie her die Bühne und der Lichtstrahl hebt sie heraus. Der erste Akt von Sorges *Der Bettler* zeigt uns das Innere eines Cafés. Dort befinden sich mehrere Gruppen: Literaten, Prostituierte, Flieger. In der Mitte sitzt der Held an einem Tisch mit dem Älteren Freund und dem Mäzen. Will der Autor einen besonderen Gedanken veranschaulichen, den das Gespräch am Mitteltisch entweder ausdrücklich vorträgt oder stillschweigend enthält, läßt er ihn von einer der verschiedenen Gruppen vorspielen. Dann verdunkelt sich die Bühne und der Scheinwerfer richtet sich auf diese Gruppe. Durch den funktionellen Gebrauch des Lichtes reproduziert der Expressionist den Traumvorgang. Die plötzliche Verdunklung oder Beleuchtung einer bestimmten Ecke der Bühne deutet die Gedankensprünge der träumenden Seele an. Der Beleuchtungsapparat ahmt die Rolle des seelischen Assoziationsprozesses nach. Er verdunkelt, was er zu vergessen wünscht, und beleuchtet, woran er sich erinnern will. So wird die ganze Bühne zu einem Weltall der Seele, und die einzelnen Szenen sind keine Kopien der dreidimensionalen physischen Wirklichkeit, sondern vergegenwärtigte Stationen des Denkens.

Das expressionistische Traumspiel läßt sich als Dramatisierung des Bewußtseinsstroms oder richtiger des Stromes des Unterbewußtseins definieren. Der Expressionismus ist das dramatische Gegenstück zur Romantechnik des inneren Monologs; beide wurden zu gleicher Zeit entwickelt. Beide streben danach, die traditionelle Erzählmethode bei der Darstellung innerer Zustände zu vergeistigen und zu beleben. Die von den großen Romanciers des neunzehnten Jahrhunderts entwickelte Erzählmethode dringt weit unter das Oberflächenverhalten der Gestalten ein und ist bestrebt, ihre »Seele« zu begreifen. Aber das vermag sie nur von außen, und dabei spielt der Autor die Rolle des psychologisierenden Beobachters und Kommentators. Diese Methode neigt zur Intellektualisierung und versagt leicht, wenn es sich darum handelt, den Geist der Gestalt vom Leser »nachfühlen« zu lassen. Um die Mittelbarkeit dieser Methode zu vermeiden, hatten Flaubert und die Symbolisten des neunzehnten Jahrhunderts ihren funktionellen

Symbolismus eingeführt, aus dem sich, wie wir sahen, der Expressionismus entwickelte.
Die Technik des inneren Monologs war ein weiterer Weg zur Lösung des gleichen Problems. Sowohl diese Bewußtseinstechnik als auch der Expressionismus versuchen, zugunsten größerer Eindringlichkeit, Direktheit und Unmittelbarkeit auf die analytischen Kommentare des Autors zu verzichten. Beide Richtungen streben danach, die innersten Gedanken und Gefühle »von innen her« darzustellen, statt sie nur von außen zu beschreiben. Der innere Monolog sucht dieses Ziel zu erreichen, indem er auf dem Papier genau den Strom von Assoziationen im Kopf der Romangestalt reproduziert und sich dazu unmittelbar des Wortschwalls bedient, wie er im Gehirn dieser Gestalt entsteht; der Expressionismus sucht es dadurch zu erreichen, daß er verborgene Emotionen in symbolischen Szenen und Verkörperungen veranschaulicht. Während der Expressionismus von dem »musikalischen« oder »Leitmotiv«-Symbolismus Flauberts, Ibsens, Maeterlincks und der symbolistischen Dichter herstammt, wurde der innere Monolog aus dem konsequenten Naturalismus der Brüder Goncourt geboren und von Dujardin weiterentwickelt. Bei ihm handelt es sich um einen Naturalismus, der konsequent auf das Innenleben angewandt wird. Die Begründer des deutschen Naturalismus, Arno Holz und Johannes Schlaf, führten ihn in die deutsche Literatur ein, genau wie ihn die Brüder Goncourt und Dujardin in Frankreich entwickelt hatten. Der klinische Semi-Naturalist Arthur Schnitzler wandte ihn 1900 in seiner Erzählung *Leutnant Gustl* folgerichtig an. Joyce, der diese Methode vervollkommnete und zum Gipfel führte, war ein glühender Bewunderer der naturalistischen Seiten Ibsens.
So gut sich diese Bewußtseinstechnik für die imaginativ erzählende Literatur eignete, dem Drama war sie weniger gemäß[1]). Dagegen war der Expressionismus, der mehr die bildhafte Veranschaulichung des Traums als das Wort-Denken des wachen Geistes benutzte, ungemein theaterwirksam und für das dramatische Experiment geeignet. Das Drama sollte das ihm gemäße Medium werden, wo er die stärkste Gefolgschaft fand und den dauerhaftesten Anstoß ausübte. Es war kein Zufall, daß der innere Monolog seine größten Triumphe in einem Land mit einer großen Romantradition erlebte, während der Expressionismus den höch-

[1]) Der Shakespearesche Monolog, besonders in Hamlet, Macbeth und König Lear, nimmt die Bewußtseinstechnik in erstaunlichem Maß vorweg.

sten Erfolg in einer Kultur fand, die im Roman anerkannt schwach, dafür durch eine starke Neigung zum Theater gekennzeichnet ist.

Seit Jahrhunderten spielte das Theater eine ungeheure Rolle in Deutschland. Im katholischen Süden und Westen hatte die Tradition der Mirakel- und Passionsspiele, des üppigen Jesuitendramas und der italienischen Oper eine unauslöschliche Vorliebe für das Theatralische geschaffen, während im protestantischen Norden das literarische Drama, vom Luthertum als Erziehungsmittel gepflegt, in der zweiten Hälfte des achtzehnten Jahrhunderts zum Wiedererwachen eines deutschen Nationalbewußtseins führte und »Bühnendeutsch« die offizielle Sprache und das einende Idiom der deutschsprechenden Länder wurde. So errang das Theater im Leben Deutschlands einen Platz wie in keinem andern Land des Westens. Mit der Wiederentdeckung der künstlerischen und literarischen Tradition der katholischen Gebiete entdeckten die deutschen Romantiker ihre Vorliebe für das volkstümliche Prunktheater, das sich von dem literarischen Drama der protestantischen Klassiker Lessing, Goethe und Schiller unterschied. Die deutsch-katholische Vorliebe für das Theatralische inspirierte die Romantiker, und ihr Einfluß läßt sich in Goethes *Faust II* feststellen. Wagners Begriff des Gesamtkunstwerks, der Musik, Malerei, szenische Ausstattung und Dichtung umfaßte, verkörperte ein völlig romantisches Ideal, das sich bereits bei Tieck und Brentano andeutete. So nutzte der deutsche Expressionismus ein reiches Theatererbe, und zwei überragende »Schausteller« gingen ihm vorauf und trugen erheblich zu seinem Entstehen bei — Richard Wagner und Max Reinhardt. Überdies läuft der Expressionismus parallel mit Hugo von Hofmannsthals Versuch, die Tradition des *Theatrum mundi* neuzubeleben. Zwar versuchte Hofmannsthal, traditionelle Formen zu restaurieren und wieder zum Leben zu erwecken, während die Expressionisten vorwärts, auf das Neue und Unerforschte zueilten. Doch die Leidenschaft für das Theater als Gesamtkunstwerk ist beiden gemeinsam und regt uns an, weitere Analogien zu vermuten. Hofmannsthals Spätwerk *Der Turm* (1926) enthält tatsächlich viele Züge des expressionistischen Theaters.

Dadurch daß die Expressionisten — wie die Surrealisten — stärker den nächtlichen Traum als den Wortstrom des Bewußtseins zu ihrem Strukturmodell machten, entschieden sie sich für die dramatische gegen die erzählerische Technik, für das Sichtbare gegen das Wort. Selbst wenn der Expressionismus zu einer erzählenden Kunst ersten Ranges wird — wie in den Erzählungen Franz Kafkas —, nimmt er seine Hauptkraft aus der Lebendigkeit einzelner Szenen, die sich in traumähnlicher Folge aneinanderfügen. Kafkas Romane gleichen Folgen von Bühneninszenierungen oder von Szenen phantastischer Filme. Die Wirksamkeit eines Meisterwerkes wie *Die Verwandlung* beruht in hohem Maß auf dem Anfangs- und Schlüsselbild: der geheimnisvollen Verwandlung eines Menschen in ein »ungeheueres Ungeziefer«. Ein Teil der besten Lyrik des Expressionismus ist wie die Dichtung des Surrealismus dem Wesen nach imagistisch. Das scharf umrissene traumhafte Bild oder die Bildszene bildet ihre Basis. In dieser Hinsicht ähnelt sie der Dichtung des Fernen Ostens mit ihren kurzen beschwörenden Szenen und ihrer weithin visuellen Gefühlswirkung. Diese Ähnlichkeit ist kein Zufall. Rimbauds *Illuminations*, die auf den Surrealismus ebenso tief einwirkten wie auf den Expressionismus, waren ihrerseits wieder von Mlle. Gautiers französischen Übersetzungen orientalischer Dichtung beeinflußt; und dem Entstehen der imagistischen Poesie in englischer, der surrealistischen Poesie in französischer und der expressionistischen Poesie in deutscher Sprache ging ein starkes Interesse an chinesischer und japanischer Dichtung und Kunst vorauf. Die surrealistische und expressionistische Hervorhebung des visuellen Elements der Phantasie wurde auch durch die Ausbreitung des Kinos in den ersten zwei Jahrzehnten unseres Jahrhunderts unterstützt. Franz Kafka war über die frühen Filme Charlie Chaplins begeistert, und die großen Ähnlichkeiten zwischen Chaplins und Kafkas Welt sind häufig festgestellt worden. Der Surrealismus und der Expressionismus ihrerseits eignen sich wiederum ausgezeichnet zur filmischen Darstellung. Zwei der berühmtesten Werke dieser beiden Kunstrichtungen sind Filme gewesen: *Das Cabinet des Doctor Caligari* (1919) und Jean Cocteaus *Le sang d'un poète* (1932). Es ist interessant, festzustellen, daß die surrealistischen und expressionistischen Film-Experimente im großen und ganzen mit der Einführung des Tonfilms aufhörten, als nämlich das visuelle Element im Film allmählich an Bedeutung verlor.

Die starke Betonung des Visuellen im Surrealismus und Expressionismus steht natürlich in engem Zusammenhang mit jenen Schichten des Geistes, mit denen sich diese beiden Richtungen — im Gegensatz zur ursprünglichen Bewußtseinstechnik — zu beschäftigen suchen. In ihrer ursprünglichen naturalistischen Form ist die Technik des inneren Monologs ebensowenig wie die traditionelle dramatische Methode der Erzählung imstande, Gefühlstendenzen und geistige Schichten aufzuzeigen, deren sich die Gestalten nicht bewußt sind. Wenn sie auch Gedanken enthüllt, die anderen verborgen bleiben, vermag sie Gedanken und Emotionen nicht zu offenbaren, die dem Bewußtsein der Gestalt selbst verborgen sind. Da es sich um einen *Bewußtseins*-Strom handelt, vermag er das Unbewußte nicht aufzudecken, jenen brodelnden Vulkan völlig verdrängter und verheimlichter Dinge. Der innere Monolog muß infolge seines Naturalismus und seiner naturalistischen Voraussetzungen all das ignorieren, was zu schändlich und scheußlich ist, als daß man es über die Bewußtseinsschwelle herauflassen dürfte. Er sondiert zwar unterhalb des Oberflächenverhaltens, macht jedoch vor den noch tiefer liegenden Schichten halt. Der Surrealismus und Expressionismus versuchen zu den tieferen und verborgeneren Winkeln vorzudringen. Sie verlassen das Gebiet des Bewußtseins und stoßen bis in den Traum hinein.

Dieser Unterschied in der Tiefe der behandelten Psychenschichten erfordert eine völlig andere Technik. Symbolische Maskierung tritt an die Stelle der unmittelbaren Verbalisierung der Gedanken, wie es dem Wesen der Bewußtseinstechnik entsprochen hatte. Bildersprache, die Sprache symbolischer Inbilder, die für Träume bezeichnend ist, ersetzt den Strom von Worten und Satzfetzen, der den inneren Monolog charakterisiert. Statt einer Erzählfolge von in Worte gefaßten Gedankenfetzen begegnen wir einer dramatischen Folge von deutlich sichtbar gemachten Szenen. Gedanken werden zu Ereignissen. Die brutalsten Wünsche werden in traumähnlichen Szenen vorgespielt. Die monströsesten Ängste werden geschaute Realität. Gedanken an Vatermord werden Vatermord. Es bleibt nicht nur bei den Wunschträumen, in denen Mütter ihre alternden Männer tot sehen, während ihre starken jungen Söhne sie umarmen. In dem expressionistischen Drama *Vatermord* von Arnolt Bronnen versucht eine Mutter, ihren Sohn neben der Leiche ihres alten Mannes zu verführen, den dieser Achtzehnjährige erschlagen hat. Der innere Monolog versucht immer noch, die Abgrenzung zwischen äußerer Umgebung und innerem Ich zu wahren. Der Expressionismus läßt sie fallen. Mit dem Verschwinden dieser Abgrenzung wird die naturalistische Bewußtseinstechnik zum Expressionismus.

Wir können diesen Wandel in James Joyces *Ulysses* beobachten. Wenn James Joyce in dem Teil »Nighttown« seines Romans in die nächtliche Seite der Psyche seiner Gestalten eindringt, gibt er die verbalisierende Bewußtseinstechnik zugunsten einer symbolisierenden Technik auf, die dem Expressionismus sehr nahe steht. Hier verleiht Joyce den unbewußten Ängsten, Wünschen und verdrängten Erinnerungen von Bloom und Stephen Körperlichkeit; er läßt diese Ängste, Wünsche und Erinnerungen als Gespenster erscheinen und tief vergrabene emotionale Komplexe in halluzinatorischen Szenen vorspielen. Hier können wir beobachten, wie der Expressionismus aus dem Wunsch des Autors entsteht, durch den Strom des Bewußten hindurch ins Unbewußte zu stoßen. Und damit entsteht sofort die Notwendigkeit, den Fluß des in Worte gefaßten Bewußtseins durch dramatische Vergegenwärtigung, durch Bildhaftmachung, zu ersetzen. In »Nighttown« erhält das visuelle, imagistische und dramatische Element weit größere Bedeutung als in irgendeinem andern Teil von Joyces Werken, die sonst um Gehör und Klang kreisen. Genau wie der Traum den überwiegend in Worte gefaßten Bewußtseinsstrom unseres wachen Lebens in ein Theater sich rasch ändernder Szenen verwandelt, nähert sich Joyces »Nighttown« stark einem expressionistischen Drama. Padraic Colums Dramatisierung dieses Abschnitts aus Joyces Roman hat diese Verwandtschaft sehr offensichtlich gemacht, und Brooks Atkinson begann seine Besprechung des Stückes *Ulysses in Nighttown* damit, daß er das deutsche expressionistische Drama besprach. Und dennoch bleibt ein sehr wichtiger Unterschied zwischen *Ulysses in Nighttown* und dem echten Expressionismus bestehen. Die naturalistische Abgrenzung zwischen der äußeren Umgebung und dem inneren Ich wird im *Ulysses* nie aufgegeben. In den »Nighttown«-Szenen weiß der Leser genau, daß die Visionen durch gewisse Assoziationen entstanden, die durch empirische Objekte hervorgerufen wurden. Diese phantastischen Symbolisierungen emotionaler Wirklichkeiten sind in einem System positivistischer Psychologie enthalten. Joyce sorgt dafür, daß wir eins nie vergessen: wir sind Zeugen der Halluzination zweier Bewohner Dublins aus dem Jahr 1904, die wir als naturalistische Romangestalten gründlich kennengelernt haben; und wir erleben also keine magische Verwandlung der empirischen Wirklichkeit. Wir wissen genau, daß die entsetzliche Erscheinung von Stephens nasenloser Mutter eine Projektion von Stephens Schuldgefühlen wegen des Todes seiner Mutter darstellt; mit dem Tod der Mutter hat der Autor uns vertraut gemacht. Wir kennen auch Mr. Blooms Sehnsucht nach dem toten Sohn gut, ehe der Junge als Geist im Roman auftaucht. Joyces surrealistische Visionen ähneln denen

Dantes insofern, als beide durch ihren Zusammenhang rational erklärt werden. Dabei entspricht Joyces positivistische Psychologie Dantes christlicher Lehre. Beide Lehren liefern allgemein verständliche und allgemein anerkannte diskutierbare Universen, in denen die phantastischen Ereignisse »einen vernünftigen Sinn geben«.

Der Surrealismus und der Expressionismus lassen diesen Zusammenhang, in dem die Vision steht, fallen. Die Vision wird zu einem rätselhaften magischen Universum, das den Gesetzen des Traums gehorcht, ohne sie zu erklären. Die Grenze zwischen äußerer und innerer Welt, zwischen All und Ich verschwindet, wie sie im Traum verschwindet. Das Unmögliche geschieht als Selbstverständlichkeit, ohne daß es einen erklärenden Zusammenhang — weder einen theologischen, einen positivistisch-psychologischen noch einen allegorisch-romantischen — gäbe. Natürlich bestehen verschiedene Grade der Transparenz innerhalb der Bandbreite der surrealistischen und expressionistischen Bildersprache. Cocteaus berühmtes Bild von dem Schneeball, der sich auf dem Weg zum Herzen seines Opfers in ein tödliches Geschoß verwandelt, läßt sich vielleicht einfacher begreifen als Kafkas Bild von der Wunde in der Seite des Patienten in »Ein Landarzt« oder die berühmte Verwandlung des Reisenden in ein Insekt. Doch all diese Bilder erweisen sich als erweiterte Metaphern, als metaphorische Sichtbarmachungen emotionaler Situationen, die aus ihrem erläuternden Zusammenhang herausgerissen sind. Im surrealistisch-expressionistischen Universum bestehen keine Schranken zwischen Welt und Ich. Der im Haß geworfene Schneeball tötet sein Opfer, als wäre er eine Gewehrkugel.

Kafkas Erzählung von der mysteriösen Verwandlung des Reisenden Gregor Samsa in ein ungeheures Ungeziefer gehört in die gleiche Ordnung wie Cocteaus Beispiel, wenn auch auf einer komplizierteren Ebene. Eine kurze Untersuchung dieser Erzählung wird uns zum Kern des Expressionismus führen, nicht nur weil *Die Verwandlung* eine Gipfelleistung expressionistischer Kunst darstellt, sondern auch weil wir eine frühe, prä-expressionistische Fassung dieses Themas besitzen. Wenn wir diese beiden Fassungen miteinander vergleichen, können wir die Genesis der expressionistischen Form studieren.

In Kafkas jugendlichem, halb autobiographischem Romanfragment *Hochzeitsvorbereitungen auf dem Lande* wünscht der Held Raban, sich in zwei Teile spalten zu können, um der lästigen Pflicht zu entgehen, seine Verlobte auf dem Land zu besuchen. Sein wirkliches Ich würde, in ein Ungeziefer verwandelt, im Bett bleiben und sich der Verantwortungslosigkeit hingeben. Sein Schein-Ich würde aufs Land hinausfahren und die Verpflichtungen dem Mädchen gegenüber erfüllen. Hier wird uns der Wunsch der Romangestalt als Tagtraum beschrieben und nicht unmittelbar gezeigt und vorgeführt.

In der reifen Fassung von 1912 der Erzählung *Die Verwandlung* wird Rabans infantiler Wunsch, ein Ungeziefer zu werden, zu Gregor Samsas geheimnisvollem Schicksal. Alle Hinweise auf Ursachen und Bedeutung dieser wundersamen Verwandlung werden uns völlig vorenthalten. In einem semi-expressionistischen Werk, wie zum Beispiel im Kapitel »Nighttown« des *Ulysses,* würde sich der Wunsch einer Gestalt, sich in ein Insekt zu verwandeln, ebenfalls materialisieren; aber wir würden wissen, daß wir Zeuge einer Halluzination sind, von einem Wunsch hervorgerufen, auf den uns der Zusammenhang des Werkes vorher vorbereitet hat. Kafka jedoch eliminiert — oder verhüllt mindestens — alle etwaigen Hinweise auf die Ursachen der Verwandlung und sorgt dafür, daß wir sie nicht irrtümlich für eine Halluzination halten, da Samsas Eltern nach seinem Tod die Leiche betrachten. Kafka gibt uns nicht den geringsten Anlaß, die physische, objektive Tatsächlichkeit des unerklärlichen Geschehnisses zu bezweifeln. So schafft er ein eigenes Universum, das, genau wie der Traum, zwar Ähnlichkeit mit unserer empirischen Welt aufweist, aber mindestens von einem eigenen, besonderen Gesetz beherrscht wird.

Wenn wir die frühe mit der reifen Fassung vergleichen, stellen wir fest, daß Kafka das Leben seines autobiographischen Helden von dem abstrahiert hat, worin er das Wesen der inneren Existenz seines Helden sah. Raban war noch vieles andere, nicht nur der Wunsch nach Verantwortungslosigkeit und nach parasitischer Negierung einer tätigen und reifen Lebensweise. Doch Samsa ist mit seinem Wunsch identisch geworden. Sein empirisches Ich ist bis zu dem Punkt abstrahiert, wo es mit seinem Wesen eins wird. Der krankhafte Wunsch nach parasitischer Verantwortungslosigkeit ist zum tatsächlichen Ereignis geworden. Die Gestalt Gregor Samsa ist in eine Metapher verwandelt worden, die sein wesentliches Ich darstellt; und diese Metapher wird wiederum als wirkliche Tatsache behandelt. Samsa bezeichnet sich nicht als ein Ungeziefer; er wacht vielmehr auf und findet, daß er es ist.

Kafka beschenkt uns mit der metaphorischen Vergegenwärtigung einer menschlichen Existenz. Wie Fritz Martini nachweist, handelt es sich hier nicht um ein Symbol im Goetheschen Sinn des Ausdrucks, denn es ist nicht ein aus sich selbst verständliches Einzelereignis (es verlangt vielmehr eine Erklärung, die niemals gegeben wird), ebensowenig stellt es eine universelle Idee oder einen umfassenden Typ dar. Anders als bei Ovid wird diese Metamorphose nicht von den Göttern oder dem Schicksal hervorgerufen; es werden weder Götter, Schicksal oder Gott erwähnt noch stillschweigend vorausgesetzt. Anders als die Fabel enthält Kafkas Erzählung weder eine ausdrückliche noch eine implizierte Lehre. Ja, Kafka bringt das wundersame Ereignis überhaupt nicht mit irgendwelchen außerhalb liegenden Dingen in Verbindung. Der Leser verlangt nach einer solchen Verbindung mit einer größeren Welt, nach einer Erklärung, einem Lichtstrahl irgendwoher von außen, der das düstere Gefängnis von Gregor Samsas entsetzlicher Existenz aufbrechen könnte. Doch nichts darf in die Grenzen dieses rätselhaften Universums eindringen.

Da die Metamorphose keine universale Idee symbolisiert, kann sie ganz offensichtlich auch keine Allegorie sein. Sie ist nur in dem Sinn ein Symbol, in dem man die in Träumen auftretenden Ereignisse Symbole nennt. Traumbilder sind keine Symbole im Goetheschen Sinn, da sie keine allgemeinen oder öffentlichen Wahrheiten vertreten; sie sind vielmehr aus jedem Zusammenhang gerissene erweiterte Metaphern, hieroglyphische Zeichen, eine Bildschrift, die das Wesen einer verborgenen Situation ausdrückt, ohne sie zu offenbaren. Und tatsächlich maskiert das Traumbild ebensosehr, wie es enthüllt, und seine Ausdrucks-Funktion ist mit seiner verschleiernden Funktion identisch.

Liest man *Die Verwandlung* sorgfältig, dann erkennt man, daß Kafkas Symbolismus völlig dem des Traums entspricht. Das Bild drückt seine Existenz aus, enthüllt jedoch nicht das geringste über diese Existenz — es sei denn in der verschleierten und indirekten Art der metaphorischen Maskierung.

Gregor Samsa wünschte auf die Macht in seiner Familie und gleichzeitig auf die unerträgliche Last schwerer Arbeit, die diese Stellung mit sich bringt, zu verzichten und die Liebe wiederzugewinnen, die seine Eltern ihm schenkten, ehe er den alten Vater als Ernährer und Haupt des Haushalts ersetzte. Gleichzeitig will er den Spieß gegen seine Familie umkehren, die seine Plackerei parasitisch ausnutzt, und selber wie ein Parasit zugleich in Freiheit und Abhängigkeit leben. Diese Wünsche gesteht er sich niemals ein. Sie schießen ihm durch den Kopf, um rasch verdrängt und vergessen zu werden. Doch ein alles durchdringendes Gefühl der Schuld und des Selbstvorwurfs plagt ihn. Danach finden wir in Gregor eine Anzahl unterdrückter Neigungen und Einstellungen seiner Familie und seiner Arbeit gegenüber, die sich wechselseitig widersprechen und in keinem Fall mehr als flüchtig über die Bewußtseinsschwelle gelassen werden.

Die Verwandlung kommt all seinen unterdrückten und widersprüchlichen Neigungen und Wünschen entgegen und verkörpert ebensosehr sein überwältigendes Schuldgefühl und seine Selbstverachtung, die daher stammt, daß er solch aufsässige Wünsche hegt; und durch seine neue Gestalt von widerlicher Hilflosigkeit bringt ihm die Verwandlung unmittelbare Strafe. Wie in Dantes *Inferno* ist die Strafe die bildliche Sichtbarmachung der Sünde. Dantes Dieb wird identisch mit dem kriecherisch verstohlenen Wesen seiner Sünde und verwandelt sich in eine Schlange. Die Sünde selbst, in ihrem nackten Wesen als permanente Existenz vergegenwärtigt und erlebt, ist die ewige Strafe. Der psychische oder existentielle Zustand, den Kafkas *Verwandlung* in sichtbarer Darstellung ausdrückt, ist jedoch nicht wie bei Dante eine besondere, in ein Universum von Sünden und Tugenden eingeordnete Sünde, sondern eine fast unendliche Ambivalenz, eine unmögliche emotionale Zwangslage. Diese Tatsache und das Fehlen eines erklärenden Zusammenhangs sind die beiden wesentlichen Unterschiede zwischen Dantes figürlicher und Kafkas expressionistischer Kunst.

Die Funktion der Verwandlung ist es, äußerste Ambivalenz auszudrücken, eine empirisch unmögliche Aufgabe, die nur ein empirisch unmögliches Ereignis erfüllen kann. Dadurch, daß die Verwandlung jeden der sich gegenseitig widersprechenden Impulse befriedigt, gelingt ihr das eigentlich Unmögliche. Sie integriert die Auflösung, nicht etwa indem sie sie umkehrt oder aufhält, sondern indem sie ihr konkrete Form verleiht. Der innere Monolog vermag die Ambivalenz nur als eine Aufeinanderfolge von Impulsen, nicht als ein völliges Impulsgewirr zu zeigen. Er muß widerstreitende Emotionen durch das Zeitelement voneinander trennen; aber ihre zerstörerische Macht liegt gerade in der gegenseitigen Durchdringung und der völligen Gleichzeitigkeit. Die metaphorische Vergegenwärtigung, die *image essentielle* der Existenz, eine Parallele zu Mallarmés *parole essentielle*, vermag eine solche Aufgabe dagegen zu erfüllen. Durch die kluge Anwendung und Beschreibung einer solchen »strategischen Metapher«, eines solchen metaphorischen Ereignisses, ist der Expressionist in der Lage, eine sehr starke emotionale Verflechtung und umfassende Bedeutung auf sehr kleinem Raum unterzubringen und dadurch Schärfe und Konzentration zu erhöhen. Kandinsky behauptet, daß dieser Literaturtyp »epochal«, d. h. unserer Zeit besonders angemessen sei, dieser Zeit zweideutiger und vielgesichtiger Persönlichkeiten, denen die Kunstprinzipien früherer Zeiten nicht mehr genügen. Die höchst komplizierte moderne Sensibilität will in der Kunst nicht die physischen Umstände des menschlichen Lebens erfahren, sondern das Geheimnis der menschlichen Seele. Kandinsky sieht in Maeterlincks abstrakten Gestalten und traumähnlichen Szenen die Anfänge einer »epochalen Literatur«. Strindberg, Kafka und Cocteau würden seinen Ansprüchen ebenfalls genügen.

Kafkas Methode der phantastischen Abstraktion, die wir an seinem Meisterstück *Die Verwandlung* analysiert haben, ist typisch für den Expressionismus. Wir finden sie in der Lyrik von Heym und Trakl, im Ich-Drama, in Barlachs Skulpturen. Ihr phantastischer Gebrauch der metaphorischen Vergegenwärtigungen hat seine Parallele in der Benutzung der Farbe durch den expressionistischen Maler. Van Gogh formulierte das Grundprinzip des visionären Expressionismus auf folgende Weise:

»Statt zum Versuch einer genauen Wiedergabe dessen, was ich vor Augen habe, benutze ich die Farbe ganz nach Gutdünken, um mich verständlicher zu machen ...«[1])

Expressionistische Farben sind offensichtlich phantastisch, weil sie mehr expressiven als deskriptiven Funktionen dienen. Sie haben keine Beziehung zu dem empirischen Aspekt der Gegenstände, die dem Maler ursprünglich als Ausgangspunkt dienten. Flammengelbe oder blutrote Gesichter, orangefarbenes Haar, blaue Rehe und blaue Pferde veranlassen unsere Aufmerksamkeit, vom Gegenstand zur intensiven und unnatürlichen Farbe abzuschweifen. Statt daß die Farbe den Gegenstand beschreibt, wird der Gegenstand zum Träger der Farbe. Genau wie die Samsas Existenz beschreibende Metapher zu seiner Existenz wird, absorbieren die Farben der expressionistischen Gemälde die Körper, auf denen sie aufgetragen sind. Das traditionelle Verhältnis wird umgekehrt. Statt daß die Farbe dem Körper, die Eigenschaft der Substanz anhaftete, finden wir, daß der Körper der Farbe zugefügt ist, die Substanz eine Funktion der Eigenschaft oder richtiger des Gefühls wird. Schließlich sind auf Kandinskys gegenstandslosen Bildern die Körper völlig verschwunden und nur ihre ästhetischen Attribute, die

[1]) Zitiert nach Fritz Nemitz, Vincent van Gogh, Tafel 16.

Farben, übriggeblieben. Das Bild hat aufgehört, eine Darstellung der Welt zu sein, und ist zur reinen Komposition expressiver Werte geworden.

Der österreichische Dichter Georg Trakl spielt in der expressionistischen Dichtung die Rolle, die der Kandinskys in der expressionistischen Malerei entspricht. Genau wie Kandinsky reine Kompositionen aus Farben und Linien schafft, so schafft Trakl reine Kompositionen aus autonomen Metaphern. Trakls reife Dichtung besteht fast ausschließlich aus metaphorischen Maskierungen. Jede Metapher besitzt eine mehr oder weniger genau bestimmte emotionale Tonalität und verbindet sich mit den andern Metaphern, aus denen das Gedicht besteht, nicht zu einer begrifflich zusammenhängenden Folge von Gedanken, sondern zu einem unzusammenhängenden Strom von Bildern. Die syntaktische Unterordnung der Neben- unter die Hauptsätze, die die logische Gedankenfolge in der Sprache wiedergibt, wird vernachlässigt. Trakls Dichtung ist kein System zur Übermittlung von Ideen, sondern ein Flug von Bildern oder selbständigen Metaphern, die einem zusammenhanglosen Traum ähneln[1]).

Trotzdem besitzt jedes Gedicht einen inneren Zusammenhang, nicht den Zusammenhang des begrifflichen Denkens, sondern den einer musikalischen Komposition. Jedes Gedicht ist eine Komposition ästhetischer Attribute, die fast völlig von logischen Ideen losgelöst sind. Zum Beispiel erscheint in einer Anzahl von Trakls Gedichten das metaphorische Bild »das versteinerte Antlitz«. Lesen wir Trakls Opus sorgfältig, dann stellen wir fest, daß diese Metapher eine festgelegte Stimmungstonalität besitzt. Gewöhnlich drückt sie den Übergang von einer Dur- zu einer Molltonart aus, d. h. von einer Stimmung der Freude, Spontaneität, Unschuld zu innerer Erstarrung, Schuldgefühlen und Hoffnungslosigkeit. Das metaphorische Bild wirkt ähnlich wie eine Note in der Partitur, die anzeigt, daß ein bestimmter Ton oder Akkord gespielt werden soll. Oder sie läßt sich mit einer Farbschattierung auf einem expressionistischen Gemälde vergleichen, die nicht den Gegenstand näher darstellt, dem sie aufgetragen sein mag, sondern eine gewisse Stimmung wiedergibt, die der Maler zu übermitteln wünscht.

[1]) Die besten Arbeiten über Trakl und die expressionistische Dichtung im allgemeinen sind: Lohner, »Die Lyrik des Expressionismus« in Expressionismus, herausgegeben von Hermann Friedmann und Otto Mann (pp. 57—83); Schneider, Der bildhafte Ausdruck in den Dichtungen Georg Heyms, Georg Trakls und Ernst Stadlers; Spoerri, Georg Trakl; Simon, Traum und Orpheus. Die beiden letzten Werke beschäftigen sich ausschließlich mit Trakl.

Als Trakl seine Jugendgedichte überarbeitete, ersetzte er das lyrische und persönliche »Ich« überall durch metaphorische Maskierungen wie »der Fremdling«, »ein Verwestes«, »ein Erstorbenes«, »der Mörder«. Er verändert den Satz »ich trat aus dem Haus« zu »ein Totes verließ das zerfallene Haus«. Trakls Metapher »ein Erstorbenes« beschreibt einen wesentlichen Aspekt seiner Existenz oder drückt ihn vielmehr aus: der Dichter hat alles Unwesentliche, einschließlich des Personalpronomens Ich, von seiner Existenz abstrahiert und die zurückbleibende Essenz in die Metapher gepackt, genau wie Kafka im *Prozeß* oder im *Schloß* und die expressionistischen Dramatiker den Namen ihrer Helden wegließen, weil er von ihrer wesentlichen Situation ablenkt, die allein ausgedrückt werden soll. Und ebenso wie Kafka die Zufallszüge der empirischen Wirklichkeit aus der Wahrheit von Gregor Samsas Existenz abstrahiert, indem er die Verwandlung aus einem Traum zu einem Schicksal macht, so abstrahiert Trakl seine empirische Persönlichkeit, sein Ich, von essentiellen Aspekten oder Situationen. Innerlich tot, wird der Dichter ein »Erstorbenes«. Er weist das Wort Ich zurück, weil es rein zufällige Seiten aufweist und nicht zu dem toten Selbst gehört. Auf ähnliche Weise nennt er sich nicht »ich«, sondern »der Mörder«, um die grausame und gewalttätige Leidenschaft in sich zu betonen. Die Metapher abstrahiert die Person vom Gefühl. Sie dient dazu, einen ungemein subjektiven Inhalt zu objektivieren, ohne daß er dadurch seine Subjektivität einbüßt, die im Gegenteil noch vertieft und geklärt wird. Durch diese ungemeine Subjektivität werden die Expressionisten zu *großen* Expressionisten. Ihre Fähigkeit, durch Abstrahierung zu objektivieren, macht sie zu Modernen und unterscheidet sie von den naiven oder rhetorischen Expressionisten, die ihre Gefühle einfach herausschreien. Ihre Neigung, durch traumähnliche Bildhaftmachung zu abstrahieren — mehr durch die *image essentielle* als durch die *parole essentielle*, das sprachliche Experiment —, verbindet sie mit Rimbaud, di Chirico und dem Surrealismus im Gegensatz zu den das Wort in den Mittelpunkt stellenden Modernen Mallarmé, T. S. Eliot, Valéry und Joyce, mit denen jedoch andere große Expressionisten, wie etwa Gottfried Benn, übereinstimmen.

Der Schlüsselbegriff dieser Haupttendenz innerhalb des Expressionismus, des eigentlichen Expressionismus, ist die Vision, die Schau. In seinem programmatischen Manifest des Expressionimus beschreibt Kasimir Edschmid die Expressionisten auf folgende Weise:

»Sie sahen nicht.
Sie schauten.
Sie photographierten nicht.
Sie hatten Gesichte.
Statt der Rakete schufen sie die dauernde Erregung.«

Und weiter:
(Für sie ist) »Der Kranke ... nicht nur der Krüppel, der leidet. Er wird die Krankheit selbst ...«[1]).

Edschmids Definition des Expressionismus gilt nicht nur für Strindbergs *Traumspiel,* Kafkas Erzählungen, Trakls und Heyms Dichtung, sondern auch für die Skulpturen von Ernst Barlach, die zu den bemerkenswertesten und eindrucksvollsten Werken der expressionistischen Bewegung gehören.

Wie Werner Haftmann gezeigt hat, sind Barlachs Skulpturen — meist aus Holz — in geschnitzten Gestalten verkörperte Visionen. Anders als die Werke der griechischen Bildhauer, Michelangelos, Rodins und Maillols üben sie ihren Eindruck auf uns nicht durch die treue Wiedergabe der Pracht menschlicher Körperlichkeit aus, sondern durch die Intensität ausgewählter Züge oder Eigenschaften — Gesichtsausdrücke, Gesten, Körperspannungen. Tatsächlich fallen einem Barlachs Figuren wie die Gestalten der expressionistischen Dramen oder der Geschichten Kafkas als besonders körperlos auf. Nie werden sie nackt dargestellt, sondern bilden eine Einheit mit den schweren, schlaff niederhängenden Gewändern, die sie verhüllen. In seinem berühmten »Der Rächer« zum Beispiel sehen wir nicht einen von einer Spannung ergriffenen Körper, sondern eher eine Spannung, die Körper geworden ist. Die expressive Geste oder Bewegung beherrscht die Figur in so hohem Maß, daß die Figur zum Träger des Ausdrucks wird, zum Mittel, einen emotionalen Zustand sichtbar zu machen. Das expressive Element absorbiert das darstellende; das ästhetische Attribut wird zur ästhetischen Substanz. In der expressionistischen Dichtung — und ebenso in Kafkas Erzählungen — absorbiert das ästhetische Attribut der Metapher das empirische Ich des Dichters und die objektive Welt der Natur um ihn her. In der expressionistischen Malerei saugt das ästhetische Attribut der Farbe die dargestellten Gegenstände auf. In Barlachs Skulpturen reißt das ästhetische Attribut — Geste, Spannung, Gesichtsausdruck — die menschliche Gestalt in sich hinein. Im expressionistischen Drama absorbiert die

[1]) »Über den Expressionismus in der Literatur und die neue Dichtung« in Tribüne der Kunst und Zeit, I, 52, 55.

existentielle Situation der Gestalt die Dramengestalt im traditionellen Sinn.

Die Personen der expressionistischen Dramen sind verkörperte Expressionen innerer Zustände und ebenso charakteristische Formen der menschlichen Existenz. Der Held des ersten deutschen expressionistischen Dramas, Reinhard Sorges Bettler, hat keinen Namen, weil er identisch mit seiner »Bettelei«, der geistigen Suche nach den Verankerungen seiner Existenz ist; und die Handlung des Dramas ist das Aufrollen aller Existenzsphären, in denen seine geistige Suche, seine »Bettelei«, stattfindet. Sie ist ein existentielles Panorama, die Totalität einer Existenz, dargestellt in Begegnungen, in denen immer wieder eine Wahl getroffen und eine Entscheidung gefällt werden muß; der Held wechselt seinen Namen — oder richtiger seinen Titel — mit den Bezeichnungen, in die er tritt. Bei seinen Eltern heißt er Der Sohn, in Gesellschaft des Mäzens Der Dichter, neben dem Mädchen Der Jüngling. Die Handlung ließe sich zusammenfassen in die Frage: »Was bin ich und wie soll ich mich selbst finden?«.

»Ist der Todeswunsch stärker als die ›Verführung‹ des Lebens?« Das ist die Handlung von Kornfelds Drama *Die Verführung* und der Name seines Helden — Bitterlich — eher Etikett einer Existenz als Personenname. Genau wie Gregor Samsa, das Ungeziefer, mit seinem Wunsch nach Verantwortungslosigkeit und Selbstbestrafung identisch wird, in denen sein »Wesen« enthalten ist, so ist Bitterlich identisch mit seiner Bitterkeit, seinem Ekel vor dem Leben, seinem Willen zu hassen und seinem Willen zu sterben.

Dieser abstrakte Subjektivismus der Expressionisten, der das empirische Ich von seinen Grundproblemen der Existenz abstrahiert, nimmt die Methode des Existentialismus vorweg, wie sie Martin Heidegger in *Sein und Zeit* und Sartre in *Das Sein und das Nichts* praktizieren. In einem der wichtigsten programmatischen Essays des Expressionismus stellt Kornfeld ein Begriffspaar auf, das wie ein Kern zu Heideggers fundamentaler Unterscheidung zwischen dem nicht-authentischen und dem authentischen Dasein erscheint: Kornfeld stellt dem »psychologischen Menschen« den »beseelten Menschen« gegenüber. Der psychologische Mensch ist der Mensch, wie man ihn von außen *sieht* als Objekt der darstellenden und naturwissenschaftlichen Analyse. Der »beseelte Mensch« ist der Mensch, wie er sich von innen her *fühlt* in seiner unbeschreiblichen Einzigartigkeit — oder, um Heideggers Ausdruck zu benutzen, der Mensch als *Existenz*. Martin Heideggers *Sein und*

Zeit aus dem Jahr 1927 ist in mancher Hinsicht eine großartige Vervollkommnung von Kornfelds expressionistischer These. Unter Anwendung der phänomenologischen Methode seines Lehrers Edmund Husserl sucht Heidegger den Menschen »von innen her«, den Menschen als »Seele« zu definieren. Diese Entsprechung stammt aus der Entstehungszeit der beiden Richtungen Expressionismus und Existentialismus: Heidegger entwickelte die Ansätze seiner existentialistischen Philosophie bereits 1911, in dem Jahr, in dem der Expressionismus seinen Weg begann, und Jaspers veröffentlichte sein erstes Werk 1917, auf dem Höhepunkt der expressionistischen Bewegung. Noch bedeutender sind die gleichen intellektuellen Einflüsse, die auf die beiden Richtungen einwirkten: Schopenhauer und Nietzsche, Martin Bubers *Ekstatische Konfessionen* (1911) und *Daniel* (1913), die Phänomenologie von Edmund Husserl, dem Lehrer Heideggers an der Universität Freiburg, und Kierkegaards Wirkung auf Deutschland im Jahrzehnt des ersten Weltkriegs. Unter den ersten, die Kierkegaard schätzten, fanden sich ebensowohl die Pioniere und Begründer des deutschen Existentialismus, Buber, Jaspers und Heidegger, wie der Dichter Rilke und die Expressionisten Brod und Kafka.

Für Heidegger ist das Wesen des Menschen seine Existenz. Der Mensch existiert in *einer* unumkehrbaren Richtung. »Geworfen« in die Zeit, reist er zu einer äußersten Grenze: dem Tod; und er ist sich des unumkehrbaren Verlaufs seiner Existenz bewußt. Deshalb kann der von innen her definierte Mensch von der wissenschaftlichen Forschung und Analyse nie richtig verstanden werden. Behandeln wir den Menschen als Objekt, übergehen wir das, was ihn von Tieren, Maschinen und Göttern unterscheidet — die Bewußtheit seiner individuellen Endlichkeit, sein innerstes entsetzliches Wissen, daß er eines Tages sterben muß, daß jede Sekunde seines Lebens unersetzlich ist und daß ihm keiner dabei behilflich sein kann, seinem Tod zu entrinnen oder gar seine Stelle dabei einzunehmen. Deshalb ist die menschliche Existenz das Erlebnis unerbittlicher Einsamkeit, einer Einzigartigkeit, für die die Kategorien und Methoden der Naturwissenschaft völlig irrelevant sind, da sie sich auf die Begriffe der Statistik stützen. Doch obwohl die Existenz individuell und einzigartig ist — und das spielt eine ganz entscheidende Rolle —, ist diese Existenz keineswegs dasselbe wie die Individualität. Die Existenz ist nicht der Charakter. Sie ist nicht eins mit den Gewohnheiten und Eigenarten der Persönlichkeit; sie ist nicht die Originalität; sie ist nicht das, was einen

Menschen von andern Menschen abhebt. Sie ist eher das, was er zwar mit allen Menschen gemeinsam hat, was jedoch jeder als seine eigene innerste Wahrheit besitzt. Alle Menschen müssen sterben, doch jeder weiß, daß er allein sterben muß.
Diese Ansicht von der Existenz weist erstaunliche Parallelen mit der Methode auf, durch die der Expressionist zu seiner Vision gelangt. Sowohl dem Existentialismus wie dem Expressionismus geht es darum, das Unaussprechliche darzustellen. Beide suchen dem gerecht zu werden, was »jenseits« oder »unterhalb« des begrifflichen Verständnisses liegt; beide bemühen sich, das Erlebnis-»Gefühl« zu definieren, das seiner Begriffsbestimmung nach unmitteilbar ist. Der Begriff der Existenz ist wie die Vision des Expressionisten das Ergebnis eines eigentümlichen Abstraktionsprozesses; die zufälligen Beimischungen von äußerer Realität werden vom essentiellen Ich abstrahiert. Dieses essentielle Ich ist jedoch weder ein Typus (bei einigen Expressionisten ist es das, doch keineswegs bei der Mehrzahl) noch ein Individuum in seiner vollen empirischen Konkretheit. Es ist ein »inneres Gefühl«, eine Bewußtheit, für die alle Kategorien und Prozesse des logischen Denkens völlig unerheblich sind.
Das Ziel des Expressionismus ist es, diesem undefinierbaren »inneren Gefühl«, dieser translogischen essentiellen Situation Ausdruck zu verleihen, entweder durch die traumähnliche, metaphorische Vergegenwärtigung oder — auf unmodernere Art — durch die parabolische Demonstration oder durch den unmittelbaren Schrei oder auch noch durch andere Formen, denen wir später begegnen werden. Aber was ist dieses »innere Gefühl«? Welches sind die essentiellen Situationen, denen wir in den Werken der Expressionisten begegnen? Und wie erklären sich die verschiedenen Formen von Verzerrung und Abstraktion in dieser reichen und vielseitigen Bewegung?

POETA DOLOROSUS

Im Jahr 1917, als die expressionistische Bewegung ihren Höhepunkt erreicht hatte, erschien ein Drama von Hanns Johst mit dem bezeichnenden Titel *Der Einsame: Ein Menschenuntergang.* Es behandelte auf sehr freie Weise das bedauernswerte Leben von Christian Dietrich Grabbe, einem Dichter und mißverstandenen Genie des neunzehnten Jahrhunderts, in dem die Expressionisten einen verwandten Geist sahen, der bereits vor ihnen ihre Lage, ihre Einblicke und ihre Ekstasen erlebt hatte[1]).

Auf den ersten Blick wirkt *Der Einsame* nicht wie ein typisch expressionistisches Theaterstück[2]), da es sich mit einer bestimmten historischen Gestalt beschäftigt, deren Tragik darüber hinaus durch ein bestimmtes Ereignis — den Tod der geliebten Gattin — hervorgerufen wird und nicht in der Natur des Helden selbst wurzelt. Wenn wir uns jedoch den düsteren Lebenslauf dieses Helden genauer ansehen, stellen wir fest, daß wir es hier keineswegs mit einer historischen Gestalt zu tun haben, sondern mit »*dem Dichter* ... dessen tragisches Schicksal es ist, an der Seichtheit der starren bürgerlichen Gesellschaft zu Grunde zu gehen«[3]). Wir erkennen in ihm einen Typ des Schriftstellers, Künstlers oder Intellektuellen, der überall in der expressionistischen Literatur in vielen Variationen erscheint. Hermann Hesse hat seine Verkörperung dieses Typs in dem halb-expressionistischen Roman gleichen Namens Steppenwolf genannt, einen aus der schützenden Wärme der Gesellschaft Ausgestoßenen, der die kahlen Wüsten seiner Einsamkeit durchstreift. Empfindsam, begabt und schöpferisch, ist der expressionistische Held der selbstzufriedenen Mehrheit überlegen. Doch die Überlegenheit ist der Verderb seines Lebens, das Stigma, das ihn von den Menschen absondert; die Überlegenheit stößt ihn hinaus in die Dunkelheit. Sein Charakter ist einzigartig; seine Worte finden kein Echo. Die wenigen, die ihm freundlich begegnen, sind Ausgestoßene wie er selber, Heruntergekommene wie Waldmüller in *Der Einsame*, Prostituierte wie Hermine in *Der Steppenwolf*, Juden, selber Geächtete, wie Doktor Benda in Wassermanns *Gänsemännchen*[4]). Der Dichter selber lebt häufig als Vagabund wie Werfels Laurentin in *Die Mittagsgöttin*, der geordneten Gesellschaft und der Polizei stets verdächtig. Sein Los wird mit dem des Juden verglichen.

»Der Dichter ist der unter die Völker Verstreute ... der Verbannte. Er ist, heute zumal, der ungewiß Wohnende unter Fremden ...«[5])

1) Kasimir Edschmid nennt Hölderlin, Grabbe, Lenz, Kleist, Büchner und Nietzsche »unsere Dichter ... die nichts hielt, nichts begriff und niemand liebte«. »Über den Expressionismus in der Literatur und die neue Dichtung«, Tribüne der Kunst und Zeit, I, 19.

2) Mathilda Hain nennt es »noch stark im Lebensgefühl der Neuromantik verwurzelt ...«. Hain, Studien über das Wesen des frühexpressionistischen Dramas, p. 44.

3) Ibidem.

4) Wassermanns Roman, der 1915 erschien, besitzt trotz stilistischem Realismus eine dämonische Atmosphäre und ist durch Thema und Aussage der expressionistischen Einstellung eng verbunden.

5) Wolfenstein, »Jüdisches Wesen und neue Dichtung«, in Tribüne der Kunst und Zeit, XXIX, 10.

Die eigene Familie schilt und verleugnet den expressionistischen Dichter. Das Verhältnis des Künstlers zu seiner Familie ist überaus wichtig für das Verständnis jenes intensiven Gefühls der Isolierung, das ein so ungemein charakteristisches Element im Leben und in den Werken der expressionistischen Schriftsteller bildet, wenn es auch, wie wir sahen, nicht auf den Expressionismus beschränkt ist oder nur für die heutige Zeit gilt. Viele Aspekte dieser Kunstrichtung lassen sich darauf zurückführen. In seiner Familie begegnet der Dichter zum erstenmal und am unverhülltesten jenen Kräften der bürgerlichen Gesellschaft, die ihn sein Leben lang hetzen und ihn schließlich kreuzigen werden. Der heftige Konflikt zwischen den Generationen ist allgemein als ein beherrschendes Thema im Expressionismus zu finden. Dieser Konflikt besitzt zwei verschiedene Seiten, die sich natürlich nicht völlig voneinander trennen lassen und die gemeinsam einen Circulus vitiosus bilden: Einerseits Ablehnung der Jungen, die sich nicht einordnen können, durch die Alten, anderseits die Auflehnung der Jungen, die sich nicht einordnen wollen. Der erste Aspekt des Konflikts steht in enger Beziehung zu der Schande, als die ein brotloser Beruf wie der des Dichters oder Künstlers empfunden wird: in Johsts Drama kann Grabbes Mutter nicht verstehen, warum ihr Sohn den beschämenden Beruf eines Dichters erwählt hat. In ihrer Welt läßt sich Kunst nur als Beschäftigung für die Mußestunden dulden; der Mann hat seine »wirkliche Rolle« im Leben in einer nützlichen Stellung auszufüllen, wie es zum Beispiel der Geheimrat Goethe getan hatte. Ja, von Goethe hat sie gehört und achtet ihn, obwohl er ein Dichter ist, denn seine poetischen Verirrungen wurden durch seine großen Leistungen als Staatsbeamter ausgeglichen. Doch in ihrem Sohn sieht sie leider nur eine Mißgeburt, unfähig und nicht gewillt, in einem normalen, anerkannten Beruf zu arbeiten. »Wo ist das Haus, das du mir für mein Alter bauen wolltest?« tadelt sie ihn. »Wo ist die Rente, mit der du meine zitternden, verkrümmten Hände zur Ruhe bringen wolltest? ... Lügen. Nichts als Lügen«[1]). Lieber sähe sie ihn im Grabe als ohne Amt und verachtet, größenwahnsinnige Träume von Unsterblichkeit im Kopf.

So tief ist Grabbe gesunken, daß er sich nicht scheut, ihr die schwerverdienten Groschen zu nehmen, um Schnaps dafür zu kaufen, der ihm Inspiration gibt und ohne den er nicht mehr leben kann. »An die Arbeit!!! Daß ich die Wirklichkeit vergesse

[1]) Johst, Der Einsame: Ein Menschenuntergang, p. 50.

und meiner Wahrheit wieder teilhaftig bin — und lebe! Schnaps! Schnaps! Schnaps! Oh, dreimalheiliges Dämonium!« Er sinkt auf das Niveau eines Saufboldes und Landstreichers hinab. Ein Bettelmusikant, Waldmüller, sein einziger Gefährte, redet ihn mit tiefer, ironischer Verbeugung an: »Ecce poeta dolorosus!« Diese Anrede könnte für all die ausgestoßenen Künstler im Leben und in der Literatur gelten, deren kompliziertes Verhältnis zur Gesellschaft Gegenstand der hier vorliegenden Untersuchung ist. Verschiedene stilistische Merkmale des Expressionismus lassen sich teilweise auf diese gespannte Beziehung des Dichters zu seiner Umgebung zurückführen.

Mit der unsicheren sozialen Lage des Künstlers beschäftigt sich eindringlich Frank Wedekinds Einakter *Der Kammersänger*. Zwei Künstlertypen stehen einander gegenüber: der erfolgreiche Gerardo, Liebling der Gesellschaft und Idol der Damen, und der alte Komponist Dühring, der sein ganzes Leben lang Musikwerke geschrieben hat, ohne daß auch nur eines aufgeführt oder veröffentlicht worden wäre. Während Gerardo allabendlich Applaus erhält, siecht Dühring in einsamer Schwermut dahin. Nun, mit siebzig Jahren, fleht er den berühmten Sänger an, sich für die Aufführung einer seiner Opern einzusetzen. Doch Gerardo verachtet den alten Komponisten. Dühring sei dumm gewesen, daß er weiterkomponiert habe, als er einmal abgelehnt worden sei, erklärt Gerardo. Für Gerardo gibt es nur eine Realität: den Erfolg. »Ein gesunder Mensch tut das, worin er *Glück* hat; hat er Unglück, dann wählt er einen andern Beruf«[1]). Auf Dührings Erwiderung, daß die Kunst für ihn das Höchste auf Erden sei und daß er ihr sein Leben geopfert habe, antwortet Gerardo schlau: »Wir Künstler sind ein *Luxusartikel* der Bourgeoisie.« Für den Bourgeois ist Verschwendung die Erzsünde. Der Künstler, der seine Schöpfungen als etwas anderes, gar als etwas Höheres betrachtet als das Bargeld, das sie einbringen, begeht diese Erzsünde: er opfert einer Einbildung die Realität. Als Antwort darauf verurteilt ihn die bourgeoise Gesellschaft zu einem Schattendasein. Deshalb weigert sich Gerardo mit großer moralischer Selbstgerechtigkeit, auch nur einen Finger für Dühring zu rühren.

In der heutigen, vom Geld bestimmten Gesellschaft kann der Künstler nur als Unterhaltender leben. Der nachschaffende Künstler wird höher geachtet als der schöpferische; gäbe es nicht die Stimme und das Talent des Sängers, bemerkt Gerardo, dann

[1]) Wedekind, Prosa, Dramen, Verse, pp. 564 f.

wären Wagners Opern lange vergessen. Ja, der schöpferische Künstler sei gezwungen, mit den Kunststücken des Artisten zu wetteifern. Er muß mit dem Boxring und dem Tanzpodium, mit dem Akrobaten und dem Clown konkurrieren[1]). Als Kleinhändler des Amusements nimmt er einen bescheidenen Platz im bürgerlichen System ein. Aber er ist an die Peripherie, an den Rand des Lebens geschoben worden.

Doch während das Publikum Unterhaltung für langweilige Stunden erwartet, hat der moderne Künstler, eines geistigen Mittelpunktes und einer Ebene der Begegnung mit seinen Mitmenschen beraubt, nichts zu geben als seine eigene Seele. Zwischen dem Publikum, das von der Kunst nicht mehr verlangt als Possenreißerei oder den Kitzel des Obszönen[2]), und dem Künstler, der sich immer weiter auf das rein Individuelle und Unverständliche zubewegt, verbreitert sich die Kluft immer mehr. Wassermann gibt im Jahr 1910 die Situation auf folgende Weise wieder:

»Die Dichter, nicht so welt- oder zeitfremd als ihre Abgeschiedenheit, ihre Losgelöstheit, den Mangel eines gesellschaftlichen Zusammenhanges und einer tieferen, mythischen Legitimität empfindend, verkriechen sich in ihr eigenes Inneres wie in eine Höhle oder stellen sich tyrannisch auf sich selbst, ohne eine Brücke zur Gesellschaft und zur Menschheit zu finden. So steht auf der einen Seite ein Volk in fieberhafter Tätigkeit, ganz Handlung, ganz Sucht, aber auch ganz entgöttert, und auf der anderen Seite der Dichter in fieberhaftem Leiden, traumbewegt, einsam und sich selbst vergötternd.«[3])

Dieser völlige Mangel an Kontakt zwischen Künstler und Publikum, den die ersten Schriftsteller mit expressionistischen Tendenzen so deutlich empfinden, wird mit beißender Ironie in Wedekinds Tragikomödie *König Nicolo oder So ist das Leben* dargestellt. Der frühere König, durch eine Revolution von Ladenbesitzern entthront und verbannt, wandert namenlos durch das Land, findet bei einem Schneider Arbeit, kann sich jedoch der bürgerlichen Werteskala nicht anpassen und verliert seine Stelle. Dem

[1]) Zu der großen Bedeutung, die Clown und Zirkus in der modernen Kunst haben, vergleiche Leoncavallos Oper, die Bilder von Toulouse-Lautrec, Picasso, Rouault, Beckmann u. a., die Elegien Rilkes, die Dramen von Wedekind und Andrejew, die Dichtung von Lasker-Schüler, die Prosa von Kafka.

[2]) Vergl. Johst, Der Einsame, 7. Bild, in einer größeren Wirtsstube, pp. 55 ff.

[3]) Wassermann, »Offener Brief«, Die neue Rundschau, XXI/3 (1910), 999. Vergl. auch Rehms ausgezeichneten Artikel »Der Dichter und die neue Einsamkeit«, Zeitschrift für Deutschkunde, XLV (1931), 545 ff.; Rosenhaupts sorgfältige Entwicklung von Rehms Thema Der deutsche Dichter um die Jahrhundertwende und seine Abgelöstheit von der Gesellschaft; und den Essay des gleichen Autors über Heinrich Mann in Germanic Review, XII (1937), 267 ff.

Elend verfallen, trägt der einstige, nun in Lumpen gehüllte König seinen Fall dem Volk vor.
Seine ernste Dichtung übt das Gegenteil der erwarteten Wirkung auf die Zuhörer aus. Des Königs Beredsamkeit bewegt sie nicht zu Tränen, sondern zu Gelächter. Seine tragische Geschichte verwandelt sich in eine Posse. Vergeblich versichert er seinen Hörern, daß das, was er ihnen eben enthüllt habe, »das Teuerste« sei, »das Heiligste, was ich bis jetzt in den Tiefen meiner Seele verschlossen hielt«. Diese Erklärung erhöht nur die Heiterkeit. Die Leute vermögen das Tragische nur noch als Parodie aufzunehmen. Der König ergibt sich in seinen ungewollten Erfolg als Clown und läßt sich von einem Theaterbesitzer anstellen. Er erntet großen Applaus und beendet seine Tage als Hofnarr bei einem reichen Schlächter, der der neue König geworden ist. In der bürgerlichen Welt hat sich die natürliche Hierarchie der Werte verkehrt, »denn wenn der Schweineschlächter auf den Thron erhoben wird, dann bleibt für den König schlechterdings keine andere Lebensstellung im Staate mehr übrig als die eines — Hofnarren«. Die Gemeinen tragen die Krone; der Edle trägt die Narrenkappe. Die tragische Muse vermag nur in der Maske der komischen am Leben zu bleiben.
Während *König Nicolo* in versöhnlichem Ton endet, behandelt Wedekinds nächstes Stück, *Karl Hetmann, der Zwergriese,* das gleiche Thema mit wütender Bitterkeit. Hetmann, ein verkrüppelter Schriftsteller mit sozialer Mission, schmeichelt dem feindseligen Publikum und beleidigt es abwechselnd, bis er einen Nervenzusammenbruch erleidet und in ein Sanatorium gebracht wird. Nach seiner Entlassung, als er bereits skeptisch und seiner Mission überdrüssig ist, tritt der Direktor eines großen Zirkus an ihn heran und bietet ihm eine Stellung als Clown. Hetmann erhängt sich in äußerstem Ekel.
König Nicolo, Hetmann, der Schriftsteller Buridan in *Die Zensur,* der Komponist Dühring in *Der Kammersänger* sind Masken für Wedekind. Das Thema des großen Künstlers, den das Publikum ignoriert oder im besten Fall für einen Clown nimmt, quält Wedekind in den mittleren Jahren seines Lebens, weil es sein eigenes Schicksal behandelt. Der Autor mehrerer der interessantesten Theaterstücke in der modernen deutschen Literatur lebte viele Jahre in bitterer Armut, die durch die fehlende Anerkennung nur noch härter wurde. Das Publikum kannte ihn als Vortragenden im Münchner Kabarett Die elf Scharfrichter. Sein komisches Talent, seine Scherze und Balladen wurden sehr beifällig aufgenommen,

und eine Zeitlang war er ein Stern des Münchener Nachtlebens. Allmählich sprachen sich die dauernden Schwierigkeiten herum, die er mit der Zensur hatte, und trugen ihm den Ruf der Obszönität ein. Er wurde auch als Mitarbeiter der liberalen satirischen Zeitschrift *Simplicissimus* bekannt und mußte für eine liberale Sache, an die er nicht recht glaubte, eine Gefängnisstrafe absitzen. Das einzige, woran er glaubte, das einzige, wofür er bekannt sein wollte — seine Dramen und ihre Botschaft —, blieb unbekannt, unaufgeführt, nichts als Gerücht von Skandal und Pornographie. »Denken Sie sich in meine Lage«, schreibt er, »der ich mich dem Berliner Publikum als Spaßmacher und Hanswurst vorstellen soll, während mir als ernster Mensch mit dem Besten, was ich zu sagen habe, und was mir selber heilig ist, der Mund verschlossen bleibt«[1]).

Die ausbleibende Anerkennung und das anhaltende Unverständnis seiner Kunst gegenüber ließen ihn bisweilen so sehr verzweifeln, daß er das Schreiben ganz aufgeben wollte. Die Geringschätzung vergiftete seinen Geist, verschloß ihn für größere Probleme, verdunkelte seinen Sinn für die Proportionen, verbitterte seinen Humor und trug so zur Qualitätsminderung seines Werkes bei.

Julius Bab hat behauptet, daß Wedekinds schöpferische Begabung so klein gewesen sei, daß er sich nach seinen zwei oder drei besten Dramen — *Frühlingserwachen, Erdgeist* und vielleicht *Der Marquis von Keith* — erschöpft habe; alles übrige sei Wiederholung früherer Themen oder zornige Klage über die Geringschätzung durch das Publikum. Doch der kluge und »expressionistische« Kritiker Franz Blei gräbt tiefer, wenn er Wedekinds Krise mit der allgemeinen Situation des Künstlers unserer Zeit in Beziehung setzt:

»Solche Krisen [der schöpferischen Persönlichkeit] stehen oft an der Wende einer modernen künstlerischen Existenz; sie sind in dem Wurzellosen heutiger Künste bedingt, die keinem Kulturkreis zugehören, sondern bestenfalls sich an das anlehnen, was man Bildungsschicht nennt, was eine sehr schwankende unsichere Lehne ist.«[2])

Die moderne Kunst, schrieb Blei 1915, sei »längst keine Äußerung einer Gemeinschaft mehr«. »Was wir mit dem hohen Namen des Volkes auszeichnen, hat keine heutige Literatur, und das, was wir so nennen, hat das Volk nicht, sondern ein Publikum.« Heute

[1]) Zitiert bei Kutscher, Frank Wedekind, II, 91.
[2]) Blei, Über Wedekind, Sternheim und das Theater, pp. 43—44.

kann der Schriftsteller keine interessierte Gemeinschaft mehr voraussetzen, da sich das Publikum, statt leidenschaftlich teilzunehmen, in den Sesseln des dunklen Saales zurücklehnt und darauf wartet, unterhalten zu werden. Der moderne Mensch ist überzeugt, »daß die Kunst doch nicht das Leben sei, sondern Schein; daß die Kunst ferner der Kunst wegen da sei ... und daß ... die Sache also doch nicht die Realität habe wie ein Corner [das Aufkaufen zum Zweck der Preissteigerung] an der New Yorker Baumwollbörse«[1]). Der Schriftsteller, unfähig, mit der um das Geschäft kreisenden »Erwachsenen«-Welt fertig zu werden, tobt gegen ihre Banalität und Gleichgültigkeit; oft wird der Haß zur Inspirationsquelle für sein Werk. Doch das zufällige Publikum lächelt nur herablassend über seinen Zorn, und das Unbehagen des Schriftstellers wächst zu einer Krise an. Und Blei fährt fort: »Die Krisen sind Abrechnungen. Zu ihrer Überwindung kommt es darauf an, auf welche Seite der also Abrechnende das Schuldkonto schreibt. Wedekind schrieb es ingrimmig auf die Seite der andern. Sein Blatt ließ er leer und weiß wie das Gewand eines Propheten, des reinen Helden.«
Hier erwähnt Blei ein Element, das entscheidend nicht nur für das Verständnis Wedekinds, sondern auch des Expressionismus als Gesamterscheinung ist. Man könnte es den »Märtyrerkomplex« nennen. In Wedekinds Fall kann das Gefühl des Martyriums nicht ausschließlich der Gleichgültigkeit oder Feindseligkeit des Publikums seinem Werk gegenüber zugeschrieben werden. Es lag von Anfang an in ihm[2]); und wenn man Wedekinds Biographie liest, gewinnt man den Eindruck, daß er selbst, so bedauerlich die Zensur sein und so rückständig die Einstellung des Publikums erscheinen mochte, sich geradezu bemühte, sie herauszufordern. Selbst sein bester Freund, der Komponist Weinhöppel, riet ihm, »etwas herabzusteigen ... eine mehr populäre Ausdrucksweise zu erzielen ... Ich würde überhaupt den Staatsangehörigen vorläufig die Meinung erwecken, ich wäre gesonnen, mich ihren Einrichtungen anzubequemen«[3]). Natürlich verabscheute Wedekind diesen Rat. Als ihm der Kritiker Kurt Martens zu beweisen suchte, daß das

[1]) Ibidem, p. 13. Vergl. Bleis Analyse der deutschen Situation vor mehr als einer Generation mit der auffallend ähnlichen Analyse der heutigen amerikanischen Situation in Lionel Trillings Essay über Dreiser in The Liberal Imagination.
[2]) Vergl. Wedekinds Schulaufsatz (Kutscher, Wedekind, I, 57 ff.), in dem der höhere Schüler einen Spießer zeigt, der den Unterricht in den alten Sprachen verdammt und sich über die geringe Zeit beschwert, die auf Chemie und andere »nützliche« Fächer verwendet werde. Der Philister möchte Heines Büste durch die von Edison, »Wohltäter der Menschheit«, ersetzen. Das Geistige ist, so erscheint es Wedekind bereits in frühester Jugend, ständigen Angriffen durch den Erzfeind, den Bourgeois, ausgesetzt.
[3]) Kutscher, Wedekind, II, 15.

tragische Gefühl im modernen Leben unzeitgemäß sei, da jeder Fall persönlicher Tragik durch Energie, Gewandtheit und Klugheit »wegzueskamotieren« sei, »es sei denn, daß man sich selbst zu wichtig nähme«, erwiderte Wedekind wütend, daß er ein Tier mit starken Instinkten bleiben und sich mit seinem Schicksal als Tier stolz abfinden wolle. Er warb geradezu um die Empörung der Bourgeoisie, auf die er doch als Publikum angewiesen war, indem er ihre Sexual-Tabus lächerlich machte und ihr ganzes Moralsystem mit Füßen trat. Er verwirrte ihr kaum an die naturalistische Diät gewöhntes Gefühl mit phantastischen Szenen, psychologischen Ungereimtheiten, grotesker Ironie und vor allem mit dem grimmigen Zynismus neuer Dialoge. Wedekinds Dialogstil ist von ungeheurer Bedeutung für die Entwicklung des expressionistischen Dramenstils bei Sternheim, Kaiser und Toller. Er beruht, wie wir sehen werden, auf zwei Hauptfaktoren: Aggressivität gegen die Bourgeoisie und Wurzellosigkeit.

Wedekind schrieb seine ersten und bedeutendsten Dramen in den neunziger Jahren, in einer Zeit, als Ibsens und Hauptmanns Naturalismus auf der deutschen Bühne noch kaum anerkannt war. Was Wedekinds Stücke trotz ihrer hochmodernen, semi-naturalistischen Themen vom Naturalismus unterschied, waren die darin dargestellten grotesken Situationen und die Art des Dialogs. Wedekind wandte für all seine Gestalten vom Zeitungsverleger bis zum Lumpensammler das gleiche Idiom gestelzter Phrasen und kaustischer Epigramme an. Vom Standpunkt des Naturalismus aus war das empörende Unfähigkeit. Doch es lag nicht in Wedekinds Absicht, die tatsächliche Gesellschaft auf die Bühne zu bringen. Durch sein eigentümliches Idiom schuf er eine geschlossene Welt — ähnlich dem autonomen Raum der Kubisten oder dem geschlossenen Universum bei Kafka oder Trakl. Doch im Gegensatz zu Kafka, Trakl oder dem Strindbergschen Drama erbaute Wedekind seine geschlossene Welt nicht, um existentielle Situationen sichbar zu machen, sondern um die soziale Wirklichkeit zu übertreiben und zu verzerren. Wie die Figuren der Kubisten entsprechen Wedekinds Gestalten zwar der objektiv vorhandenen Wirklichkeit, sie werden jedoch in ihrer wesentlichen Struktur und nicht so sehr in ihrer der Empirie entsprechenden äußeren Erscheinung gesehen und dargestellt. Wedekind betrachtet den Geschlechtstrieb, den Willen zur Macht und die Sucht nach Prestige als die sich gegenseitig bekämpfenden Grundkräfte, von denen das Leben beherrscht wird. Er destilliert diese Kräfte aus der tatsächlich vorhandenen Gesellschaft, in der sie unter Schichten heuchlerischer Konvention verborgen liegen, und stellt mit provozierender Lust ihre »pure Essenz« zur Schau, wie sie sich in empirisch unmöglichen Menschenexemplaren verkörpert. Lulu, sein »Erdgeist«, ist nichts anderes als die Fleisch und Blut gewordene Tyrannei des Geschlechtstriebes und sein unglaublich despotischer und erfolgreicher Chefredakteur Dr. Schön die Verkörperung des unbarmherzigen Machtstrebens, das die moderne Gesellschaft beherrscht. Wedekind demonstriert die grundsätzliche Auseinandersetzung zwischen den beiden Trieben in der »Reagenzröhre« seines Dramas, die sein künstlicher, aber unerbittlich expressiver Dialog schafft. Im Prolog zu seinem Drama *Erdgeist* vergleicht er sich selbst mit dem Tierbändiger in einem Zirkus. Hier enthüllt wie in allen andern Werken des Expressionismus die Verzerrung das Wesen. Doch im Drama Wedekinds wie in dem seiner Nachfolger Sternheim und Kaiser liegt dieses Wesen weniger in der visionären Phantasie als vielmehr in der einförmig übertriebenen, epigrammatisch konzentrierten Sprechweise.

Die Wildheit und der provozierende Zynismus des Sternheimschen Dialogs ging weit über die Wedekinds hinaus. In der Übertreibung der abgehackten, trockenen und arroganten Sprechweise, in der die Berliner Bourgeoisie die preußische Herrenkaste nachäffte, schmiedete sich Sternheim eine Waffe, mit der er auf eben diese verhaßte Bourgeoisie eindrosch. Er schuf eine neue Sprache, einen Telegrammstil von äußerster Konzentration, die sich scharf von der üblichen Syntax und Wortanordnung unterschied. Trotzdem hört man noch den Kommandoton des monokeltragenden preußischen Offiziers und des Berliner Geschäftsmanns in der schroffen, herzlosen und aggressiven Sparsamkeit von Sternheims Dialog, der durch die Dramen Wedekinds und Georg Kaisers — Wedekinds und Sternheims Schüler — zu einem der wichtigsten herrschenden Sprachstile des Expressionismus werden sollte. Sternheims Dialoge sind die literarische Parallele zu George Grosz' Bildern. Sowohl Sternheim wie Grosz betrachten reale Gegenstände mit kaustischem, bitterem Temperament und erreichen durch die Übertreibung gewisser Züge Parodie und hoch stilisierte Gesellschaftskritik. Bert Brecht ist der unmittelbare Erbe dieser parodistischen Tendenz im Expressionismus, die Wedekind schuf und Sternheim entwickelte.

Wedekind wurde tief von Büchners und Nietzsches aphoristischem, ironischem Stil beeinflußt; und Nietzsches Stil wiederum setzt eine häufig übersehene Tradition in der deutschen Literatur fort, jene aggressive epigrammatische Tradition, zu der Büchner, Heine und Schiller gehören und die von Lessing und Lichtenberg ausgeht. Kadidja Wedekind dagegen, die Tochter des Schriftstellers, führt das erstaunliche Idiom auf die völlige Wurzellosigkeit seiner Herkunft zurück. Als Sohn eines exzentrischen politischen Emigranten und einer kalten, tyrannischen deutschen Opernsängerin aus San Francisco, wuchs Frank (abgekürzt für Benjamin Franklin) Wedekind in einer einsamen Burg in der Schweiz auf, die seine exzentrischen Eltern bei ihrer Rückkehr nach Europa gekauft hatten. Von jedem natürlichen Kontakt mit der Sprache der Schweizer ihrer Umgebung abgeschnitten, sprach die zweimal emigrierte Familie Wedekind weiter ihr kaustisches und intellektuelles Idiom, das mit seiner gestelzten Syntax und der Armut des konkreten Wortschatzes dem deutschen Jargon eben emanzipierter Ghettojuden ähnelte. Dieses Idiom sollte das Sprachmittel der aufsehenerregenden Dramen Wedekinds werden. In diesem Licht betrachtet, ist es destillierte Heimatlosigkeit und Isolierung. Es drückt den völligen Mangel an Gemeinschaft, aus dem es entstand, nicht nur durch seine Künstlichkeit, sondern auch dadurch aus, daß Wedekinds Gestalten nicht »miteinander« reden, sondern »aneinander vorbei« und niemals eine wirkliche Gemeinschaft zeigen. Ein in Berlin aufwachsender Halbjude, Carl Sternheim, und der jahrelang ans Krankenzimmer gefesselte Georg Kaiser übernahmen Wedekinds Dialogstil und entwickelten ihn zu einem hervorstechenden Zug des Expressionismus. In ihren Dramen bombardiert jede Gestalt, in ihrem eigenen Gedankenstrom befangen und isoliert, andere, die ihr nie wirklich antworten. Doch alle werden eins durch eine Sprache, die man im tatsächlichen Leben niemals hört und die trotzdem äußerst geeignet ist, die für das moderne Leben so bezeichnende Entfremdung, Verwirrung und Hysterie auszudrücken.

Wedekind erwartete, daß ebendie Leute, die sein Stil und seine Ansichten zur Empörung brachten, ihm Beifall spenden würden. In diesem Zusammenhang sollten wir uns auch erinnern, daß er gegen seinen Vater rebellierte, der selber Exzentriker war, und daß er lieber auf alle elterliche Unterstützung verzichtete, als einen Kompromiß einzugehen. Wenn man all das berücksichtigt, drängt sich einem der Gedanke auf, daß Wedekinds Talent enge Beziehung zu einem rebellischen Wunsch nach Märtyrertum hatte und wohl zum Teil auch durch diesen Wunsch genährt wurde. Wedekind war sich des provozierenden Exhibitionismus seines Werks mit Unbehagen bewußt. In dem Dialog zwischen dem Literaten Buridan und Hochwürden Dr. Prantl in Wedekinds Einakter *Die Zensur* beklagt sich Buridan, vielleicht das offenste Selbstporträt des Autors, über den »untilgbaren Fluch«, den er mit sich durchs Leben schleppen müsse. Es ist die typisch Wedekindsche Tragik: der von seinem Publikum mißverstandene Autor. Doch der Priester erwidert: »Wer traut einem Menschen, der aller Welt gegen Eintrittsgeld auftischt, was er zu Hause mit sich selbst auskämpfen sollte?«

Unzufriedenheit mit der bürgerlichen Umgebung, begleitet von dem Wunsch, Aufmerksamkeit zu erregen, den Feind herauszufordern und von ihm gekreuzigt zu werden, paßt gut zu den Analogien in der expressionistischen Literatur zwischen mißverstandenen Künstlern und Christus. Johsts Grabbe flößt seiner Mutter Entsetzen ein, als er sein Leben mit Christi Martyrium vergleicht. In Leonhard Franks erstem Roman, *Die Räuberbande* (1914), vergleicht der Fremde, eine Projektion des Ich-Ideals des ringenden Künstlers, den jungen Künstler mit Christus:

»... solange ein Mensch den Weg der Einsamkeit geht, um sich zu finden, stehen die Menschen zu beiden Seiten seines Weges und höhnen und verachten ihn. Und der Vater schämt sich seines Sohnes, den alle verachten. Erst wenn du dich den Weg, der zu dir führt, zu Ende geschleppt hast und aufgerichtet stehst, schreien sie dir alle ihr lügenhaftes Hosianna zu und sagen zueinander — den haben wir niemals verachtet. Und der Vater ruft — das ist mein Sohn. Jesus Christus trug sein Kreuz der Einsamkeit beschimpft und verhöhnt bis zum hohen Gipfel. Heute schreien die Lügner ihm ihr Hosianna zu und ihre Verachtung dir, der du dein Kreuz der Einsamkeit noch nicht zu Ende geschleppt hast.«[1])

Der Gekreuzigte ist auch der Erlöser. Im Augenblick zwar verfolgt, wird er doch das Reich der Auserwählten erben. Die, die ihn heute verachten, werden sich eines Tages in den Theatern und Museen drängen, um ihn anzubeten.

Wenn der Künstler mit Christus verglichen wird, dann ist es bestimmt ein durch die Brille des Sturm und Drangs und seiner Genieverehrung gesehener Christus; Faust spricht in der ersten Szene mit Wagner fast in den gleichen Worten wie der expressionistische Schriftsteller Frank von dem Martyrium des Genies, und dabei vermengt sich das Bild Christi mit dem von Sokrates, der

[1]) Frank, Die Räuberbande, p. 291.

gleichfalls von der Masse geopfert wurde. Es ist auch ein Christus durch die Brille der Junghegelianer und des Historismus gesehen, die die absolute Gültigkeit irgendeines besonderen Kunststils und Geschmacks verneinten und behaupteten, daß nicht die Traditionen der Vergangenheit und der begrenzte Blick der Gegenwart, sondern immer die Zukunft und ihre Wegbereiter recht hätten. Und schließlich ist es ein Christus, durch die Brille Nietzsches gesehen und mit Zarathustra eins geworden. Diese drei Traditionen mischen sich in der stolzen Selbstrechtfertigung des mißverstandenen und geächteten Genies.

Besonders der Historismus ist eine Grundvoraussetzung von Kandinskys Theorie der Moderne. Kandinsky betrachtet die Geschichte als eine immer fortschreitende Bewegung. Zu jeder gegebenen Zeit der Geschichte bietet sich das geistige Bewußtsein der Menschheit in der Gestalt eines Dreiecks dar. Die Basis des Dreiecks bedeutet das geistige Niveau der Masse der Zeitgenossen. Die Spitze des Dreiecks bilden die Menschen mit den fortschrittlichsten Einsichten, beschränkt auf eine winzige Minderheit schöpferischer Genies. Das Dreieck bewegt sich aufwärts. Die Basis von heute wird sich bis zur heutigen Spitze heben und zur Grundlinie von morgen werden. Mittlerweile hat sich die schöpferische Minderheit von heute weit über die heutige Spitze hinaufbewegt; zwischen der heutigen Spitze, die zur Grundlinie von morgen geworden sein wird, und der Spitze von morgen besteht eine neue Kluft. Zu keinem Zeitpunkt der Geschichte vermag die Mehrheit die wegbereitende Minderheit ihrer Epoche zu verstehen und zu würdigen. Der Gesetzgeber von morgen muß notwendigerweise der Märtyrer von heute sein.

Diese links-hegelsche Fassung eines uralten judäo-christlichen Glaubens an den verfolgten Erlöserpropheten und an die fortschreitende Bewegung Gottes durch die Geschichte ist von höchster Bedeutung für die Psychologie des modernen Künstlers und derjenigen, die mit ihm sympathisieren. Dadurch wird er ermutigt, der Schande und Gleichgültigkeit, die seinem unkonventionellen Werk entgegengebracht werden, die Stirn zu bieten; dadurch wird er sogar zur Originalität und zum Experiment genötigt, da seine Ansicht von der Geschichte und vom menschlichen Geist, die Möglichkeit, daß Größe und sofortige Anerkennung miteinander vereinbar seien, nahezu ausschließt. Eine solche Ansicht verleiht der romantischen Vergötterung des Genies historische Perspektive und soziale Bedeutung. Natürlich läuft sie der Lehre von der Mimese völlig zuwider, die eine Symbiose zwischen dem Künstler und der ihn umgebenden Welt voraussetzt, während die Rechtfertigung des Genies durch die Geschichte die unvermeidliche Diskrepanz zwischen dem Künstler und seiner Umgebung in jedem gegebenen Augenblick der Geschichte annimmt.

Im Frühexpressionismus vermengt sich Hegel mit Nietzsches Zarathustra-Mythos vom isolierten Übermenschen, der auf seiner eisigen Gipfelhöhe einen Ruhmesglanz erlebt, von dem nur schwache Strahlen in die gewöhnliche Welt hier unten hinabdringen. Was er auch leiden mag, es wird reichlich aufgewogen durch die erhabene Schöpferfreude, die Nietzsche so beredt rühmt und lobt. In der gleichen Ansprache, in der Franks Fremder das Martyrium des ausgestoßenen Künstlers mit dem Christi vergleicht, spricht er auch von den Höhen, auf denen er steht und von denen er auf das übelriechende Bahrtuch der Stadt tief unter ihm hinabschaut. »Und ich bin allein«, setzt er stolz hinzu. Sowohl die Szenerie als auch die Idee sind auffallend zarathustrisch. Die für Nietzsche bezeichnende Reaktion auf die bürgerliche Welt prägt auch Frank (und andere Expressionisten) und erzeugt bei ihnen eine fast gleiche metaphorische Landschaft. Die vielseitige und komplizierte Reaktion des Expressionismus auf Nietzsche wird kaum jemals aus dem Mittelpunkt der vorliegenden Analyse rücken. Es geht uns hier um die unmittelbare Gefolgschaft, die der Expressionismus Nietzsche als dem Herold des amoralischen Schöpfers leistet, der sich selbst Gesetz ist.

Im Februar 1921 fand vor einem deutschen Gericht ein sensationeller Prozeß statt. Der Angeklagte war Georg Kaiser, der führende Dramatiker des Expressionismus, dessen Stücke nicht nur zu den am häufigsten in Deutschland aufgeführten zählten, sondern auch zu den ersten Exporten des besiegten Landes zum Broadway und nach Greenwich Village gehörten. In fiebernder Hast schrieb Kaiser Stück um Stück, deren Neuartigkeit das Publikum mit entsetzlichen Stößen traf. Eine aus den Fugen gegangene Zeit schien sich in diesen knappen Dialogen zu spiegeln, in denen die Personen sprachen, ohne aufeinander einzugehen, und so der tragischen Aufhebung der Kommunikation zwischen Mensch und Mensch im modernen Leben Ausdruck verliehen. Eine Atmosphäre atemloser Modernität ging von diesen Szenen aus; einige der welterschütternden Entdeckungen und Umwälzungen des Jahrhunderts schienen sich auf die Bühne zu projizieren. Und die Stücke wurden in rascher Folge hervorgeschleudert, bisweilen mehrere in einem Jahr, als ob eine Dramen-Schreibmaschine, die eine von Kaisers eigenen kubistischen Bühnenerfindungen hätte sein können, sie hervorklapperte. Er wurde »der Exponent unseres technischen Zeitalters«[1]) genannt. »Wir erleben das wahrhaft Originale, daß in genauer Parallelität mit seiner geistigen *Denk*handlung ... eine überaus bewegte *Schau*handlung mitläuft, deren krasse Bilderfolgen zuweilen an das Kinodrama mahnen ... Der philosophische Techniker Kaiser ... er konstruiert ihnen ein maschinelles Drama ... der gegenwärtigste, der traditionsloseste, der direkteste Künstlertypus seiner Zeit«[2]). Doch während der ganzen Zeit, da sein Ruhm über Deutschland und im Ausland erstrahlte, saß »der Denkspieler« Georg Kaiser »in einsamer Arbeitshast in einer luxuriösen Villa ... und — hungerte!«[3])

Kaiser war fast vierzig, als der Erfolg schließlich kam. Fünfzehn Jahre lang hatte er geschrieben, ohne bekannt zu werden, und von geliehenem Geld und den finanziellen Opfern seiner Frau gelebt. Für seine Arbeit bedurfte er der »Negation der Wirklichkeit«, wie er es nannte, eines gewissen Luxus, der ihm als unerläßlicher Schirm zwischen sich und der vulgären Welt dienen sollte. Doch Schulden mußten bezahlt, Frau und Kinder ernährt werden. Durch finanzielle Schwierigkeiten in der Fortführung seines Werkes bedroht, verkaufte Kaiser die Teppiche aus der Villa, die er gemietet hatte: nun konnte er wieder in Ruhe schaffen.

Er wurde unter Anklage gestellt und vor Gericht gebracht. Kaiser drehte den Spieß um und richtete ihn gegen die Gesellschaft. Er, der Dieb, wurde zum Ankläger; das Gesetz wurde zum Angeklagten. Das Gesetz habe kein Verständnis für das Wesentliche, sei blind und grausam, erklärte er. Er, Georg Kaiser, sei »nicht jeder«. »Unsinnig ist der Satz: ›Alles ist gleich vor dem Gesetz‹«, behauptete er[4]). Er sei ein schöpferisches Genie, dessen geheiligter Auftrag es sei, zu produzieren. Er sei ein nationaler Faktor; ein Schuldspruch gegen ihn wäre »ein nationales Unglück ...«. »Wir haben so wenig selbständige produktive Köpfe, daß niemand von

[1]) Lewin, Die Jagd nach dem Erlebnis: Ein Buch über Georg Kaiser, p. 183.

[2]) Diebold, Der Denkspieler Georg Kaiser, pp. 19, 21.

[3]) Ibidem, p. 29. Für den folgenden Bericht über Kaisers Leben und Prozeß sind folgende Quellen benutzt worden: Diebold, ibidem, pp. 29—31; Lewin, a. a. O. pp. 178—79; Fivian, Georg Kaiser und seine Stellung im Expressionismus, pp. 255 bis 262; Soergel, Dichtung und Dichter der Zeit; Eine Schilderung der deutschen Literatur der letzten Jahrzehnte. Neue Folge. Im Banne des Expressionismus, p. 663.

[4]) Fivian, Georg Kaiser, p. 261.

uns es wagen dürfte, auf seine Leistung zu verzichten. Und wenn Frau und Kind darüber zu Dreck und Blut werden sollten ...«[1]). Sein Leben war das Martyrium auf dem Altar seines Werkes. Die Macht, die ihn anpeitschte, die Schmerzen der produktiven Wehen waren eine unaufhörliche Züchtigung, ein Opfer für die Erhöhung der Menschheit. Die weinerliche Note des Märtyrerkomplexes war das beständige Leitmotiv seines Plädoyers. »Und mit erschütterndem Pathos ruft er in den Saal: ,Tut dem Geist nicht weh; denn Geist ist schon eine unheilbare Wunde!'«[2]).
Kaisers Verteidigung vor Gericht lief auf eine Frage hinaus: Was war wichtiger? Daß irgendein Bourgeois seine Teppiche behielt oder daß ein großer Schriftsteller in die Lage versetzt werde, Licht in das dunkle Chaos des Lebens zu gießen? Mehrere Jahre später arbeitete er seine Gedanken über das schöpferische Genie zu einem Artikel mit dem Titel *Historientreue* aus, in dem er behauptete, daß der Dichter »die Verworrenheit [des rohen Lebens] korrigiere«.[3]) Der Dichter destilliert den Sinn aus dem Durcheinander von Zufall und vernunftlosen Tatsachen. Er steht über Gut und Böse.
Der überlegene Typ des Ausgestoßenen in Paul Kornfelds *Die Verführung* (1913), Bitterlich, führt die »Logik« dieser Auseinandersetzung weit über Kaisers Position hinaus. Er beansprucht für sich das Recht, einen Bürger einfach deshalb zu töten, weil er ihn verabscheut. Ein weiteres Beispiel des Ausgestoßenen und Übermenschen, der sich über Gut und Böse erhebt, ist der Held aus Gustav Sacks Drama *Der Refraktair* (1914). Da Sacks Werke verschiedene Stationen seiner Autobiographie darstellen[4]), ist es Sacks eigene antisoziale Einstellung, die in ihnen zutage tritt. In einem Romanfragment sagt er:
»Es soll rein und frei um mich sein und immer kühl. Das Leben aber ist eine warme Brühe, es ist eine der groteskesten Verirrungen der Welt ... Das Leben ist das Plebejertum der Welt.«[5])
In dem Drama *Der Refraktair* arbeitet Sack das Problem des isolierten Künstlers und seiner staatsbürgerlichen Verpflichtungen sauber heraus. Egon, ein mittelloser Schriftsteller, der vom Geld seines Schwiegervaters, eines Geschäftsmannes, lebt, weigert sich, bei der Kriegserklärung die Schweiz zu verlassen und ins deutsche

[1]) Lewin, Jagd nach dem Erlebnis, pp. 178—79.
[2]) Diebold, Georg Kaiser, p. 31. Kaiser wurde zu einer Gefängnisstrafe von mehreren Monaten verurteilt.
[3]) Berliner Tageblatt, 4. September 1923.
[4]) Sack, Gesammelte Werke, herausgegeben von Hans W Fischer, I, 43.
[5]) Zitiert von Fischer, ibidem, I, 47.

Heer einzurücken. Der Schwiegervater droht, Egon die finanzielle Unterstützung zu entziehen, und seine Frau stellt ihm ein Ultimatum: entweder gibt Egon seinen Anspruch auf eine Sonderstellung auf, oder sie verläßt ihn. Er gibt nicht nach. Sie geht; er bleibt zurück, mittellos, geächtet, stahlhart in seiner herrlichen Isolierung. Egons Ablehnung des Militärdienstes ist durchaus selbstsüchtig, d. h. völlig auf das künstlerische Ich bezogen; sie hat keinerlei soziale Bedeutung, steht vielmehr im krassen Gegensatz zum humanitären Pazifismus. Seine Ablehnung gründet sich auf Nietzsche, nicht auf Tolstoi oder auf eine quäker-ähnliche oder sozialistische Einstellung. Der dualistische Maßstab, mit dem Kaiser seinen Diebstahl rechtfertigen wollte, wird von Egon ins Treffen geführt, um die Weigerung, seinem Vaterland zu dienen, zu rechtfertigen. Er hat keine Beziehung zu den andern; er hat niemals so gedacht, so gefühlt wie sie. Weshalb sollte er es jetzt tun? Das Schicksal der Masse kümmert ihn nicht; er empfindet nur Verachtung für sie.

Die Masse verdient diesen Krieg; sein Ausbruch beweist lediglich ihre unheilbare Dummheit. Die Masse hat bewiesen, daß sie aus Sklavenseelen besteht; jede Mühe, sie zu heben, ist verschwendet. Auch ihre Herrscher haben sie verdient. Diese modernen Herrscher, Geschäftsleute und Politiker, haben die gleiche Mentalität wie die Masse. Im Stil Nietzsches fragt Egon:

»Denn sind diese Machthaber, diese nach Kunden, nicht nach Untertanen lechzenden Oligarchen würdig, die Spielleiter dieses Krieges zu sein? ... Sind es so strahlende Sterne des Typus Mensch ...? ... Seht euch ihre Bücher an, ihre Häuser, seht euch nur ihre Kleider an! Ihre Vergnügen, ihre Schauspiele, ihre Musik, seht euch nur ihre Maitressen an — aber sie sind zumeist nur lendenlahme Familienväter!«[1])

Sie sind gierig, dumm, vulgär. Sie führen aus rein kommerziellen Gründen Krieg. Sie wünschen sich nicht neue Seelen, die sie beherrschen, sondern neue Kunden, denen sie etwas verkaufen können.

Wie Nietzsche ist Sack nicht gegen den Krieg an sich. Er würde einen apokalyptischen Krieg begrüßen, der aus universeller Verzweiflung und nihilistischem Ekel entsteht, einen Krieg, der den Selbstmord der bürgerlichen Welt bedeuten würde, aus deren Ruinen sich eine edlere Welt erheben könnte. Der Held seines ersten Romans, *Ein verbummelter Student* (1910), denkt:

[1]) Ibidem, II. 95.

»Käme der Krieg! In gleißenden Wolkentürmen lauert er rings: erwachte ein Sturm, der ihn aufjagte aus seiner lauernden Ruh . . . ! Volk gegen Volk, Land gegen Land — ein Stern, nichts denn ein tobendes Gewitterfeld, eine Menschendämmerung, ein jauchzendes Vernichten —! Oh, ob dann nicht ein Höheres — [geboren würde].«[1])
Doch nach Sacks Ansicht war der erste Weltkrieg kein solcher Krieg. Er war ein schäbiges Gezänk um Märkte und Profite. Der Nihilismus war noch längst nicht weit genug gediehen. (Es wäre interessant, zu überlegen, ob der zweite Weltkrieg Sacks Forderungen entsprochen hätte.)
Ehe Egon seine endgültige Entscheidung trifft, diskutiert sein Bruder Albert — wissenschaftlich, liberal und intelligent — mit ihm darüber. Warum der Schriftsteller schaffe, fragt Albert. Offensichtlich doch, um gelesen zu werden. Deshalb kann er, genau genommen, nicht wünschen, sich von der Gesellschaft zu isolieren. Er muß seinen Mitmenschen nahe genug bleiben, um verstanden zu werden. Doch er kann nur dann verstanden werden, wenn er wenigstens einige ihrer großen Erlebnisse teilt. Allein um seines Werkes willen sollte Egon Soldat werden und sich an dem Kollektiverlebnis seiner Nation beteiligen. Doch Egon erwidert: »Was ich schreibe, schreibe ich für mich, jawohl! Nur für mich und um mich selbst zu finden.«
Hier sind wir am Angelpunkt des Problems der Schwerverständlichkeit in der expressionistischen und einem großen Teil der modernen Dichtung gemeinhin. Die Kunst ist nicht mehr Mitteilung. Die Kluft zwischen dem Künstler und der Gesellschaft ist so breit geworden, daß selbst der Wunsch, sie zu überbrücken, verlorengegangen ist. Egon, der Refraktair — der Widerspenstige —, für den das Schreiben ein Mittel bedeutet, mit dem er »den Dingen auf den Grund« gehen oder sein »krankes Herz« heilen will, ein Mittel der Selbstanalyse und Selbsterforschung, stellt wie Rimbaud in seinem *Lettre du voyant* eine Station auf dem Weg des modernen Dichters zum ausschließlich Privaten und Verborgenen dar. Egon, dieser eigenartige Pazifist, setzt die faustisch-byroneske Einstellung fort, die Nietzsche noch verschärft hatte, die Einstellung des gottähnlichen Parias, der sich allein und voll ungeheuren Selbstvertrauens gegen die ganze Welt erhebt. Am Anfang des Stückes nennt Egon sich einen »Faustus redivivus«, und ein anderer vergleicht ihn mit Byrons Manfred. Doch Sack findet sich mit der

[1]) Werke, I, 291.

romantischen Einstellung nicht mehr ohne Ironie ab. Er betrachtet sie genauer und stellt fest, sie sei eine Haltung verzweifelter und unwirksamer Selbstverteidigung. Sein Werk, um dessentwillen Egon die völlige Einsamkeit auf sich genommen hatte, erscheint ihm am Ende nichts Edleres als die Sublimierung seiner Bedürfnisse als edel. Auf dem Alpengipfel, auf den er geflohen ist, sieht sich Egon den Schatten der von ihm geschaffenen Gestalten gegenüber. Sie verhöhnen die Illusionen, die er sich über sie und über sich selbst gemacht hat. Warum hat er denn geschaffen? »Um den Dingen auf den Grund« zu kommen, wie er behauptete? Keineswegs. Er schuf, weil es ihn nach Ruhm und Liebe verlangte. Das Schreiben war ein Umweg, um das zu erreichen, was ihm im wirklichen Leben fehlte. »Da du gerade nichts Lebendes hattest — da triebest du Notzucht mit mir«, sagt eine seiner Frauengestalten zu ihm. Die stolzen Ansprüche, die er unten im Tal stellte, zerfallen in der eisigen Luft der Höhe zu nichts. Seine völlige Emanzipierung von der Menschheit — »jetzt bin ich frei, von — allem — frei« — wurzelte nicht in der Stärke, sondern in der Schwäche. Die Expressionisten lebten nach Nietzsches und Freuds Demaskierung des künstlerischen Genies. Nietzsche und Freud sehen im Künstler einen von Geburt minderwertigen Typ, dessen Größe in seiner Fähigkeit liegt, sich für seine Mängel zu rächen oder seine unerfüllten Bedürfnisse zu sublimieren. Schopenhauers Philosophie begreift diese Verunglimpfung des Genies stillschweigend mit ein. Denn wenn die Wahrheit der Welt Entsetzen und Sinnlosigkeit sind, dann erweisen sowohl der Musiker wie der Philosoph, die beide die blinde Nutzlosigkeit jeglichen Daseins enthüllen, der Menschheit einen sehr zweifelhaften Dienst. Wenn die Wahrheit wirklich Entsetzen ist, würden dann Illusion und Ignoranz nicht glücklicher machen? So werden also nicht nur die Motive des Künstlers, sondern auch die Intelligenz selber suspekt.

Die Expressionisten haben das »gute Gewissen« des Übermenschen verloren, das frühere, romantische Generationen noch besaßen. Ihr Stolz ist unsicher und ihre Arroganz erscheint ihnen als maskierte Selbstverachtung. Sie hegen den Verdacht, daß die grenzenlose Selbstachtung des Übermenschen vielleicht die Kompensation des Untermenschen sein könnte. Sack plante, als er den *Refraktair* beendet hatte, einen satirischen Roman, in dem sich ein intellektueller Schriftsteller als »Herr der Welt« betrachten, wilde Träume haben, auf Berggipfeln über Nietzsches Vorstellungen schwärmen und beweisen sollte, daß er in Wirklichkeit ein Opfer der Demen-

tia praecox sei. Die Großartigkeit seiner Halluzinationen sollte aus der Zerstörung seines Geistes stammen.
Die labile Natur des Traums von der Größe, die der expressionistische Dichter träumt, ist ein hervorstechender Zug im Werk eines der zartesten lyrischen Talente dieser Bewegung, des von Else Lasker-Schüler. Von ihr hat man gesagt:
»Ihre Phantasie wandelt in den Mauern des hunderttorigen Theben, im Schatten der Pharaonenwälder ... hineinverschlagen zu sein in die reale, der Dichterin fremde und unverständliche Welt, das ist es, was ihr Herz mit unstillbarem Heimweh erfüllt.«[1])
In dieser Kluft zwischen Traumwelt und Wirklichkeit sieht F. J. Schneider die eigentümlich expressionistische Eigenschaft ihres Werkes.
Else Lasker-Schüler schuf sich eine eigene Scheinwelt und bemühte sich verzweifelt, sie in ihr Leben zu integrieren. Sie war abwechselnd Tino, Dichterfürstin des fabelhaften Bagdad, und Jussuf, Prinz von Theben. Ihre Mit-Bohemiens redete sie als Könige und Fürsten an und war glücklich, wenn man auch sie als phantastische und erhabene Persönlichkeit begrüßte. »Der König von Böhmen Paul Leppin«, schreibt sie von einem ihrer Freunde, »schenkte mir seine Dichtung Daniel Jesus. Ich schlug sie auf und las: der lieben, lieben, lieben, lieben Prinzessin. Ich schrieb ihm auf einen himmelblauen Bogen: Süßer Daniel Jesus Paul.«[2]) Nach einer Aufführung in einem Berliner Theater schickt sie einem der Schauspieler ein Gedicht: » ... An dich dürfen nur Dichter und Dichterinnen denken. Mit dir nur Könige und Königinnen trauern«.[3]) Über ihre Herkunft sagt sie:
»Ich glaube, ich bin im Anfang aus einem goldenen Stern, aus einem funkelnden Riesenpalast auf die schäbige Erde gefallen —«.[4]) Wie Wedekind wurde auch sie von der Welt des Zirkus gefesselt. Er warf einen Zauberstrahl in das Grau des modernen Lebens.
»Es ist, als ob ich brausenden, dunklen Wein trinke, und ich vergesse alles was grau ist und hinkt«.[5])
Sie klammerte sich an die Kabaretts und Zirkusse und an die Scheinwelt der Bohemien-Kreise, doch die »graue holprige« Welt lag stets mit ihren Geldschwierigkeiten, Erniedrigungen, ihrer Gewöhnlichkeit und Lieblosigkeit auf der Lauer. Wenn man nur

1) Schneider, Der expressive Mensch und die deutsche Lyrik der Gegenwart, p. 27.
2) Die gesammelten Gedichte, p. 114.
3) Ibidem, p. 155.
4) Gesichte, p. 35.
5) Ibidem, p. 90.

die Welt aussperren könnte, die vulgäre, quälende, drohende Welt des Wirklichen. Bewußt wandte sie den Blick von ihr ab und vergrub sich in Phantasien der Kindheit. Die Zeilen

Wir sind von Sternen eingerahmt
Und flüchten aus der Welt

aus ihrem Gedicht »Dem Fürsten des Grals«[1]) könnten das Motto ihres ganzen Werkes bilden.

Wie die Neuromantiker und die Künstler des Fin de siècle haßte sie die vulgäre Masse. »Wir Künstler sind einmal bis tief ins tiefste Mark und Bein Aristokraten. Wir sind die Lieblinge Gottes, die Kinder der Marien aller Lande.«[2]) Es »würde mich eine Kartoffelknolle eher verstehn wie so ein urwüchsiger Mensch«, sagte sie von ihrem Dienstmädchen[3]). Der Gedanke, daß gewöhnliche Menschen, wie Dienstboten, Pförtner, Ladenbesitzer, ihre sexuellen Affairen Liebe zu nennen wagten, erschien ihrem Geist geradezu als eine Vergewaltigung des Begriffes Liebe. Die Liebe war den wenigen, den Isolierten und Empfindsamen vorbehalten, die sie in ihrer Süße und Tragik bis zum letzten auszukosten vermochten. Sie war ein Luxus, ein verfeinertes, poetisches System von Gefühlen und Empfindungen, die das *vulgus profanum* nie fassen konnte.

»Ich hasse die Liebe unter den Alltäglichen ... Lieben dürfen sich Tristan und Isolde ... Romeo und Julia, Faust und Margarete, Mephisto und die Venus von Siam.«[4])

Sie verspottete die Vorliebe der Deutschen für das Naturhafte und Ungebildete. Für sie war die Roheit die Sünde, die den Menschen aus dem Paradies vertreibt. Ständig riß Berlins großstädtische Vulgärität an ihren Nerven und erweckte in ihr den Wunsch, in ihre Phantasiestädte zu entfliehen, wo »meine dunkelhäutigen Sklavinnen ... wie schwarze Marmorsäulen um mich« standen[5]).

Doch nur eine schmale Linie trennte den stolzen Wunschtraum der isolierten Ausgestoßenen vom Alptraum. Die Spannung zwischen Traum und Wirklichkeit erzeugte jene groteske Selbstironie, die ihr Werk von der Neuromantik unterscheidet. Ihre Freunde haben sie verlassen und sie erwägt den Selbstmord. Sie hätte den Gashahn aufgedreht, aber die Rechnung war nicht bezahlt und das Gas abgestellt. Sie möchte sich in Milch ertränken, doch der unbezahlte Milchmann hat keine mehr gebracht. Ihre Armut macht den

[1]) Gedichte, p. 161.
[2]) Gesichte, p. 23.
[3]) Mein Herz, p. 79.
[4]) Ibidem.
[5]) Die Nächte der Tino von Bagdad, p. 9.

Selbstmord unmöglich. Oder: »Es war Nacht, als Ihr Brief kam, ich hatte mich gerade aufgehängt, konnte nur morgens den Baum nicht wiederfinden«[1]). Oder:
»Ich bat heute den Psychiater, er solle mich ein bißchen in seinem Kinderwagen herumfahren.«
»Manchmal hab ich so Sehnsucht, ich säß wieder nachmittags an einem großen, runden Tisch neben meiner Mama und so zwischen meinen Schwestern und Brüdern, und oben sitzt mein Papa... und so ganz zusammengerückt sitzen wir, wie eine Insel, aus einem Stück. Nichts Fremdes mehr, aber wir fließen ineinander, ... und fürchten uns nicht vor dem Tode.«[2])
Und: »Ich spreche überhaupt nicht mehr ohne Bezahlung, nur Bindewörter; könnt ich doch eins finden, das mich binden würde.«[3])
Einige ihrer tragischsten Selbstenthüllungen sind in jenes witzig groteske Idiom gekleidet, das sich, während es um menschliches Mitgefühl fleht, selbst nicht ernst zu nehmen vermag. In ihrer Schwermut liegt Koketterie. Und Trauer in ihrer Überschwenglichkeit. Ihrer romantischen Zurückhaltung mangelte es wie der von Sack an der Robustheit, die aus dem Glauben an die eigene außergewöhnliche Stellung erwächst. Sie blieb in ihrer Scheinwelt und gab sich einer kindlichen und melancholischen Maskerade hin. Die Wirklichkeit drang ein, riß den selbsternannten Prinzen und Prinzessinnen die Kronen vom Kopf und entblößte unter der orientalischen Pracht die ständige Kaffeehausbesucherin, die nach Liebe und oft auch nach Nahrung hungerte. Sie floh vor dem grausam grellen Tag nach Theben und Bagdad, zu Palästen und Karawanen, schwarzen Sklavinnen und Rittern, die ihr eifrig dienten. Und immer wieder verwandelten sich ihr Tristan, ihr Fürst des Grals, all ihre Könige, Ritter und Bischöfe zu unfeinen Burschen, die vergaßen, daß sie nicht nur eine Pharaonenprinzessin, sondern auch eine Frau war, die nach Zuneigung dürstete. Dann zerriß plötzlich der mit ihren königlichen Träumen bemalte Vorhang und enthüllte eine fast biblische Verzweiflung.
»Bald bin ich ganz leer, ganz weiß, Schnee, der in Asien fiel... Ich bin verweht und vergangen, aus meinem Gebein kann man keinen Tempel mehr bauen... O, du Welt, du Irrgarten, ich mag nicht mehr deinen Duft, er nährt falsche Träume groß.«[4])

[1]) Mein Herz, p. 106.
[2]) Gesichte, p. 59.
[3]) Mein Herz, p. 107.
[4]) Ibidem, pp. 113—14.

Die romantisch konventionellen, stilisierten Maskierungen von Else Lasker-Schüler weichen bei Trakl wie auch bei Heym und dem Prosadichter Kafka dem echten verhüllenden Gleichnis. Die metaphorischen Maskierungen dieser reifen und größten Expressionisten verhalten sich zu den neuromantischen Masken Else Lasker-Schülers wie der nächtliche Traum zum Wunschtraum des Tages. Der nächtliche Traum drückt die tiefsten Belange des Ich aus, während er dieses Ich in dem unkenntlichen Gewand der entwurzelten und erweiterten Metapher verbirgt, die die Rolle einer hieroglyphischen Geheimschrift übernimmt und genau der metaphorischen Methode Trakls und Kafkas entspricht, die bereits im vorhergehenden Kapitel besprochen wurde. Wie Wedekinds, Sternheims und Kaisers Dialog zeigt der metaphorische Expressionismus von Trakl und Kafka eine bedeutsame Beziehung zu den für ihre Existenz wesentlichen Konstellationen.

Als Georg Trakls bürgerliche Familie erfuhr, daß er dichtete, machte sie sich lustig über ihn[1]). Infolgedessen zog sich der ohnehin schon introvertierte Jüngling noch tiefer in seine Schale zurück. Seine Schüchternheit wurde so groß, daß er vor allen Fremden flüchtete. Die Isolierung, die teilweise dafür verantwortlich gewesen sein mag, daß er sich der Dichtung als einem Mittel der Kommunikation und der Selbst-Äußerung zuwandte, wurde als Folge eben dieses Sich-Zurückziehens in die Dichtung noch tiefer. Die Nachbarn schüttelten den Kopf und meinten, »er spinne«[2]). Das bestärkte ihn weiter in seiner Zurückhaltung. Der Circulus vitiosus, der im Familienkreis begonnen hatte, sollte während seines ganzen Lebens nicht aufhören. Das Versagen, das schon für den Jungen bezeichnend gewesen war, heftete sich an seine Fersen. Johsts Grabbe war zum Alkohol getrieben worden, um die Wirklichkeit zu vergessen; Trakl nahm seine Zuflucht zu Rauschgiften. Er vermochte seinen Platz in seiner Umgebung nie zu finden.

Der bittere Konflikt zwischen der Notwendigkeit, seinen Lebensunterhalt verdienen zu müssen, und der inneren Pflicht dem schöpferischen Drang gegenüber verwüstete das Leben Kafkas ebenso wie das Trakls. Kafka beugte sich unter das Joch und bemühte sich unter verhängnisvollen Kosten für sein inneres Leben, den Schein des achtbaren Daseins aufrechtzuerhalten, das seine Eltern von ihm erwarteten, bis ihn die Tuberkulose — wie die

[1]) Trakl, Gesammelte Werke, herausgegeben von Wolfgang Schneditz, III: Nachlaß und Biographie, 69.
[2]) Ibidem, p. 69.

Verwandlung seines Helden Samsa — aus dem Gefängnis entließ, um den Preis seines Lebens. Trakl floh aus dem Gefängnis des Elternhauses und der bürgerlichen Gesellschaft, um ein völlig ungeordnetes Leben zu führen, dem er mit siebenundzwanzig Jahren durch Selbstmord ein Ende setzte. Trakls und Kafkas Isolierung von ihrer Umgebung, die Unfähigkeit der Familien, sie anzuerkennen und zu verstehen, trugen zu ihrer Seelenpein bei, die sich in der schützenden und verbergenden Metapher ausdrückte. Trakls und Kafkas Werk verhüllt mit Erfolg die Wunde ihrer Existenz, während es sie beschreibt.

Zurückgezogenheit und Maskierung, die Grundtöne von Trakls Existenz, bestimmen das formale Prinzip seiner Dichtung. Seine Visionen foltern das Verständnis, wie Träume es tun, mit unentzifferbaren Botschaften. Das Tor zu Trakls Garten ist verschlossen, doch durch das Lattengitter seiner Phantasie und metaphorischen Musik erhaschen wir Blicke und Umrisse einer fremden, beunruhigenden Welt. Der Garten oder gartenähnliche Park mit zerfallenden Statuen, Symbol des Uralten und Abgeschiedenen, erscheint häufig in Trakls Dichtungen. Der nächtliche Garten, der kerzenerhellte Raum im Patrizierhaus, die leere, mondbeleuchtete Straße einer barocken Stadt, der einsame Wald — das sind die Lieblingskulissen für den individuellen Mythos des Dichters. Dieser Mythos kreist um das Ich und sein intensives geistiges und gefühlsmäßiges Erleben. Er ist in gewissen Träumen und Visionen verankert, die in der Kindheit entstanden sein müssen. Phantome, nicht Menschen, bevölkern den Mythos. Auf diese visionäre Leinwand wird in Bruchstücken eine sorgfältig maskierte Biographie der essentiellen Existenz des Dichters projiziert.

Auf diese Weise beschreibt Trakl seine Kindheit in »Traum und Umnachtung«[1]), einem der wenigen, verhältnismäßig klaren autobiographischen Dokumente in seiner Dichtung, wenn er auch in der dritten Person von sich spricht: »... Erfüllt von Krankheit, Schrecken und Finsternis, erinnert er sich verschwiegener Spiele im Sternengarten.« Er spricht von der »harten Hand« des alten Vaters und dem »versteinerten Antlitz« der Mutter, von denen er sich wegstahl, um die Ratten auf dem Hof zu füttern. »Am Abend ging er gerne über den verfallenen Friedhof« oder betrachtete die Leichen in der dämmerigen Leichenhalle. Nachts »in seinem kühlen Bette« stieg unaussprechliche Trauer in ihm auf und ergoß sich in

1) Trakl, D i e D i c h t u n g e n. G e s a m t a u s g a b e, herausgegeben von Kurt Horwitz, pp. 151 ff.

Tränen. Doch es gab niemand, der diesem Jungen die Hand auf die Stirn gelegt hätte. Er liebte den Herbst und wanderte unter dem braunen Laub am Wasser entlang. »O, die Stunden wilder Verzückung, die Abende am grünen Fluß ... Die Akkorde seiner Schritte erfüllten ihn mit Stolz und Menschenverachtung. Am Heimweg traf er ein unbewohntes Schloß. Verfallene Götter standen im Garten, mittrauernd am Abend. Ihm aber schien: hier lebte ich vergessene Jahre.«

Der Dichter, der seine Jugend so beschreibt, blieb sein Leben lang einsam. »So lang er lebte, von den meisten verachtet, von vielen mißverstanden, nur von einigen hochgeschätzt«, schreibt ein Biograph[1]). Selbst unter seinen Freunden schien er allein. Seine Unterhaltung war wie ein Monolog.

Dieser Fremde in jeder, besonders aber in der bürgerlichen Gesellschaft, dessen metaphorische Lieblingsmaske für ihn selbst »der Fremdling« war, reagierte dadurch auf die Gleichgültigkeit seiner Umgebung, daß er sich in das private Reich seiner Träume und Visionen zurückzog, bis seine Entfremdung vom Leben zur Entfremdung seines Geistes führte. »Die Akkorde seiner Schritte erfüllten ihn mit Stolz und Menschenverachtung.« Doch sein Ich bereitete ihm keine geringere Qual als die Welt. In seinen frühen Werken überwog das Idyllische; die späteren sind voller Entsetzen und Schmerz. Wie wir bereits zeigten, steht der stolze Nietzschesche Glaube an das außergewöhnliche Ich, der Trakl eine Zeitlang aufrechterhalten hatte, bei den Expressionisten nicht auf festen Fundamenten. Für den reifen Trakl ist er ebenso unwesentlich wie sein christlicher Glaube an die Liebe. Seinen Charakter nennt er seine »ununterbrochen schwankende und an allem verzweifelnde Natur«[2]). Perioden fiebernder Berauschtheit, denen er mit Drogen nachhilft und in denen »ein infernalisches Chaos von Rhythmen und Bildern« auf ihn einstürmt, wechseln mit solchen von »unsäglicher Öde«. »Was für ein sinnlos zerrissenes Leben ... !« ruft er aus[3]). Seine Verzweiflung ist so groß, daß er daran denkt, alle Bindungen zu Europa abzustreifen, seine Dichtung aufzugeben und als Apotheker nach Borneo zu emigrieren, Rimbaud nacheifernd, der mit neunzehn auf seine Kunst verzichtet hatte und als Händler nach Afrika gegangen war. Doch Freunde redeten Trakl diesen Plan aus.

[1]) Mahrholdt, »Aus einer Studie über Georg Trakl« in Trakl, *Dichtungen*, herausgegeben von Horwitz, p. 203. Eine ausgezeichnete Untersuchung von Trakls Persönlichkeit in Beziehung zu seinem Werk gibt Theodor Spoerri: *Georg Trakl*.
[2]) Trakl, *Briefe*, herausgegeben von Schneditz, in *Gesammelte Werke*, III, 20.
[3]) Ibidem, p. 23.

Wir begegnen bei Trakl den Symptomen dessen, was der Teufel in Manns *Doktor Faustus* »das extravagante Leben« nennt. Sein Martyrium kommt nicht nur von außen. Es wird ihm auch von seiner eigenen Natur auferlegt, durch die Art und Weise, in der sich sein Genie offenbart. Darin gibt es jene hochgespannte Raserei, die ihn zwischen der keuchenden Euphorie seiner visionären Zustände und der äußersten Qual völliger Unfruchtbarkeit hin und her treibt. Der Dichter steht unter einem entsetzlichen Druck, und die Spannung, die ihn vorwärtspeitscht, macht das Leben unmöglich, denn wenn die Spannung nachläßt, gibt es nicht den Frieden und die Ruhe der Erholung, sondern völlige Leere, ein Vakuum, dessen Wände Verzweiflung und Abscheu vor sich selbst bilden. Das Nietzschesche Frohlocken und die Selbstvergötterung auf eisigen Gipfeln ist nur eine und gewöhnlich die flüchtigere Seite im Leben dieses *poète maudit.* Den andern Teil verbringt er in einem Abgrund, in den weder Zarathustra noch Christus einen Lichtstrahl senden. In dieser furchtbaren Tiefe fühlt sich der Dichter verdammt, ohne jede Hoffnung und fern aller Hilfe.

Düstere Zweifel an sich selbst und ein alles durchdringendes Schuldgefühl werden in Trakls Leben immer bedrückender, je weiter ihn die Jahre von jener gottähnlichen Wonne davontrugen, die er in der Kindheit und frühen Jugend besessen hatte; die Reinheit und die Pracht der visionären Kraft, die ihm damals eigen war, sind in der mythischen Gestalt des Elis symbolisiert. Zu einem Dichter wie Trakl kommt die Reife mit ihrer schwindenden Fähigkeit, der Wirklichkeit die Vision aufzuzwingen, wie eine Wolke der Schwermut, die sich im Geist festsetzt und »Umnachtung« hervorruft[1]) — die Abenddämmerung der Vernunft, die Nacht des Geistes. Das Thema des Wahnsinns klingt bereits in Trakls frühem Gedicht »In ein altes Stammbuch« an, in dem die Ähnlichkeit mit Hölderlin auffallend ist:

Immer wieder kehrst du Melancholie,
O Sanftmut der einsamen Seele.
Zu Ende glüht ein goldner Tag.

Demutsvoll beugt sich dem Schmerz der Geduldige
Tönend von Wohllaut und weichem Wahnsinn.
Siehe! Es dämmert schon.

[1]) Vergleiche auch das Prosagedicht »Traum und Umnachtung« mit seinem bezeichnenden Titel.

Wieder kehrt die Nacht und klagt ein Sterbliches
Und es leidet ein anderes mit.

Schaudernd unter herbstlichen Sternen
Neigt sich jährlich tiefer das Haupt[1]).

Bereits in diesem frühen Gedicht finden wir die für Trakls Stil so kennzeichnenden Umschreibungen des Ich: »der Geduldige« und »ein Sterbliches«. »Ein anderes leidet mit« dem Ich, wie es in der dritten Strophe erwähnt wird, ist wahrscheinlich eine Maske für die Schwester des Dichters. »Schaudernd unter herbstlichen Sternen / Neigt sich jährlich tiefer das Haupt«, schlägt die traurige Saite der Resignation und Verzweiflung an, die in Trakls Werk immer beharrlicher anklingen soll, bis sie mit dem Klang von »weichem Wahnsinn« eins wird. Nicht lange vor dem Ende seines Lebens schrie Trakl auf wie ein völlig gedemütigter und zerbrochener Mensch:

»Es ist ein so namenloses Unglück, wenn einem die Welt entzweibricht. O mein Gott, welch ein Gericht ist über mich hereingebrochen. Sagen Sie mir, daß ich die Kraft haben muß, noch zu leben und das Wahre zu tun. Sagen Sie mir, daß ich nicht irre bin. Es ist steinernes Dunkel hereingebrochen. O mein Freund, wie klein und unglücklich bin ich geworden.«[2])

Diese Verzweiflung, gepaart mit der Furcht vor dem Wahnsinn, wird als eine Strafe für die hochmütige Isolierung, die freudige Selbstgenügsamkeit empfunden, die er in seinen schöpferischen Perioden genoß. Die untermenschliche Tiefe, das erniedrigende Los der Geisteskrankheit, ist die Vergeltung für die übermenschliche Höhe, zu der er in den Augenblicken der Inspiration aufgestiegen war. Geister wie Trakl, vom Himmel Verbannte, stürzen in ihrem Fall an der Erde vorüber und enden in der Nacht der Hölle.

Die Angst vor dem Irrsinn hing wie eine schwarze Wolke über Trakls Leben. Am Ende erreichte er ihn. Tief erschüttert von den Bildern des Krieges brach er in einem hysterischen Anfall zusammen und drohte, sich zu töten. Er wurde in die psychiatrische Abteilung eines Kriegslazaretts eingeliefert, wo ihn die Wahnidee überfiel, er werde vor ein Kriegsgericht gestellt und erschossen werden; schließlich gelang es ihm, seinem Leben ein Ende zu setzen.

[1]) Dichtungen, herausgegeben von Horwitz, p. 51.
[2]) Briefe, p. 50.

Symptome dieses Verfolgungswahns lassen sich während seines ganzen Lebens und in seinem gesamten Werk finden. Seine besessene Identifizierung mit Kaspar Hauser darf man als ein solches Symptom betrachten[1]). Wenn Trakl sich in einem Brief »einen armen Kaspar Hauser« nennt, steht ihm die gleiche hilflose Entfremdung vor Augen, die für jenen geheimnisumwehten Jüngling kennzeichnend war. Das Gedicht »Kaspar Hauser Lied«, in dem wie in Wassermanns gleichzeitig geschriebenem Roman das Losungswort des Expressionismus »O Mensch« erscheint, stellt der Unschuld Kaspar Hausers, d. h. des Menchen, zu dessen Herzen Gott als »eine sanfte Flamme« sprach, die Schuld des Mörders gegenüber, der »im dämmernden Hausflur« auf der Lauer liegt und ihn erdolcht[2]). Durchaus in Übereinstimmung mit dem schizophrenen Persönlichkeitstyp, auf den Theodor Spoerri so viele charakteristische Züge aus Trakls Werk zurückführt, stellt sich der Dichter in einer zweifachen metaphorischen Maskierung dar: sowohl Kaspar Hauser, das Opfer, wie der Mörder, der ihn ersticht, sind Symbole für das Ich des Dichters.

Die Metapher des Mörders und die Atmosphäre des tödlichen Entsetzens, die mit ihr Hand in Hand geht, finden sich auch in andern Gedichten Trakls, so etwa in der frühen »Romanze zur Nacht«:

Der Mörder lächelt bleich im Wein,
Den Kranken Todesgrausen packt[3]).

Das Thema einer »unaussprechlichen Schuld« scheint sich wie ein blutiger Faden durch Trakls dichterisches Werk zu ziehen, eng verbunden mit der mörderischen Angst. Diese Schuld (ausgedrückt in »das [oder der] Böse«) steht im Zusammenhang mit inzestuösen Traumerlebnissen mit der Mutter und besonders der Schwester. »... Das blaue Rauschen eines Frauengewandes ließ ihn zur Säule erstarren und in der Tür stand die nächtige Gestalt seiner Mutter. Zu seinen Häupten erhob sich der Schatten des Bösen ...«[4])

Das Prosagedicht geht weiter und klagt über die in jener Szene enthüllte Schuld; dann fährt es fort:

»... Aber da er Glühendes sinnend den herbstlichen Fluß hinabging ... erschien in härenem Mantel ihm, ein flammender Dämon, *die Schwester*. Beim Erwachen erloschen zu ihren Häuptern die Sterne ... O des verfluchten Geschlechts. Wenn in

[1]) Trakl, Briefe, p. 27. Vergleiche auch Trakls Gedicht »Kaspar Hauser Lied«, Dichtungen, p. 109. Das Geheimnis, das Hausers Herkunft wie sein tragisches Ende umhüllte, regte nicht nur Trakls, sondern auch Wassermanns Phantasie an.
[2]) Dichtungen, p. 109.
[3]) Ibidem, p. 27.
[4]) Ibidem, pp. 156—57.

befleckten Zimmern jegliches Schicksal vollendet ist, tritt mit modernden Schritten der Tod in das Haus.«[1])
Es gibt noch andere Erscheinungen der »Schwester« in Trakls Gedichten; oft sind sie mit einer Stimmung des Bedauerns, der Furcht, des Schuldgefühls oder einer melancholischen Freude verbunden[2]). Anderseits finden sich in Trakls Werk keine Liebesgedichte im üblichen Sinn. Wo die Liebe genannt wird oder wo ein Gedicht Liebes- und Zärtlichkeitsgefühle ausdrückt, stehen sie im Zusammenhang mit einem »rosigen Engel« oder mit dem »Knaben Elis«, nie mit menschlichen Wesen von Fleisch und Blut. Die heimliche Schwester-Fixierung, mag sie auch Zweideutigkeit, Schuldgefühl und Entsetzen enthalten, ist die engste Annäherung an die Liebe zu einem andern Menschen, die sich überhaupt findet. Es ist nicht sicher, ob tatsächlich inzestuöse Beziehungen zwischen Trakl und seiner jüngeren Schwester Margarete bestanden haben. Doch in jedem Fall war sie die einzige Frau, die in seinem Leben eine wichtige Rolle spielte. Sie war seine einzige Vertraute, nur sie teilte die Qualen und Lüste seines Schaffens mit ihm. Margarete, die einmal vorgeschlagen hatte, sie sollten gemeinsam sterben, beging Selbstmord, als Zeichen des Wahnsinns bei ihr auftraten.
Das Inzest-Motiv bei Trakl ist symptomatisch für das erotische Dilemma, das einen wesentlichen Aspekt und eine starke Antriebskraft des Expressionismus darstellte. Vielleicht mehr noch als die Mutter ist die Schwester (wegen der größeren Nähe im Alter) die einem am nächsten stehende Frau. Ähnelt sie einem körperlich und geistig so sehr wie Trakls Schwester dem Dichter, dann kann man in ihr das eigene Ich in der Maske des andern Geschlechts sehen und lieben. Ja mehr noch, in Trakls Visionen verwandelt sich seine Schwester bisweilen in einen Jüngling, d. h. in ihren Bruder, also in ihn selber. Bei einer solchen Gelegenheit erscheint die Schwester als sterbender Jüngling in einem zerbrochenen Spiegel, und die Nacht verschlingt »die verfluchte Familie«. Könnte es sein, daß Trakl bei der Erkenntnis schauderte, daß es nur er selber war, den er liebte, und sonst niemand auf der weiten, leeren Welt? Jedenfalls findet das Ausgeschlossensein vom normalen Leben, das Schicksal des Expressionisten in der modernen bürgerlichen Welt, bei Trakl seine ästhetische und psychologische Entsprechung. Dem

[1]) Ibidem (Hervorhebungen vom Verf.).
[2]) Das Gedicht »Traum des Bösen« schließt mit der Zeile: »Im Park erblicken zitternd sich Geschwister.« Ibidem, p. 48. Vergleiche auch die Gedichte »Psalm«, pp 58 ff und »Unterwegs«, pp. 96 ff.

dunklen, individuellen Symbolismus im Werk des Expressionisten entspricht der Narzißmus seines Lebens, das Zurückziehen der Liebe aus der Welt in das Ich. In diesem Zurückziehen werden wir die Wurzel der Schuldgefühle des Expressionisten finden. Thomas Mann besaß profunde Kenntnisse von diesem Künstlertyp und seinem Werk; und drei Jahrzehnte nach der expressionistischen Epoche schuf er in seinem Adrian Leverkühn eines der reinsten und schönsten Beispiele des Expressionisten, des experimentellen Künstlertyps, den man in der deutschen Literatur findet.

In seiner Abhandlung über den *Doktor Faustus* hat André von Gronicka überzeugend nachgewiesen, warum man Adrian Leverkühn als Manns Porträtzeichnung eines expressionistischen Künstlers betrachten muß[1]). In einem Teil des Romans, der sich mit Leverkühns großem Oratorium *Dr. Fausti Weheklag* beschäftigt, wird seine Verwandtschaft mit dem Expressionismus besonders deutlich gemacht. Bei der Beschreibung der Struktur dieses Werkes benutzt der Erzähler die Termini »Ausdruck« und »expressiv« und »Durchbruch«; letzteres erinnert an den expressionistischen »Aufbruch« und wird in dem gleichen Sinn verwendet. Wie die Expressionisten wurde auch Leverkühn des »Nihilismus«, der »Kriminalität«, des »Kulturbolschewismus« beschuldigt. Wie sie wurde er mißverstanden, ignoriert, von der Kritik und dem Publikum verlacht; und obwohl er sich nach einer neuen Art der Kunst sehnte, die auf der Integrierung des Künstlers in die Gemeinschaft beruhte — ein fundamentales Verlangen der Expressionisten, wie wir sehen werden —, blieb er ebenso esoterisch wie sie. Sein Publikum setzte sich ebenso wie das ihre ausschließlich aus Kunstkennern und Intellektuellen zusammen[2]).

Hier haben wir das Bindeglied zwischen Leverkühn und Künstlertypen wie Trakl oder Sacks Refraktair erreicht. Sie schreiben nicht für ein Publikum. Sie schaffen in einem Vakuum für sich selbst. Leverkühn nimmt das als natürliche Bedingung der Kunst in unserer Zeit hin. Er geht sogar noch weiter und richtet Hindernisse zwischen seiner Kunst und jeder möglichen Wirkung auf die Allgemeinheit auf, »weil er es überhaupt ablehnte, sich ein zeitgenössisches Publikum für seine exklusiven, abseitig-skurrilen Träume vorzustellen«[3]). Er macht die öffentliche Aufführung seiner Werke

[1]) »Thomas Mann's Doktor Faustus«, Germanic Review, XXIII/3 (Oktober 1948), 206 ff.

[2]) Natürlich gibt es Ausnahmen wie Werfel, der von Anfang an eine verhältnismäßig große Leserzahl fand.

[3]) Thomas Mann, Doktor Faustus; desgleichen die folgenden Zitate.

von unannehmbaren Klauseln abhängig, lehnt das Angebot einer Konzerttournee ab und stellt ungeheure Anforderungen an die Virtuosität der Musiker, die seine Werke aufführen wollen. Sein spätes Trio für Violine, Bratsche und Cello ist »kaum spielbar, in der Tat nur von drei Virtuosen allenfalls technisch zu bezwingen«. »Unmöglich, aber dankbar«, benennt er es selbst. So empfindet er teuflisches Vergnügen daran, die Schranken zwischen sich und den Menschen nahezu unüberwindlich zu machen. Seine Musik ist von dem gleichen esoterischen Typ wie die Dichtung Trakls.

Es ist also nicht mehr die Gesellschaft, die dem Künstler seine Vereinzelung auferlegt, sondern er selbst verhängt sie über sich. Ein fortschrittlicher Künstler wie Leverkühn hegt eine angeborene Verachtung für die Menschheit. »Um ihn war Kälte«, sagt sein Biograph am Anfang seiner Geschichte. Leverkühn ist sich kaum jemals dessen bewußt, was um ihn her vorgeht oder in wessen Gesellschaft er sich befindet. »Ich möchte seine Einsamkeit einem Abgrund vergleichen, in welchem Gefühle, die man ihm entgegenbrachte, lautlos und spurlos untergingen.« Im Gegensatz zu Wedekind, der dauernd die ihn verachtende Welt umwarb, wird Leverkühn von der Welt umworben und weist ihre Umarmung zurück.

Adrian Leverkühn weiß, daß dieser Mangel an Gefühl eine fast unüberwindliche Schranke für sein Schaffen darstellt und zögert lange, ehe er sich für die Laufbahn des Komponisten entscheidet. »Ich fürchte mich davor, der Kunst Promission zu machen, weil ich ... mir die robuste Naivität absprechen muß, die, soviel ich sehe ... zum Künstlertum gehört.« Darüber hinaus verachtet er jene Elemente in der Kunst, die sich auf Tradition und Konventionen gründen und die ihm selbst im Werk des Genies geschmacklos erscheinen. Das Gewöhnliche, das Einfache, das Nichts-als-Menschliche in der Kunst langweilen ihn und bereiten ihm Kopfweh. Sein Interesse an der Menschheit reicht nicht dazu aus, auch nur den elementarsten Trieb des Künstlers zu entfachen: den Exhibitionismus, die Ruhmgier.

Weshalb wählte er dann, wenn er sich seines Gefühlsmangels doch bewußt ist, die Kunst, und zumal die Musik, die emotionalste der Künste, als Beruf? Alle andern Tätigkeiten beschäftigen sich auf irgendeine Weise mit dem Leben, und das Leben ist allzu erklärbar, allzu durchsichtig; es bringt »Überdruß« und »kalte Langeweile« mit sich. Aber die musikalische Notierungsweise bleibt wie Theologie und Mathematik in ihrem eigenen abstrakten Bereich, unberührbar, verwirrend und entlegen. Was ihn jedoch mehr noch als zu Theologie und Mathematik zur Musik zieht, ist das besondere Paradoxon in ihrer Natur als der sowohl abstraktesten als auch erregendsten unter allen Künsten. Es ist seine Sehnsucht nach dem Dämonischen, »dem magischen Quadrat«, nach dem, was in keinem Fall Langeweile hervorrufen kann.

Die ambivalente Einstellung des Expressionismus und jeder modernen Richtung zur Form, der Wunsch, das Abstrakteste und Starrste, das Funktionalistische und Kubistische zugleich mit dem Primitivsten und Ausschweifendsten zu umfassen, drängt sich in Leverkühns Verhältnis zur Musik zusammen. Leverkühn fehlt es, wie wir sahen, an der »Seele« für den künstlerischen Schaffensprozeß. »Ich bin ein schlechter Kerl, denn ich habe keine Wärme«, schreibt der junge Adrian Leverkühn an seinen Lehrer. »Naturen wie Adrian haben nicht viel ‚Seele'«, sagt Zeitblom. Es mangelt ihm an dem Leidenschaftlichen, dem Elementaren, der »robusten Naivität«. Doch er sehnt sich danach, wie Tonio Kröger sich nach dem »normalen bürgerlichen Leben« sehnte. Er sehnt sich nach dem »Durchbruch«, der Befreiung aus seiner eisigen Skepsis, die er mit seinem Zeitalter teilt. Denn in dem Punkt ist er eins mit der Zeit. Das naturwissenschaftliche Jahrhundert, die stets zunehmende Rationalisierung der Kultur (Kultur in Leverkühns Sinn ist der Abfall vom Kultischen) machen die Aufgabe des Künstlers immer schwieriger. Denn wenn sein Intellekt auf gleicher Ebene mit dem Fortschrittlichsten seiner Zeit steht, müssen die zunehmende Hygienisierung des unterbewußten Lebens, die Zähmung und »Zivilisierung« des sturmgepeitschten Urwaldes der Instinkte und Triebe, aus dem die Inspiration kommt, notwendigerweise die Hauptquellen seiner schöpferischen Kraft zum Versiegen bringen. Mit dem Triumph der Kontrolle der Vernunft über die menschliche Natur wird das symbolhafte und intuitive Denken des poetischen, d. h. des vorwissenschaftlichen, »magischen« Geistes zum Anachronismus, zum Widersinn[1]).

»Und nun fragt es sich, ob bei dem heutigen Stand unseres Bewußtseins, unserer Erkenntnis, unseres Wahrheitssinnes dieses Spiel [die Kunst] noch erlaubt, noch geistig möglich, noch ernst zu nehmen ist . . .«

[1]) Das bedeutet nicht das Verschwinden aller Kunst, sondern nur der von jenem Typ, die sich aus unterbewußten Sehnsüchten und Träumen nährt, der sogenannten dionysischen oder romantischen Kunst, die man in Deutschland d a s M u s i s c h e nennt. Der technische, konstruktivistische Typ der Kunst, der aus dem Wunsch entsteht, muskuläre und intellektuelle Fähigkeiten zu üben und das Leben durch funktionelle, rationale Mittel und Techniken zu verschönern, hat hiermit nichts zu tun.

So definiert Leverkühn die Krise, der sich der moderne Künstler gegenübersieht. Und mit seiner radikalen Skepsis geht er noch weiter und behauptet, das Kunstwerk sei zum Betrug geworden, zu einer hübschen Lüge, der jede legitime Beziehung zur sozialen Wirklichkeit, d. h. zum Leben, fehle. Eine Zeitlang noch werden die parodistischen und ironischen Formen der Kunst übrig bleiben — und danach Leere.

Schon 1871 ersann Rimbaud eine Lösung für dieses Dilemma des Künstlers. In seinem sogenannten *Lettre du voyant* vom Mai 1871 entwickelt der junge Dichter eine Theorie, ein *voyant*, ein Visionär, zu werden, was sich dadurch vollzieht, daß man seine Seele zu etwas Ungeheuerlichem macht[1]). Es handelt sich um eine »wohldurchdachte Zerrüttung der Sinne«. Liebe, Leiden, Wahnsinn müssen mit dem ganzen Wesen durchforscht, die Gifte des Lebens erkannt und ausgeschöpft werden. Rimbaud stützt diese Lehre des »Hindurchgehens durch Krankheit, Verbrechen und Blasphemie«[2]), um den Kontakt mit der Inspiration zu erlangen, durch eine zusätzliche linguistische Theorie. Nach Rimbaud ist die Sprache »ein Mittel, das gewöhnliche Wissen vergessen, ein Mittel, sich selbst zu verlieren und seine ungeheuerliche Natur zu entdecken«. Sie ist »durchaus vergleichbar der Methode der Beschwörung in der religiösen Praxis, durch die man zum Unaussprechlichen gelangt«[3]). Auch Leverkühn geht, um seine Sterilität zu überwinden und das »magische« und »beschwörende« Wesen der Musik wiederzuerlangen, »durch Krankheit, Verbrechen und Blasphemie«. Er injiziert seinem Blut das Gift, das es bis zum Siedepunkt der Inspiration erhitzen wird, ehe sein Geist ausgebrannt ist. Der Teufel (oder seine Krankheit) gestattet ihm die Exaltierung, die ihn zum Himmel tragen wird, ehe sie ihn in die Hölle schleudert. Zerebralsyphilis, diese zeitgenössische Entsprechung zu Dr. Fausts Aderlaß, soll die Kräfte anregen, die zu träge, zu sehr vom selbstkritischen Intellekt gehemmt sind, als daß sie zur Größe aufblühten. Die Syphilis vermag den spät geborenen Künstler noch zu »Aufschwüngen ... und Erleuchtungen ... Enthobenheit und Entfesselung ... Freiheit, Sicherheit, Leichtigkeit, Macht- und Triumphgefühl« zu inspirieren. Der Künstler kann noch einen Zustand der Euphorie erreichen, in dem er sich fühlt wie Gott. In solchen Augenblicken der Ekstase, die Nietzsche auf seinen Alpenwande-

1) Fowlie, The Age of Surrealism, pp. 54 ff.
2) Diese Lehre besitzt eine christliche Parallele, die zum Beispiel Dostojewskij vertritt.
3) Fowlie, a. a. O., p. 55.

rungen erlebte, wird Leverkühn wie der Faust des Volksbuches auf dem Teppich des Teufels hoch über die Welt des Menschen dahingetragen. Ideen sieden und schäumen in seinem Gehirn und werden sofort zu Musik; und in der Verzückung des Schaffens wird er eins mit der Ewigkeit.

Doch wie wir bei Trakl gesehen haben, muß diese Euphorie mit Perioden trüber Depression, Sterilität, Verzweiflung abwechseln; Leverkühn erlebt Wochen und Monate, in denen er glaubt, nie wieder auch nur einen einzigen Akkord ersinnen zu können. Aber diese Depressionszustände entkräften seine Augenblicke göttlicher Macht und Größe keineswegs; sie bilden vielmehr die *conditio sine qua non.* Einer, der so hoch fliegt, kann unmöglich in das Behagen und die niedrige Spannung eines gemäßigten bürgerlichen Lebens zurückfallen; er muß unendlich viel tiefer stürzen, in einen Abgrund des Ekels und der Hoffnungslosigkeit, der »augenscheinlich die Hölle im voraus« ist, »schon auf Erden bereitet«. Und der Teufel erwidert: »Es ist das extravagante Dasein, das einzige, das einem stolzen Sinn genügt.«

Doch am Ende bleibt nur die Trostlosigkeit. Rimbaud gab nach seiner *Saison en enfer* (Ein Aufenthalt in der Hölle) die Kunst auf und verließ Europa. Leverkühn bricht am Ende seiner ungeheuren *tour de force* zusammen. Das Aphrodisiakum für die Kunst hat sich als zu teuer erwiesen; die Krise wurde nicht bewältigt. Leverkühns kosmische Verzweiflung ist nur eine Variation — im großartigen und monumentalen Maßstab — jener Verzweiflung, die Wedekind mit Hetmann und Buridan, Sack mit dem Refraktair porträtierte und die in Trakls Paranoia und Selbstmord veranschaulicht wurde. Bei ihnen allen endet das stolze Streben des Genies im Zusammenbruch. Das Werk, das das Vakuum des Lebens füllen sollte, erweist sich als bloßes Nichts: »ein falscher Traum«, wie Else Lasker-Schüler einmal ausrief; »Teufelswerk, eingegossen vom Engel des Giftes«, wie Leverkühn es in seiner herzzerreißenden Konfession nennt. Der einsame »Übermensch« hat die Kraft verloren, an seinen eigenen Mythos zu glauben; und mit diesem Verlust ist er unendlich tiefer gestürzt, als sein gewöhnlicher, unerleuchteter Bruder, der verachtete Bürger, je gestanden hatte. Nun ist der Spieß umgedreht. Er, der höher stieg als andere Menschen, wird nun von ihnen aufgegeben, von sich selber abgelehnt und von Gott verdammt:

»Merkt es nur ... sonders achtbare liebe Freunde, daß ihrs mit einem Gottverlassenen und Verzweifelten zu tun habt, dessen

Leichnam nicht an geweihten Ort gehört... sondern auf den Schindwasen zu den Kadavern verreckten Viehes.«
Lange vor seinem Ende erkannte Leverkühn, daß es nicht Stärke war, was ihn von andern unterschied, sondern Schwäche. »Sie werden nicht glauben, daß ich mich zu schade halte für jeden Beruf. Im Gegenteil: es ist mir schade um jeden, den ich zu dem meinen mache.« Das künstlerische Genie, das nach traditionellen Begriffen in Exzessen der Vitalität schwelgt, ist zum genauen Gegenteil geworden. Der expressionistische Künstler fühlt sich dem durchschnittlichen Menschen gegenüber nicht nur überlegen, sondern gleichzeitig auch unterlegen. Hat er überhaupt ein Recht zu existieren? Er zweifelt daran.

DER DORN DES SOKRATES

W. H. Auden hat einmal bemerkt, der wesentliche Unterschied zwischen dem Helden der autobiographischen Dichtung im neunzehnten und dem im zwanzigsten Jahrhundert sei der, daß der frühere die Selbsterkenntnis als einen Vorzug, der spätere sie als eine Last betrachte, während umgekehrt die Vitalität, die einmal dem Dichter gehörte und dem Philister fehlte, nun dem Philister gehöre und dem Dichter fehle.
Audens Aussage vom Dichter des zwanzigsten Jahrhunderts gilt besonders für die deutschen Expressionisten. Eine tiefe Überzeugung von Unwürdigkeit läuft als ständiges Thema durch die Werke der Expressionisten. Ja, man kann den Expressionismus als den Versuch einer Generation betrachten, sich mit der unseligen Selbstverachtung, die den modernen Dichter übermannt hat, auseinanderzusetzen und sie irgendwie zu überwinden. Die Verachtung des Bürgers weicht dem Neid auf ihn und sogar der Bewunderung. Der Dichter steht am Rande des Lebens und sehnt sich danach, in der Mitte zu sein. Doch etwas in ihm selber verwehrt es ihm, diese Mitte je zu erreichen, je an der Wärme und Liebe der Welt teilzuhaben.
Sein Verhältnis zum andern Geschlecht spiegelt sein allgemeines Unterlegenheitsgefühl wider. Wenn er überhaupt schon einmal fähig ist, die Liebe einer Frau zu gewinnen, so gelingt es ihm doch nicht, ihre Gunst lange zu behalten. Überzeugt von seiner Häßlichkeit (denn brauchte er zu dichten, wenn er stattlich und liebenswert wäre?), starrt er sehnsüchtig nach einem einfachen

Mädchen und denkt: wenn sie sich nur herablassen wollte, ihn zu lieben, könnte sie ihn von der dem Künstler angeborenen Häßlichkeit erlösen[1]).

Die chronische Unfähigkeit, die Liebe einer Frau zu gewinnen, bildet das fast ausschließliche Thema der Gedichte und Prosaskizzen des Wiener Expressionisten Albert Ehrenstein. In einer dieser Skizzen bewundert der Dichter ein reizendes Mädchen von fern. Es ist für ihn schon eine Leistung großen Mutes, sie zu grüßen, als sie auf der Straße an ihm vorübergeht. Er hat sie in die prächtigen Gewänder seiner Träume gekleidet. Doch ein grober Lederwarenfabrikant heiratet sie und führt sie davon. »Und ich war unter den Gratulierenden«, schließt der Dichter mit heinescher Selbstverspottung[2]). Für Ehrenstein ist die Frau die Inkarnation der Süße und der Reize des Lebens; sie ist das Leben selbst: »lachend, sich wiegend und tänzelnd und blühend in seiner Pracht«[3]). Doch die grausame Göttin, mit einem unbarmherzigen Gott verschworen, hat ihm das entsetzliche Schicksal des Zölibatärs vorherbestimmt. Wanzen besuchen ihn, weil seine Einsamkeit sie erbarmt, doch Frauen haben kein Mitleid. Sie lieben nicht den Dichter; sie lieben den vulgären, robusten Extrovertierten. Frauen machen sich nichts aus geistigen Dingen und verweigern denen, die nicht stark und einfältig sind, ihre quälenden Leiber. Literatur und Leben sind für den expressionistischen Dichter durch eine unüberbrückbare Kluft getrennt; in seiner Verzweiflung verflucht er die Literatur und preist das Leben: »Tinte ist bitter / Leben ist süß[4]).«

Voller Haß wendet er sich gegen die Welt und besonders gegen die Frauen, die ihn martern. Er knirscht über sie mit den Zähnen und verlästert sie in wilder Raserei, die der Wut ähnelt, die das treulose Mädchen in François Villon erregte. Er nennt das Weib das Übel der Erde und wünscht sich, ihr Gesicht zu zertreten und ihr einen Dolch in die Kehle zu stoßen. Und er verflucht sich selbst:

> Ratten! Fresset meine Eingeweide!
> Zerspell mich, Fels, ertränk mich, Furt!
> Was starb ich nicht vor der Geburt?
> Aufstrahlt mir nie das Land der Freude[5]).

1) Vergl. Franz Werfels Gedicht ohne Titel in *Die Aktion*, IV, (1914), 40.
2) Ehrenstein, »Passion« in *Der Selbstmord eines Katers*, p. 79.
3) Ehrenstein, *Tubutsch*, p. 49.
4) *Die Gedichte*, p. 15.
5) *Gedichte*, p. 148.

Auch Franz Kafka war es nie vergönnt, »das Land der Freude« zu betreten, und wie bei den andern Expressionisten war auch bei ihm die Überzeugung seiner Unwürdigkeit eng mit dem erotischen Versagen verknüpft. Max Brods Kafka-Biographie, seine eigenen Tagebücher und seine Briefe an Milena berichten uns von seinen unglücklichen Beziehungen zum andern Geschlecht; die verhängnisvolle Geschichte seiner Verlobungen ist allgemein bekannt. Doch im Gegensatz zu Ehrenstein, der sich selbst bemitleidet und die Welt und sein Schicksal verflucht, sucht Kafka die Ursachen seines Unglücks in sich selbst. Welches sind die Ursachen? Was liegt der tiefverwurzelten Überzeugung seiner Inferiorität und Schuld zugrunde, die ihren mächtigsten Ausdruck in Werken wie *Die Verwandlung* und *Der Prozeß* finden? Was ist es, was dem Expressionisten verwehrt, seinen Anteil an der Wärme und Liebe der Welt zu erhalten?

» . . . die Selbstbeobachtung, die keine Vorstellung zur Ruhe kommen läßt, jede emporjagt, um dann selbst wieder als Vorstellung von neuer Selbstbeobachtung weitergejagt zu werden. Dieses Jagen nimmt die Richtung aus der Menschheit . . . Wohin führt sie? Sie kann, dies scheint am zwingendsten, zum Irrsinn führen . . .«.[1])

Diese Bemerkung Kafkas macht für seine Isolierung die introvertierte, überaus intellektuelle Persönlichkeit verantwortlich, die ihn von seinen Gefährten weggezogen, ein Vakuum um ihn her geschaffen hat und schließlich seine geistige Gesundheit bedrohen wird. Überdies kann ein überentwickelter Intellekt jene praktische Klugheit und Anpassungsfähigkeit ausschließen, auf der Erfolg und Glück in der Welt beruhen. Kafka erinnert sich, daß er in seiner Jugend besonders geschickt in abstrakten theologischen Diskussionen war; doch niemals kam er auf den Gedanken, daß sein linkisches Aussehen, das ihn beunruhigte, seinen Grund in nicht passenden, schlecht geschneiderten Anzügen hatte[2]). Aber natürlich waren die Anzüge ein Symptom, nicht etwa die Ursache von Kafkas Unglücklichsein. Sein Geist, der sich gern in Tiefen und Schwierigkeiten bohrte, jedoch einen einfachen empirischen Zusammenhang von Ursache und Wirkung nicht erfaßte, war der Grund seines Elends. Statt den Schneider zu wechseln, schrieb Kafka sein unbefriedigendes Aussehen einem grausamen Schicksal zu, einem besonderen Fluch, der es ihm verwehrte, glücklich zu sein; hier finden wir ohne Schwierigkeiten mindestens eine Ursache für den eigentümlichen metaphysischen Pessimismus, der sein Werk

[1]) Kafka, Tagebücher 1910—1923, herausgegeben von Max Brod, II, 215.
[2]) Kafka, Tagebücher, I. 218 ff.

inspiriert und kennzeichnet. Die ganze Richtung seines Lebens, so beweist es Kafka sich selbst mit logischer Schärfe, war davon bestimmt, daß sein abstrakter, introspektiver Geist das Handgreifliche nicht zu erklären vermochte.

Im Expressionismus begegnen wir einem Gefühl der Unzulänglichkeit und Isolierung des Dichters, intensiver und verzweifelter sogar als in den Frühwerken Thomas Manns. Viele Expressionisten betrachten sich als intellektuelle Ungeheuer, unfähig, eine Beziehung zur gewöhnlichen Menschheit herzustellen. Ein übermäßig vergrößertes Gehirn hat in ihnen die praktischen und lebenswichtigen Züge der Persönlichkeit, die Fähigkeit, zu handeln und fühlen, usurpiert und zerstört; es verhindert das normale Funktionieren der Persönlichkeit und führt zu ihrer völligen Auflösung oder in Kafkas Worten: zum »Irrsinn«. Diese Expressionisten blicken mit rasendem oder sehnsüchtigem Neid auf die ungestörte Einfalt des Durchschnittsmenschen. Der Aufschrei des jungen Franz Werfel: »Mein einziger Wunsch ist, dir, o Mensch, verwandt zu sein!« und das weite Echo, das er fand, sind symptomatisch für eine Generation von Autoren, die sich von der Menschheit abgesondert fühlten und verzweifelt versuchten, den Abgrund zwischen sich und den »Menschen« zu überbrücken. Die pathologische Labilität und der Selbsthaß der intellektuellen, gefühlsarmen Persönlichkeit bilden die Grundlage zweier scheinbar gegensätzlicher Tendenzen des Expressionismus: dem Schrei nach der Herrschaft des rohen Lebens, eines Lebens, unbeschwert von Intellekt und Vernunft; und zweitens seinem scheinbaren Gegensatz, dem Abstraktionismus, der das dem Expressionisten schmerzliche und demütigende persönliche und emotionale Element aus der neuen, rein formalen Kunst verbannt, die er verkündet und praktiziert. Die abstraktionistische Verehrung des Intellekts, die scheinbar die Selbstachtung des Intellektuellen ausspricht, steht, wie wir sehen werden, in Wirklichkeit in engstem Zusammenhang mit seiner Selbstverachtung, seinem Nihilismus und seiner Verzweiflung.

Am Anfang der expressionistischen Bewegung beneidet Walder Nornepygge, der Held von Max Brods erstem Roman *Schloß Nornepygge* (1908) — den Kurt Hiller als den Faust der neuen Generation begrüßte —, die gewöhnlichen Leute, weil sie in einem Narrenparadies leben, das sein scharfer Intellekt »durchschaut« und so für ihn unbewohnbar gemacht hat. Die menschliche Atmosphäre der Gewohnheiten, Handlungen, Überzeugungen und Sonderlichkeiten — das irrationale Element in den Menschen —

verleiht allen andern ihre klar umgrenzte Individualität; doch Walder Nornepygges überentwickeltes Bewußtsein hat diese Atmosphäre um ihn her zerstört und ihn nackt, schutzlos, ohne Charakter oder Persönlichkeit zurückgelassen:

»O meine alte Erfahrung: alle Menschen rings um mich, alle nur ich nicht, haben einen Stil. Sie sind in gewisse Gewohnheiten, Liebhabereien, Triebe, Vorurteile eingezäunt, sie leben glücklich dahin, sie betreiben eine fest abgeschlossene Individualität. Und die steht wie eine Wand um sie, gibt ihnen Kraft und Mut, hilft ihnen über Widersprüche hinweg, verdunkelt ihr Bewußtsein, so daß sie nie von ihrer Unfreiheit etwas erfahren. Ihr Stil verdeckt ihnen die Drähte, an denen das Schicksal sie leitet ... Sie leben ... Aber ich ... leider, bin müde, meine Logik ist prompt und reinlich ... Ich bin nichts als Bewußtsein, ich kontrolliere mich immer, zu jeder Stunde meines Lebens weiß ich, daß alles, was ich tue und denke, durch Notwendigkeit geschieht.«[1])

Walders introspektiver Intellekt, der alle Verhaltensweisen als gleich wertvoll und gerechtfertigt anerkennt, führt zu völliger Ambivalenz, die jede Tat äußerst schwierig, ja geradezu absurd macht, die Wertmaßstäbe vernichtet und den Lebenswillen untergräbt. Wie ein gewisser Typ des Neurotikers, den Karen Horney[2]) beschreibt, findet Walder in einer Aufeinanderfolge »neuer Ichs« sein wirkliches Ich nicht; jedes »neue Ich« ist nur eine Rolle, die seine Verzweiflung ihm zuweist und die er wieder ablegt. Abgesehen von diesen wechselnden Rollen — dekadenter Sybarit, liebender Ehemann, Don Juan, politischer Revolutionär und andere — ist er nichts. Dieser Vorläufer von Musils *Mann ohne Eigenschaften* weiß, daß er keinen Charakter haben kann. Obwohl es ihn verzweifelt danach verlangt, eine Persönlichkeit oder, wie er es ausdrückt, einen eigenen Stil, zu erlangen, weiß er, daß sein »Charakter Charakterlosigkeit ist«: »Ich wehe mit dem Winde dahin, ich bin durchsichtig, ich bin überhaupt nichts mehr als ein warmer Luftzug, eine fragende Betonung, ein stummes h ...«[3]).

Da Walder bei all seinen Tätigkeiten niemals selbst anwesend ist, fehlt es ihm natürlich an echtem Gefühl und an Liebesfähigkeit. Sein Körper macht die Gesten der Liebe; seine Neugier verfolgt Frauen; sein Geist steht daneben und beobachtet. Aber er selber? Es gibt kein er selber. Die Einheit von Fühlen, Denken und

[1]) Schloß Nornepygge: Der Roman des Indifferenten, pp. 104—5.
[2]) Neurosis and Human Growth: The Struggle toward Self-Realization, p. 165.
[3]) Schloß Nornepygge, p. 468.

Handeln, die das Ich ausmacht, ist Walder unbekannt; und diese Störung seiner menschlichen Funktion isoliert ihn stärker und unrettbarer als gesellschaftliche Ächtung. Das einzige, was er an Gefühl besitzt, konzentriert sich auf das eine bittere Verlangen, Gefühle zu haben, echt zu sein. Er strebt nach Verminderung des Bewußtseins, nach einer primitiveren, aber vitaleren Lebensweise. Er bewundert den Philister und den Menschen von langsamem Verstand, er sehnt sich danach, der Fade und der Narr zu sein: »O Polledi, du Clown, wie gerne gäbe ich den Ruhm meines konsequenten Denkens ... um eine einzige Nacht deines kindischen, wahrhaft-unbewußten Lachens! Wie gerne wäre ich einfach, schlicht, nichts als ohne Verantwortung lebendig.« (S. 140.)

Das Verlangen, völlig und »ohne Verantwortung« lebendig zu sein, prägt jene Tendenz im Expressionismus, die wir Vitalismus nennen werden. Die vitalistischen Philosophien der Jahrhundertwende, vor allem Henri Bergsons Lehre vom *élan vital,* postulierten einen Zwiespalt zwischen dem unbewußten Strom des Lebens und dem verknöchernden, kategorisierenden Intellekt, der dem im Expressionismus postulierten Konflikt sehr ähnlich ist. Doch Bergson sah immerhin in einer geistigen Fähigkeit — der Erinnerung — ein Mittel zum Verständnis des irrationalen Lebensstroms; seine Fassung von Nietzsches dionysischem Prinzip ist von gallischer Heiterkeit. Im Expressionismus bleiben die dionysischen Wurzeln des Vitalismus offensichtlicher. Der Expressionist erlebt das Problem des Vitalismus dynamischer und unmittelbarer als die französischen und angloamerikanischen Autoren, wie etwa Proust, Valéry, T. E. Hulme und T. S. Eliot, die tief von Bergson beeinflußt waren. Der expressionistische Vitalismus ist eine extreme und heftige Reaktion auf eine extreme Form des Intellektualismus. Im Gegensatz zu Proust und T. S. Eliot suchten die Expressionisten — mindestens in der frühen Phase — nicht, die zeitlose Realität des fließenden Lebens durch den geistigen Akt der Erinnerung und der künstlerischen Nachschöpfung einzufangen. Statt dessen reagierten sie auf jede geistige Tätigkeit mit dem wilden, anarchischen Verlangen nach »Leben ohne Verantwortung« und »reinem Gefühl«.

Der expressionistische Vitalismus lehnt sich gegen einen übertriebenen Intellektualismus auf, und seine Intensität entspricht dem Grad, in dem der Intellekt als hemmende und zersetzende Kraft in der Persönlichkeit empfunden wird. Walder Nornepygges Vitalismus ist ziemlich gemäßigt und unterdrückt; doch wenn der Intellekt zerstörerischere Ausmaße annimmt als bei Brods frühem Helden[1]), erscheint auch der Vitalismus in einer extremeren Form. »Lebe ich nicht — bin ich nicht das Leben?« ruft Rektor Kleist, die Titelgestalt eines der ersten Bühnenstücke Georg Kaisers (1905), ein verwachsener, impotenter Schulleiter von beißendem Intellekt, aus, der sich, da er keinen Trost im Leben finden kann, dem Verstand zuwendet. »Und der Geist in mir das Tote, das mich vom Leben abzieht mit seinem Fluge zum Tode — zur Ewigkeit?« (p. 75) Der überintellektuelle Held in Gustav Sacks Roman *Ein verbummelter Student* arbeitet in einem Bergwerk. Er wünscht sich, ein Tier zu sein, in der Woche schwer zu arbeiten, sonntags zufrieden mit Schnaps und Frauen, ein Tier, »das Rettung vor sich sucht in Straßenfreuden und Straßenschmutz«. »Nun«, bittet er die Sterne, »laßt mir dies! Laßt mich Tier bleiben und lockt mich nicht fürder mit eurem blinkenden Zauber und höllischen Rätseln — laßt mich nicht wahnsinnig werden, ihr ewigen Götter!« (S. 247—48.) Es verlangt ihn danach, nichts zu sein als ein Radzahn in der industriellen Maschine, gehärtet und unempfindlich wie das Eisen, an dem er werkt:

»Ein Zahn in dem Rad dieser ... Höllenuhr ... ist mehr als der schillerndste Gedanke und die tiefgründigste Erkenntnis. Schlag zu! Werde Eisen ... ! Eisen, das ist's; gefühllos, skrupellos ...« (S. 233.)

Doch es gelingt ihm nicht, sich von seinem Intellekt zu befreien; er gibt das nutzlose Grübeln nicht auf. »Wo ist der Sinn? wo ist der Zweck? wo ist der Grund? — Kein Wissen, kein Sinn, kein Zweck, kein Grund, kein Ziel, kein Entfliehn — verflucht!« (S. 299.) Das sind seine letzten Worte vor dem Selbstmord.

Die Flucht, die der verbummelte Student in der Handarbeit finden wollte, sucht der Namenlose, der Held von Sacks zweitem Roman, im Geschlechtsleben. Der Überintellektuelle geht zu der Unterintellektuellen, dem ungebildeten, oberflächlichen, hübschen Mädchen, und mit der Raserei eines Ertrinkenden, der sich an einen Strohhalm klammert, setzt er sie auf den Thron an die Stelle seines verlorenen Gottes. Nicht um der Liebe willen kommt er zu ihr, sondern um erlöst zu werden. Kein Ehrgeiz ist ihm geblieben, keine Hoffnung. Nur eins wünscht er, den Kopf in ihren Schoß zu graben, die Augen zu schließen und zu vergessen. Ein so tief unglücklicher, so völlig leerer Mann kann natürlich

[1]) Brod selbst gibt ein noch extremeres Beispiel des Walder-Typs im Helden seines Romans »Ein tschechisches Dienstmädchen« von 1911.

keinen Erfolg haben. Das Mädchen verläßt ihn um eines andern willen. Er wünscht, er könnte wie jeder andere Mann den Nebenbuhler herausfordern und zu Boden schlagen. Das wäre eine Lösung. Aber selbstverständlich kann er das nicht tun. »Der Dorn des Intellekts« hat ihn gelähmt. Er verteidigt sich nicht, sondern wundert sich nur über die unbegreifliche, wenn auch lang erwartete Tatsache. Er versteht: »Nein, wie ich nicht zur Erkenntnis tauge, tauge ich auch nicht zur Liebe und zum Genuß.« »›Aber wenn du nicht lieben kannst, wie der Pöbel liebt, mit Wut und Eifersucht, so laß die Hand davon!‹ trommelte der Regen an die Scheiben und höhnte die stürmische Nacht.«[1])

Das extremste Beispiel des »Dorns des Intellekts« findet sich in den frühen Werken von Gottfried Benn, nächst Kafka wahrscheinlich dem größten und einflußreichsten Expressionisten. Für Benns Dr. Rönne, in dem wir eine Station der Entwicklung des Berliner Arzt-Dichters sehen, bildet nicht nur jedes Gefühl und jede Tat ein erschütterndes Problem, sondern jede Art von gesellschaftlichem Kontakt oder Kommunikation. Seine rein theoretische Mentalität kann die Spontaneität nicht aufbringen, deren es zur Kommunikation mit seinen Mitmenschen bedarf. Muß er an irgend jemand eine Bemerkung richten, bricht er fast zusammen. Entsetzen packt ihn, wenn er mit Kollegen essen soll. Wie kann er seinen Intellekt so verengen, um an einer Unterhaltung teilzunehmen, Partei zu ergreifen, sich Ansichten zu bilden, Fragen auszusprechen? Er vermag alles von so vielen Seiten aus zu betrachten, sich so viele Bemerkungen auszudenken, die er vielleicht machen könnte, daß er zu keiner einzigen kommt. Über Rönne sagt sein Autor:

»Wir erblicken also hier einen Mann, der eine kontinuierliche Psychologie nicht mehr in sich trägt. Seine Existenz innerhalb und außerhalb des Kasinos ist zwar eine einzige Wunde von Verlangen nach dieser kontinuierlichen Psychologie, der Psychologie des ›Herrn‹, der ›nach der Mahlzeit einen kleinen Schnaps nicht verschmähte und ihn mit einem bescheidenen Witzwort zu sich nimmt‹, aber er findet aus konstitutionellen Gründen nicht mehr zurück ... In Rönne hat die Auflösung der naturhaften Vitalität Formen angenommen, die nach Verfall aussehen.«[2])

Für Benn-Rönne erscheint das Philistertum als unerreichbare Seligkeit. Es verlangt ihn nach der Solidität und Verwurzelung des

[1]) Werke, I, 339 und 392.
[2]) Benn, »Lebensweg eines Intellektualisten« in Doppelleben: Zwei Selbstdarstellungen, p. 31.

gewöhnlichen Bürgers, des *Herrn,* der in der mächtigen Selbstsicherheit ruht, die eine dicke Haut und ein unkomplizierter Geist einem zu geben vermögen. Benn-Rönne kann nur in sehr seltenen Augenblicken ein Herr sein, wenn es ihm nämlich durch ungeheure geistige Konzentration gelingt, für die Dauer eines Essens an der Unterhaltung teilzunehmen. Dann ist die Wirkung auf ihn so beglückend, als hätte er eine welterschütternde Leistung vollbracht:

»Jubel brach aus, Triumphgesänge. Nun hallte Antwort... und das galt ihm... Äußerungen knüpften an ihn an, zu Ansammlungen trat er, unter ein Gewölbe von großem Glück; selbst Verabredung für den Nachmittag zuckte einen Augenblick lang ohne Erdbeben durch sein Herz... Voll kostete Rönne seinen Triumph. Er erlebte tief, wie aus jedem der Mitesser ihm der Titel eines Herrn zustieg... Der Eindruck der Redlichkeit war er und des schlichten Eintretens für die eigene Überzeugung; aber auch einer anderweitigen Auffassung gegenüber würde er gern zugeben: da ist was Wahres dran. Geordnet fühlte er seine Züge; kühler Gelassenheit, ja Unerschütterlichkeit auf seinem Gesicht zum Siege verholfen; und das trug er bis an die Tür, die er hinter sich schloß.«[1])

Doch als er den Raum verläßt, wird er wieder »schattenhaft... negativ verendet, nur als Schnittpunkt bejaht«. Er verzweifelt daran, jemals zu werden wie die, um die tagsüber »die Dinge brandeten«, »der erzene Mann«. Wohin er sich auch kehrt, überall sieht er Frieden, Einheit im Ich, Identität, selige Begrenzung, die Freude des un-selbstbewußten Lebens. Nur er, der Intellektuelle, ist ausgeschlossen; er vermag nur zu denken, nicht zu sein:

»Nur ich, mit Wächter zwischen Blut und Pranke,
ein hirnzerfressnes Aas, mit Flüchen
im Nichts zergellend, bespien mit Worten,
veräfft vom Licht.«[2])

Zwischen seinem Blut, das ein Teil der Natur ist, und seiner »Pranke«, dem Werkzeug der Tat, das vom Blut in Bewegung gesetzt werden sollte, liegt der »Wächter«, die denkende, reflektierende, ambivalente und zaudernde Selbstbewußtheit.

Da Benns Intellektualismus extremer und sein Selbsthaß wütender ist als der von Brods Helden, ist auch seine Reaktion heftiger und radikaler. Brods Walder sehnte sich nur danach, auf das Niveau

[1]) »Die Reise« in Die weißen Blätter, III/3 (Juni 1916), 247.
[2]) »Ikarus« in Die gesammelten Schriften, pp. 37—38.

des einfältigen Durchschnittsmenschen von heute hinabzusinken; Benn-Rönne möchte viel tiefer fallen. Sein letztes Ideal ist nicht der robuste Philister, der *Herr*, wenn er ihn auch bewundert; es ist nicht einmal die Frau, obwohl er neiderfüllt von ihr spricht, da sie auf Grund ihrer Physiologie immer der Natur näherbleiben wird als der Mann. *Herr*, Frau und Wilder sind nur Stationen auf dem Weg zu einem ferneren und primitiveren Ideal, dem Untermenschlichen und Tierischen, ja noch weiter hinunter, zum Protozoischen, zum Vegetativen und Unbelebten. Bei der Morgendämmerung des bewußten Lebens wurde der Keim jenes Zusammenbruchs gelegt, der am andern Ende des stolzen Gewölbes der Entwicklung den Intellektuellen unserer Zeit überwältigt hat, so daß er sich von der ganzen Schöpfung abgeschnitten und in seiner Sterilität erstickt sieht. Benn wünscht, seine Augen könnten an dem urtümlichen Licht teilhaben, an dem »guten frühen Voraugenlicht«, das in Form von Wärme die Haut eines primitiven Geschöpfes liebkoste, ehe das Auge, der Pionier des verhaßten Intellekts, die Welt aufteilte in gesehene Gegenstände und ein Ich, das sieht. Damals war alles Gefühl, Berührung, sinnliche Empfindung, ein wonnevoller Schlummer im Einssein mit der ganzen Natur:

»O daß wir unsere Ururahnen wären.
Ein Klümpchen Schleim in einem warmen Moor.«[1])

Mit dem hoffnungslosen Verlangen des verurteilten Gefangenen nach seiner unwiederbringlichen Freiheit ruft Benn aus:
»O so möchte ich wieder werden: Wiese, Sand ... eine weite Flur. In lauen und in kühlen Wellen trägt einem die Erde alles zu. Keine Sterne mehr. Man *wird* gelebt.«[2])
Die Regression wird also zum Ideal des sich selbst hassenden Intellektuellen. Indem er seinen eigenen Intellektualismus zum traurigen Geschick des modernen Menschen, ja des *homo sapiens* schlechthin verallgemeinert, wird Benn-Rönne überhaupt erst zum Handeln befähigt. Er greift zu den Waffen gegen das Jahrhundert der Naturwissenschaft, das die blühende Welt der Erscheinungen zu Abstraktionen von Masse, Raum und Energie aufgelöst hat[3]). Benn-Rönnes Rebellion gegen die Naturwissenschaft ist gleichzeitig eine Auflehnung gegen die Humanität, der die Naturwissenschaft dient. Was ist das für eine Humanität, fragt er empört,

[1]) »Gesänge« in Schriften, p. 19.
[2]) Schriften, p. 127.
[3]) Vergl. auch Picassos Vorwürfe gegen Pameelens Vater, weil er seinen Sohn studieren ließ, statt die zarten Sinne des Knaben vor der giftigen Säure der Naturwissenschaft des zwanzigsten Jahrhunderts zu schützen. Schriften, p. 142.

die dem menschlichen Geist die Bürde des Wissens um eine sinnlose Welt aufschwatzen möchte; die keinen Raum für Gott, sondern nur für Zahlen hat; keinen Raum für Vollkommenheit, sondern nur für Bruchstückhaftes; die kein Ziel, sondern nur Mittel kennt; und schließlich nichts übrig läßt, weder Farbe noch Form, weder Liebe noch Verlangen, weder Edelmut noch Begeisterung, weder Einheit noch Glauben, weder das Ich noch Gott — sondern nur Abstraktionen, nur »Worte und das Hirn«? Die Naturwissenschaft hat ihren gläubigen Verehrer ruiniert. Als Qualle wäre er glücklicher gewesen.

Dadurch, daß er seine persönliche Notlage zur Situation der Menschheit verallgemeinert und den Rückschritt als ein bedingungsloses Ideal fordert, wird der Dichter nicht nur in Stand gesetzt, zu rebellieren, sondern den Kontakt mit einer tieferen Schicht des Lebens aufzunehmen, die ziemlich genau Bergsons vitalistischer Realität und Jungs Begriff vom »kollektiven Unbewußten« entspricht. Ein spontanes Gefühl wallt auf, zerbricht die Kruste des intellektualisierten Ich und winkt wie die Fata Morgana eines blauen Ozeans in der Wüste. »Südlichkeit« ist das Grundthema dieser Visionen. Sie wird mit einer tropischen Wonne von Müßiggang und sinnlicher Befreiung in Verbindung gesetzt, mit der Heiterkeit einer Flucht weißer Marmortreppen in heißer Sonne, die dem Gehirn-Ungeheuer Pameelen, dem *Vermessungsdirigenten*, eine Art religiöser Erlösung verheißt, mit der Farbe und Wärme des Mittelmeers, für die van Goghs rhapsodische Vision mit überschäumenden Farbekstasen auf einer Leinwand in einem üppigen Garten der Provence ein Beispiel ist, oder einfach mit dem einen Wort »Ithaka«, das aus dem Unbewußten heraufbrodelt: ein magisches Wort, reich an Assoziationen von Sonnenlicht, Ruhe, Üppigkeit und einer primitiv-ekstatischen Lebensweise:

»O es rauscht wie eine Taube an mein Herz: lacht — lacht — Ithaka! — Ithaka! ... O, bleibe! Bleibe! Gib mich noch nicht zurück! O welch ein Schreiten, so heimgefunden, im Blütenfall aller Welten, süß und schwer«.[1])

Das Einfangen erhabener Augenblicke, das Formulieren des Unsäglichen, das Aussprechen der unbewußten Wirklichkeit — in allen Jahrhunderten das stillschweigende Ziel der Kunst — sind die ausgesprochenen Absichten der Moderne. Rimbauds *Illuminations* und Mallarmés Beschwörung reicher Assoziationen durch einzelne Worte wiesen dazu den Weg. Doch während Rimbaud,

[1]) Schriften, p. 128.

die Surrealisten und Expressionisten, wie Trakl, Heym, Kafka, Nachdruck auf das Bild oder die traumähnliche Szene als Baustein ihrer Kompositionen legen, machen Mallarmé, Valéry, T. S. Eliot, Benn und die Expressionisten des *Sturm*-Kreises das einzelne Wort (bei Benn beispielsweise ein Hauptwort wie »Ithaka«) und das in seinen Klangwirkungen und vielfältigen Bedeutungen verborgene Universum von Assoziationen zur Grundeinheit ihrer »Magie«. Einen ähnlichen Gegensatz finden wir zwischen dem Traumspiel Strindbergs mit seinem Vertrauen auf sichtbare Effekte, Erscheinungen, Beleuchtung, traumähnliche Auftritte und Abgänge einerseits und dem Drama Wedekinds, Sternheims und Kaisers mit seiner Betonung der sprachlichen Effekte, der epigrammatischen Verknappung des Dialogs und der aggressiven Formulierungen anderseits. Der grimmige Expressionismus von Wedekind, Sternheim und der ihres Gegenstücks im Roman, Heinrich Mann, hat Benns »Wortmagie« stark beeinflußt. Benn nennt neben Nietzsche Sternheim und Heinrich Mann als diejenigen, von denen er am meisten gelernt hat. In Benns Dichtung nimmt Mallarmés *parole essentielle* den Platz der *image essentielle* der visionären Expressionisten ein. Wie Edgar Lohner in seinen ausgezeichneten Analysen von Benns Lyrik deutlich gemacht hat, bestehen Benns beste Gedichte, wie »Die Dänin« oder »Das verlorene Ich«, aus strategischen Hauptwörtern (nicht aus strategischen Metaphern wie in der visionären Dichtung Trakls oder Kafkas), die zu musikalischen Kompositionen miteinander verknüpft sind. Die Grundakkorde dieser Kompositionen sind eher kulturhistorische Assoziationen und Beschwörungen als traumhafte Metaphern. Diese Methode verbindet Benn mit T. S. Eliot. Beide rufen poetische Wirkungen mit Hilfe einer hohen alexandrinischen Bildung hervor, eines Alexandrinertums übrigens, das der Titel von Benns Haupt-Prosawerk *Der Ptolemäer* bewußt unterstreicht. Benns Vokabel »Ithaka« ist ein frühes Beispiel dieser Methode. Dieses einzelne Wort beschwört wie Eliots Zitate und Anspielungen eine ganze Welt von kulturellen, historischen, mythologischen und literarischen Assoziationen sowohl für den Dichter wie für den Leser. Doch trotz seiner gelehrten Nebenbedeutungen ist es ein »magisches Wort«, eine *parole essentielle* im Sinne Mallarmés. Es erreicht die gleiche hypnotische und konzentrierte Wirkung wie die traumähnlichen metaphorischen Vergegenwärtigungen Trakls und Kafkas. Seine Verwendung ist ebenso wie ihre Wirkung musikalischer Natur. Es ruft einen magischen Kontrast hervor, einen Kontrapunkt der Seligkeit und Freiheit zu dem Hauptthema: dem Elend und der Desillusion des »hirnzerfressenen« modernen Ich. Richtig benutzt wirkt das einzelne Hauptwort wie eine Zauberformel. Sie versetzt den Dichter in die Lage, eine atavistische Surrealität zu beschwören, die ihn von seiner scheußlichen Modernität erlöst.

Benns Erlebnis der aus diesen wort-inspirierten Visionen aufsteigenden Spontaneität und paradiesischen Seligkeit ist labil und von kurzer Dauer. Die grelle Klarheit der Visionen entstammt der verzweifelten und heimwehkranken Dringlichkeit, mit der sie beschworen und erschaut werden. Von allen Seiten schließt sich eine kalte, tödliche Wirklichkeit eng um Benns Visionen und bedroht den Dichter mit endgültiger Sterilität:

»Sieh dieses Sommers letzten blauen Hauch
auf Astermeeren an die fernen
baumbraunen Ufer treiben; tagen
sieh diese letzte Glück-Lügenstunde
unserer Südlichkeit
hochgewölbt.«[1])

Das Entsetzen vor dem Verlust dieser letzten herbstlichen Illusion der Spontaneität, dieser »Glück-Lügenstunde«, veranlaßt Benn-Rönne in dem kleinen Drama *Ithaka,* seinen alten Professor zu ermorden, der in der naturwissenschaftlichen Forschung den höchsten Wert des Lebens sieht. In seinem tranceähnlichen Zustand tritt Rönne auf den Wissenschaftler und Gelehrten zu, packt ihn an der Kehle und reizt seine Kommilitonen, ihn zu töten:

»Wir sind die Jugend. Unser Blut schreit nach Himmel und Erde und nicht nach Zellen und Gewürm ... Seele, klaftere die Flügel weit; ja, Seele! Seele! Wir wollen den Traum. Wir wollen den Rausch. Wir rufen Dionysos und Ithaka!«[2])

Etwa um die gleiche Zeit wie Benns esoterisches *Ithaka* wurde ein sensationelleres Drama ein Bühnenerfolg: Hanns Johsts *Der junge Mensch* (1916), in Sprache und Struktur eines der typischsten expressionistischen Theaterstücke. Johsts Drama zeigt ebenfalls die Auflehnung eines jungen Studenten gegen den verhaßten Lehrer, Professor Sittensauber. Der junge Mensch schreit ihm zu: »Halten Sie das Maul!«. Dieser unerhörten Disziplinverletzung, über die der Professor sprachlos ist, folgt eine laute Anprangerung des Schulsystems und ein Triumphlied auf Jugend und Leben:

[1]) Schriften, p. 20.
[2]) Schriften, p. 129.

»Jung, jung sind wir!... Blüte sind wir!... Nur Farbe und Schrei!!... Nur Duft!... Nur Freude!... ...Leben!... Leben!... Ist Sehnsucht!... Und die Tat fällt aus der Hand!... Sturm und Wetter!... Über allem aber ewig wieder: Es lebe das Leben!!!...

Professor Sittensauber:

Möchten Sie Ihre Grammatik studieren, statt daß Sie Nietzsche mißverstehen und deklamieren!...

Der junge Mensch:

(ist feierlich, festlich ihm zugeschritten, alle Augen sind groß auf ihn gespannt)

Sie verdienten mehr, viel mehr!... Aber ich will nur ein Ausrufezeichen in Ihr Gesicht schlagen!... Das soll die Totenfeier sein für meinen Bruder Euphorion Jubeljung!«[1])

Diese Stelle aus Johsts Drama ist das naive und rhetorisch-expressionistische Gegenstück zu Benns Szene der Revolte. Der Geist beider Werke ist der gleiche. Wir begegnen der gleichen Art von Auflehnung auf verschiedenen Ebenen: die eine, die von Johst, naiv und persönlich, die andere, die von Benn, philosophischer und abstrakter. Johsts Held rächt seinen Kameraden, den der überfüllte Stundenplan des traditionellen deutschen Schulsystems ruiniert hat; Benns Held rächt das Ich, das die übergroße Last des Wissens zerstört hat. Stil und Wortschatz sind fast identisch; beiden Stellen ist ein hektischer, explosiver Rhythmus gemeinsam. Beide Stellen enthalten gewisse Schlüsselworte, die den gealterten Vertretern der Gelehrsamkeit mit tödlicher Provokation entgegengeschleudert werden: Jugend, Blut, Seele, Leben! Ihre Verbindung mit »Dionysos« in Benns Zitat verrät sofort das Nietzschesche Erbe. Das neue Griechenlandbild, das Nietzsche in seinem eigenen Jugendwerk *Die Geburt der Tragödie* verkündete, liegt auch Benns magischem »Ithaka« zugrunde. Aber auch die beiden Schlüsselbegriffe des deutschen Vitalismus »Leben« und »Jugend« machte Nietzsche im wilhelminischen und nachwilhelminischen Deutschland zu Modeworten. In der zweiten seiner »Unzeitgemäßen Betrachtungen«, *Vom Nutzen und Nachteil der Historie für das Leben,* wie der volle Titel lautet, verdammt Nietzsche die deutschen Bildungsideale und prangert das Auswendiglernen von Tatsachenwissen als schädlich für ein gesundes, aktives und wahrhaft gebildetes Leben an. Er findet übermäßiges Wissen mit Vitalität unvereinbar und schneidet damit ein Thema an, das im deutschen

[1]) Der junge Mensch: ein ekstatisches Szenarium, p. 16.

Vitalismus eine viel weiterreichende Rolle als im französischen Vitalismus Bergsons spielen sollte. Nietzsche beschließt seine Verurteilung des deutschen Bildungsideals mit einer hallenden Ansprache an die deutsche *Jugend,* die er aufruft, sich um des Wissens willen von dem nutzlosen Wissensballast zu befreien. Mit diesem Werk verleiht Nietzsche einem Sturm und Drang Ausdruck, der sich als mächtiger und dauerhafter erwiesen hat als der ein Jahrhundert vorher durch Rousseau eingeleitete. Die in den neunziger Jahren begründete irrationale Jugendbewegung, der vitalistische Expressionismus, der ganze Nachdruck auf Jugend, Vitalität und Irrationalität und die Verherrlichung der Instinkte, die einen wesentlichen Abschnitt des geistigen Lebens in Deutschland von der wilhelminischen bis zur hitlerschen Epoche bezeichneten, fanden ihre erste Anregung in Nietzsches glänzendem Angriff auf die überlastete Bildungstradition in Deutschland. Es war nicht Nietzsches Schuld, daß dieser »Vitalismus« großen Anklang bei der herrschenden Schicht des verpreußten Deutschlands fand, dessen Kasernen natürlich besser mit Vitalität und Instinkt als mit Überdosen von Intellektualismus gediehen.

Benns Schlüsselwort »Seele« bezieht sich auf das geistige Klima zur Zeit der Expressionisten selbst. Ein Jahrzehnt nachdem Benns *Ithaka* und Johsts *Der junge Mensch* geschrieben wurden, erschien ein Werk, das in extremer Form die Philosophie des deutschen Vitalismus aussprach: Ludwig Klages, *Der Geist als Widersacher der Seele.* Der ehemalige Schüler des Dichters Stefan George postulierte den unvermeidlichen Konflikt zwischen Vernunft und instinktiver Vitalität — oder zwischen »Geist« und »Seele« — als das katastrophale Schicksal des abendländischen Menschen. Dieselbe verzweifelte Feindschaft gegen den Geist, die gleiche verzweifelte Sehnsucht nach einem primitiven, instinktmäßigen, »seelenvollen« Dasein, wie wir sie bei den Expressionisten antreffen, finden wir auch bei Klages. Der Expressionismus und Klages' Vitalismus sind zwei extreme Symptome des gleichen Unbehagens an der Kultur; und auch Klages' Stil weist eine bezeichnende Ähnlichkeit mit der dithyrambischen Prosa des Expressionismus auf.

Ludwig Klages' dithyrambische Verherrlichung der »Seele« wandelte sich zu der noch vitalistischeren Verherrlichung des »Blutes« bei den Nazis, dem Kernbegriff, der bereits in Benns Aufschrei gegen die Wissenschaft aufklang. In Benn-Rönnes gewalttätiger Rebellion gegen die moderne Naturwissenschaft und Humanität, in seiner Beschwörung einer primitiven Lebensweise, nach der das »Blut« der »Jugend« schreit, liegt ein unverkennbar protonazistisches Sentiment[1]); und wie Johst, Bronnen, Heynicke und andere Expressionisten unterstützte Benn die Nazi-Bewegung. Allerdings überraschte dieser Schritt viele in Anbetracht der modernen und experimentellen Form seines Werkes. Doch in einem Brief an Klaus Mann erklärte Benn, daß das, was ihn am Nationalsozialismus angezogen habe, gleichzeitig die Inspiration und das Hauptthema seines Werkes gewesen sei — das Verlangen nach Rückschritt und nach Befreiung von Intellekt:

»Großstadt, Industrialismus, Intellektualismus, alle Schatten, die das Zeitalter über meine Gedanken warf, alle Mächte des Jahrhunderts, denen ich mich in meiner Produktion stellte — es gibt Augenblicke, wo dies ganze gequälte Leben versinkt, und nichts ist da als die Ebene, die Weite, Jahreszeiten, Erde, einfache Worte —: Volk. So kommt es, daß ich mich denen zur Verfügung stelle, denen Europa . . . jeden Rang abspricht.«[2])

Der Wahnsinn im Sinn von Benns »Glück-Lügenstunde«, als Flucht in die Regression vor einer unerträglichen inneren Schwierigkeit, war für die meisten Expressionisten (wenn auch kaum in so extremer Weise wie in Benns Fall) ein Ende, das man sich nur innig wünschen konnte. Übersättigt von seinem Elfenbein-Intellektualismus preist Wedekinds Alwa Schön das Leben von Verbrechern und Athleten, von Leuten, »die nie ein Buch gelesen haben«[3]), und eifert ihnen nach, obwohl er sich dadurch ruiniert. Voller Verzweiflung über die Verfälschung der Wirklichkeit, die in jedem Akt geistigen Schaffens liegt, sehnt sich Sorges Bettler nach einem Entkommen in das rein physische Empfinden. Edschmid und Klabund feiern Helden, die Geist und Bewußtsein hinter sich lassen und sich in rasende und wahnwitzige Aktivität stürzen. »Lieber verroht als vergeistigt« ist Sacks Motto, und der Held seines autobiographischen Romans *Ein Namenloser* neidet Blumen und Gemüsepflanzen ihr unbewußtes Dasein. Kaisers Milliardär im ersten Drama seiner Trilogie *Gas, Die Koralle,* erhebt die Koralle, das Symbol des primitiven, vegetativen Lebens, über das Kreuz, das Symbol des Geistes. Das Paradies liegt hinter uns, sagt Kaisers Milliardär, und der Weg zum Glück ist der Weg der Regression. Wie Benns Dr. Rönne sehnt er sich nach der Sicher-

[1]) Die Parallele zum Nazismus ergibt sich auch aus Benns Vortrag vor deutschen Frontkämpfern des ersten Weltkrieges »Das moderne Ich« in Schriften, pp. 192 ff.
[2]) »Doppelleben« in Doppelleben, p. 90.
[3]) Wedekind, Die Büchse der Pandora, Ges. Werke, III, 125.

heit des vormenschlichen Paradieses und begeht einen Mord, um dorthin zu gelangen. Der Darsteller Oliver in Kaisers Drama *Zweimal Oliver* verschließt die Augen vor der tief unbefriedigenden Wirklichkeit und wird, um sich seine Illusion zu bewahren und seine »Glück-Lügenstunde« dauerhaft zu machen, tatsächlich irrsinnig. Er findet sein Paradies, buchstäblich ein Narrenparadies, im Irrenhaus. Das gleiche Verlangen nach dem Rückschritt zu einer einfacheren, weniger gehemmten Lebensweise findet sich auch in andern Werken der modernen Literatur. Eliots Prufrock wünscht sich, er wäre »ein Paar ausgezackter Krebsscheren, die sich über den Boden schweigender Meere schieben«. In Valérys *Cimetière marin* übt das Meer die gleiche Faszination als Symbol des unbewußten Lebens aus wie die Koralle bei Kaiser und die Amöbe bei Benn. André Gides *Nourritures terrestres* und *Caves du Vatican* (Die Verliese des Vatikan) malen die gleiche Fata Morgana verantwortungsloser Vitalität, den gleichen Nietzscheschen Rousseau-ismus, die den Expressionisten zuwinken. Doch Gides Revolte gegen die Tabus des neunzehnten Jahrhunderts und die nutzlose Gelehrsamkeit ist im Vergleich zur Heftigkeit des Expressionisten idyllisch. Diese unendlich größere Heftigkeit sowohl im Inhalt wie im Ton der expressionistischen Revolte darf man der langgewohnten gesellschaftlichen Randexistenz des deutschen Intellektuellen zuschreiben, wodurch er, wie wir sahen, zu größerem Subjektivismus und Empörertum neigt als seine Kollegen in den westeuropäischen Ländern. Es besteht eine entschiedene Wechselbeziehung zwischen den Enttäuschungen und Demütigungen, unter denen die deutsche Jugend in Familie und Schule aufwachsen mußte, und der Heftigkeit des expressionistischen und vitalistischen Ausbruchs. Dennoch waren Familien und Schulen in Deutschland wahrscheinlich nicht autoritärer als in Frankreich, vielleicht sogar in geringerem Maß. Aber während der französische höhere Schüler dazu neigte, sich bereits als Glied der Gesellschaft und sein Elend als etwas zu betrachten, was in der Natur der Sache lag, als eine notwendige, aber vorübergehende Phase, sah der heranwachsende Deutsche sich nicht als Teil der Gesellschaft und neigte deshalb stärker dazu, in seinen Wunschträumen und Phantasien die Zuflucht in einer heftigen anarchistischen Rebellion zu suchen. Jedenfalls ist es leicht, den engen Zusammenhang zwischen dem von der deutschen Familie und Schule ausgeübten Druck und dem Entstehen der expressionistischen Bewegung aufzuspüren. Die beiden Werke, die als erste für das Drama und für den Roman expressionistische Tendenzen aufweisen — Wedekinds *Frühlingserwachen* (1891) und Heinrich Manns *Professor Unrat* (1905), in seiner Filmfassung als *Der blaue Engel* weltberühmt geworden —, sind krasse Karikaturen des deutschen Schulsystems. Wedekinds Drama zeigt das Schulsystem als fest auf der tyrannischen Autorität des Vaters gegründet; es wird durch die puritanische Unterdrückung des Sexualinstinkts der Heranwachsenden charakterisiert. Auch Kaiser, dessen *Von morgens bis mitternachts* den bevorzugten expressionistischen Begriff des »Durchbruchs zum Leben« auf klassische Weise behandelt, beginnt seinen Weg als Dramatiker mit Stücken über Heranwachsende und Schultyrannen: *Rektor Kleist; Der Fall des Schülers Vehgesack.*

Wedekind nimmt die eigentlichen Expressionisten vorweg, wenn er das »Leben« in strahlenden Gegensatz zum Martyrium der Pubertät setzt. Melchior Gabor, von der Schule verwiesen und von den Eltern verurteilt, will am Grab seines Schulkameraden Moritz Stiefel Selbstmord begehen. Das Symbol des Lebens, der »vermummte Herr«, erscheint ihm; er sieht bezeichnenderweise aus wie ein modischer Roué, ein Mann von Welt, der vermutlich die tollsten Nachtklubs besucht. Er redet es Melchior aus, dem geisterhaften Ruf seines toten Freundes zu folgen, und führt ihn in die »Welt« ein.

Die Welt winkt als triumphierende Vision dem jugendlichen Dichter Georg Heym zu, dessen apokalyptische Schau einige der auffallendsten Werke der expressionistischen Revolution hervorgebracht hat. Heym lehnte sich wütend gegen den Zwang und die Beschränkungen auf, die Familie und Schule ihm auferlegten. Einer seiner Klassenkameraden beging Selbstmord, und Heym beneidete ihn wegen des Mutes zu dieser Tat, die er selber ständig erwog. Heyms faszinierte Beschäftigung mit dem Tod, ein hervorstechendes Element in seinem Werk, läßt sich zum Teil auf seine frühe Isolierung und sein Unglücklichsein zurückführen. Ein mit Weinlaub geschmückter Totenschädel stand als beständiges Memento auf seinem Schreibtisch.

Heyms düstere Meditationen über den Tod bilden den Hintergrund zu seinem Verlangen nach Ruhm, Genuß und Triumph, zu seinem Traum von einem wilden, zügellosen Leben in künftigen Jahren. Dieser grübelnde Introvertierte ist gleichzeitig besessen von einer heftigen Vitalität, einem Hunger nach Liebe, Erlebnissen, körperlicher und seelischer Erfüllung. Er steht im Ruf, ein toller Schüler zu sein, in verbotenen Vereinigungen »Orgien« zu veranstalten, und gilt als Rädelsführer seiner Klassenkameraden und als Schrecken seiner Lehrer. Auf die Berliner Boheme, in der er sich später bewegt, macht er den Eindruck, er sei »das Leben höchstselbst ... Er war der Verwegenste, Sonnigste, Unbefangen-Naivste: seine Vitalität durchbrach alle Schranken der Konvention«[1]). Seinen literarischen Freunden erscheint es als verwunderlich, daß dieser Sportliebhaber und »Naturbursche« der Dichter der makabersten Visionen und miasmischsten Szenen ist. Die seltsame Verbindung von melancholischem Pessimismus und überschwenglicher Extrovertiertheit, von Weltschmerz und Kraftnatur erinnert stark an den Sturm und Drang; sie zeigt, daß ähnliche Kräfte der Unterdrückung ähnliche Reaktionen von anarchischem Individualismus am Ende des achtzehnten wie zu Beginn des zwanzigsten Jahrhunderts erzeugten. In einer Tagebucheintragung analysiert Heym das Verhältnis zwischen seinem melancholischen, dem Tod verpflichteten Ich und seinem rastlosen, ehrgeizigen, dem Leben zugewandten Ich:

»Das Wunderbarste ist, daß noch keiner gemerkt hat, daß ich der allerzarteste bin ... aber ich habe es gut versteckt, *weil ich mich immer dessen geschämt habe.*«[2])

Dieser Gegensatz zwischen einer äußeren Brutalität und einer inneren Zartheit, die von der Brutalität überdeckt wird, ist symptomatisch für den expressionistischen Vitalismus.

Wie Heym pendelt der junge Hans Werner in Hanns Johsts autobiographischem Roman *Der Anfang* (1917) zwischen der Lockung des frühen Todes und dem faszinierenden Ausblick auf ein abenteuerliches Leben. Zwei seiner Freunde haben sich während des letzten Schuljahres auf dem verhaßten Gymnasium getötet. Am Tag nach dem Examen steht Hans selbst auf dem Friedhof, da er den »sachlichen Entschluß« gefaßt hat, sich eine Kugel durch den Kopf zu schießen; doch er entscheidet sich, noch eine Weile mit dem Leben zu experimentieren und sich den Selbstmord für später aufzuheben. Während der langen Jahre im Fegefeuer der Schule hatte er sich grandiosen Erwartungen an das Leben als Erwachsener hingegeben, vor denen ihn nun, da er diesem erfabelten Leben wirklich gegenübersteht, das Entsetzen packt[3]). In den Pubertätsjahren von

[1]) Helmut Greulich, Georg Heym (1887—1912) Leben und Werk in Germanische Studien, VIII (1931), 33. Vergl. auch Seelig, »Leben und Sterben von Georg Heym« in Georg Heym, Gesammelte Gedichte, pp. 215—16.

[2]) Greulich, Georg Heym, p. 29. (Hervorhebung vom Verf.)

[3]) Über die Selbstmordwelle, die kurz vor 1914 durch die deutsche Jugend fegte, vergleiche Landauers überaus interessanten Aufsatz »Selbstmord der Jugend« in Der werdende Mensch: Aufsätze über Leben und Schrifttum, herausgegeben von Martin Buber, pp. 68—72.

allen bedeutenden Erlebnissen ausgeschlossen, schworen sich die jungen Idealisten in Johsts Roman, die Welt zu ändern: »Endlich einmal eine Reformation wollten sie bringen, eine absolute Reformation«, sobald sie selbst die Freiheit errungen hatten. Doch als die Stunde schlägt, sind sie von Entsetzen gelähmt. Sie haben sich so intensive Vorstellungen von dem Erwachsensein gemacht, daß die Wirklichkeit sie nur enttäuschen kann.

Der Sohn in Walter Hasenclevers programmatischem Drama *Der Sohn,* dem allerersten Bühnenerfolg des Expressionismus (1916), weigert sich, die Reifeprüfung abzulegen, weil er Furcht hat, sich ins Leben hinauszuwagen. Das Entsetzen des Schullebens erzeugt in seinen Opfern den Willen zu versagen, der häufig zum Selbstmord führt, obwohl die Schüler die Gaben besitzen, das Examen zu bestehen.

Hanns Johst widmet sein »ekstatisches Szenarium« *Der junge Mensch,* diese Hymne auf Leben, Jugend und Ekstase, »den Manen meiner ersten Freunde«, die als Schüler von eigener Hand starben. Unter diese Widmung schreibt er: »Es ist eine rasende Wollust: jung sein und um die Verzückung des Todes wissen ...«. Ein starker Todeswunsch setzt die ekstatische Umarmung des Lebens voraus. Die beiden Kulte, die im frühen zwanzigsten Jahrhundert die deutsche Jugend beherrschen, der Kult des Selbstmords und der Kult des leidenschaftlichen Irrationalismus, ergänzen sich gegenseitig. Aus diesem Nebeneinander erklärt sich das Paradoxon, daß Vitalisten wie Sack, Kaiser und Benn sich nach den niedrigsten und unbewußtesten Lebensformen sehnen, ja geradezu nach dem Unbelebten. Ihr »Lebenskult« ist das Verlangen nach dem Aufhören der individuellen Existenz, der Wunsch nach Tod oder Schlaf ohne Aufhebung der Empfindung.

Genau wie Johsts junger Mensch, nachdem er sich an seinem verhaßten Lehrer gerächt hat, ins Leben hinausschreitet, tritt Hasenclevers Sohn buchstäblich über die Leiche seines Vaters in die Freiheit. Der Sohn, ein höherer Schüler von zwanzig Jahren, der sein Abitur nicht bestanden hat, ist der Gefangene seines Vaters, der ihm verbietet, die Wohnung zu verlassen, seine Schularbeiten mit der Peitsche beaufsichtigt und eine Erzieherin beauftragt, über ihn zu wachen, wenn er selbst fort muß. Von seinem Fenster aus blickt der Sohn in der Dämmerung über die Stadt, wo die ersten Lichter der Restaurants und Nachtlokale aufleuchten, fern und unerreichbar wie die Sterne. Das verbotene Nachtleben der Stadt ist eine magische Legende, und die Gerüchte, die aus dem verbotenen Paradies herausdringen, sind ebenso sagenhaft wie Geschichten aus Tausendundeiner Nacht. Die Träume, die sie in dem einsamen Jungen erregen, sind von furchtbarer Intensität. Die Frauen, die er nur von ferne sehen kann, sind Göttinnen; die Wünsche, die sie in ihm wecken und die natürlich nicht erfüllt werden können, stürzen ihn in entsetzliche Depressionen. Da ihm die Erlebnisse verweigert werden, wächst seine Lust danach ins Anomale, und unüberwindliche Trauer überfällt ihn sonntags, wenn »jedes Dienstmädchen zum Tanze« gehen kann und er das Haus nicht verlassen darf. Abermals bietet sich der obligatorische Schülerselbstmord als Ausweg an. Doch wieder senkt sich die Waage, auf deren Schalen der Todeswunsch und der Lebenshunger liegen, zugunsten des Lebens. Die Vitalität des Sohnes ist stärker als seine Morbidität, wenn auch beide nur verschiedene Seiten der gleichen Gefühlsambivalenz sind, die lediglich in Augenblicken der Ekstase zur Wirklichkeit findet:

»Man lebt ja nur in der Ekstase; die Wirklichkeit würde einen verlegen machen. Wie schön ist es, immer wieder zu erleben, daß man das Wichtigste auf der Welt ist!«[1])

In Arnolt Bronnens grimmigem Drama *Vatermord* tötet ein Achtzehnjähriger seinen Vater (bezeichnenderweise einen Sozialdemokraten), stößt seine geile Mutter zur Seite und schreitet hinaus, um sich seiner Freiheit hinzugeben. Die Tat des Vatermörders besitzt weder soziale noch konstruktive Motive. Sie entspringt reiner, fast mythischer Selbstüberhebung. Der Mörder schwelgt in seiner vitalistischen, gottgleichen Macht und Freiheit. Wenn wir an den noch sadistischeren Ausbruch in der Fortsetzung zu diesem Drama, an *Die Geburt der Jugend*, denken, sehen wir, daß es kein bloßer Zufall sein kann, daß der Autor ein fanatischer Nazi werden sollte. Umherstreifende Banden von Burschen und Mädchen zu Pferde überreiten die Alten, trampeln sie in den Staub und jauchzen, sie seien Gott.

Natürlich gibt es einen tieferen Grund für die Gewaltsamkeit und das rückschrittliche Verlangen des deutschen Expressionismus. Es ist jene metaphysische Verzweiflung, der Nietzsche mit der Formel »Gott ist tot!« Ausdruck verlieh und die sich nicht auf Deutschland beschränkt, sondern die Einstellung des ganzen Abendlandes vergiftet. »Gott ist tot!« Der Geist zwingt dem modernen Menschen diese schwierig zu fassende Wahrheit auf. Der ewige Tod, so erklärt ihm sein Verstand, ist das Schicksal alles Seienden. Doch der

[1]) Hasenclever, Der Sohn, p. 7.

Narzißmus des Menschen fordert Unsterblichkeit. Deshalb ist er versucht, sich gegen seinen Geist zu wenden. Doch während Eliot die bewußte Rückkehr zur Tradition und zum traditionellen Glauben als Ausweg aus dem »Waste Land« empfiehlt und Valéry seinen *»Cimetière marin«* mit dem vorsichtig experimentellen Motto *»il faut tenter de vivre«* beschließt, können die deutschen Intellektuellen keine der beiden Lösungen so leicht hinnehmen; sie haben niemals eine sozial-kulturelle Tradition kennengelernt, die ihnen eine geistige Heimat zu bieten vermocht hätte; und die Rebellion des Gefühls ist immer eine wesentliche Befruchtung für das Blühen ihrer Literatur gewesen. Das größte Werk der deutschen Dichtung beginnt mit einem kraftvollen Protest gegen eben die Enttäuschungen und Entfremdungen, mit denen es die Dichter des zwanzigsten Jahrhunderts noch immer zu schaffen haben; und die Antithese zwischen Denken und Fühlen hat die ganze Literatur seit Goethes *Faust* erfüllt; und der gesamte Sturm und Drang rebellierte gegen eine Aufklärung, die dem Menschen die Tröstungen der Religion raubte — den einzigen Trost in seiner sozialen Isolierung — und zudem von einem beneideten und gehaßten Nachbarn nach Deutschland kam.

Sehnsucht nach einem versunkenen, idealisierten Zeitalter und nicht die Behauptung einer lebendigen Tradition in beständigem Wachstum wurde zum Grundakkord des deutschen Denkens. Eines der bemerkenswertesten Dokumente des Sturm und Drangs, Herders *Auch eine Philosophie der Geschichte zur Bildung der Menschheit* (1774), stellte den Tugenden früherer Epochen, insbesondere des Mittelalters, die Dekadenz und Melancholie gegenüber, die der Über-Intellektualismus der modernen Zeit eingeimpft habe. So kehrte Herder die geschichtliche Anschauung um, die die Auklärung vertrat. Er stellte der modernen Zeit die Diagnose, sie sei krank und dekadent, fand dagegen Kraft und Größe in einer Epoche, die alle Aufgeklärten verachteten. Herder verherrlichte frühere Jahrhunderte, weil er das Leben damals als unverderbt vom Intellekt sah, als stark, klar und kräftig in seinem Fühlen, ungespalten in seinem Wollen[1]). Während die Romantiker Herders Idealisierung des Mittelalters fortführten, verlangten Winckel-

[1]) Natürlich verteidigte auch Herder die Französische Revolution bis zum letzten Atemzug. Ihn als einfach rückschrittlich hinzustellen, wäre entschieden ungerecht. In mancher Hinsicht war er selber einer der großen Vertreter der Aufklärung. Wie Diderot, Rousseau, Lessing und die meisten andern Männer der Aufklärung bemühte sich Herder darum, Vernunft und Gefühl ins Gleichgewicht zu bringen. Sein rückwärts gerichteter antirationaler Extremismus war lediglich eine Jugendphase. Doch gerade auf diese Seite Herders konzentrierten sich die Romantiker der nächsten Generation ausschließlich und entwickelten sie zum militanten Irrationalismus.

mann, Goethe und Schiller nach der »edlen Einfalt und stillen Größe« eines idealisierten Griechenlands. Sowohl die Klassiker wie auch die Romantiker betonten die Einfalt und Vitalität der von ihnen idealisierten historischen Epochen und benutzten sie bewußt und polemisch als Spiegel für die entkräftende kulturelle Verfeinerung und den einseitigen Intellektualismus ihrer eigenen Zeit. Je schwieriger die Situation des deutschen Intellektuellen wurde, desto ferner, paradoxer und rückschrittlicher wurden auch seine Idealbilder. In dem einleitenden Absatz seines *Nutzens und Nachteils der Historie* verweilt Nietzsche bei dem Eindruck von »edler Einfalt und stiller Größe« grasenden Viehs. Mit gelassenem künstlerischem Können beschwört er die idyllische Seligkeit der Herde. Er stellt der beneidenswerten Fähigkeit der Tiere, von einem Augenblick zum nächsten zu vergessen, den Fluch des überstarken Gedächtnisses gegenüber, der den auf dem Gymnasium erzogenen Deutschen daran hindert, jemals das Glück und die Erfüllung einer harmonischen Existenz zu erlangen. Nietzsches Bild von der Tierherde, die an uns mit der heiteren Gelassenheit des völligen Vergessens vorüberzieht, wurde zu einem Grundthema der modernen deutschen Literatur. Kaisers beneidete Koralle und Benns Protozoenidyll im »warmen Moor« sind die äußersten Variationen von Nietzsches grasender Herde. Doch man vernimmt auch das ferne Echo des Weimarer Hellenismus in Benns Verlangen nach »Südlichkeit«, in dem magischen Wort »Ithaka«, in seinen Beschwörungen der azurnen See und der Marmorstufen, die im Sonnenlicht der Mittelmeerlandschaft liegen.

Diese bizarren Idealisierungen niedriger Bewußtseinsformen entspringen dem verzweifelten Wunsch des intellektuellen Menschen, den hemmenden und ernüchternden Folgen seines Verstandes zu entgehen. Der Intellekt beraubt uns, wie Nietzsche nachwies, nicht nur unserer liebsten Illusionen, sondern schwächt auch unsern Ehrgeiz, untergräbt unser Gefühl für Werte und schließlich unsern Lebenswillen. »Das Leben muß vor dem Intellekt gerettet werden!« wurde nach Nietzsche zum Losungswort allzu vieler deutscher Intellektueller. Sie ignorierten Nietzsches Leidenschaft für die Wahrheit und die Analyse und seine hohe Achtung vor intellektueller Ehrlichkeit. Sie übersahen die feine und melancholische Ironie, die in seinem Bild von der Herde und in ähnlichen in seinen Werken enthaltenen Idealen des Rückschritts liegt. Da sie ihn wörtlich nahmen und ihn nur teilweise lasen, mißverstanden sie ihn völlig, wie Walter Kaufmanns Nietzsche-Untersuchung deutlich zeigt.

Untreu Nietzsche gegenüber, aber verzweifelt in ihrer Notlage, klagten seine Nachfolger »den Geist« an sich als tödlichen und vernichtenden Feind der »Seele« an. Der Intellekt wurde mit »jüdischem Intellekt« gleichgesetzt. Der Selbsthaß des ausgestoßenen deutschen Intellektuellen verwandelte sich in Haß gegen seinen jüdischen Bruder im Intellekt, in dem er eine noch extremere Form, ja eine Karikatur seiner eigenen Entfremdung von dem in seiner Gesellschaft herrschenden Typ, dem preußischen Offizier und dem Industriekapitän, erblicken konnte, die gemeinsam den Glanz, den Reichtum und die Macht des neuen deutschen Reiches geschaffen hatten. Wie Fritz Stern in seiner Studie der *Germanic Ideologues* nachgewiesen hat, waren die Männer, die den Nazismus mit seiner ideologischen Rüstung versorgten — Paul de Lagarde, Langbehn, Moeller van den Bruck —, insgesamt verdrossene, unglückliche, wurzellose und völlig isolierte Intellektuelle, die eine pathologische Unsicherheit in pathologischen Haß gegen den Intellekt und die Juden verwandelten. Der sensible Herausgeber der gesammelten Werke Dostojewskijs in Deutschland, Moeller van den Bruck, veröffentlichte, bevor er sein nomadisches Bohemedasein durch Selbstmord endete, das Traktat, das dem Nazismus seinen Slogan gab: *Das Dritte Reich;* und dieser geistige Pate des Nationalsozialismus war ein naher Freund des expressionistischen Dichters Theodor Däubler, der bei der Dostojewskij-Ausgabe mit ihm zusammenarbeitete. Ein entlassener Professor, der die Professoren mit der Inbrunst der Expressionisten haßte, Eugen Dühring, berühmt durch Engels' Polemik gegen ihn, war der erste, der die Ausrottung der Juden als Lösung für die kulturelle Krise im modernen Deutschland vorschlug. Die Welle des heftigen Irrationalismus, die durch die Reihen der deutschen Intellektuellen nach dem ersten Weltkrieg fegte, hatte ihre Wurzeln in einer viel früheren Phase der deutschen Geschichte. Dieser Irrationalismus befähigte Männer von großem Intellekt wie Oswald Spengler und Ernst Jünger nicht nur, sich mit dem Nazigeist abzufinden, sondern ihn auch zu begünstigen und so die schlimmste *trahison des clercs* zu begehen. Doch damit verrieten sie Deutschlands Grundtradition, die niemals reiner Anti-Intellektualismus, sondern eher eine Mischung aus äußerster Verstandeskraft und tiefster Besorgnis über ihre schwächenden Folgen gewesen war. Bei Faust ist nicht nur bedeutsam, daß er Abscheu vor dem Intellekt empfand, ebenso entscheidend ist die Tatsache, daß er ein *intellektueller Held* war. Die protonazistischen Intellektuellen ignorierten die eine Hälfte der deutschen Tradition und verfälschten damit die ganze. Dadurch wurden sie gezwungen, von der Liste der »wahren Deutschen« nicht nur Heine zu streichen, sondern auch Kant, Lessing, Herder, Goethe, Schiller — und natürlich auch den richtig verstandenen Nietzsche.

Die größten Expressionisten konnten nie echte Propheten des Nazismus werden, weil sie die für Deutschland traditionelle Spannung zwischen Intellekt und Anti-Intellektualismus verkörperten und nicht den reinen Anti-Intellektualismus der Nazis. Der Intellekt war in ihnen zu tief verwurzelt. Wie verzweifelt sie es auch wünschen mochten, sie konnten ihn nicht aus sich herausreißen. Wie sehr sie ihn auch haßten, der Intellekt machte sie erst zu dem, was sie waren. Er war ebensosehr die entscheidende Voraussetzung ihrer Existenz wie die ihrer Kunst. Der Intellekt formte ihren Stil, wie er den Schillers und Nietzsches geformt hatte. Mochte auch Benn selbst sich täuschen, als er für die Nazi-Bewegung eintrat, die Nazis ihrerseits ließen sich nicht lange irreführen. Sie weigerten sich, einen »dekadenten« und »verjudeten« Modernen in ihren Reihen zu dulden und warfen ihn zurück in die Isolierung, die immer seine wahre Heimat gewesen war. Rhetorische Expressionisten wie Johst und Bronnen, in denen die Moderne keine tiefen Wurzeln geschlagen hatte, vermochten auf ihre expressionistische Vergangenheit zu verzichten und hochangesehene Nazis werden. Der Intellekt war nicht ihr Stil geworden. Doch Benns Liebäugeln mit dem Nazismus war, wie er 1936 einsah, ein doppeltes Fehlurteil gewesen. Er hatte die Natur der Nazibewegung falsch beurteilt, als er glaubte, sie könne dem Intellekt jemals Konzessionen machen; und er hatte die Natur seines eigenen Genies falsch beurteilt, als er glaubte, der einfache Rückschritt könne es vor sich selber retten.

Die expressionistische Einstellung dem Intellekt gegenüber ist nicht völlig negativ; sie ist ambivalent. Obwohl der Expressionist seinen Intellekt haßt, gegen ihn rebelliert und ihn als einen zerfleischenden Dorn im Fleisch, als schmerzhafte Wunde verspürt, die ihn daran hindert, am einfachen Leben teilzuhaben, betrachtet er den Intellekt doch auch als seine Stärke, als die einzige Quelle seiner schöpferischen Kraft. Gewiß ist das Denken Leiden, aber es ist zugleich Zuflucht für den Leidenden; es ist gerade jene Tätigkeit, die Unzulänglichkeit in schöpferische Kraft, Schwäche in Stärke verwandelt. Es ist, um Edmund Wilsons Begriffe zu benutzen, das Glied, das die »Wunde« mit dem »Bogen« verbindet und sowohl die negative wie die positive Seite der Persönlichkeit des Künstlers umfaßt. Doch abgesehen davon, daß der Geist eine zweifache Rolle im persönlichen Leben des Dichters spielt, hat er auch im Hinblick auf Gesellschaft und Kultur eine doppelte Wirkung. Einerseits zerstört der Intellekt die Illusionen des Durchschnittsmenschen und enthüllt ihm eine Welt ohne Sinn, von Absurdität beherrscht; anderseits schreitet der Geist über den aus seinen eigenen Entdeckungen folgenden Nihilismus hinaus und konstruiert ein neues Universum aus ewigen Ideen, reinen Formen, von abstrakter und unveränderlicher Schönheit. »Das Artifizium der Ewigkeit«, wie W. B. Yeats diese »unnatürliche« Welt nannte, die der menschliche Geist als tröstliche Zuflucht über dem Treibsand der natürlichen Existenz errichtet, erscheint dem Expressionisten ebenso verlockend wie das rückschrittliche Ideal des unbewußten Tieres oder der vegetativen Vitalität. Dieser »Abstraktionismus«, wie wir die Verehrung des abstrakten Intellekts nennen könnten, ist nicht ohne Beziehungen zu der »vitalistischen« Verachtung des Geistes; beide Tendenzen treten bei den gleichen Autoren, oft sogar gleichzeitig auf. Abstraktionismus und Vitalismus bilden zwei Aspekte der hyperzerebralen Persönlichkeit. Der Vitalismus entspricht dem Selbsthaß des Überintellektuellen, der Abstraktionismus seiner Selbstverherrlichung oder Selbstrechtfertigung; und die beiden wechseln sich ab, verflechten sich ineinander und gehen Verbindungen ein. Während sich der expressionistische Intellektuelle als ausgestoßenes und unmenschliches Ungeheuer sieht, betrachtete er sich ebenso als Märtyrer, als Pionier und als Retter seiner Mitmenschen. Das Werk, in dem diese Ambivalenz die vollendetste Darstellung erfährt, ist Kaisers Sokrates-Drama *Der gerettete Alkibiades* (1920), ein Meisterstück tragischer Ironie.

Kaisers Held, Sokrates, ein Bildhauer — eine Gestalt, die sich auf den historischen Sokrates stützt —, ist ein elender Buckliger, der seine physische Verunstaltung dadurch kompensiert, daß er seine Denkfähigkeit entwickelt. (Fünfzehn Jahre früher hatte Kaiser in einem seiner ersten Werke, *Rektor Kleist,* den Intellekt als die Sublimierung physischer Mängel dargestellt; und *Rektor Kleist* deutet bereits den Gegensatz zwischen dem extrovertierten physischen Helden Alkibiades und dem verunstalteten Intellektuellen Sokrates in dem Sportlehrer Kornmüller und dem klassisch-humanistischen Schulleiter Kleist an. In einer Auseinandersetzung mit Kornmüller über die Grundsätze der Erziehung ruft Rektor Kleist aus: »Der größte Grieche war Sokrates!«.) »Mein Buckel«, sagt

Sokrates, »ist ein Umweg in meinem Rücken, damit das Blut nicht zu rasch in den Kopf steigt und den Verstand überschwemmt.«[1]) Er ist ein intellektueller Künstler, ein *Denkspieler*, der in Stein arbeitet wie sein Schöpfer mit Worten. Für Sokrates wie für Kaiser ist der Kopf, nicht das Herz, der Führer in der Kunst, das schöpferische Prinzip. »Das Drama schreiben ist: einen Gedanken zu Ende denken.«[2]) Sein Sokrates schafft Hermen, Bildwerke von Köpfen, die auf steinernen Säulen ruhen. Seine Kunst ist gewissermaßen »Kopf-Kunst«, eine metaphorische Vergegenwärtigung von Kaisers eigener Kunst. Den Bildwerken des Sokrates fehlt der Körper. Wie das Werk, so der Künstler. Alkibiades vergleicht ihn mit einer Herme »mit Haupt, das lebendig ist über dem Sockel, der starr ist!« (p. 76.) Ein eisiger Hauch geht von Sokrates aus, und keiner fühlt sich in seiner Gegenwart behaglich. Sein bohrender Verstand beunruhigt die Gemeinschaft und bringt den sorglosen Geist der athenischen Gesellschaft in Verwirrung. Bei seinem Erscheinen fällt ein bisher unbekannter Schatten über das übliche Spiel von Poesie und Liebe. Doch das Entscheidende an der erschreckenden Intellektualität des Sokrates ist nicht ein äußerliches, sondern ein unsichtbares Gebrechen. Eine geheime Schwäche sondert ihn völlig von allen andern Menschen ab und zwingt ihn zu einem einzigartigen und revolutionären Verhalten. Diese geheime Wunde ist ein Symbol der hemmenden, isolierenden und revolutionären Natur des Intellekts; sie öffnet Sokrates die Augen für die Sinnlosigkeit der Welt und die Absurdität des menschlichen Schicksals; sie zwingt ihn zu einem Verhalten, das ungeheuerlich von den Sitten seiner Gesellschaft abweicht; und schließlich macht sie ihn fähig, seinen Nihilismus und seine Isolierung zu überwinden und neue Werte herauszuarbeiten, die seine Gesellschaft vor Zerfall und Verzweiflung retten. Das gleiche Gebrechen, das Sokrates zum Krüppel und Monstrum macht, gibt ihm auch die Möglichkeit, ein Held zu werden.

Sokrates diente einmal als widerwilliger Soldat in einem militärischen Feldzug seiner heimatlichen Republik; während des Rückzugs der Armee trat er in einen Dorn, der sich in die Fußsohle bohrte. Der Schmerz hinderte Sokrates daran, beim Rückmarsch Schritt zu halten. Er setzte sich an den Straßenrand und schlug, rasend vor Schmerzen, so wütend mit dem Schwert um sich, daß

[1]) *Der gerettete Alkibiades*, p. 49.
[2]) »Der Dichter und das Drama«, zitiert von Bernhard Diebold in *Der Denkspieler Georg Kaiser*, p. 15.

der Feind sich zurückzog. Dadurch rettete er ganz zufällig Athens Abgott Alkibiades vor Gefangenschaft und Tod und wurde von der dankbaren Republik bejubelt. Der Triumph beruht auf einem gründlichen Mißverständnis, von dem nur Sokrates selber weiß: »Wer bin ich?! — — Ein Schwerverletzter, der sich im Kakteenfeld einen Dorn in die Sohle trat ... — — dem Freund und Feind, wer kam, gleichgültig war — —: nur ums Sitzen bemüht, daß kein Schritt den Stachel im Fuß tiefer eindrückte! — — ... [Meine Heldentat] besteht nicht. Ich habe den Alkibiades nicht retten wollen.« (p. 39.)

Sokrates kann sein Geheimnis nicht verraten und sich den Dorn entfernen lassen, ohne Alkibiades und Athen der Lächerlichkeit preiszugeben.

»[Der Arzt] zöge ihn ans Licht — und es käme mehr zum Vorschein [als mein Dorn]: — — der ungeheure Schwindel, der Alkibiades für alle Zeiten lächerlich macht! ... Der Arzt macht mich schnell gesund — aber den Alkibiades krank bis auf die Nieren!« (p. 40.)

Da der kranke Fuß ihn anderseits daran hindert, zu tun, was von ihm erwartet wird, stellt er bewußt das konventionelle Verhalten in Frage und setzt »des Gedankens Blässe« an die Stelle der extrovertierten Kultur.

Sokrates schlägt den Lorbeerkranz aus, den die dankbare Stadt ihm verleihen will, weil er die hohen Stufen der Akropolis nicht ersteigen kann, um ihn entgegenzunehmen. Seinen Mitbürgern, die nichts von dem geheimen Grund wissen, erscheint diese Ablehnung öffentlicher Ehren als ein überaus bemerkenswertes Beispiel von Demut und schafft in dem ruhmliebenden Athen einen revolutionären Präzedenzfall. Sokrates begegnet dem Dolch des Alkibiades mit ruhigem Lächeln, weil der Tod als Befreiung zu einem kranken und leidenden Menschen kommt. Doch Alkibiades, der den wahren Grund für den Stoizismus des Sokrates nicht kennt, staunt über die scheinbar philosophische Lebensverachtung, mit der der Intellektuelle den physischen Helden beschämt.

Weil er den Schmerz im Fuß fürchtet, weigert sich Sokrates beim Bankett zu Ehren des Dichters sich zu erheben, um den Poeten mit Lorbeer zu krönen; statt dessen erfindet er eine neue Kunsttheorie. Die Person des Künstlers, so erklärt Sokrates, ist nichts als eine leere Schale. Der Körper, der den Geist beherbergte, als das Kunstwerk geschaffen wurde, hat seine Bedeutung verloren, sobald das Werk getan ist. Den Menschen zu krönen ist wider-

sinnig. Der Kranz sollte, wenn überhaupt irgendwohin, auf die Büste, die Herme, gelegt werden, die den Leib überdauert.
Diese Ästhetik des Sokrates, die die Persönlichkeit des Künstlers verachtet und sich ausschließlich auf das Werk richtet, ist Kaisers eigene:
»Es ist Pflicht für den Schöpfer: von jedem Werke sich abzuwenden und in die Wüste zu gehen; taucht er wieder auf, muß er sehr viel mitbringen — aber sich im Schatten seiner Sykomoren eine Villa mit Garage bauen: das geht nicht.«[1])
»Was gilt dem Dichter sein Drama noch? ... Da ist der Gedanke zu Ende gebracht. Sofort geschieht Aufbruch in neuen Bezirken — es heißt, die Frist nützen, die Hirn und Blut hierorts haben ... *Ziel des Seins ist der Rekord.«*[2])
Sowohl die Demut wie der Funktionalismus dieser Ansichten zeigen die moderne Verachtung der eigenen Persönlichkeit, des wachsenden und lebendigen Menschen. Die kontinuierliche Persönlichkeit des Künstlers, seine Erlebnisse, seine Individualität, seine »Seele« verdienen kein Interesse. Der Künstler ist nicht mehr als ein ausführendes Organ für die Rekordproduktion von Werken. Seine Größe bemißt sich nach der Quantität seiner Leistungen. Das Schreiben eines Dramas ist »ein geometrisches Problem«[3]). Es hat nichts mit dem Charakter des Autors zu tun. Diese Ansicht vom schöpferischen Prozeß, die die eines Produktionsingenieurs ist, leitet sich aus dem Selbsthaß des Expressionisten ab. Dieser Einstellung liegt etwa folgender Gedankengang zugrunde: »Meine Persönlichkeit ist hassenswert und unerträglich, wenn sie überhaupt vorhanden ist. Je weniger man über sie sagt, umso besser. Glücklicherweise besteht eine Möglichkeit, meiner Menschlichkeit (oder richtiger: meinem Mangel an Menschlichkeit) zu entrinnen, und zwar der Weg zur reinen Form und zur abstrakten Idee. Indem ich schreibe, fliehe ich in diese Welt, die ebenso angenehm unpersönlich ist wie die Mathematik.« Kaisers Zurückführung der Literatur auf eine Geometrie der Ideen ist der genaue Gegensatz zu Goethes Ansicht, der das Kunstwerk als Teil seines persönlichen Wachsens betrachtete und der Persönlichkeit entscheidende Bedeutung zusprach als dem »höchsten Glück der Erdenkinder«. Der unpersönliche, sich selbst hassende Expressionist unterscheidet sich ebensosehr von Goethe, dem Genie des Lebens, wie der eiskalt

[1]) »Der Mensch im Tunnel«, zitiert von Eric A. Fivian in Georg Kaiser und seine Stellung im Expressionismus, p. 268.
[2]) »Der Dichter und das Drama«, zitiert von Diebold in Der Denkspieler Georg Kaiser, pp. 15 ff. Hervorhebung vom Verf.
[3]) Vergl. Fivian, Georg Kaiser, p. 225.

ironische Denker Sokrates aus Kaisers Stück, vor dem jeder zurückweicht, von dem Dichter, den das dankbare Volk feiert. In Kaisers antipersönlichem Funktionalismus sehen wir einen weiteren Aspekt der »Musikalisierung« der Künste, die das Ideal der Charakterisierung durch das Ideal der Komposition ersetzt. Unter diesem fundamentalen Prinzip der Moderne erkennen wir jetzt ebenfalls einen gewissen Selbsthaß, sozusagen eine Rachsucht denen gegenüber, die noch immer eine feste Individualität, einen Charakter besitzen und an seinen Wert glauben. Wir begegnen hier einem stark anti-goetheschen Zug im Expressionismus, der in mehr als einer Hinsicht einen radikalen Bruch mit dem goethesch-romantischen Individualismus in der deutschen Literatur und Kultur vollziehen wollte. Der Expressionismus ergreift Partei für Kant (und Schiller) gegen Goethe[1]). Sowohl in ihrer abstraktionistischen wie auch — das werden wir noch sehen — in ihrer ethischen Phase lehnten die Expressionisten Goethe ab, wenn auch aus verschiedenen Gründen[2]).

Kaisers dramatische Praxis stimmt genau mit seiner Theorie überein. Wie Strindberg schreibt er nicht Charakterdramen, sondern Ideendramen. Doch im Gegensatz zu Strindbergs Drama ist das von Kaiser nicht auf dem existentiellen Lebenslauf und der Aufspaltung des Ich in leitmotivische Aspekte aufgebaut. Es ist keine »Musikalisierung« des Mirakelspiels. Ebensowenig beruht es auf dem Traum und der Sichtbarmachung. Es wächst vielmehr aus dem Aphorismus, der Anekdote und der Debatte.

Kaisers dramatisches Vorbild war Plato. Überdies stellt Kaisers Drama eine Weiterentwicklung des aphoristischen, epigrammatischen Dialogs von Wedekind und Sternheim dar. Kafkas Erzählungen sind erweiterte Metaphern; Kaisers Dramen sind erweiterte Aphorismen. Die aphoristische Parabel, die Anekdote mit einer scharf formulierten Wendung bilden Grundlage und Stärke von Kaisers Dramen. Frühe Werke wie *Die jüdische Witwe* (1911), eine parodistische Fassung des von Hebbel behandelten alttestamentlichen Themas, zeigen diese Tendenz sehr deutlich. Judith tötet Holofernes und befreit das jüdische Volk zufällig; sie wird nicht von Heroismus, sondern von verhindertem Sexus angetrieben. Sie wünscht mit dem König von Babylon zu schlafen,

[1]) Vergl. Georg Simmel Kant und Goethe, eine ausgezeichnete Untersuchung dieser beiden entgegengesetzten Strömungen in der geistigen Tradition Deutschlands.
[2]) Oskar Walzel sieht in Goethe die höchste Verkörperung des »impressionistischen« Künstlers, gegen den die Expressionisten revoltieren. »Eindruckskunst und Ausdruckskunst in der Dichtung« in Max Deri u. a., Einführung in die Kunst der Gegenwart, pp. 26—46.

dem ersten potenten Mann, dem sie je begegnet ist; als der General Holofernes ihr lüsternes Verlangen nach dem König stört, erschlägt sie kurzerhand den berühmten General und befreit so die belagerte jüdische Stadt. In panischem Entsetzen fliehen der König von Babylon und sein Heer. Die unbefriedigte Heldin wird im Triumph zu ihrem Volk zurückgeleitet und schließlich von dem kräftigen, aus Jerusalem herübergeschickten Hohepriester befriedigt. Wir bemerken die gleiche parodistische Ironie wie bei Wedekind. Die parodistische Idee bestimmt die Handlung. Die Gestalten sind weder Persönlichkeiten im traditionellen Sinn noch Strindbergsche Projektionen unbewußter Zustände; sie sind Träger des »Witzes«, der ironischen Trickwirkung des Werkes.

Die Verwandtschaft zwischen Wedekind, Sternheim und Kaiser liegt in ihrer Tendenz, »das Wesen« der sozialen Wirklichkeit nicht durch naturalistische Nachahmung, die uns immer noch in Illusionen wiegen würde, sondern durch krasse und schockierende Formulierungen zu demaskieren. Ihr Drama sucht die wahre Natur existentieller oder sozialer Probleme unter reinen und deshalb notwendigerweise abstrakten und verzerrten Voraussetzungen zu demonstrieren, sozusagen im Laboratoriumsexperiment. In der *Jüdischen Witwe* beispielsweise enthüllt Kaiser durch seinen »Witz« die Natur des Heldentums als verhinderten Sexus. In den *Bürgern von Calais,* wahrscheinlich seinem größten Werk, zeigt er durch zwei höchst dramatische Überraschungseffekte die wahre Natur des Heldentums als Pazifismus und Selbstaufopferung auf. Im *geretteten Alkibiades* erweist er durch eine überaus ironische *tour de force* die wahre Natur des Intellekts sowohl als Wunde wie auch als heroischen Betrug. Hier wird der Kunstgriff, eine Grundform in Kaisers Drama, eins mit dem dramatischen Inhalt und der dramatischen Idee. *Der gerettete Alkibiades* ist also die dramatische Formulierung der Existenzform des Autors.

Bert Brechts nach-expressionistisches, anti-illusionistisches »episches Theater« verdankt Kaisers Methode sehr viel und stellt eine ihrer Weiterentwicklungen dar. In Fortführung von Wedekinds und Kaisers Grundform demonstriert Brecht in seiner *Dreigroschenoper* die wahre Natur des Kapitalismus, indem er ihn in seiner reinen Form in Mackie Messers Bande und Mr. Peachums finanziellen Investierungen im menschlichen Elend zeigt. In *Mahagonny* konstruiert er uns die »Traumstadt« der kapitalistischen Gesellschaft, in der das einzige Verbrechen der Geldmangel ist. Brecht zollte Kaiser seinen Tribut, als er Kaisers *Geretteten*

Alkibiades zu einer seiner *Kalendergeschichten* verarbeitete; und Brechts großer Mitarbeiter Kurt Weill schrieb seine erste Oper auf den Text von Kaisers Drama *Der Protagonist.*

Die entpersönlichende, zermürbende Gescheitheit der schmerzinspirierten Ansichten des Sokrates empört Alkibiades, den Helden von physischer Vitalität und Lebensfreude, ebenso, wie Kaisers, Sternheims, Brechts und George Grosz' provozierende, demaskierende »Gescheitheit« die »romantische« deutsche Bourgeoisie empörte und in Wut brachte. Die letzte Waffe des Alkibiades gegen Sokrates ist das Weib. Die Reize der schönen Kurtisane Phryne werden den kalten Vernünftler gewiß erledigen. Doch der Intellektuelle kann nicht lieben. Der Dorn im Fleisch des Sokrates hindert ihn daran, sich Phryne zu nähern und sie zu besitzen. Der Schmerz hat die Lust in ihm zerstört. Dagegen wird Phryne durch seine Zurückhaltung zur Askese bekehrt. Der erste Mann, der sich ihr versagt, beeindruckt sie als der wahre Mensch, der göttliche Mann. Wie alle andern hält sie Sokrates' Schwäche irrtümlich für Stärke. Seine Unfähigkeit, zu lieben, erhebt ihn auf die Ebene der Götter.

Nietzsche sah den historischen Sokrates als den Urheber der griechischen Dekadenz und als den Wegbereiter der christlichen »Sklavenrevolte«; Kaiser sieht in Sokrates den verhängnisvollen Neuerer, der das Zeitalter des naiven Selbstbewußt*seins* beendet und eine Zivilisation der Selbstbewußt*heit,* d. h. der Schuldbewußtheit einleitet. Der Geist ersetzt die Muskeln. Die Reflektion vertreibt die Spontaneität. Der Krüppel setzt sich dem Athleten gegenüber durch. Doch die revolutionäre Philosophie des Sokrates stammt nicht aus dem Ressentiment des Krüppels gegen die Starken und Gesunden; sie stammt aus seinem Mitleid mit ihnen. Mochte er auch notwendig sein, Sokrates bedauert seinen Sieg:

»Ich mußte erfinden — — was nicht erfunden werden darf! ! — — — — ich mußte den Himmel zudecken — — und die Erde verwelken — — ! !«[1])

Er nimmt die Schuld des Alkibiades, der die heilige Herme umgeworfen hat, auf sich und erleidet an seiner Statt die Todesstrafe. Der Intellektualismus von Kaiser-Sokrates erweist sich als eine schützende Schranke gegen den Nihilismus. Nur Sokrates, der Intellektuelle, kennt den unbedeutenden Zufall, dem der Held Alkibiades sein Leben verdankt; hätte er ihn aufgedeckt, wäre

[1]) Alkibiades, p. 47.

Alkibiades zum Gegenstand des Gelächters geworden, der griechische Glaube wäre zerstört und die *Bedeutungslosigkeit der Größe* brutal offenbart worden. Eine solche Erschütterung hätte die Kultur nicht überstanden. Besser, man schob neue Werte zwischen die traditionelle Heldenverehrung und die banale Wahrheit, als daß man der Wahrheit erlaubte, alle Werte zu vernichten. So eiskalt und umstürzlerisch diese neuen Werte des abstrakten Intellekts auch sein mögen, sie dienen dennoch als Schirm zwischen dem Menschen und dem verheerenden Einblick in die Widersinnigkeit des Universums und der menschlichen Existenz. Deshalb erträgt Sokrates seinen Dorn und opfert sein Leben, um Alkibiades und mit ihm Griechenland vor der Verzweiflung des Nihilismus zu retten.

Kaisers Sokrates-Drama symbolisiert auf scharfsinnige und geniale Weise die kulturelle Situation Europas und die Rolle des Intellektuellen darin. Wären die Athener in dem Stück nicht von Sokrates gerettet worden, dann hätten sie der gleichen metaphysischen Öde gegenübergestanden, der sich infolge der Entzauberung der Welt durch die technischen Wissenschaften der Europäer des späten neunzehnten und des zwanzigsten Jahrhunderts gegenübersah, einem spirituellen Gefängnis, aus dem auszubrechen sich der Expressionismus bemühte. Der Fluch des Intellektuellen, der Fluch des Zu-Viel-Wissens, bedroht jetzt sogar den Durchschnittsmenschen. Doch der Intellektuelle möchte seinen Mitmenschen die Qual ersparen, die sein Los gewesen ist. Das kann er nicht durch selbstsüchtige Flucht in den vitalistischen Traum des Rückschritts erreichen, sondern lediglich durch eine Neu-Interpretierung und Um-Wertung des Intellekts. Der Intellekt, der den Menschen verkrüppelt und seinen Lebenswillen untergräbt, kann, wenn er neu interpretiert wird, zu eben der Macht werden, die den menschlichen Willen erhöht und befreit.

Das ist die Botschaft des Abstraktionismus. Der Abstraktionismus stellt die menschliche Intelligenz entschlossen gegen das von der Natur »Gegebene« und betont nachdrücklich die autonome und schöpferische Kraft des Geistes. Er sieht den Menschen als *homo faber*, der die Natur zähmt und dem Chaos eine Ordnung aufzwingt. So wird der Mensch zum Partner bei der Schöpfung der Welt, insofern sie sich vom Chaos unterscheidet. In Kaisers Sicht ist auch die Geschichte ein Wirrwarr von Zufällen, Brutalitäten und sinnlosen Ereignissen; doch die menschliche Intelligenz, im Dichter als einem »Machenden« verkörpert, interpretiert die

Fakten und verleiht ihnen einen Sinn. Der Dichter ist es, der die Geschichte schafft, die allein Bedeutung für den Menschen hat: »Er ordnet. Er schichtet den Krimskrams. Er schafft Linie in den Wirrwarr. Er konstruiert das Gesetz. Er filtert den Sud. Er entschuldigt den Menschen.«[1])
Werfel begrüßt den Dichter als Namengeber, der dadurch, daß er ausdrückt, was unausgesprochen war, die Welt aus der Nacht des Unbewußten hebt und so den Kosmos noch einmal erschafft[2]). Werfel lehnt die deutsch-romantische Ansicht vom Dichter als einfältigem Träumer und naivem Naturkind ab und nennt diese Einstellung »eine entehrende Deklassierung zum visionären Kretin«; er betont die entscheidende Rolle der geistigen Disziplin im Schaffensprozeß. Für ihn ist Inspiration intellektuelle Einsicht, »Erkenntnis«. Die intellektuelle Einsicht des Dichters unterscheidet sich von der des Wissenschaftlers nur durch die Methode, durch die er zu seinen Ergebnissen gelangt. »Nur das Beweismittel dieser Erkenntnis ist ein anderes als das Beweismittel der Alltäglichkeit und der Wissenschaft. Die Logik des Dichters heißt Symbolik.«[3])
Die Verherrlichung des Intellekts erreicht den Gipfel mit den politischen und sozialen Forderungen, die Heinrich Mann und die Aktivisten für den Intellektuellen absteckten. Sie rebellierten gegen die traditionelle deutsche Ehrfurcht vor dem in der Natur und Geschichte »Gegebenen« und forderten, daß der Intellektuelle die soziale Welt entsprechend seinen Idealen von Gerechtigkeit und absoluter Vernunft neu erschaffe. Sie übertrugen das grundlegende expressionistische Prinzip der Vision und der Sichtbarmachung innerer oder geistiger Zustände in die ethische und utopisch-politische Sphäre.
Solange der Expressionismus als Moderichtung herrschte, überdeckte diese Welle des ethischen und utopisch-politischen Sentiments zum Teil die abstraktionistischen Wesenszüge der Bewegung. Die sozialen und sittlichen Forderungen des Geistes überschatteten die viel fundamentalere und dauerhaftere Benutzung des Intellekts beim Schaffen von Kunstwerken. Nur die Zeitschrift *Der Sturm* und der mit ihrem Herausgeber Herwarth Walden verbundene Kreis setzte sich bewußt für einen reinen Abstraktionismus ein, frei

[1]) Kaiser, »Historientreue« in Berliner Tageblatt, 4. September 1923, Abendausgabe.
[2]) »Der Weltfreund singt« in Der Weltfreund, p. 88; Die Versuchung: Ein Gespräch des Dichters mit dem Erzengel und Luzifer, I, 30. »Die ganze grüne Erde liegt da und schweigt. Ich [der Dichter] werde sie ihnen schenken, und sie werden reich von meiner Armut sein.«
[3]) Werfel, Brief an Georg Davidsohn, Die Aktion, VII/11—12 (1917), 152 ff.

von sittlichen, politischen oder religiösen Elementen. Die formalen Experimente der *Sturm*-Dichter übertrugen die äußerste Konzentration von Wedekinds, Sternheims und Kaisers Dialogstil auf die Lyrik und entwickelten die Möglichkeiten sprachlicher Verdichtung und Abstraktion zu verblüffenden — und bisweilen höchst wirksamen — Extremen. Indem sie die Sprache ihrer syntaktischen Struktur entkleideten und sie auf ihre wesentlichen Elemente — Verb und Substantiv — beschränkten, drückten die *Sturm*-Expressionisten das »Wesen« ihrer Zeit aus. Sie schufen ein knappes, eindrucksvolles und atemloses Medium, der Gemütswerte, Wärme und Atmosphäre entblößt, von allen Umschreibungen, Schilderungen und jeder Weitschweifigkeit befreit und aller Elemente entkleidet, die wie Bindewörter oder Biegungsendungen nicht unmittelbar auf Ausdruck zielen.

Ihre Sprache unterscheidet sich wesentlich vom rhetorischen Expressionismus solcher Dichter wie Klemm, Otten, Johst, Rubiner, Ehrenstein und andern. Der rhetorische Expressionist sprudelt einen Katarakt von stark gefühlsbeladenen Wörtern heraus und läßt sich von diesem Wort-Katarakt zu leerer theatralischer Pose und unbeabsichtigten Ungenauigkeiten und Widersinnigkeiten fortreißen. Ein gutes Beispiel dieses rhetorischen Expressionismus bieten Albert Ehrensteins Zeilen: »Ratten! Fresset meine Eingeweide! / Zerspell mich, Fels, ertränk mich Furt!«. Ehrenstein beginnt damit, daß er sein elementares Gefühl verzweifelten Selbsthasses hinausschreit. Er ruft die Ratten auf, seine Eingeweide zu fressen — eine Beschwörung, die stark genug ist, daß man sie im besten Sinn rhetorisch nennen kann. Doch dann fährt er fort, von der Furt des Flusses zu verlangen, ihn zu ertränken. Die Furt ist jedoch die am wenigsten zum Ertränken geeignete Stelle im Fluß; in ihrem seichten Wasser ist das Ertrinken beinahe unmöglich. So erliegt Ehrenstein bereits in der zweiten Zeile seines Gedichts der leeren Rhetorik. Die *Sturm*-Dichter streben nach dem Gegenteil von solcher rhetorischen Ungenauigkeit. Ihre sprachlichen Experimente und Verzerrungen sind von dem Wunsch diktiert, einen Grad poetischer Genauigkeit und Expressivität zu erzielen, die die vorhandene Sprachstruktur mit ihren abgenutzten und genormten Wörtern und Wortformen nicht erreichen kann. Während der rhetorische Expressionist in seiner nebelhaften Gefühlsseligkeit auf ein Niveau der Präzision absinkt, das weit unter dem der konventionellen Sprache liegt, bemüht sich der *Sturm*-Dichter, einen Grad der Genauigkeit zu erreichen, der sich weit über den des normalen Sprachgebrauchs erhebt. Mit andern Mitteln verfolgen die *Sturm*-Dichter die gleichen Ziele wie Kafka, Trakl und Barlach. Das Ziel all dieser Expressionisten ist es, das gewohnheitsmäßige, ja von der Gewohnheit geschaffene und konventionelle Gewebe des Denkens und Fühlens zu zerreißen und aufzulösen und eine »translogische« Realität darzustellen, die allein die Kunst zu übermitteln vermag. Sie unterscheiden sich in ihren Medien. Kafka und Trakl suchen die »translogische« Realität durch die »malerische Idee« auszudrücken, nämlich durch die Sichtbarmachung, die Metapher, das Bild und die Geste. Benn sucht sie durch das »magische Aussprechen« gewisser Substantive zu schaffen, die fähig sind, einen Schatz verschütteter Menschheitserinnerungen zu beschwören. Die *Sturm*-Dichter suchen die »translogische« Realität mit Hilfe der sprachlichen Komprimierung auszudrücken. August Stramm, ein unbekannter Postbeamter, später als Hauptmann im ersten Weltkrieg gefallen, der die *Sturm*-Methode geschaffen hatte, erzielte auch die besten Ergebnisse.

Stramm verkürzt häufig Sätze zu einzelnen Wörtern. Die Wörter wiederum verlieren oft ihre vertrauten Züge: Vor- und Nachsilben, grammatische Endungen. Doch vor allem verwandelt Stramm durch die Erfindung neuer Wörter, die durch ihre Ableitung von einem oder mehreren vorhandenen Wörtern oder durch ihre Ähnlichkeit mit ihnen einen großen Bedeutungsreichtum übermitteln, Wörter in »reine ästhetische Attribute«. In seinem Gedicht »Wunder« prägt er zum Beispiel ein Verb »ich winge«. Lexigraphisch besitzt das Wort keinerlei Bedeutung, ruft jedoch sowohl ein Echo von »ich schwinge« wie von »ich winke« hervor — und beide Anklänge gehören in den Zusammenhang des Gedichts. Außerdem wird durch das neu geprägte Wort — sowohl im Klang wie durch den Zusammenhang — eine Andeutung des englischen Wortes *»wing«* gegeben[1]). Diese vielfältigen Assoziationen rufen gemeinsam einen gewissen Gefühleffekt hervor; sie vermitteln sowohl das Erlebnis des Fluges, der Leichtigkeit, des Erhobenseins (schwingen) wie auch das der Nähe und der Annäherung zwischen dem im Gedicht genannten »Ich« und dem »Du« (winken). Da Stramms Gedicht dem Leser ein logisches und bestimmbares Verständnis verwehrt, erzeugt es in ihm eine Gefühlsreaktion, die zwischen der Wirkung musikalischer Akkorde und der von Worten

[1]) Sowohl nach seinem Bildungsgrad wie nach seinem Wohnort dürfen wir annehmen, daß Stramm wenigstens einige Kenntnisse der englischen Sprache besaß.

begrifflicher Natur schwebt. Stramms Lyrik — und die des *Sturm*-Kreises im allgemeinen — nimmt das klassische Werk der »gegenstandslosen« Literatur vorweg, Joyces *Finnegan's Wake,* das völlig aus »ästhetischen Attributen« und ästhetischen Ideen besteht und sich nicht auf Metaphern oder traumähnliche Bilder gründet, sondern auf Wortfragmente und Wortdeformierungen.

Nachdem die messianische Begeisterung der expressionistischen Bewegung abgeklungen war, erwies sich dieser höchst disziplinierte und intellektuelle sprachliche Abstraktionismus deutlich als der dauerhafte Kern des Expressionismus. *Der Sturm* veröffentlichte unter Herwarth Waldens Leitung weiter »expressionistische« Lyrik, bis zur Machtergreifung Hitlers; und der einzige Expressionist, der sich bis zu seinem Tod im Jahr 1956 für einen solchen hielt und dessen Werk heute einen lebendigen und immer noch wachsenden Einfluß ausübt, ist ein Fürsprecher und hervorragender Vertreter des reinen Abstraktionismus. Es ist kein zufälliges Paradoxon, sondern eher ein Symptom der Ambivalenz des Expressionisten seinem Intellekt gegenüber, daß dieser Fürsprecher des Abstraktionismus der gleiche Benn ist, der einmal der extremste Vertreter des Vitalismus war. Der expressionistische Intellektuelle pendelt zwischen Extremen — den Extremen der Selbstablehnung und der Selbstverherrlichung. Wenn er sich als Vitalist selber ablehnt, so verherrlicht er sich als Abstraktionist. Benn, der, wie wir sahen, die Persönlichkeitskrise des Intellektuellen ganz besonders hart erlebte, ging auch in der andern Richtung bis zum Extrem. Der Abstraktionismus, den er in seiner Dichtung der zwanziger, dreißiger und vierziger Jahre praktizierte und in den Essays der gleichen Periode wie auch in seinem essayistischen Roman *Der Ptolemäer* darstellte, ist für unsere Untersuchung besonders instruktiv, da er sich als eine Lösung für das Problem des Nihilismus anbietet. Benn praktiziert in seiner Lyrik und formuliert in seinen Essays, was Kaiser symbolisch in seinem Sokratesdrama darstellte.

Seine Methode, die eine magische Surrealität durch Worte mit reichen Nebenbedeutungen wie »Ithaka« beschwört, obwohl sie ohnehin schon einen viel größeren Bezirk kulturell-sozialer Wirklichkeit abschreitet als die sehr persönlichen traumähnlichen Bilder Trakls und Kafkas, entfaltete sich in seiner späteren Periode sehr viel weiter in Richtung auf eine alexandrinische Dichtung gelehrter Anspielungen und erreichte so — völlig unabhängig — die Art intellektueller Dichtung, wie sie Eliot und Pound üben. Dennoch hebt Benn auf eine an die Zusammenarbeit von Brecht und Weill erinnernde Art die harten und bitteren Dissonanzen, die von den in seinen Gedichten beschworenen kulturhistorischen Gegensätzen erzeugt werden, ironisch hervor und unterstreicht sie zugleich durch den rhythmischen Schwung seiner Verse. Wenn Benn diese Lyrik auch erst schuf, als der Expressionismus als Moderichtung vorüber war, stellt sie doch eine logische Entwicklung seines frühen, im expressionistischen Jahrzehnt geschriebenen Werkes dar.

In seinem ersten Band *Morgue* (1912), in dem Benn eine poetische Collagen-Technik anwendet, läßt er sich von der Wirklichkeit die Dissonanzen liefern, die er auswählt und dem empörten Publikum darbietet. Was diese Dichtung vom Naturalismus unterscheidet, ist ihre voreingenommene Auslese, das sorgfältig berechnete Hervorrufen grausamer und schockierender Dissonanzen. Benn stellt beobachtete Tatsachen aus Krankenhaus und Leichenhalle zu Verbindungen zusammen, in denen sich die Dissonanz als das fundamentale Seinsgesetz spiegelt. In seinem Gedicht »Aster« berichtet uns Benn, daß er die Blüte zwischen den Lippen eines ertrunkenen Bierkutschers gefunden habe. Als er die Autopsie vornahm, rutschte die Aster ins Gehirn des Toten. Schließlich nähte Benn sie in den Brustkorb der Leiche, der nun zur »Vase« der Blume wurde; er schließt mit einem zynisch elegischen Nachruf. In dem Gedicht »Schöne Jugend« dient die Höhle unter dem Zwerchfell eines ertrunkenen Mädchens als »Laube«, in der eine Brut von Wasserratten ihre »schöne Jugend« verbracht hat. Hier wird die Natur durch mehr als ein Temperament gespiegelt. Sie wird von neuem aufgebaut durch den Willen, ihr verborgenes Wesen zu zeigen: die völlige Gleichgültigkeit menschlichen Werten gegenüber und die unbedingte Herrschaft des Todes. In seiner Reifezeit verfeinerte Benn diese Technik und dehnte ihr Anwendungsgebiet ungemein weit aus; jetzt dient ihm die ganze Geschichte der Zivilisation als das, was ihm zu Anfang Krankenhaus und Leichenhalle lieferten. Geist und Form sind sich gleich geblieben: die Beschwörung der fundamentalen Dissonanz des Seins, von einem verquälten, ohnmächtigen und zynischen Bewußtsein beobachtet und berichtet. Diese Dichtung ist gleichzeitig ironisch und elegisch; und diese Mischung, dazu die alexandrinische Gelehrsamkeit und musikalische Virtuosität stellen Benn neben Eliot — eine Verwandtschaft, die Eliot anerkannte, als er Benn in seinen *Three Voices of Poetry* ausführlich behandelte. Wie Eliot betrachtet Benn die kulturell-soziale Realität des abendländischen Menschen in seiner Abstiegsperiode und bedenkt die Konstanten und die Kontraste, das ewige Gewebe der Mythen und die sterilisierte Vulgarität der technischen Ära nebeneinander. »Charon oder die Hermen / oder der Daimlerflug«, so beginnt Benn eines seiner schönsten Gedichte, »Die Dänin«, in dem er mit diesen drei Symbolen der Fortbewegung (»die Hermen« sind Hermes, dem Gott der Reisenden, Händler und Diebe, geweiht) Dauer und Wechsel, Ewigkeit und Vergänglichkeit, Kontrapunkt und Melodie zusammenfaßt, die das prächtige, tennisspielende Mädchen von heute erzeugt haben und zerstören werden, genau wie sie ihr Urbild, Dido von Karthago, erzeugt und zerstört haben. Aber in und unter allem sieht Benn die Wellen des Aufsteigens und Vorübergehens, der Geburt und Vernichtung, die in ewig sinnloser Monotonie heranrollen — die Welt als Wille hinter allen Vorstellungen. Doch Benn verklärt diese Vision der Auflösung, des Ruins und der Sinnlosigkeit und erlöst sie in der Euphonie und der rhythmischen Schönheit seiner Form. Hier ist die Formulierung mehr als ironischer Kontrast zu dem dargestellten trostlosen Inhalt. Sie überwindet ihn. Benn, der anders als Eliot den Rückweg zur Tradition der Kirche und des Heimatlandes nicht finden kann, erhebt seine eigene »reine Form«, seinen Prozeß der Formulierung und des Ausdrucks zum Absoluten und zur Quelle der Erlösung.

Nach Benn ist das künstlerische Schaffen nichts anderes als das konzentrierte Bemühen, die Verzweiflung zu verbergen. »Alle großen Geister der weißen Völker haben, das ist ganz offenbar, nur die eine innere Aufgabe empfunden, ihren Nihilismus schöpferisch zu überdecken.«[1]) Die Intellektuellen und schöpferischen Geister haben stets den Nihilismus in sich selbst kennengelernt. Degenerierte, pathologische Typen, innerlich Verkrüppelte ohne Gefühlswärme, sie alle retteten sich vor der inneren Lähmung — der »Frigidisierung des Ich«[2]) — durch die Zucht des Schaffens. Was in der Vergangenheit ein Problem isolierter Geister war, steht jetzt der ganzen Menschheit bevor. Infolge der »progressiven Zerebration« hat auch der Durchschnittsmensch seine humane Wärme und die Fähigkeit der spontanen Reaktion verloren und hat an der »Nausea« des Intellektuellen teil, an einem Brechreiz, den Benn »Nihilismus« nennt. Den Rückschritt, den er selbst einmal befürwortet hatte, betrachtet er nun als unmöglich; die

[1]) Der Ptolemäer, p. 28.
[2]) Nach dem Nihilismus, p. 9.

Hoffnung liegt in entgegengesetzter Richtung. Nur der Geist kann das Heilmittel für die seelische Verheerung bieten, die der Geist angerichtet hat. Die Menschheit muß den Kunstgriff lernen, den der schöpferische Intellektuelle in seiner langen Qual stets benutzt hat: die Menschheit muß lernen, den zerstörerischen Intellekt als »konstruktiven Geist« zu sehen. Der Intellekt muß seine sentimentale Einstellung zum Leben abschütteln, sich seiner schöpferischen Fähigkeit bewußt werden und seine Autonomie und Überlegenheit über das »natürliche Leben« geltend machen:

[Wir sehen den Geist] nicht in einer ewig schmachtenden Tragödie mit dem Leben, sondern setzen ihn als dem Leben übergeordnet ein, ihm konstruktiv überlegen, als formendes und formales Prinzip: Steigerung und Verdichtung — das scheint sein Gesetz zu sein. Aus dieser gänzlich transzendenten Einstellung ergibt sich dann vielleicht eine Überwindung, nämlich eine artistische Ausnutzung des Nihilismus[1]).

Der Begriff des »konstruktiven Geistes«, mit dem Benn den Nihilismus zu überwinden sucht, ist nichts anderes als das Prinzip des künstlerischen Schaffens. Dennoch hat Benns Vorstellung von der Kunst nichts mit der traditionellen Ansicht von Kunst als Darstellung der Wirklichkeit oder als Bekenntnis des Erlebens gemeinsam. Wie Kaiser ist Benn nicht an der Persönlichkeit des Künstlers interessiert; ebensowenig bedeutet ihm das Rohmaterial der Kunst oder die psychologische Wirkung des fertigen Werkes. In der Tat richtet sich seine Dichtung »an niemand«. Er ist allein an der *Methode* des künstlerischen Schaffens interessiert, an der filternden, organisierenden, verdichtenden Tätigkeit des Geistes im Verlauf des Schaffensprozesses. Der konstruktive Geist, wie Benn ihn auffaßt, ist kein »Was«, sondern ein »Wie«; es ist eine Methode, Daten zu einem sinnvollen Ganzen zu ordnen. Er ist »Stil«[2]). Der Kunsttyp, an den Benn denkt, ist nicht der psychologische Roman oder das Drama mit individuellen Charakteren; er lehnt »psychologische Verkleisterungen, Kausalität, Milieuentwicklung« ab[3]). Die ideale Kunst, wie er sie betrachtet, hat keinen Inhalt; sie ist nichts als Form. Sie soll den vollständigen Triumph der geistigen Organisierung über den Widerstand der Materie verkörpern. Das Rohmaterial, die von der Natur gegebenen »Daten« — und die Natur schließt die menschliche Natur ein —, sollten aufgesogen werden und in der formalen Struktur

[1]) Nihilismus, p. 20.
[2]) »Dorische Welt« in Essays, pp. 43—47.
[3]) Nihilismus, p. 21.

des Werkes aufgehen. Benns »konstruktiver Geist« ist der Geist, der die moderne Technik und den funktionellen Konstruktionsentwurf beherrscht:

»Verlagerung von Innen nach Außen, Verströmen der letzten arthaften Substanz in die Gestaltung, Überführung von Kräften in Struktur. Die moderne Technik und die moderne Architektur deuten ja in dieser Richtung.« (pp. 21 f.)

Der »konstruktive Geist« denkt ausschließlich funktionell. Tatsachen, Dinge, Gefühle und Menschen existieren für ihn nicht um ihrer selbst willen, sondern lediglich als Teile in einer Funktionsbeziehung zu andern Teilen. Genau wie der Inhalt in der Form aufgeht, so der Begriff des »Seins« in dem des »Funktionierens«. Das ist das expressionistische Ideal der »Entsubstantivierung der Welt«, das Werfel 1917 aufstellte und das Benn mit einer Konsequenz und Beharrlichkeit formulierte und ausarbeitete, die den andern Expressionisten fehlte. Substanz wird in Gestaltung und Funktion überführt: das Nomen beugt sich dem Verb; Inhalt wird zu Methode; die aktive *Expression,* der Ausdruck, ersetzt das passive *Erlebnis.* Durch diese Ideen ist der deutsche Expressionismus völlig eins mit der europäischen Moderne geworden. Die Theorien von Kaiser, den *Sturm*-Dichtern, Werfel (während einer kurzen Periode in seinem Leben) und besonders von Benn lassen sich nicht von denen Kandinskys oder Valérys unterscheiden. Diese Verwandtschaft erlaubt uns, die moderne »Musikalisierung der Künste« in neuem Licht zu sehen.

Die Moderne steht nicht in völligem Widerspruch zum technischen Jahrhundert, sondern stimmt im Gegenteil sehr weitgehend mit ihm überein. Die Umwandlung des uralten Begriffs der Substanz in den modernen Begriff der Funktion ist wahrscheinlich die bedeutendste philosophische Umwälzung, die die moderne Physik bewirkt hat, in der die Materie als Energie definiert wird. In der modernen Psychologie tritt das *behavior,* das Verhalten, als Grundbegriff an die Stelle des Charakters. Auch hier sehen wir die uralte Vorstellung einer beständigen Persönlichkeitssubstanz, Charakter oder »Seele« genannt, verdrängt von dem Begriff der Aktivität, der Methode, des Prozesses, der *Expression* oder Form — das Verhalten oder *behavior* ist ja der Ausdruck oder die Form, in der sich die Psyche manifestiert.

Genau wie sich die Vorstellung der expressiven Form in der modernen Ästhetik über die Vorstellung vom Inhalt legt, so nimmt in der modernen Psychologie die »Form« oder der

»Ausdruck« der Psyche den Platz der Psyche selbst ein. Das Vorhandensein eines Persönlichkeitskerns wird nicht mehr vorausgesetzt; nur den Prozessen, der »reinen Form« seiner Manifestierung, wird ein gewisser Grad von Realität zugesprochen.
Substanz schließt stets Beständigkeit und »Gegebenheit« ein, die gegebene Welt der Natur nämlich, die den Menschen umgibt. Das technische Zeitalter hat beide aus dem Griff verloren. Atemberaubende Veränderungen haben die Vorstellung der Beständigkeit zerschmettert, und die rasch zunehmende Kontrolle und Verwandlung der Natur haben die alte Überzeugung zerstört, daß außerhalb des Menschen eine gegebene äußere Schöpfung, ein Kosmos, existiere. Die Technik hat unsere Welt immer mehr Kants Philosophie in der *Kritik der reinen Vernunft* angenähert: jeden Tag ähnelt die Welt ein wenig mehr einem konstruierten Gebäude unseres Geistes in einem Chaos sinnloser Phänomene. Diese Tendenzen unseres Jahrhunderts stimmen durchaus mit Benns Begriff vom »konstruktiven Geist« überein. Wir erkennen in ihnen das Bestreben, die »Gegebenheit« der Natur dadurch zu überwinden, daß die autonomen und schöpferischen Möglichkeiten des Geistes geltend gemacht werden. Durch seinen Geist gewinnt der moderne Mensch die Möglichkeit des freien Willens und der freien Tat zurück, die ihm der mechanistische Determinismus des neunzehnten Jahrhunderts, der ihn zur Marionette blinder Kräfte machte, geraubt hatte.
Der »konstruktive Geist« befähigt den zerebralen Menschen, trotz der »Frigidisierung des Ich« zu schaffen. Er erlaubt ihm zu handeln. In dieser Hinsicht stellt der Abstraktionismus eine Lösung des Problems des expressionistischen Intellektuellen dar, während der Vitalismus ein unmöglicher Traum blieb. Doch die Unfähigkeit, zu handeln, bedeutete nur ein Nebenproblem. Das Grundproblem des zerebralen Menschen war das, wie er zu einem voll integrierten Menschen werden sollte — mit andern Worten, eine wirkliche Person, in der Fühlen, Denken und Handeln sich integrieren. Löst der »konstruktive Geist« dieses tiefste Existenzproblem des Expressionisten?
Zunächst einmal stellen wir einen starken Antipersonalismus schon in dem Begriff des »konstruktiven Geistes« fest. Der »konstruktive Geist« setzt Funktion an die Stelle der Substanz. Eine Substanz existiert an und für sich; sie kann als Individuum betrachtet werden. Eine Funktion dagegen besitzt für sich allein keine Existenz; sie erwirbt ihre Bedeutung im Verhältnis zu einer Gesamt-

heit. Die Idee der individuellen Persönlichkeit hat Bedeutung in einer Welt von Substanzen; in einem Universum reiner Funktionen und Prozesse wird sie sinnlos. Persönlichkeit im Goetheschen Sinn existiert an und für sich; sie übt keine andere Funktion aus, als sie selbst zu sein. Darüber hinaus ist sie in einer gegebenen physiologischen und biologischen Konstitution und einer kulturellen Umgebung verwurzelt. Diese statische »Gegebenheit«, dieses »Innensein« der Persönlichkeit kann Benns metaphysischer Anti-Individualismus nicht hinnehmen. Der zerebrale Mensch, der an der »Frigidisierung des Ich« leidet, leugnet die Existenz des Ich. Der hyperzerebrale Mensch, der mit Bedauern weiß, daß es keine Substanz in ihm gibt, erklärt schließlich, daß »Substanz« selbst ein falscher Begriff sei. Indem der Abstraktionist die Legitimität der Individualität bestreitet und die Notwendigkeit des Gefühls leugnet, drückt er sich um das Problem, eine Individualität und Gefühlsfähigkeit zu erlangen. Er wiederholt den Kunstgriff des Kaiserschen Sokrates: er macht aus seinem Gebrechen eine Tugend und zettelt eine philosophische Revolution an, um zu beweisen, was er behauptet.

So stellen wir fest, daß weder der Vitalismus noch der Abstraktionismus das Grundproblem des expressionistischen Intellektuellen löst, ein Mensch zu werden. Als Vitalist versucht er tief unter das menschliche Niveau abzusinken und als Vieh zu handeln; als Abstraktionist bemüht er sich, über die menschliche Ebene aufzusteigen und als körperlose Intelligenz zu handeln. In beiden Masken entgeht der Expressionist der Verantwortung des Menschseins. Doch für die meisten Expressionisten war gerade diese Verantwortlichkeit die Hauptsorge. Ihr entscheidendes Problem war nicht nur zerebral, sondern auch emotional, und eine rein intellektuelle Lösung war deshalb unzureichend. Die Unfähigkeit, menschliche Beziehungen herzustellen, die Unfähigkeit, zu lieben, bildeten ihre existentielle »Wunde«, für die ein »Bogen« gefunden werden mußte, den weder der Vitalismus noch der Abstraktionismus liefern konnte.

DIE IMPOTENZ DES HERZENS

Fast zwei Jahrzehnte vor dem Beginn der expressionistischen Bewegung schrieb der jugendliche Neuromantiker Hugo von Hofmannsthal ein Versdrama *Der Tor und der Tod.* Es ist die Tragödie eines narzißtischen Ästheten, der in seiner Todesstunde zu der Erkenntnis kommt, daß er nicht wirklich gelebt, weil er nie wahrhaft geliebt hat. Dieses Thema des auto-emotionalen Menschen, des hochkultivierten Narzißten, der sich ohne jede Beziehung zur menschlichen Gemeinschaft ein Universum aus seinen Empfindungen, Wahrnehmungen und Träumen errichtet und an dem infolgedessen das »Leben« vorübergeht, ist eine Fortführung der Elfenbeinturm-Einstellung, die Dichter und Künstler annahmen, als die aufsteigende bürgerliche Gesellschaft ihnen keinerlei Funktion mehr ließ. Faust in seinem abgeschiedenen Arbeitszimmer und Manfred in seiner Gebirgswildnis sind stolze und männliche Vorläufer von Hofmannsthals ästhetischem Toren, der warten muß, bis der Tod ihm die Augen für das Leben öffnet. Rilkes Malte Laurids Brigge, Prousts Marcel, T. S. Eliots Prufrock und die Helden aus André Gides und Thomas Manns frühen Werken sind solche auto-emotionalen Männer, vom Intellektualismus bereichert und mit dem Zaudern einer Spätzeit belastet. Keiner von ihnen kann anders lieben als aus der Ferne, in Träumen oder wie Marcel in verdammter und unglücklicher Besitzgier. Ästhetische Erkenntnis, das Universum von Erinnerungen und Ironie, rettet sie. Doch die Liebe martert sie mit ständiger Verlockung und dauerndem Vorwurf. Die Impotenz des Herzens, zunächst die mangelnde Bereitschaft und dann die Unfähigkeit, Beziehungen zu andern zu haben, ist eine entscheidende Seite des Subjektivismus und der Abkehr von der Welt, die in der Prä-Romantik des späten achtzehnten Jahrhunderts begannen und ihren Höhepunkt in der Moderne des zwanzigsten Jahrhunderts erreichten.

Die Expressionisten litten noch heftiger unter dieser »Impotenz des Herzens« als die ästhetisierende Generation der Neuromantik, die ihnen unmittelbar voraufging. Und tatsächlich steht das dringende Bedürfnis nach dem expressionistischen Liebeskult im direkten Verhältnis zu der Intensität, mit der die Expressionisten die Unfähigkeit, zu lieben, empfanden. Obwohl dieser Gefühlsmangel in enger Beziehung zu dem Hyperzerebralismus steht, den wir eben untersucht haben, muß man die beiden Erscheinungen doch unterscheiden. Wenn der Zerebralismus und nicht so sehr die Erstarrung des Herzens das existentielle Hauptproblem des Schriftstellers darstellt, wie es beispielsweise bei Sack und Benn der Fall ist, dann kann ein geistiger Akt das Problem lösen; die Verwerfung des Intellekts durch den Vitalisten ist genausogut ein intellektueller Akt wie die Vergottung des Intellekts durch den

Abstraktionisten. Beide finden in der Sphäre des Denkens und Handelns statt und berühren im wesentlichen keine tieferen Schichten der Persönlichkeit. Das Problem des auto-emotionalen Ästheten ist dagegen die Unfähigkeit, zu fühlen, Beziehungen zu andern herzustellen. So ergibt sich eine Situation, für die weder der Vitalismus noch der Abstraktionismus die geeignete Lösung bietet.

Das beste Beispiel für die Verbindung zwischen dem narzißtischen Ästhetizismus der Neuromantik um die Jahrhundertwende und der Genesis des Expressionismus bietet Thomas Manns älterer Bruder Heinrich, der diese Verbindung in seinem Lebenslauf verkörpert. Noch in seiner frühen, neuromantischen Periode schrieb Heinrich Mann *Pippo Spano,* die Geschichte eines Künstlers, die, obwohl typisch neuromantisch, gleichzeitig doch höchst bedeutsam für die psychologische Genesis des Expressionismus ist. Es ist die Geschichte von Mario Malvolto, einem modernen Dichter, der nicht zu lieben vermag, weil er unfähig ist, wirkliches Interesse für irgend etwas außer für sich selbst aufzubringen. Er ist »unfähig auf immer zu einem echten Gefühl, einer redlichen Hingabe«. Die Kunst bildet für ihn eine Zufluchtsstätte vor einer Wirklichkeit, der er mißtraut und die er fürchtet.

Dieser schwache Mensch ohne echte Gefühle bewundert die Condottieri, die »ganz leben und auf einmal sterben«. In seinem Atelier hat er das Porträt eines Renaissance-Condottiere, Pippo Spano, hängen, das ihn an das starke und volle Leben erinnern soll, nach dem er strebt. Gemma Cantoggi, ein leidenschaftliches Mädchen, läßt sich von den starken Gestalten aus Malvoltos Büchern täuschen. Da sie den Verfasser mit seinem Traum verwechselt, den er gerade deshalb zu Papier gebracht hat, weil er sich im Leben so fern von diesem Traum fühlt, verliebt sie sich in ihn. Malvolto hat Angst vor der Gefühlsbindung, für die er in seinem Innern weder genügend Kraft noch Aufrichtigkeit verspürt. Doch sein »Über-Ich«, wie Freud es nennen würde, Pippo Spanos Porträt, fordert ihn dazu heraus, sich in dieses furchteinflößende wirkliche Erlebnis zu stürzen. Nun, da Gemma in sein Leben getreten ist, steht er der Verpflichtung gegenüber, zu sein »wie ein starker Mann« und sich mit Pippo Spano zu identifizieren, der ihn ständig mit seinem grausamen, verachtenden Lächeln beobachtet.

Als ihr Liebesverhältnis entdeckt und zum Skandal wird, erklärt Gemma ihrem Liebhaber, sie müßten zusammen sterben, um nicht

getrennt zu werden. Ihre Überzeugung steckt ihn an und sie beschließen, gemeinsam Selbstmord zu begehen. Doch sein Glaube an die Wirklichkeit seiner Liebe reicht nur dazu, Gemma zu ermorden; als er sich selbst umbringen soll, ist seine Kraft zur Tat erschöpft. »›Es ist nicht einfache Feigheit‹, so erklärt er ihr seine Unfähigkeit, ihr in den Tod zu folgen, ›es ist nur, weil man sich zum Schluß einer Komödie doch nicht wirklich umbringt.‹« Er wird am Leben bleiben und sein Verhältnis mit Gemma in ein literarisches Meisterwerk verwandeln.
Doch das sterbende Mädchen, das er geopfert hat, schreit auf: »Mörder!« Und er stimmt ihr zu; er hat die Prüfung der Liebe nicht bestanden.

Wir wollen nun das Thema aus *Pippo Spano* in einer Reihe von expressionistischen Werken aufspüren und untersuchen, vor allem in Werken des frühen Expressionismus. Zwei Züge dieses neuromantischen Themas sind besonders wichtig für das Verständnis des Entstehens der expressionistischen Verherrlichung der Liebe und Vitalität. Der eine ist die Gefühlsimpotenz des Künstlers und seine Sehnsucht, anders zu sein, das Gegenteil von sich, der starke, einfache Mann der Tat, der für die Welt um ihn her voll empfänglich und deshalb echter Gefühle und der Liebe fähig ist. Der zweite Zug, mit dem ersten eng verknüpft und seine unmittelbare Folge, ist das verzweifelte Bedürfnis des Künstlers, einen Stärkeren und Gesunderen zu finden, als er es ist, an den er sich anklammern kann; er nutzt »den andern« aus, eignet sich seine Vitalität an und zerstört ihn schließlich, wie Malvolto Gemma zerstörte, entweder um ein Kunstwerk zu schaffen oder auch nur um sich vor dem emotionalen Verhungern zu bewahren, indem er sich von den kraftvollen Erlebnissen »des andern« nährt. Wir wollen diese beiden miteinander in Beziehung stehenden Aspekte der Persönlichkeit Impotenz und Vampirismus nennen[1]). Doch ehe wir dem *Pippo-Spano*-Thema im Expressionismus nachgehen, muß auf eine wichtige Weiterentwicklung hingewiesen werden. Der beneidete Antagonist, das Gegenstück des Künstlers, sein »Über-Ich«, ist nicht mehr der Renaissance-Übermensch, sondern der Durchschnittsmensch, der Bürger von heute. Diese Verschiebung können

[1]) Die sexuelle Impotenz ist ein Grundmotiv im Frühwerk Georg Kaisers, z. B. in *Rektor Kleist*, *Die jüdische Witwe*, *Der Zentaur*. Konstantin Strobel in *Der Zentaur* muß sich selber beweisen, daß er fähig ist, ein Kind zu zeugen. Er wünscht sich auf physischer Ebene, was Heinrich Manns Malvolto auf der Ebene des Gefühls erstrebt: den Beweis, daß er zu lieben vermag.

wir in einem der frühesten Werke des Expressionismus beobachten, in Carl Sternheims Lustspiel *Die Hose* (1911).
Theobald Maske in Sternheims Komödie ist der gewöhnliche Mensch, der zu Anfang des Jahrhunderts des gewöhnlichen Mannes stolz und sicher in seiner Gewöhnlichkeit lebt. Exaltierung, Exzentrizität und Größe irgendwelcher Art sind ihm unverständlich. Sein Motto lautet: »Ist bequem nicht recht?«[1]). Er weiß nichts von Shakespeare und hat von Goethe nur einen verschwommenen Begriff. Sein Prinzip ist es, keine Bücher zu lesen, »weil ich mich für die Meinungen anderer nicht interessiere«. Er ist durchaus zufrieden mit den Vorstellungen, die sich in seinem eigenen Gehirn formen; das Lesen würde nur seine Originalität beeinträchtigen. Er hat nicht das geringste Interesse für Politik oder Philosophie, ebensowenig für ein Thema außerhalb seines persönlichen Wohlbefindens. Maskes selbstgefällige Unbildung schockiert den intellektuellen Dichter Scarron, der stets für Ideen und Ideale gelebt hat.

Scarron:

Wie kann man ein so völlig inhaltloses Leben nicht tragisch nehmen!

Theobald:

Erlauben Sie doch: der Erwerb des täglichen Brotes gibt immerhin einigen Inhalt. Ich sagte schon, für sieben Stunden.

Scarron:

So bleiben siebenzehn.

Theobald:

Acht für den Schlaf, zwei für die Mahlzeiten, eine für An- und Auskleiden. Sind es nur noch sechs, wovon die Wegzeit zum Bureau und zurück noch in Abzug zu bringen ist. (Seite 115 in *Die Hose.)*
Frau Luise Maske, die junge Frau des typischen Philisters Theobald Maske, fühlt sich zu dem Dichter Scarron hingezogen, der in ihrer Wohnung ein Zimmer gemietet hat, weil er in sie verliebt ist. Sie heuchelt dem romantischen Kavalier gegenüber nur den geringst möglichen Widerstand. Die konventionelle Entwicklung dieser Situation würde zeigen, wie die romantischen jungen Menschen zusammenfinden und dem bürgerlichen Ehemann Hörner aufsetzen. Doch im expressionistischen Lustspiel geschieht das Umgekehrte. Der Bürger ist der erfolgreiche Rivale in der Liebe; der Dichter verliert durch sein Zaudern.

[1]) Sternheim, Die Hose: ein bürgerliches Lustspiel, p. 117.

Die Leidenschaft des Dichters ist verbal, nicht real. Er ist verliebt in die Vorstellung, verliebt zu sein — nicht jedoch in eine wirkliche Frau aus Fleisch und Blut. Als Luise, leicht ungeduldig über seine fruchtlose Begeisterung, erwartet, daß er sie nimmt, eilt er davon, um über sie zu schreiben. Die Versenkung des Künstlers in sein Werk ist ein wirksames Mittel, ihn rein und vom Leben unbeschmutzt zu erhalten. Sie ist das Alibi des Mannes, der nicht tief und echt genug zu fühlen vermag, um sich in menschliche Beziehungen einzulassen. Voller Angst vor wirklichen Gefühlen flieht Scarron in die Idealisierung und in die Kunst. Wie Manns Malvolto ist Sternheims Scarron unfähig, die romantischen Erwartungen zu erfüllen, die er erweckt hat; er ist ein Schwindler wie Malvolto. Als Luises verliebtes und unglückliches Verhalten ihn an sein Versagen erinnert, verlegt er sein Interesse von der Frau auf den Ehemann. Trotz all seiner Vulgarität wirkt der solide Bürger wie ein Magnet auf den schwachen und unbeständigen Intellektuellen. Scarron spürt, daß dieser selbstzufriedene »kleine Mann«, so stolz darauf, nichts als ein kleiner Mann zu sein, in Wirklichkeit der große Mann ist, dem die Zukunft gehört. Der Dichter ist in der Defensive und glaubt nicht mehr an seine romantischen Werte; der Bürger, ganz und gar einverstanden mit sich selbst, ist in der Offensive und kann sich keine andern Werte als die eigenen vorstellen.

Theobald (grinsend):

...Meine Unscheinbarkeit ist eine Tarnkappe, unter der ich meinen Neigungen, meiner innersten Natur ungehindert frönen darf.

Scarron:

Ich bin verwirrter, als ich es auszudrücken vermag. Zum ersten Mal tritt mir solche Auffassung des Lebens als Überzeugung gegenüber.

Theobald:

Eines kleinen Mannes.

Scarron:

Eines Mannes immerhin. (p. 134.)

Der prosaische Maske erweist sich dem Dichter in allen Dingen überlegen, selbst auf dem eigenstem Gebiet des Dichters: der Selbsterkenntnis. Er kennt Scarron besser, als dieser sich selber kennt.

Theobald:

Eine seltsame Zierpflanze in Gottes Garten ist dieser Mann. So bunt er aussieht, er wurzelt nicht; alles in allem eine Pustblume...

Wie er sich nie ganz hat, kann er einen andern nie ganz besitzen. (Seite 154.)

Maske siegt auch in jenem andern menschlichen Bereich, den man traditionsgemäß mit dem Dichter in Beziehung setzt: der Liebe. So grob und egoistisch er auch ist, Maske kann lieben. Im Gegensatz zu dem Dichter, der so viel verspricht und so wenig gibt, verspricht der Bürger wenig, leistet jedoch viel. Er kann nicht mit Scarrons Beredsamkeit von Liebe sprechen, doch auf der primitivsten und fundamentalsten Ebene liebt er seine Frau und befriedigt ihren Trieb. Während seine Frau in der Kirche ist und Trost für ihre Enttäuschung durch Scarron sucht, nimmt Theobald Maske ein alterndes Fräulein, in deren einsames Leben er einen Strahl von Zärtlichkeit bringt. Und die von dem labilen Dichter bezahlte Miete (er hat für ein Jahr vorausbezahlt für ein Zimmer, das er nach einem Tag satt hat) erlaubt Theobald und Luise Maske, sich ein Kind zu leisten. Während Scarron bald nicht mehr als eine blasse Erinnerung für eine Frau sein wird, die ihren Lebenssinn in der Häuslichkeit gefunden hat, gründet Maske eine mächtige Dynastie, die dazu ausersehen ist, in Industrie und Handel zu einer herrschenden Stellung aufzurücken. Das »bürgerliche Heldenleben«, wie Sternheim seinen Zyklus bürgerlicher Lustspiele nennt, beginnt mit Theobald Maskes vollkommenem Sieg über die vergänglichen Werte der Literatur und des Intellekts. Die allgemeine Ansicht, die in Sternheim und den Expressionisten überhaupt bloße Rebellen gegen die bürgerliche Lebensweise erblickt, verwischt leicht die Faszination, die die unbarmherzige Selbstzufriedenheit und Vitalität des Bourgeois auf den frühen Expressionisten ausüben, der deutlich spürt, daß ihm diese Eigenschaften fehlen. Der moderne Bürger besteht die Prüfung in der Liebe, vor der der moderne Dichter versagt. Sternheims Stil dämonisiert die Sprache der deutschen Bourgeoisie. Die Wirkung ist nicht eindeutig. Gewiß, es handelt sich um eine aggressive Parodie des Bürgers; doch gleichzeitig schmeichelt ihm diese Sprache, da sie seine unerbittliche Kraft und zynische Männlichkeit übertreibt. Sie erhebt den Bourgeois zum Range einer »blonden Bestie«. So drückt Sternheims Dialog im »Telegrammstil« die typische Ambivalenz des Expressionisten dem Bürger gegenüber aus: insgeheim bewundert er ihn, während er ihn öffentlich angreift.

In einer frühen dramatischen Skizze Franz Werfels, *Die Versuchung* (1913), legt sich der Dichter die Frage vor, warum er sein Mädchen an einen Spießer verloren hat, und muß sich die Antwort geben, daß er unfähig ist zu lieben. Die Liebe wendet sich nicht dem sensiblen Introvertierten zu, sondern — und hier, an den Wurzeln des Expressionismus, erkennen wir das Erbe von Thomas und Heinrich Mann — dem praktischen Mann, dem Bürger, dem »Statistiker«. Vitalität, Aufrichtigkeit, Freude am Augenblick »sprühte heiter hinter seinem Zwicker«. Wärme und Mitgefühl herrschen in seinem Herzen, das vom Mißtrauen des Dichters gegen sich selbst unbelastet ist. Der Dichter versteht das Mädchen, liebt es jedoch nicht. Deshalb vermag er seine traditionelle Verachtung des Bürgers nicht mehr aufrechtzuerhalten. Im Grunde bewundert er ihn. Die gewöhnlichen Männer »sind große Herren, in sich voll Ruhe, Gemessenheit und Mittelpunkt. Sie ... sind Menschen!« Doch er, der Dichter, »war niemals Mensch!«

Wie Faust, der die Verwüstung betrachtet, die er über Gretchens Leben gebracht hat, so fühlt sich der expressionistische Dichter als »Unmensch«, den eine entsetzliche Kluft von der beneidenswert beschützten Welt der gewöhnlichen Menschen trennt. In einem seiner Gedichte gibt Werfel zu, daß sein unaufhörlicher Ruf nach Liebe aus einem Herzen kommt, das niemanden liebt; er beschließt das Gedicht, das er »Verzweiflung« nennt, mit dieser Klage:

»Und alles rauscht nach Liebe.
Ich auch nach Liebe weine.
Und hab doch keinen gern.«[1])

Aus dieser entsetzlichen Überzeugung, ein »Unmensch« und Monstrum zu sein, entsteht die verzweifelte Sehnsucht nach Einswerden mit der Menschheit, nach Verwandtschaft mit »den andern« und Zugehörigkeit zu ihnen. »Mein einziger Wunsch ist, dir, o Mensch, verwandt zu sein!« So beendet Werfel seinen ersten Gedichtband *Der Weltfreund.* Der expressionistische Kult des »Menschen« und der »Menschheit« (Werfel ist einer seiner beredtsten und beharrlichsten Sprecher) muß als Folge des Gefühls verstanden werden, sich auf bedauerliche Weise von allen Menschen zu unterscheiden.

In Alfred Wolfensteins Drama *Besuch der Zeit* wird der Dichter daran erinnert, daß die »höhere Liebe«, die man in der Literatur findet, ein Verstandesgebäude jener ist, die der »niederen Liebe« des wirklichen Lebens nicht fähig sind. Der Dichter verspürt infolge seiner Neurose die Notwendigkeit, nach dem Unerreichbaren zu greifen und die feste Welt der Tatsachen gegen das

[1]) Werfel, Wir sind, p. 54.

Reich seiner Träume einzutauschen. Seine Tätigkeit ist nicht nur überflüssig, sondern auch antisozial, da sie seine Mitmenschen verärgert und ihnen das eigene Glück verdächtig macht. Aber das Bestreben des Dichters, die Menschheit zu erheben, seine Unzufriedenheit mit der Plattheit des Lebens, wie es ist, sind lediglich Ausflüsse seiner misanthropischen Einstellung. Der Besucher des Dichters, der der verkörperte Geist der modernen Zeit und Sprecher der Masse ist, bringt die geheime Schwäche des Dichters ans Licht.

In früheren Zeiten verehrten die Menschen den Dichter, so sagt der Besucher, weil sie seinen Worten Glauben schenkten und überzeugt waren, daß die Liebe, von der er sang, in ihm sei.

»Oh, wir meinten, ein Dichter das sei so gut wie die Liebe. Wir hatten Furcht, hier liege eine Welt hoch über uns wie der Himmel. Das hätte uns gefährlicher werden können als ein Land voll schrecklichster Waffen. Aber glücklicherweise stelle ich fest: Du bist lieblos. Knie nieder... es steigt dir auf dank meinem Besuch: Deine weiß beleuchtete Welt, dein künstliches Wort, deine abgesonderte Dichtung: Lieblosigkeit! unvollkommene Menschlichkeit!«[1])

Doch wenn überhaupt irgendwo, dann ist dort draußen, in der geschäftigen Menge, nicht am Schreibtisch des Dichters, die Liebe und vollkommene Menschlichkeit zu finden. Wolfensteins Dichter zieht die Konsequenzen; er verläßt den Schreibtisch und wird Bauer und später Börsenmakler; schließlich befreundet er sich mit einer kranken und verlassenen Prostituierten und erringt in der harten Arbeit, um Geld für ihre Heilung zu verdienen, seine eigene Rettung.

Das Schuldbewußtsein, das die Mängel seines Gefühlslebens im expressionistischen Dichter erregt, findet seinen schärfsten und bezeichnendsten Ausdruck bei Franz Kafka. Er begreift, daß die Gründe für sein dauerndes Zurückgewiesenwerden in der Liebe in ihm selbst liegen, daß es überhaupt nicht die andern sind, die ihn verwerfen, sondern daß er sie verwirft. Er ist »nicht von den Menschen verlassen, das wäre nicht das schlimmste, ich könnte ihnen nachlaufen, solange ich lebe, sondern von mir in Beziehung auf die Menschen... ich habe Liebende gern, aber ich kann nicht lieben, ich bin zu weit, bin ausgewiesen«[2]).

[1]) Wolfenstein, »Besuch der Zeit« in Mö·der und Träumer: Drei szenische Dichtungen, p. 27.
[2]) Tagebücher II, 218 f.

Sein Wille, nicht nur in der Liebe, sondern in allen menschlichen Beziehungen zu versagen, ist für ihn selber offensichtlich; und als die Ursache dafür, daß er nicht geliebt wird, erkennt er seine eigene Unfähigkeit, zu lieben.

»Die abweisende Gestalt, die ich immer traf, war nicht die, welche sagt: ›Ich liebe dich nicht‹, sondern welche sagt: ›Du kannst mich nicht lieben, so sehr du es willst, du liebst unglücklich die Liebe zu mir, die Liebe zu mir liebt dich nicht.‹ Infolgedessen ist es unrichtig, zu sagen, daß ich das Wort ›Ich liebe dich‹ erfahren habe, ich habe nur die wartende Stille erfahren, welche von meinem ›Ich liebe dich‹ hätte unterbrochen werden sollen, nur das habe ich erfahren, sonst nichts.«[1])

Kafkas Leben, das er in Ausdrücken des Mythos deutete und ins Mythische erhob[2]), bildet eine auffallende Analogie zu den erdichteten Gestalten, die wir eben untersucht haben. Diese schwachen, labilen Künstler postulieren stets ein Gegenbild von großer Festigkeit, das sowohl als anstachelnde Herausforderung wie als Drohung für sie selber wirken soll. Manns Malvolto schaut zu Pippo Spano, dem Condottiere der Renaissance, auf; Sternheims Scarron zu dem selbstzufriedenen Spießer Maske; der Dichter in Werfels *Versuchung* zu dem »Statistiker«, dem »Kerl wie Weißbier«, an den er sein Mädchen verliert; der Dichter in Wolfensteins *Besuch der Zeit* zu dem Besucher; Franz Kafka zu dem Bild, das er sich im Geist von seinem Vater geformt hatte. Kafkas Schuldbewußtsein gründet sich auf seine Überzeugung, das väterliche Beispiel der Robustheit, Energie und des Erfolges nicht zu erreichen. Vor allem erkennt Kafka, daß dem Erfolg seines Vaters ein Schatz von Gefühlssubstanz, eine emotionelle Wirklichkeit und Echtheit zugrunde liegen, die ihm selbst fehlen. Nach Max Brod wurde Kafka von seinem Vater eingeschüchtert durch die Selbstsicherheit des »naiven, nicht durchreflektierten, in Hinsicht auf prinzipielle Fragen nur seinem Instinkt folgenden, also gewissermaßen unbewußten Menschen«[3]). Und in seinem berühmten Brief an den Vater sagt Kafka bewundernd: »Du bekamst für mich das Rätselhafte, das alle Tyrannen haben, deren Recht auf ihrer Person, nicht auf dem Denken, begründet ist.«[4])

Genau das war die Eigenschaft, die Mario Malvolto einschüchterte und beschämte, wenn er die mächtige Gestalt des Condottiere be-

[1]) Ibidem.
[2]) Vergl. Politzer, »Franz Kafka's Letter to His Father«, Germanic Review, XXVIII/3, (1953), als eine ausgezeichnete Untersuchung dieses Prozesses.
[3]) Brod, »Ein Brief an den Vater« in Der Monat, I (1949), 8/9, p. 98.
[4]) Kafka, »Brief an den Vater«, in Die neue Rundschau, LXIII/2 (1952), p. 196.

trachtete; und genau wie sich Malvolto von Pippo Spanos Porträt dazu bewegen läßt, sich in das unheilvolle Liebesverhältnis einzulassen, um sich seine Liebesfähigkeit zu beweisen, so folgt Kafka dem Beispiel des normalen produktiven Lebens, des Lebens *dans le vrai,* das sein Vater ihm setzte, in seine verhängnisvollen Verlobungen. Wie Malvolto sind ihm nur Mißerfolge beschieden. Das Junggesellentum ist das unausweichliche Schicksal des Mannes, der nicht lieben kann; er gesteht, »ein Jahr müßte ich so suchen, ehe ich ein wahres Gefühl in mir fände«[1]).

Diese Impotenz des Gefühlslebens veranlaßt Kafka, sich selbst als Parasit und Vampir zu sehen. Der Vampir muß andern das Blut aussaugen, da er selbst keines besitzt. Ebenso empfindet Kafka, der den Eindruck hat: »Mein Körper ist zu lang für seine Schwäche, er hat nicht das geringste Fett zur Erzeugung einer segensreichen Wärme, zur Bewahrung inneren Feuers«[2]), ein demütigendes Bedürfnis nach Abhängigkeit, danach, sich an andere anzuklammern und sie auszunutzen. Er ist überzeugt, daß er aus diesem Grund jedem, vor allem jedoch Frauen, Abscheu einflößen müsse. In diesem Zusammenhang erhält die faszinierende und entsetzliche Insektengeschichte *Die Verwandlung* ihren angemessenen Hintergrund und wird zum metaphorischen Porträt des Künstlers. In dem Brief an seinen Vater verbindet Kafka die Metapher des Insekts mit dem Begriff des ausbeutenden Vampirs, der, zu hilflos, um unabhängig leben zu können, stärkere Individuen berauben muß. Kafka betrachtet seinen »Vampirismus« als die unausweichliche Folge seiner Beschäftigung mit dem künstlerischen Schaffen. Die Ausschließlichkeit, mit der er seiner Berufung folgt, läßt keinen Raum für das Leben. Er nennt die Literatur: »Mein einziges Verlangen und meinen einzigen Beruf ... Alles, was sich nicht auf Literatur bezieht, hasse ich.«[3]) Er haßt die Einzelheiten des Alltagslebens, weil sie ihn von seinem einzigen Interesse ablenken. Er verzichtet auf das eheliche Glück, das die irdische Erlösung für ihn bedeuten würde, weil die Ehe ihm Zeit und Gelegenheit zum Schreiben nehmen würde. Seine Kunst gedeihe nur in Einsamkeit, bemerkt er; sie halte ihn von der Menschheit zurück. Die Forderungen der Literatur sind der wahre Vampir, der ihm das Lebensblut aussaugt.

Diese Vorstellung von der Kunst, die sich vom Leben nährt und es wie ein gefährlicher Parasit zerstört, verfolgt die Expressioni-

[1]) Tagebücher I, p. 44.
[2]) Ibidem, p. 171.
[3]) Ibidem, p. 318 und p. 311.

sten. Es ist ungemein interessant, zu beobachten, daß Kaiser, der in seinen frühen »Komödien des Fleisches« von der Vorstellung sexueller Impotenz besessen war, in seiner reifen Periode Themen pazifistischen Heldentums und altruistischer Selbstaufopferung abwechselnd mit solchen des Vampirismus und krankhaften Narzißmus behandelt. George Sand, die Heldin von Kaisers Drama *Flucht nach Venedig* (1922), sagt: »Das Wort tötet das Leben.« Wie Manns Malvolto ist Kaisers George Sand eine »Komödiantin« im Leben. In allem, was sie tut, ist ein Teil von ihr abgelöst; dieser Teil beobachtet, macht sich im Geist Notizen, sammelt Material für künftige Werke und befleckt die »Keuschheit des Erlebens«. Die Inbrunst ihrer Liebhaber ist für sie nur Stoff für ihre Bücher; ihre intimsten Geheimnisse werden auf der Bühne oder in der Buchhandlung zur Schau gestellt werden.

»Ein Vampir saugt an unsern Adern«, sagt Musset von George Sand, »wir geben den Herzschlag her — und bleiben ausgeblutete Schemen!«[1]). Doch dazu bemerkt eine andere Gestalt des Stückes: »Gehorcht sie nicht so nur dem großen künstlerischen Gesetz?« (p. 15). Zu schwach und leer, um aus sich selbst zu leben, schlüpft der Künstler sozusagen in die Haut seiner Mitmenschen, beutet ihre Gefühle aus, lebt von ihren Emotionen und verwendet sie für sein Werk. Hat er seine Absicht erfüllt, läßt er die Opfer hinter sich, ihrer Vitalität entleert, Schatten ihres früheren Selbst, während er selber auf neue Abenteuer auszieht. So ist der Künstler der Parasit schlechthin. Sein Weg geht über Leichen und menschliche Ruinen, und die Schönheit seines Werkes ähnelt den schillernden Effekten der Verwesung. »Wer ist — diese Frau?« fragt einer von George Sands Liebhabern am Ende des Stückes, und Musset erwidert ihm: »Der unmenschliche Mensch!«.

Doch der Künstler kann nichts für die Zerstörung, die er verursacht. Er ist sein eigenes Opfer, »Betrüger und Betrogener in einem«. »Ich bin nicht Mörderin!« schreit George Sand auf; doch Musset erklärt ihr: »Du kannst nicht leben.« (p. 30). Der konstitutionelle Mangel des Künstlers, der seinem Vampirismus zugrunde liegt, ist gleichzeitig der Grund, weshalb er Künstler sein muß. In der Kunst hat er die einzige Zuflucht vor der Armut und Qual seines Lebens gefunden. Sein Werk erwächst nicht aus der Kraft. Schöpferische Freude, das Ausströmen eines reichen, überschwenglichen Herzens, ist nicht das, was etwa Kafka in seinem Schreiben findet. Für ihn ist das Schreiben die einzige Möglichkeit,

[1]) Kaiser, Flucht nach Venedig, p. 15.

um überhaupt am Leben zu bleiben, der einzige Zustand, in dem er ohne Furcht zu leben vermag. Es ist sein Versuch, vor unerträglichem Leiden zu fliehen, die einzige Rechtfertigung für sein »regelmäßiges, leeres, irrsinniges, junggesellenmäßiges Leben«[1]).

Die unmenschliche Ausschließlichkeit der Kunst, die wiederum die Folge der Flucht vor dem »regelmäßigen, leeren, irrsinnigen junggesellenmäßigen Leben« ist, kann tatsächlich zum Mord führen. Das ist das Thema von Kaisers Einakter *Der Protagonist*, der Kurt Weill als Libretto für eine Oper diente. Der »Protagonist«, ein Schauspieler, lebt so völlig in seiner Bühnenwelt, daß er jeden Wirklichkeitssinn verloren hat und sich mit jeder Rolle identifiziert, die er zufällig gerade spielt. Doch der Verlust einer stabilen, echten Persönlichkeit wird begleitet von dem verzweifelten Bedürfnis, sich an seine Schwester zu klammern, ein normales, gesundes Mädchen, das das einzige Bindeglied des Schauspielers zur Wirklichkeit darstellt. »Ich fände nicht zurück zu mir selbst«, sagt er zu ihr, »riefst du mich nicht mit Bruder an«[2]).

Eines Tages teilt sie ihm mit, daß sie sich verlobt hat. Äußerlich nimmt er die Nachricht mit Ruhe auf. Doch im Lauf des Tages wird das Theaterprogramm geändert; statt einer Komödie wird eine Tragödie aufgeführt, in der der Schauspieler die Rolle eines Eifersüchtigen zu spielen hat. Von seiner Rolle mitgerissen, tötet er seine Schwester, als sie sich mit ihrem Verlobten nähert. Die schizophrene Verdrängung der Wirklichkeit, die der Künstler praktiziert, versetzt ihn in die Lage, den Mord zu begehen, vor dem sein normales Bewußtsein zurückschrecken würde. Die Kunst fordert, während sie dem Künstler die Flucht vor seinem liebeleeren und sinnlosen »junggesellenmäßigen Leben« gewährt, auch das Sichanklammern an ein anderes Leben, sein Ausbeuten und schließlich seine buchstäbliche Opferung. In Kaisers *Protagonist* wird der Gefühls-Vampirismus, dessen George Sand beschuldigt wird — und dessen Kafka sich selbst anklagt —, tatsächlich zum Mord.

Die Kunst fordert, während sie dem Künstler die Flucht vor seiner liebeleeren und sinnlosen Realität erlaubt, auch das wirkliche Opfer menschlichen Lebens. Eine ganz ähnliche Identifizierung mit der Rolle, die er spielt, läßt den unglücklichen Darsteller aus Kaisers *Zweimal Oliver* den Mann töten, der sein Double und sein begünstigter Nebenbuhler in der Liebe ist.

[1]) Tagebücher II, p. 128.
[2]) Kaiser, Der Protagonist, p. 9.

In beiden Dramen ist das Bindeglied des Künstlers zur Realität und der Gegenstand seiner verzweifelten Zuneigung eine nahe Verwandte: im einen Fall die Schwester, im andern die Tochter. Die Inzestliebe, die wir bereits als machtvolles Motiv im Leben und in der Dichtung Trakls fanden, ist ein offensichtliches Korrelat zu dem narzißtischen Element in einem großen Teil des Expressionismus[1]). Die Beziehung zwischen dem Narzißmus und der Inzest-Leidenschaft wird in René Schickeles autobiographischem Roman *Der Fremde* deutlich aufgezeigt. Paul, der Held dieses Romans, begehrt seine Mutter geschlechtlich; und als Grund wird angegeben: »So heftig erfaßte ihn das Glück der eigenen Schönheit, die das verjüngte Bild der Mutter war.« (p. 45.)

Paul ist, wie so viele expressionistische Gestalten, ein »Fremder« unter seinen Mitmenschen. Wenn seine Entfremdung auch einen scheinbar äußeren Grund hat, da er der Sohn einer Französin ist, die im preußisch-besetzten Elsaß lebt, so symbolisiert seine Stellung in einem Niemandsland zwischen zwei feindlichen Kulturen doch nur seine innere Einsamkeit. Bisweilen ekeln ihn Preußen, Elsässer und Franzosen alle zugleich an und er flieht vor ihnen zu Pan in die Wälder, wo ihn die Augen der Rehe trösten[2]). Er fühlt sich nur seiner Mutter verbunden, die ihn am Ende ebenfalls zurückweist. Das Ziel seiner inzestuösen Leidenschaft ist nicht einfach der Besitz des Körpers seiner Mutter; er will in ihren Augen seinen Triumph über sie lesen und von ihren Lippen das Geständnis ihrer Hingabe hören. Für den schwachen und einsamen Jungen, dem die Liebe verweigert wurde, kann das Glück nur aus dem Beweis kommen, daß er liebenswert ist:

»Ein einziges ›Ja‹ mit verschleierten Augen und sonst nichts. Das nähme er mit ins Leben; *er mußte eine einzige Sicherheit haben* ... Er stand in einem Zusammenbruch und hielt sich krampfhaft an ihr ... fest ... Kein Mensch kümmert sich um mich, ich bin ein Ausgestoßener, — und brauste wieder auf: — Aber ich will, daß du mich liebst, ich will, ich will!«[3])

[1]) Das Inzest-Motiv faszinierte einige expressionistische Schriftsteller selbst dann noch, als sie die expressionistische Phase bereits hinter sich hatten. Inzest ist das Thema von Kaisers spätem Roman Es ist genug (1932) und Leonhard Franks Bruder und Schwester (1929).

[2]) Für die tief romantische Natur des Expressionisten Schickele ist das Motto seines Dramas Hans im Schnakenloch überaus bezeichnend:

»Der Hans im Schnakenloch hat alles, was er will.
Und was er hat,
das will er nicht,
und was er will,
das hat er nicht,
der Hans im Schnakenloch hat alles, was er will.«

[3]) Der Fremde, pp. 84 f. Hervorhebung vom Verf.

Pauls Liebe wendet sich nicht nach außen; sie will die Geliebte nicht einhüllen, will sie nicht schützen oder ihr Freude schenken. Seine Liebe ist das rasende Verlangen, seiner Unsicherheit zu entrinnen. Aus diesem Grunde muß sie fehlschlagen und zurückgewiesen werden. Ein ausgezeichnetes Beispiel dieser expressionistischen Flucht vor der Unsicherheit ist Kaisers Drama *Die Koralle*. Der Milliardär, die Hauptgestalt in der *Koralle*, ist in gewisser Weise ein umgekehrter Faust. Während es Faust aus unersättlichem Verlangen nach dem Weltall des Erlebens gelüstet, speichert der Milliardär die Schätze dieser Welt aus wahnwitziger Angst auf. Was in ihm wie der Wille zur Macht aussieht, ist in Wirklichkeit die Angst vor der Ohnmacht. Der an den amerikanischen Traum von Horatio Alger erinnernde Lebenslauf des Milliardärs ist eine ständige atemlose Flucht vor dem traumatischen Kindheitserlebnis der Armut gewesen. Er hat gehofft, durch das Anhäufen eines Vermögens das Trauma aussperren zu können. Doch äußere Güter vermögen ihm, dem es an innerer Sicherheit mangelt, keine Sicherheit zu geben. Seine Kinder wenden sich gegen ihn und verschmähen das Vermögen, das er für sie durch unbarmherzige Ausbeutung seiner Mitmenschen errungen hat. Als seine Kinder ihn ablehnen, steht er abermals dem Abgrund gegenüber, dem er sein ganzes Leben lang zu entrinnen versucht hat.

In diesem kritischen Augenblick macht zufällig sein Sekretär, dem Aussehen nach sein Doppelgänger, den der Milliardär angestellt hat, um eventuelle Attentäter zu täuschen, eine Bemerkung über die sichere und glückliche Kindheit, die er genossen habe. Nun erkennt der Milliardär, daß man Sicherheit und Glück nicht erwerben kann. Wie der Auserwählte des Kalvinismus wird man in die Seligkeit hineingeboren. Die einzige Erlösung (so erscheint es dem Milliardär) ist ein Austausch der Identität, das Wegwerfen des eigenen verdammten Ich und die dauernde Einverleibung des sicheren und gesegneten Ich eines andern. Dazu ermordet der Milliardär seinen Doppelgänger und lebt als der Sekretär, als der Mann weiter, der eine sonnige Kindheit genossen hat. Als Preis für die Befriedigung, die ihm diese neue Persönlichkeit gibt, zahlt der Milliardär gern mit der Todesstrafe als vermeintlicher Mörder seines einstigen Milliardär-Ichs.

Der psychologische Prozeß, den man in der Entwicklung des Vampirismus beobachten kann, ist folgender: die Flucht vor einer unerträglichen Wirklichkeit erzeugt ein Gefühl der Unwirklichkeit, des Substanzmangels, der inneren Leere; dieses Gefühl ruft wiederum das verzweifelte Bedürfnis nach einem starken, echten und substanzhaften Menschen hervor, auf den sich der Leere stützen, den er ausbeuten, dessen Kraft und Vitaliät er sich aneignen kann; schließlich vernichtet er ihn, um sich selbst am Leben zu erhalten.

Vielleicht das krasseste Beispiel einer vampirischen Persönlichkeit im Expressionismus erscheint in Klabunds Erzählung *Der Mann mit der Maske*. Die Hauptfigur dieser Erzählung ist ein Schriftsteller, der, durch Krankheit entstellt, gezwungen ist, eine Maske zu tragen und alle früheren gesellschaftlichen Beziehungen abzubrechen. Wie eine Spinne im Netz sitzt der Maskierte im Café und wartet auf naive Opfer, deren Leben ihm als Rohmaterial für seine literarische Arbeit dient. Er muß die Erlebnisse anderer zusammentragen, denn wenn er sich auf seine eigenen beschränken wollte, hätte er nichts zu sagen. Dieser leere Mensch, der eine romantische Maske über seinem krankheitszerfressenen Gesicht trägt und die Kunst dazu benutzt, die Leere, in der er lebt, erträglich zu machen, ist ein vollendetes Symbol der neuromantischen und frühexpressionistischen (und, wie wir hinzufügen könnten, Freudschen) Ansicht von Kunst als Kompensation für konstitutionelle Minderwertigkeit[1]).

Ein romantisches junges Mädchen verliebt sich in die geheimnisvolle Maske. Von Neugier gefoltert, hat sie sich selbst in sein Haus eingeladen und gibt sich ihm hin. Sie bedrängt ihn, die Maske zu lüften und ihr sein Geheimnis zu zeigen. Als er ihr nachgibt, ist sie heftig erschüttert; bald danach nimmt sie sich das Leben. Das Erlebnis, das sie zerstört, dient ihm als Stoff einer Erzählung.

Die Kunst, Produkt von Krankheit und Minderwertigkeit, macht das Leben zu ihrem Opfer. Der Künstler benutzt eine Maske, den »romantischen Betrug«, um die Scheußlichkeit seines wahren Ich zu verbergen. Die Naiven, die seine Maske fasziniert, nähren die höllische Schönheit seiner Schöpfungen mit ihrem Glück und schließlich mit ihrem Leben. Die gleiche Formel, die wir bei Heinrich Manns Neuromantik fanden, reicht bis in den Expressionismus hinein.

Aber am Ende ist der Künstler sein eigenes Opfer, wie sich im Schicksal des Bildhauers Benkal in Schickeles Roman *Benkal, der*

1) Diese Ansicht von der Kunst und vom Künstler wird in Gustav Sacks Roman Ein Namenloser sehr deutlich; Gesammelte Werke, I, 305—26.

Frauentröster zeigt, der das Leben seiner Geliebten aussaugt und ruiniert, nur um sich schließlich selbst zu vernichten. Auch Benkals Vampirismus hat seine Wurzeln in einer konstitutionellen Schwäche, Hilflosigkeit und Unzulänglichkeit. In seiner Jugend wollte ihn kein Mann ernst nehmen, doch Frauen, die seine sanfte, lyrische Natur anzog, halfen ihm, sich seiner Gaben bewußt zu werden und nährten den Glauben an seine Kunst. Mit der Zeit wurde Benkal ein großer Bildhauer.

Auf der Höhe seiner Laufbahn lernt er Ij kennen, eine gefeierte Tänzerin und große Dame. Ihre Arroganz behext den Künstler, dessen scheinbares Selbstvertrauen auf sehr unsicheren Fundamenten ruht. Seine Liebe ist nicht frei von Grausamkeit, zuerst gegen sich selbst, dann ihr gegenüber. Er vergleicht sie mit einem gefräßigen schönen Insekt, das sein Opfer »durch den Schrecken seiner entfesselten Schönheit« hypnotisiert. »Dann tötet es.« (p. 136.) Seine Liebe ist weniger Liebe als Triumph über seine Schwäche und das Mißtrauen gegen sich selbst. Als er Ijs stolzen Körper in den Armen hält, fühlt er, daß er, der einst von allen verachtet war, das Leben endlich gemeistert habe.

Doch da er Ij nicht als Mensch, sondern als Krücke seines Selbstbewußtseins liebt, kann er sich nicht mit ihrem Altern abfinden. Es gibt noch einen weiteren, eng mit dem ersten zusammenhängenden Grund für Benkals Hartherzigkeit der Frau gegenüber, die er zu lieben glaubt. Es ist seine Kunst-Besessenheit. Sein Triumph über das Leben, den die innere Unsicherheit fordert, wird besser durch zeitlose Skulpturen als durch eine lebende Frau symbolisiert, die dem Verfall unterworfen ist. Er hat Ijs Schönheit im Augenblick ihrer höchsten Blüte in einem Bildwerk verewigt, und diese so triumphierende, so ständig erregende Marmorgestalt nimmt für ihn den Platz der alternden Frau aus Fleisch und Blut ein. Benkal betrachtet den lebendigen Menschen als bloße Hülle des Kunstwerks. Die Liebe fordert mehr Aufmerksamkeit, als Benkal aufzubringen vermag; die Liebe würde ihn von der Kunst ablenken. Ij, die ihn liebt, versteht das und opfert sich seiner Kunst; sie verschwindet aus seinem Leben, um weitere Störungen seiner Arbeit zu verhindern.

Doch als sie geht, wird Benkals Kunst sinnlos für ihn. Mit Entsetzen erkennt er die grenzenlose Grausamkeit, die seiner Kunst zugrunde liegt und spürt, wie Hofmannsthals Claudio, daß er am Ende leer und besiegt zurückgeblieben ist. Er empfindet heftigen Haß auf das eigene Werk und verunstaltet und zerstört heimlich die Meisterwerke, denen er einmal ein Leben der Liebe und des Glücks geopfert hat. Vor den Ruinen seines Lebenswerkes trinkt er einen Toast auf das Leben:

»... ich kniete vor dem Stein, kroch auf den Knien um ihn herum, hielt ihn nackt umschlungen, stundenlang. Er erwärmte sich nicht, der Teufel, aber ich, ich wurde eiskalt, mein Blut fror rings um mein dampfendes Herz, das zerrte und zog und fort wollte ... Ja, der [Teufel] ist überall, wo ein Herz nicht ausgefüllt ist von Liebe.« (pp. 185—86.)

In diesem Ende von Schickeles *Benkal* begegnen wir der Botschaft der Liebe, die für den Expressionismus so bezeichnend ist. Diese Botschaft ist bei einer Anzahl von Expressionisten das sichtbare Ergebnis der Qual, die die Unfähigkeit zu lieben den narzißtischen Schriftstellern und Dichtern auferlegt hat. Hingebung an den neuromantischen Kult der Kunst des *fin de siècle* und seine Weiterentwicklung im Abstraktionismus bildet für diese neue Generation keine Lösung mehr, weil nach ihrer Erfahrung der Ästhetizismus nicht dem Gefühlsleben dient, aus dem die Kunst erwächst, sondern es erstickt und tötet; und damit tötet er die Kunst selbst. Kafkas innere Sterilität, die ihn in die Literatur trieb, wird ihrerseits zu einer Fessel für seine Kunst. »Ich glaube heute einzusehn, wie eng meine Grenzen sind in allem und infolgedessen auch im Schreiben.«[1]) Trotz gelegentlichen Bemerkungen über euphorische Zustände, die das Schreiben in ihm hervorruft (es ist ein Sprung aus der Mördergasse, die Einsicht in das, was wirklich vor sich geht), herrschen nach dem großen Durchbruch des Schöpferischen im Herbst 1912 (als er *Das Urteil* in einem Zuge niederschrieb) Zweifel und Depression in seinen Tagebüchern vor. Er hat den Eindruck, es fehle ihm der lange Atem und die Energie, die für größere Werke nötig seien. Dauernd schwankt, streicht und arbeitet er um[2]). Wenn er der verhaßten Bürotätigkeit die Schuld für seine Unfähigkeit, anders als stoßweise, und nur mit langen Pausen schreiben zu können, zuschieben darf, ist er glücklich. Aber wenn er dieses Büro nicht als Entschuldigung hat, erkennt er seine Sterilität, die für ihn einen seiner entsetzlichsten Mängel bildet. »Ich kann nicht mehr weiterschreiben. Ich bin an der endgültigen Grenze, vor der ich vielleicht wieder jahrelang sitzen soll, um dann vielleicht wieder eine neue, wieder unfertig bleibende Geschichte

[1]) Tagebücher II, p. 137.
[2]) Tagebücher I, p. 42. Tatsächlich arbeitete Kafka jahrelang an seinen Romanen Der Prozeß und Amerika und ließ beide schließlich als Fragmente liegen, um Das Schloß zu beginnen, das ebenfalls Fragment blieb.

anzufangen. Diese Bestimmung verfolgt mich. Ich bin auch wieder kalt und sinnlos, nur die greisenhafte Liebe für die vollständige Ruhe ist geblieben. Und wie irgendein gänzlich von Menschen losgetrenntes Tier schaukele ich schon wieder den Hals.«[1])

Von künstlerischen Krisen, die denen Kafkas ähneln, berichtet Ernst Barlach in seiner Autobiographie *Ein selbsterzähltes Leben.* Mit vierunddreißig, in einem Alter, da andere Künstler oft schon ihre besten Werke hervorgebracht haben, verspürt Barlach nicht die mindeste Sicherheit hinsichtlich seiner Versuche in der Kunst. Ohne vollendete Werke, ohne Selbstvertrauen zu sich selbst kehrt er von seiner Lehrtätigkeit an einer rheinischen Fachschule für Keramik nach Berlin zurück.

»Pest schlug meine Getrostheit, es gab Bruch mit Behagen, und Vertrauen ins Sein ward ein fragwürdiges Ding, das sich bequemen mußte zu kuschen ... Ich wußte, daß ich in einer Hölle saß, und saß darin ringend um die tagtägliche Überwindung des Bewußtwerdens meiner ganzgänzlichen Überflüssigkeit.« (pp. 38, 39.) Er verbirgt sich in den finstersten Ecken von Kaffeehauswinkeln und wünscht unsichtbar zu sein, »keiner Beachtung würdig und ihrer kaum bedürftig«. (p. 39.) Er ist von der bisher geleisteten Arbeit angewidert, und seine Selbstachtung verfliegt ihm zusammen mit seinem Mut. Kaum steht er auf, schon möchte er sich wieder im Bett verkriechen. Er betrachtet sein Leben als unnütz und verdammt und sich selbst als ein bloßes Hindernis auf der Welt.

Barlachs und Kafkas Beispiel zeigen, wie irreführend es wäre, den Expressionismus (und die Moderne im allgemeinen) lediglich als eine rücksichtslose Revolte junger Bohemiens zu betrachten, die eigensinnig vorhaben, die traditionellen Kunstbegriffe umzustoßen. Einige der bedeutendsten »Revolutionäre« der »jungen Generation«, wie Kaiser, Stramm, Frank, Benn — ebenso wie Kafka und Barlach —, waren, als sie zum erstenmal auf der Bildfläche erschienen, reife Männer. Die Gewaltsamkeit ihrer neuen Formen und Themen war das Ergebnis eines verzweifelten Kampfes, um dem Meer des Zweifels und der Angst, das sie zu überschwemmen drohte, ein wenig Land abzuringen.

Es ist symptomatisch für die Angst des Expressionisten vor Sterilität im Schöpferischen, daß Werfel die Krise in Verdis Leben, die Jahre des Schweigens zwischen *Aida* und *Othello,* als Thema für seinen »Roman der Oper« wählte. Werfels *Verdi* kann man als das große Epos seiner expressionistischen Periode betrachten. Zu

[1]) Tagebücher II, p. 125.

Beginn der dichterischen Laufbahn des Autors konzipiert, umfaßt das heranreifende Werk die ganze Zeitspanne des Expressionismus; wenn es auch erst gegen Ende der expressionistischen Phase niedergeschrieben wurde, analysiert es doch einige der Grundprobleme der Expressionisten und faßt sie sozusagen zusammen[1]). Weiter ist es von großer Bedeutung, daß sein Buch über den Künstler gleichzeitig ein Buch über den Künstler in der Krise ist. Es behandelt das Problem des Schöpfertums, indem es das Versagen der Schöpferkraft untersucht. Es beschäftigt sich mit der Qual des Künstlers, dem es scheint, als wären die Quellen der Inspiration auf immer versiegt. Verdi, dem es seit Jahrzehnten nicht mehr gelungen war, ein Werk zu beenden, und der seine schwindenden Kräfte vergebens an dem Thema des *König Lear* versuchte (sogar die Wahl dieses Themas der Abdankung und des Alters zeigt den Geisteszustand des Komponisten an), gelangt an den Punkt, da er, von Wagners Triumph überflügelt und in den Schatten gestellt, bereit ist aufzugeben. Vom tiefsten Tal seines Lebens schaut er zurück auf die Gipfel. Sein ganzes Leben war, wie er jetzt sieht, eine erbarmungslose Plackerei im Dienst »einer weitergepäppelten Pietätslüge«, die man Kunst nennt. Die Kunst war das lebenslange Fieber, das keine Zeit für die einfachen Freuden ließ, die das Leben erst lebenswert machen. Und dieser Schöpferrausch war nicht das Glück gewesen. »Kein Augenblick durfte ihn je auf leichter Welle tragen.« Wie Kaisers Milliardär hinderte ihn die dauernde Furcht vor dem Versagen daran, sich ohne Gewissensbisse zu entspannen und den Augenblick zu genießen. Von gesellschaftlichen Veranstaltungen eilte er zurück an seinen einsamen Schreibtisch. Er erlaubte sich nicht zu lesen, weil die Lektüre ihm kostbare Augenblicke rauben würde, die seiner niemals endenden Arbeit gehörten; doch »nur in den allerseltensten Momenten war sie Freude und Befriedigung gewesen, allzumeist aber Pein, Rauferei, Willensüberspannung bis zu Schweißausbrüchen des Ohnmachtsgefühls«. (p. 506.)

Und am Ende kam die Qual der Sterilität. Die überarbeitete Schaffensmaschine verweigerte den weiteren Dienst. Schlimmer als die Spannung des Schaffens war die demütigende Stille der Impotenz im Schöpferischen. Aus den Tiefen von Verdis verzweifelter Sterilität steigt der Selbstmordgedanke der modernen Kunst auf:

[1]) In seinem Vorwort zum Verdi schreibt Werfel, daß der Plan zu diesem Roman etwa 1911, in dem Jahr, als sein Weltfreund bereit für die Veröffentlichung war, konzipiert wurde. Verdi: Roman der Oper, p. 7. Verdi wurde 1922 beendet, 1923 veröffentlicht.

»Und wozu der Frondienst eines ganzen Lebens? Brauchen die Menschen Kunst? Ohne Zögern gab er sich selbst Antwort: Die heutigen Völker brauchen nicht im mindesten irgendeine höhere Kunst... Also die furchtbare Spannung seines Lebens war Wahn...« (pp. 506—07.)
All die Anspannungen und Bemühungen, all die Entbehrungen und Opfer waren nur ein müßiges Spiel für einige wenige Ästheten gewesen, »lebensunfähige Absprengsel gewisser wohlgesättigter Schichten«. Am scheinbaren Ende seines schöpferischen Lebens betrachtet Werfels Verdi sich als den Toren, der sein von Gott gegebenes Leben für weniger als Tand eingetauscht hat — für ein Nichts.

Es geht also durch die expressionistische Literatur der Gedanke, daß »die Kunst zu schwer geworden ist« und daß die ihrethalben gebrachten Opfer ein selbstmörderisches Verbrechen gegen das Leben und das Glück sind. Diese Vorstellung steht in engem Zusammenhang mit dem Haß des Expressionisten auf sein eigenes Werk; mindestens steht er ihm gleichgültig gegenüber. Gottfried Benn hörte mit fünfunddreißig auf zu schreiben (wenn er auch Jahre später auf anderer Basis wieder damit begann) und schloß den schmalen Band seiner gesammelten Werke mit einer Selbstverwerfung ab, deren verzweifelte Aufrichtigkeit kaum ihresgleichen in der Literatur hat:
»Nun erscheinen diese gesammelten Werke, ein Band, zweihundert Seiten, sehr dürftig, man müßte sich schämen, wenn man noch am Leben wäre. Kein nennenswertes Dokument; ich wäre erstaunt, wenn sie jemand läse; mir selber stehen sie schon sehr fern; ich werfe sie hinter mich wie Deukalion die Steine; vielleicht daß aus den Fratzen Menschen werden, aber wie sie auch werden mögen: ich liebe sie nicht.«[1])
Wie Benn war auch Franz Kafka äußerst uninteressiert an der öffentlichen Aufnahme seines Werks und empfand den Stolz des Autors, der seine Manuskripte mit einem Auge auf die Veröffentlichung liest, als etwas Lächerliches und Schädliches. Er mußte dazu überredet werden, dem Verleger wenigstens einige seiner Arbeiten zu geben. Als eine Schauspielerin darum bat, einige seiner Geschichten öffentlich lesen zu dürfen, weigerte er sich. In seinem Testament forderte er (wie wohlbekannt ist) Max Brod auf, all seine Manuskripte zu verbrennen.

[1]) Benn, Schriften, p. 214.

Albert Ehrensteins Sprachrohr Tubutsch hört eines Tages auf zu schreiben, als er zwei tote Fliegen in seinem Tintenfaß bemerkt. Bei diesem Anblick sagt er: »Das Wort: ›Ruhm‹ zerbarst in mir.« Eine Zeitlang schreibt er mit Bleistift, um das, was er schreibt, »noch vergänglicher« zu machen. Dann stellt er das Schreiben völlig ein. Der Dichter in Wolfensteins *Besuch der Zeit* gibt die Literatur auf und geht ins Leben hinaus. Er beobachtet die Bauern bei der Arbeit; ihre harte Mühe besitzt eine Konkretheit, die er bei seiner literarischen Plackerei immer vermißt hat. Die Ergebnisse ihrer Anstrengungen lassen sich nach Zentner und Pfund bemessen. Das Erdhafte dieses neuen Lebens erfrischt und verwandelt ihn.

»Und ich ging zur menschenlosen Erde. Ich baue sie. Das ist weniger und mehr als eine Welt zu gestalten.« (p. 27.)

Dieser Selbsthaß, für den es in der älteren Literatur nur wenig Parallelen gibt, verbindet den Expressionisten mit dem Dadaisten, der den nächstfolgenden logischen Schritt tut und sich selbst als Künstler zerstört. Doch dieser dadaistische Selbstmord der Kunst, der im Zusammenhang mit dem Zusammenbruch Europas am Ende des ersten Weltkriegs steht, hat Vorläufer, die bis weit vor den Weltkrieg zurückreichen. Wir finden ein »dadaistisches« Manifest bereits in einem der frühesten Werke von Max Brod, der unheimlichen Geschichte mit dem bedeutsamen Titel *Tod den Toten!*, die vielleicht schon 1902 und bestimmt nicht nach 1906 geschrieben wurde[1]). »Die Toten« sind Kunst und Künstler. Die romantische Verherrlichung des Genies (so philosophiert der Held dieser Erzählung) muß ein für allemal diskreditiert werden. Das Dogma vom Wert der Kunst ist nur ein Überbleibsel von Mystizismus und Aberglauben. Der moderne Mensch hat den großen Künstler, das Genie, zu einem Ersatz für den Gott gemacht, an den er nicht mehr zu glauben vermag. Doch diese überholte Abgötterei blockiert den Weg zu einem gesunderen und fortschrittlicheren Leben auf Erden. Der Kult der Kunst verewigt die verwerflichen Reflexe der Religion. Er setzt Emotion und Autorität an die Stelle der Vernunft und ist mit seiner Verehrung des großen Individuums der Demokratie feindlich. Der Ruf, ein »Genie« zu sein, hängt von zufälligen Faktoren ab und später, wenn er erst begründet ist, von Gewohnheit und Autorität. Ein Gemeinplatz oder eine Albernheit wird als profunde Erkenntnis bewertet, wenn sie von Shakespeare ausgesprochen wird.

[1]) Diese Erzählung findet sich in der Sammlung Novellen des Indifferenten, für die als Daten 1902—1906 angegeben werden. Vergl. Brod, Die Einsamen.

»Drei Schritte hat die Menschheit zu tun. Der erste führt sie an den Flammen des Sinai vorbei in die Religion, der zweite durch die Scheiterhaufen der Reformatoren aus der Religion in die Kunst, der dritte durch den Brand der Kunstmagazine — —. Die Zeit ist gekommen! Wir setzen zum dritten Schritte an. Die letzte Epoche, das goldene Zeitalter beginnt. Wie ein heißer Dunst wird es von der Welt weichen! Alle Phantasie, alle Kunst, alle Einbildung verschwindet! Die Wahrheit zieht ein! Wir lieben die Erde und das Leben wieder, wir verabscheuen nichts mehr, Tag und Nacht leuchten die Fackeln der Arbeit und des süßen Genusses; niemand, niemand, niemand darf sich entziehen und unglücklich sein — —.« (p. 35.)

Die Schuld des Künstlers, die aus seiner Isolierung, aus dem »Sich-Entziehn« stammt, ist der Schlüssel für seine Verzweiflung an der Kunst. In Wolfensteins *Besuch der Zeit* wendet sich der Besucher an das soziale Gewissen des Dichters: »Wir brauchen dich, aber die Hexe, die Blutsaugerin... deine Poesie... nimmt dich uns weg.« (p. 24). Der Autor aus Brods »dadaistischem« Manifest erkannte zu spät für sein eigenes Glück, daß die Kunst die Menschen nur davon ablenke, ein volles und glückliches Leben zu führen. Er selbst war zu alt, um den Kontakt mit dem groben, geschäftigen Leben wieder aufzunehmen, das er in seiner Jugend verschmähte. Doch er könnte wenigstens andern den Weg weisen und sie warnen, ihr Leben an diesen im Sterben liegenden »Anachronismus« zu verschwenden. Er verwandte sein Vermögen darauf, um möglichst viele Meisterwerke, seltene Bücher etc. aufzukaufen und der öffentlichen Benutzung zu entziehen. Und eines Tages, als sein geräumiges Haus mit Kunst gefüllt war, sprengte er es in die Luft. »Da ich die Wahrheit erkannt habe, muß ich sie der Welt durch eine ungeheuerliche Tat offenbaren.«[1]) Mit diesem flammenden Finale der Kunst ist die innere Entwicklung, die von dem Sich-Entziehen des Künstlers und seiner Selbstversunkenheit zur Selbstzerstörung führt, abgeschlossen. Indem er seinen Musentempel in die Luft sprengt, zieht Brods Held nur die Konsequenzen aus der bitteren Enttäuschung durch die Kunst, die wir bei allen in diesem Kapitel behandelten Künstlern ausgesprochen oder angedeutet fanden. Die Kunst tötet das Leben: so lautet das Thema. Die logische Folgerung aus dieser Erkenntnis ist, daß das Leben in Notwehr die Kunst töten muß.

1) Brod, Die Einsamen, p. 40.

Der Ausweg aus diesem Dilemma ist eine innere Regeneration, eine *Wandlung* — ein Lieblingsausdruck des Expressionismus. Nur wenn der in sich selbst vertiefte, narzißtische Künstler lernt, sich mit andern zu identifizieren, ihr Leiden zu teilen, ihnen zu dienen und sie zu lieben, kann er sich selbst retten und ein wahrer Dichter werden, ein Seher und ein Heiler der Menschheit. Das schmerzliche Gefühl der »Beziehungslosigkeit«, das Empfinden eigener Unmenschlichkeit, war ein wichtiger Grund für die Vergottung der Menschheit, das Verlangen, die gesamte Menschheit in einer großen Geste zu umarmen, wie es die expressionistische Generation forderte.

ZWEITER TEIL

DER NEUE MENSCH

Von Anfang an war das Ziel eines großen Teils der expressionistischen Literatur eine Kunst, die im Einklang mit der Gesellschaft stand, und ein Künstler, der in Übereinstimmung mit seinen Mitmenschen lebt. »Mein einziger Wunsch ist, dir, o Mensch, verwandt zu sein!« rief der zwanzigjährige Werfel; und dieser Ruf fand ein begeistertes Echo bei den deutschen Intellektuellen[1]). Doch das Ziel des Expressionisten, in die menschliche Gemeinschaft integriert zu werden, von dem die Genesung und das Leben seiner Kunst abhing, findet im eigenen Charakter das größte Hindernis. Der Größenwahn, die Selbstvergottung des Genies stehen der Regeneration des Künstlers im Weg. »Es ist ein Unterschied zwischen dem Schöpfer und allen andern Menschen«, sagt der Komponist Daniel Nothafft in Jakob Wassermanns dostojewskijhaftem und halb-expressionistischem Roman *Das Gänsemännchen*, in dem Isolierung, Katastrophe und Wandlung des modernen Künstlers sehr schön dargestellt werden; »der ... Genius«, behauptet Daniel, »steht Gott am nächsten«. »Aber sein Sturz«, wird ihm erwidert, »beginnt einen Schritt von Gottes Thron und ist tief«[2]).

Obwohl Daniel alle Bemühungen verschmäht, sich an eine Hörerschaft zu wenden, hofft er insgeheim doch, daß seine kühnen avantgardistischen Kompositionen eines Tages die Kluft zwischen ihm und der Menschheit überbrücken werden. Er bewahrt sie als seinen kostbarsten Besitz und opfert seiner Arbeit die Freuden eines normalen Lebens. Die wenigen, die ihn lieben, saugt er aus und ruiniert sie; um aller Verantwortung ledig zu sein, vertraut er die Sorge für sein Kind und seinen Haushalt einer bösartigen Halbidiotin an. Dieses Geschöpf setzt das Haus in Brand, und alle unveröffentlichten Werke des Künstlers werden vernichtet. In dieser Krise dämmert Daniel der Gedanke auf, daß der Verlust seiner Manuskripte das Ergebnis seiner nichtausgeübten Verantwortlichkeit als Mensch ist. Seine Sünde war es, im »Elfenbeinernen Turm« zu leben: »Worin besteht Menschenschuld? Im Nichtfühlen, im Nichttun ... Was ist denn Größe? Nichts weiter als die Erfüllung einer unendlichen Reihe kleiner Pflichten.« Daniel hatte »die kleinen Pflichten« des Lebens nie

1) Kurt Pinthus setzte in einem Gespräch mit dem Verfasser den Beginn des literarischen Expressionismus in Deutschland auf den Tag des Jahres 1910 an, als Max Brod einer Gruppe von Berliner Studenten und Literaten Werfels Gedicht »An den Leser« vorlas; die unmittelbare Wirkung von Werfels Gedicht war ungeheuer.
2) Wassermann, Gänsemännchen, p. 589.

erfüllt. Er hatte alles gefordert, nichts gegeben. Mit luziferischem Hochmut hatte er geglaubt, daß er, ein Genie, die »kleinen Pflichten« seinen Mitmenschen überlassen und ein »Unmensch«, ein »Unbürger« sein könne. Sein Sturz war bereits in seinem Hochmut enthalten gewesen.

Doch in der tiefsten Tiefe der Verzweiflung gibt es Hoffnung für den gedemütigten Künstler. Sein Werk, das verdammt war, weil es aus Selbstliebe und Kälte erwuchs, ist zerstört; das Blatt ist leer und kann neu begonnen werden.

»Es gibt aber eine Verwandlung, und durch die wird einem Absolution. Wende deinen Blick ab vom Phantom und werde erst Mensch, dann kannst du Schöpfer sein. Bist du Mensch, wahrhaft Mensch, dann bedarf es vielleicht gar nicht des Werkes, dann strahlt vielleicht die Kraft und die Herrlichkeit von dir selber aus. Sind denn nicht alle Werke nur Umwege des Menschen, nur unvollkommene Versuche zu seiner Offenbarung?... Wie kann einer Schöpfer sein, der die Menschheit in sich verkürzt und betrügt? Es geht nicht ums Können, Daniel Nothafft, es geht ums Sein... Deine Musik kann den Menschen nichts geben, solang du in dir selbst gefangen bist. Fühl ihre Not! Fühl ihre grenzenlose Einsamkeit! Schau sie an! Schau sie an!« (pp. 595—96.)

Die Stimme, die Daniel diese Botschaft der Hoffnung und Heilung durch Selbsterkenntnis und Erkenntnis der andern bringt, ist die des Gänsemännchens, einer kleinen Bronzestatue auf dem Brunnen des Marktplatzes von Nürnberg. Das Gänsemännchen ist dem egozentrischen und unglücklichen Künstler ein Symbol dessen, was der Künstler sein sollte. Als anspruchslose Gestalt steht es auf dem geschäftigen Marktplatz, im Mittelpunkt des Lebens, und verleiht den Alltagsgeschäften, die sich darumher abspielen, eine unaufdringliche Würde. Wenn die Bürger von ihrem Handeln und Feilschen zu ihm aufschauen, erinnert es sie daran, daß sie Teil einer großen Gemeinschaft sind. Es läßt sie daran denken, daß es in der Welt Schönheit und Ordnung gibt, die ihr schlaues besorgtes Leben sowohl umfassen wie erhöhen. Dennoch wird seine wichtige Funktion niemals diktatorisch und anmaßend. Trotz seines erhöhten Standplatzes schauen die Bürger zu ihm auf wie zu einem Verwandten, einem der Ihren.

Die befreiende Entdeckung, die Daniel bei seiner Begegnung mit dem Gänsemännchen macht, ist die, daß all diese gewöhnlichen Menschen, die zu fürchten oder zu verachten er sich angewöhnt hatte, sich im Grunde kaum von ihm, dem Übermenschen, unterscheiden, der geglaubt hatte, er sei fast Gott. Er blickt ihnen in die Augen und findet »das gleiche Feuer, die gleiche Angst, das gleiche Bitten, die gleiche Einsamkeit, das gleiche Los, den gleichen Tod; in allen ist Gottes Seele«. (p. 599.) Mit diesem Einblick in die wesentliche Identität aller Menschen fühlt Daniel sich nicht mehr allein. Als seine Augen sich dem Leiden anderer öffnen und er erkennt, daß er in seiner Isolierung nicht einzigartig dasteht, ist er geheilt. Die Scheidewand zwischen dem mißverstandenen Genie und der Menschheit ist gefallen[1]).

Infolge der neuen Einstellung des Künstlers verblaßt der alte Konflikt zwischen Künstler und Bürger und wird durch die Vorstellung vom Mitmenschen als einem leidenden Geschöpf ersetzt, das des Mitgefühls und der Liebe bedarf. Nach seiner Wandlung[2]) sieht der Expressionist die Welt nicht mehr bewohnt von selbstzufriedenen Philistern, starken Männern und stolzen, schönen Frauen, sieht sie nicht mehr als strahlenden Ballsaal, von dem er allein durch seine unheilvolle Gabe des Intellekts ausgeschlossen ist; nun sieht er sie von Leid erfüllt, als Jammertal, das der Erlösung harrt. Johannes R. Becher sieht Armeen von freudlosen Arbeitern, die sich tagaus, tagein in die Fabrik schleppen[3]); Albert Ehrenstein erblickt skrofulöse Kinder in den Elendsvierteln, die »Telefon« spielen, indem sie in ein Kanalisationsrohr hineinrufen; Heimarbeiter im Stücklohn, die nicht wagen, am Sonntag zu feiern, beeindrucken Rubiner; verlassene junge Frauen mit unehelichen Kindern spielen in Sorges *Bettler* und Johsts *Der junge Mensch* entscheidende Rollen; eine kranke Prostituierte bringt Wolfensteins Dichter in *Besuch der Zeit* das Glück; alte Dienstmädchen, die ihr Leben in nie endender Plackerei verbracht haben, sind

[1]) Daniels Erlebnis der Regeneration oder Wandlung, das für viele Expressionisten typisch ist, ähnelt den tiefgreifenden Verwandlungen des Herzens, die sich im Leben religiöser Führer, etwa in dem des heiligen Paulus, finden; doch ebenso ähnlich ist es den Veränderungen der Persönlichkeit und Lebenseinstellung, die die psychoanalytische Behandlung in einem Individuum hervorruft — mindestens bestehen hier starke Parallelen. Bezeichnenderweise entstanden die Werke von Hermann Hesse, die gewisse expressionistische Züge aufweisen — Demian und Steppenwolf —, nach der psychoanalytischen Behandlung des Autors. Vergl. Ball, Hermann Hesse: Sein Leben und sein Werk, pp. 151—60. »Der Expressionist ist also nicht psychologisch, aber er ist psycho-analytisch«, sagt Max Picard in »Expressionismus«, Die Erhebung I (1919), 329 ff.

[2]) Der Ausdruck Regeneration oder Wandlung trifft auf viele Expressionisten zu, jedoch nicht auf alle. Manche, wie Edschmid und Benn, erlebten niemals eine Wandlung — bei Benn zeigte sich nur eine Verschiebung des Standpunktes —, während andere wie Werfel die »gewandelte« Einstellung anscheinend von Anfang an besaßen. Überdies sind Umkehr und Rückfälle häufig; dauerndes Schwanken ist beispielsweise ein hervorstechender Zug bei Kaiser, dessen Einstellung sich von Stück zu Stück änderte.

[3]) Becher, »Abschiednehmen«, Ein Mensch unserer Zeit, p. 167. Dieses Gedicht ist ein autobiographisches Bekenntnis, das Bechers Überwechseln aus der geistigen Umgebung des Bürgertums in die proletarische Bewegung erklärt. Im Hinblick auf Bechers politische Bedeutung als Literatur-Diktator des kommunistischen Mitteldeutschlands ist dieses Gedicht von besonderem Interesse, da es zeigt, daß die Wurzeln des Links-Terrorismus in einem erwachten humanitären Gewissen liegen.

allein schon durch ihr Dasein eine flammende Anklage für den bürgerlichen Dichter Werfel, der in Behaglichkeit und Muße leben darf. Die Welt ist ein großes Spital und Armenhaus, und selbst die, die scheinbar glücklich sind, tragen Angst und Qual im Herzen[1]). In einer solchen Welt ist der einsame und neurotische Künstler-Intellektuelle keine Ausnahme mehr. Seine persönliche Tragik mag in ihrer besonderen Manifestierung einzigartig sein, aber gleichzeitig ist sie doch nur ein Teil des »Menschseins«. So erkennt der Expressionist, daß er dem Menschen durch sein Leiden verbunden ist.

Doch sein Schuldgefühl bleibt. Es nimmt lediglich einen andern Aspekt an. Er ist nicht mehr »schuldbewußt«, weil er aus einer Welt selbstzufriedener Spießbürger ausgestoßen und unglücklich ist. Nun ist er schuldbewußt, weil er das Vorrecht besitzt, in einer Welt, in der Millionen hungern und von Gram und Krankheit gefoltert werden, schreiben und schaffen zu dürfen. Selbst in Gegenwart der geliebten Frau verspürt Werfel ein tiefes Schuldgefühl, als er sich daran erinnert, daß an ebendiesem Tage, den er in den Entzückungen der Liebe verbringen kann, Arbeiter in Fabriken schuften, Schreiber gekrümmt in dunklen Büros sitzen und Kranke den letzten Atemzug tun müssen[2]). Hat die Kunst das Recht, in einer solchen Welt zu existieren, ist sie nicht ein unverzeihlicher Luxus in einem Universum, wo es höchst not tut, sofortige Hilfe und Erleichterung zu schaffen?

Die Antworten auf diese Frage und die ermutigenden Beispiele erhält der deutsche Expressionist aus Volkstraditionen, die seiner eigenen fremd sind. Sie kommen aus dem lateinischen Süden und Westen — Italien und Frankreich —, aus dem russischen Osten und aus dem jüdischen Element innerhalb der abendländischen Tradition. Das erlösende Erlebnis der Wandlung bedingt die Ablehnung der Haupttradition, nach der der deutsche Intellektuelle seit dem Sturm und Drang und insbesondere seit der Gründung von Bismarcks Reich gelebt hat.

In dem gleichen Jahr 1910, in dem der öffentliche Vortrag von Werfels noch nicht gedrucktem Gedicht »An den Leser« einen Funken der Begeisterung zündete, brachte Heinrich Mann zwei kurze Essays heraus — *Geist und Tat* und *Voltaire—Goethe* —, in denen er diese Frage zu beantworten suchte. In Italien war Hein-

[1]) Vergl. die Zeilen »Weiß nicht die Qual, wenn Kaiserinnen nicken« und »Kenn ich der Mädchen stolz und falsches Plauschen? / Und weiß ich, ach, wie weh ein Schmeicheln tut?« in Werfels »Ich bin ja noch ein Kind«, Wir sind, p. 92.

[2]) Vergl. sein Gedicht »Als mich dein Wandeln an den Tod verzückte« in Menschheitsdämmerung, Ausg. 1959, p. 152.

rich Mann von einer Einstellung zum Leben beeindruckt worden, in der es den verhängnisvollen Gegensatz zwischen Künstler und Bürger überhaupt nicht gab. Sein Roman *Die kleine Stadt* (1910) ist ein Denkmal für dieses harmonische Verhältnis zwischen Künstler und Gesellschaft, das auch Wassermann in seinem *Gänsemännchen* inspirierte[1]). Doch in seinen Essays ging Mann einen Schritt weiter und versuchte, ein neues Bild von der Rolle des Schriftstellers in der deutschen Gesellschaft zu geben.

Die Isolierung der deutschen Intellektuellen sei, wie Mann behauptet, zum größten Teil von ihnen selbst herbeigeführt worden. Die deutschen Intellektuellen hätten nichts getan, um die Distanz zwischen sich und dem Volk zu verringern. Sie hätten sich narzißtisch ihren eigenen Erlebnissen hingegeben, ihre individuelle Melancholie gepflegt und die Armut und Rückständigkeit ihres Volkes vergessen. Es ist ganz offensichtlich, daß Heinrich Mann mit dieser Verurteilung der romantischen Tradition über seine eigene Vergangenheit zu Gericht sitzt. Der Ästhet, der den »starken Mann«, den Condottiere der Renaissance, bewunderte, hatte sich gewandelt.

Im Gegensatz zu den deutschen Intellektuellen haben die lateinischen Literaten, vor allem in Frankreich, immer im Mittelpunkt des politischen Lebens gestanden und einen kräftigen Einfluß auf die Alltagsereignisse ihres Volkes ausgeübt. Laut Mann waren Voltaire und Rousseau die Architekten der Französischen Revolution; Voltaire rehabilitierte Calas; Zola rettete Dreyfus; und Victor Hugo war der große Gegner Kaiser Napoleons III. In all diesen Männern war ein rastloser, kritischer, humaner und mitleidender Intellekt am Werk: »Sie alle haben das Glück gekannt ... ihr Wort die Dinge bewegen, den Geist in Welt und Tat verwandelt zu sehen.«[2])

Der deutsche Schriftsteller hat dieses Glück niemals kennengelernt, weil er es nicht kennenlernen wollte. Während Voltaire und die französischen Literaten sich mit dem menschlichen Geist und Fortschritt verbündeten, verbanden sich Goethe und die deutschen Dichter mit der Natur und dem *status quo.* Voltaire trug dazu bei, das Schicksal Europas zu gestalten, doch:

[1]) Nach Angabe des früheren expressionistischen Kritikers und Wissenschaftlers Rudolf Kayser in seiner ergreifenden Gedenkansprache In memoriam Heinrich Mann (auf der Tagung der Modern Language Association im Jahr 1950 in New York) übte Die kleine Stadt einen tiefen Einfluß auf die expressionistische Generation aus. Ihre Wirkung lief parallel mit der von Werfels »An den Leser«; in dem Roman wird ein Zustand gezeigt, in dem der Künstler-Intellektuelle im Einklang mit den Menschen lebt.

[2]) Heinrich Mann, »Voltaire—Goethe« in Macht und Mensch, p. 12.

»[Goethes] Werk, der Gedanke an ihn, sein Name haben in Deutschland nichts verändert, keine Unmenschlichkeit ausgemerzt, keinen Zoll Weges Bahn gebrochen in eine bessere Zeit. Hinter seinem Sarge ging die Familie keines Calas ... der irdische Tag, der staubige Kampf staunen blinzelnd zu ihm auf — und keuchen weiter. Er muß sich gefallen lassen ..., daß faule Vergnügliche ihr leeres Dasein mit seinem Namen decken als dem Zeichen ihrer ›Kultur‹, als ob es Kultur gäbe ohne Menschlichkeit. Voltaire ist, als die Hoffnung der Menschlichkeit, daheim in den tiefen Schichten seines Volkes ... Freiheit: das ist die Gesamtheit aller Ziele des Geistes, aller menschlichen Ideale. Freiheit ist Bewegung, Loslösung von der Scholle und Erhebung über das Tier: Fortschritt und Menschlichkeit ... Ja, Freiheit ist Gleichheit. Ungleichheit macht unfrei auch den, zu dessen Nutzen sie besteht.«[1]) (pp. 14 bis 16.)

Die Speichelleckerei seinen großen Männern gegenüber hat Deutschland seine Größe als Kulturnation gekostet. Der »große Mann« ist nur in den Augenblicken groß, in denen er große Werke schafft. Ihn als eine von andern Menschen wesensverschiedene Persönlichkeit, als eine Art Übermenschen zu verehren, heißt die menschliche Würde in den andern beleidigen und leugnen. Darüber hinaus raubt der Mythos vom Übermenschen dem Werk des Genies jede reale Wirksamkeit, denn was für den Übermenschen gilt, kann nicht auch für die niedrige Masse Gültigkeit beanspruchen, und *seine* Gedanken können keine wirkliche Bedeutung für die gewöhnlichen Menschen haben:

»Der letzte aber, dem all diese Verirrung [der Mythos vom Übermenschen] ... erlaubt wäre, [ist] der Mensch des Geistes, der Literat: gerade er hat sie geweiht und verbreitet ... Gerade er aber wirkt in Deutschland seit Jahrzehnten für die Beschönigung des Ungeistigen, für die sophistische Rechtfertigung des Ungerechten, für seinen Todfeind, die Macht. Welche seltsame Verderbnis brachte ihn dahin?«[2])

Mann beschließt den Essay *Geist und Tat* mit einer aufrüttelnden Formulierung dessen, was das Programm des deutschen Aktivismus werden sollte.

»Die Zeit verlangt ..., daß sie [die deutschen Schriftsteller] Agitatoren werden, sich dem Volk verbünden gegen die Macht, daß

[1]) Natürlich übersieht Mann völlig die sozialkritische Einstellung sowohl des jungen als auch des alten Goethe, wie z. B. im Götz, Werther, Faust I und besonders Faust II und in Wilhelm Meisters Wanderjahren.

[2]) »Geist und Tat«, ibidem, p. 8.

sie die ganze Kraft des Wortes seinem Kampf schenken... Der Faust- und Autoritätsmensch muß der Feind sein. Ein Intellektueller, der sich an die Herrenkaste heranmacht, begeht Verrat am Geist. Denn der Geist ist nichts Erhaltendes und gibt kein Vorrecht. Er zersetzt, er ist gleichmacherisch.«

In einigen Untersuchungen des Expressionismus findet sich die Tendenz, das politisch-aktivistische Element zu verkleinern, ja zu leugnen. Diese Einstellung, die eine scharfe Trennlinie zwischen dem religiösen *Expressionismus* und dem politischen *Aktivismus* ziehen möchte, übersieht einerseits die tief geistige Natur des Aktivismus und anderseits das revolutionäre und sozialbewußte Element im religiösen Expressionismus. Walter Hasenclever findet in seinem aktivistischen Drama *Der Retter* (1915), das tief von Heinrich Mann beeinflußt ist, seine Inspiration bei den Propheten und Aposteln der jüdisch-christlichen Tradition. Der Held seines Dramas, ein aktivistischer Dichter, kniet nieder und bittet Gott, ihm den Weg zur Rettung der Welt zu zeigen. Es ist bedeutsam, daß dem Dichter der heilige Paulus erscheint, dessen Leben das erhabenste Beispiel einer *Wandlung* und nachfolgender *propaganda fidei* bietet; der Apostel ernennt den Dichter zu seinem Nachfolger. Weil der Geist des heiligen Paulus in den Dichter eingeht, faßt er den Mut, die hohen Behörden herauszufordern. Ernst Toller weigert sich, eine Unterscheidung zwischen dem politischen und dem religiösen Schriftsteller zu machen: »Voraussetzung des politischen Dichters *(der stets irgendwie religiöser Dichter ist):* ein Mensch, der sich verantwortlich fühlt für sich und jeden Bruder menschlicher Gemeinschaft. Noch einmal: der sich verantwortlich fühlt.«[1]) Ernst Tollers Definition des gemeinsamen Nenners im aktivistisch-politischen und religiösen Expressionismus könnte uns auch nützlich sein. Dieser gemeinsame Nenner ist die sittliche Verantwortung.

Der Expressionist ist ein sittlicher Idealist. Das unterscheidet ihn radikal vom Marxisten. Sein Ziel ist geistiger, nicht materieller Natur. Es ist die Herrschaft des Geistes auf Erden. Der Marxist beugt sich der Geschichte und den eisernen Gesetzen der Notwendigkeit ebenso, wie sich Goethe der Natur beugte. Also bildet der Marxismus nach expressionistischer Ansicht keinen Bruch mit der deutschen Tradition, den der Expressionist jedoch zu seiner eigenen Rettung und zur Rettung seines Volkes fordert. Der Marxismus

1) Toller, »Bemerkungen zu meinem Drama Die Wandlung«, Tribüne der Kunst und Zeit, XIII, 46 ff. (Hervorhebung vom Verf.)

mit seiner doktrinär-gefügigen Masse ist nur die Umkehrung des preußischen Militärstaates. Der Marxismus enthält nicht die innerliche geistig-seelische Wiedergeburt, die Wandlung; er hat keinen Raum für absolute sittliche Werte und den freien Willen des Menschen, sich für das Gute zu entscheiden. Es war die explosive, idealistische Französische Revolution, nicht die wohlorganisierte deutsche Sozialdemokratie, die Heinrich Mann dem revolutionären Schriftsteller als Inspiration hinstellte[1]). Der Expressionismus gipfelt nach Kurt Pinthus in »politischer Dichtung«, doch in einer »politischen Dichtung höherer Art, denn sie müht sich nicht um Sturz und Sieg politischer Parteien und Personen, sondern um eine Politik der Menschheit und der Menschlichkeit, aus der allein nach dem gegenwärtigen Chaos wie in der Kunst so auch in der Staatengestaltung die notwendige Formung folgen kann«[2]). Halten wir uns diese Tatsachen vor Augen, dann wird die wesentlich geistige und humanistische Natur des deutschen Aktivismus deutlich.

Von Frankreich aus erreichten die Expressionisten nicht nur der moderne Vitalismus von Rimbaud und Apollinaire, der moderne Abstraktionismus von Mallarmé und die politisch-aktivistische Inspiration von Voltaire, Hugo und Zola, sondern auch die christliche Dichtung Charles Péguys und das moderne Christentum Paul Claudels. Beide, insbesondere Claudel, beeinflußten die Expressionisten bei ihrem Bemühen um die Wandlung. Das hohe Ziel, das Fritz von Unruh der expressionistischen Kunst setzen sollte, wurde von der Rolle der Heiligen Kommunion in Claudels Drama inspiriert. »Ja, wir sind Kommunionisten«, sagt Unruh, »weil wir allen Menschen die eine große, heilige Kommunion vermitteln, das Bild ihrer Vergöttlichung.«[3]) Diese Ansicht von der Kunst hatte das erste deutsche Werk beseelt, in dem Strindbergs dramatischer Expressionismus sich voll auswirkte — Reinhard Sorges *Der Bettler*.

Sorges Bettler-Dichter schreibt experimentelle Dramen, die keine vorhandene Bühne aufführen will; doch als ihm ein Kunstmäzen, von seinem Talent beeindruckt, ein Stipendium für zehn Jahre anbietet, damit er seine Gaben ausbilden kann, weist der Bettler das Angebot zurück. Er ist nicht daran interessiert, sich in einem

[1]) Vergl. Heinrich Manns Drama Madame Legros.
[2]) Pinthus, »Zur jüngsten Dichtung«, Die weißen Blätter, II/12 (Dezember 1915), 1509.
[3]) Flügel der Nike: Buch einer Reise, p. 123. Obwohl Unruhs Buch am Ende der expressionistischen Epoche geschrieben wurde, gibt es doch einen großen Teil von der früh-expressionistischen Botschaft und Stimmung wieder.

Leben der Bequemlichkeit und der Muße zu vervollkommnen. Er will durch sein Drama nützlich sein und der Menschheit helfen und er fordert eine Bühne, auf der er seine Stücke aufführen lassen kann. Sein neues Werk ist ein Gemeinschaftsdrama. Es soll nicht von isolierten Individuen in ihren abgeschlossenen Zimmern gelesen werden. Man soll es vor Hunderten und Tausenden aufführen. Sein Theater muß eine Wallfahrtsstätte sein, wo die innerlich Kranken Heilung finden, die Verzweifelten neue Hoffnung schöpfen und die im Geist Zerbrochenen getröstet werden. Arbeiter werden in Massen hineinströmen, da sie dort ihre Seelen sich erheben sehen. Hungernde Mädchen mit unehelichen Kindern finden darin Trost und »Brot«, und Krüppel lernen dort das Leben lieben.

Das neue Theater des Bettlers hat natürlich nichts mit dem konventionellen Theater zu schaffen. Es ist keine Stätte der Unterhaltung wie die traditionelle Bühne, sondern ein Ort der Anbetung und Erlösung, mehr eine Kirche, eine Schule, eine politische oder Erweckungs-Versammlung[1]). Es ist vom griechischen Theater inspiriert. Es ist eine Aufgabe der Gemeinschaft, nicht eine Sache Einzelner, die zahlen, um sich amüsieren zu lassen.

Obwohl es Sorges Bettler nicht gelingt, einen Mäzen für sein experimentelles Theater zu finden und er deshalb die Masse auch nicht erreichen kann, hat die Idee seines neuen Dramas dennoch ihre kommunionistische Aufgabe erfüllt: sie hat wenigstens ein menschliches Wesen vor der Verzweiflung gerettet. Ein Mädchen mit einem unehelichen Kind, von ihrem Liebhaber verlassen, hat mitgehört, wie der Bettler sein neues Drama leidenschaftlich erläuterte; von seiner Vision wachgerüttelt, hat sie, die bereits im Begriff war, Selbstmord zu begehen, neuen Mut gefaßt.

»Dichter sind Liebende«, sagt der Erste Kritiker zu Beginn des Stückes, »Weltliebende und ihrer Liebe endlos verfallen«. Doch diese Liebe unterscheidet sich völlig von der sexuellen Raserei der Vitalisten. Sie ist frei von sinnlicher Selbstbefriedigung, so frei, daß sie schon fast nicht mehr physisch ist. M. S. Humfeld berichtet in ihrem Buch über Sorge, daß der Dichter während der ersten neun Monate seiner Ehe keinen geschlechtlichen Verkehr mit seiner Frau hatte[2]); sie lasen, arbeiteten, beteten zusammen in harmonischer Intimität des Geistes. Der Bettler wiederholt in seinem Ver-

[1]) Diese Vorstellung vom »neuen Theater« wird auch von Rudolf Leonhard entwickelt: »Das lebendige Theater«, Die Erhebung, II (1920), 258 ff.
[2]) Humfeld, Reinhard Johannes Sorge: Ein Gralsucher unserer Tage, pp. 154—55.

hältnis mit dem Mädchen in gewissem Maße Sorges (seltsam keusches und vergeistigtes) Leben mit seiner Frau Susanne. Das Hauptproblem, dem sich der Bettler und das Mädchen, nachdem sie Liebende geworden sind, gegenübersehen, ist dieses: soll das Mädchen ihr Kind, das sie von einem andern Mann empfangen hat, behalten oder weggeben? Das Mädchen möchte das Kind weggeben, um sich ganz ihrem Geliebten zu widmen, doch der Bettler besteht darauf, daß sie in erster Linie an ihr Kind denkt. Das Wohlergehen eines andern menschlichen Wesens geht ihrer eigenen genußsüchtigen Liebe vor; aus selbstsüchtiger Leidenschaft kann kein Glück erwachsen. Das Mädchen wehrt sich lange gegen seinen Wunsch, macht ihm jedoch schließlich die Freude, das Kind bei sich zu behalten:

»Du hast den Weg zu dir gefunden, Liebe,
Es ging die Eitelkeit, es kam die Demut.«

Und das Mädchen erwidert ihm:

»Nie noch
Sah ich die Sonne herrlich so ...«

Die gleiche »Demut«, die das Mädchen schließlich dazu bringt, ihr Kind bei sich zu behalten, statt es der Leidenschaft zu opfern, veranlaßt den Bettler, Arbeit in einer Fabrik anzunehmen. Diese beiden Entschlüsse werden gleichzeitig verkündet und so wird ihre Einheit betont. Beide Handlungen stellen die Überwindung der selbstsüchtigen Eitelkeit dar, der Erzsünde der kommunionistischen Welt.

Doch die Ambivalenz dieses Stückes der Übergangszeit geht so weit, daß sich nietzschesche Selbsterhöhung und humanistischer Kommunionismus selbst in den gleichen Handlungen und Nebenhandlungen mischen. Am Ende des Dramas widerruft das Mädchen, das jetzt von dem Bettler schwanger ist, ihren früheren Entschluß und schickt das Kind ihres früheren Liebhabers weg; der Bettler erklärt sich einverstanden. Nun erwartet er, daß sie sich völlig ihm widmet. Auch sein Entschluß, in die Fabrik zu gehen, hat einen nietzscheschen Aspekt. Sein Stolz fordert, daß er sich das Leben schwer macht. Mühe und selbstauferlegtes Leiden sind die Bewährungsprobe des »überlegenen Menschen«. Der nietzschesche Aspekt wird überdies dadurch stark betont, daß der Bettler seine Arbeit bald wieder aufgibt, weil er erkennt, daß seine Berufung als Künstler ihn von der knechtischen Arbeit ausnimmt, der die Mehrzahl der Menschen unterworfen ist. Der »Übermensch« ist sich selber Gesetz.

Es ist die Aufgabe des kommunionistischen Künstlers, die Welt zu verändern und seine leidenden Mitmenschen zu erlösen und zu verklären (und damit sich selbst zu erlösen und zu heilen). Anders als der marxistische oder sonstige rein-politische Schriftsteller ist er nicht nur bestrebt, den sozial Benachteiligten zu helfen; er will auch jene unterstützen und trösten, denen selbst die vollkommenste Gesellschaftsordnung nicht zu helfen vermöchte — den von der Natur Benachteiligten, den Häßlichen, Einsamen, Alternden und Ungeliebten. Der Künstler übernimmt die Rolle des Heilands der Verletzten und des Arztes der gebrochenen Seelen. René Schickele nennt seinen Künstlerroman *Benkal, Tröster der Frauen.*

Benkals größtes Werk ist eine Gruppe von »Müttern«, alternden und unbeholfenen Körpern, mit leidenschaftlicher Hingabe an das Detail dargestellt. Die Wirkung dieses Werkes ist ungeheuer. Frauen umdrängen diese Statuen, zunächst erschrocken über diesen nie dagewesenen Verzicht auf weibliche Schönheit. Erst allmählich wagen sie vor sich selbst zuzugeben, daß ihnen diese öffentliche Verherrlichung der Frau, wie sie ist, nicht, wie der Mann sie begehrt, ein Gefühl unendlicher Erleichterung verleiht:

»Die sich für häßlich hielten, verlieren ihre Scham vor den Blikken der vornehmen und schönen Schwestern, vor denen sie jetzt aufrecht stehn können wie Heilige. Die glücklich waren, verlieren das Gewaltsame ihrer Haltung, das maßlose Verlangen zu herrschen, die ewige Abwehr. Sie dürfen sich, ohne Angst und schlechtes Gewissen und ohne das Zittern vor dem Verfall, für schöner halten, als sie gewußt haben ... Eine Epidemie des Trostes bricht unter den Frauen aus. Sie heben den Kopf und wissen, daß nicht alles umsonst war, daß sie leben werden, daß alle Frauen ein einziges sind, das nicht untergeht.« (p. 62.)

Das ist die erhabenste Wirkung, die der ethische Expressionist in seinem Werk zu erreichen hoffen darf.

Für den Kommunionisten bedeutet Liebe, die Elenden und Verachteten zu trösten. Schickeles Benkal liebt Frauen mit Verunstaltungen, Frauen, deren Hände schwielig von schwerer Arbeit und deren Brüste nicht »die vollen und starken Brüste [sind], wie sie die Maler und Bildhauer darzustellen lieben«. Er küßt das entstellende Mal, das seine Geliebte vor ihm zu verbergen bemüht ist. Er weist sie auf gewisse gute Eigenschaften ihres Ehemannes hin, lehrt sie, ihre Kinder mit größerer Hingabe zu lieben und ihrer Erziehung mehr Aufmerksamkeit zu schenken. Er bringt eine »heiße und klare Luft« ins Leben dieser Frau, die sich für reizlos und vernachlässigt gehalten hatte. Selbst in seinen unerlaubten Liebesverhältnissen bemüht sich der kommunionistische Künstler noch, zu helfen und zu bessern. Durch Benkals Liebe erblüht Hahna zu einem neuen und reicheren Leben. »Irgendwie fühlte er sich für Hahnas Wohlergehen verantwortlich ... verantwortlich vor dem Weltgeist, der Liebe, der Liebe aller Menschen ... Die größte, die einzige Sünde war, Liebe zu verderben.« (p. 49.)

Doch der gleiche Benkal, der der ungeliebten Hahna und andern Frauen Glück und Liebe bringt, beweist später in seinem Verhältnis mit der stolzen Tänzerin Ij rücksichtslose Selbstsucht. Es ist fast, als könnte der Expressionist nur den Benachteiligten gegenüber gütig sein, die stets wie er selber im Schatten des Lebens beheimatet sind, und als haßte er die, die auf den sonnigen Höhen des Lebens stehen. Über diese Mischung von Caritas und Ressentiment beim Expressionisten werden wir später noch mehr zu sagen haben. Doch was immer auch der tiefere Grund des Unterschieds in Benkals Verhalten zu der stolzen, glänzenden Ij und dem zu der bescheidenen, unglücklichen Hahna andererseits sein mag, Benkal verrät sein Ideal der Verantwortung und erliegt dem Ehrgeiz; dadurch zerstört er sowohl die Liebe wie sich selbst. Er begeht die »größte, die einzige Sünde«; er »verdirbt die Liebe«.[1])

Umgekehrt findet Werfels Verdi nicht nur sein persönliches Glück, sondern auch das Wiederaufleben seiner seit langem toten Inspiration durch den Verzicht auf den Ehrgeiz und die Wiedergeburt als gedemütigter »neuer Mensch«. In der Tiefe der Krise, die sowohl sein Leben wie seine Kunst bedroht, erkennt Werfels Verdi seine Schuld. Er hat einem neurotischen Hunger nachgegeben, größer als sein Mitmensch zu sein, ihn zu überstrahlen und keine Götter neben sich selber zu haben. Er ist gerettet, sobald es ihm gelingt, die Verdunklung seines Ruhms hinzunehmen und auf den manischen Ehrgeiz zu verzichten, Wagner zu übertreffen. Er beschließt, sich auf sein Gut zurückzuziehen und den Rest seiner Tage als einfacher Bauer zu leben. Die Feindschaft Wagner gegenüber, die ihn vergiftet hatte, weicht nun von ihm: »Die Welt mochte ihn noch so tief unter den Deutschen stellen, sein Geist ... ließ sich nicht täuschen: Richard Wagner war sein Kamerad auf der Erde!« (p. 491.)

[1]) Vergl. Fritz von Unruhs Bemerkung, als er den traurigen Blick von d'Annunzios vernachlässigter Gattin sah, daß all sein Dichterruhm sinnlos würde, wenn er einen ähnlichen Blick in den Augen seiner Geliebten entdeckte. Flügel der Nike, p. 116.

Als Verdi sich aus einer Maschine künstlerischen Schaffens in einen einfachen Menschen verwandelt, der ohne Größe zu leben vermag, fließen die versiegten Brunnen seiner Schöpferkraft wieder, und seine Kunst wird größer, als sie je war. In der Nacht von Verdis Wandlung stirbt Wagner. Das überwältigende Gefühl der menschlichen Solidarität angesichts des Todes ergreift und erfüllt Verdi. Alle Gedanken an Rivalität sind vorbei und vergessen:
»... und plötzlich entfährt dem Mund in kurzem, heiserm, unsinnigem Sang der Ruf: ›Vendetta!‹ ...
Vendetta ist kein Wort. Vendetta ist die verlorene Kraft. Und mehr. Vendetta ist der Zauberaugenblick jener Liebe, die nur einen Augenblick lang erträglich ist und das nicht oft im Leben.« (p. 539.)

Vendetta ist die tiefste Inspiration des kommunionistischen Künstlers. Seine Kunst ist nicht die Bestätigung eines großartigen Ichs; doch ebensowenig ist sie routinierte Technik. Sie ist der Protest des Menschen, der Aufschrei seines Herzens bei Leiden und Begrenztheit, der Ausruf seines mitfühlenden Kummers und ebenso der Ruf seiner Hoffnung und Freude, das Tor gefunden zu haben, das ihn aus der Einsamkeit heraus zu seinen Mitmenschen führt. Der Dichter in Wolfensteins *Besuch der Zeit* findet im Mitleid nicht nur den Sinn seines Lebens, sondern auch einen neuen Zugang zu seinem künstlerischen Schaffen. Er nimmt eine erkrankte Prostituierte in sein Haus auf und beschließt, Geld für ihre Heilung zu verdienen. Mit diesem Entschluß, für einen andern Menschen in bitterster Not zu leben und zu arbeiten, gewinnt er die Rechtfertigung für sein Schreiben wieder, das er wegen des Schuldgefühls seiner Isolierung aufgegeben hatte. Johsts Junger Mensch findet den Sinn des Lebens im Mitleid. Einer seiner Freunde möchte seine schwangere Freundin loswerden; der Junge Mensch nimmt sie mit einer Zartheit auf, die ihr nie begegnet ist. Er sorgt für Nahrung und Obdach und übernimmt, obwohl er sie nicht besitzt, alle Pflichten eines Ehemannes ihr gegenüber.

Die Verherrlichung der Prostituierten im kommunionistischen Expressionismus verrät den unverkennbaren Einfluß von Dostojewskijs Sonja. Allerdings war die Prostituierte bereits in dem sozialbewußten Proto-Naturalismus von Dumas *fils* zu einer wichtigen Gestalt in der europäischen Literatur geworden, und *La Traviata* brachte die westliche Welt zum Weinen über die Kurtisane, gegen die mehr gesündigt wurde, als sie selber sündigte. Doch trotz ihres Edelmuts und ihrer Selbstaufopferung blieb die Prostituierte mehr ein Gegenstand des Mitleids als der Bewunderung. Mit Zolas *Nana* und dem ausgewachsenen Naturalismus wurde sie zum anklagenden Symbol der sozialen Korruption, die fleischgewordene Anklage eines Gesellschaftssystems, das wirtschaftliche Ausbeutung mit moralischer Heuchelei verband und damit der selbstzerstörerischen Zerstörerin der Gesellschaft erlaubte, aus der Gosse emporzusteigen und die physische und moralische Gesundheit der Menschheit anzufressen. In Pierre Louys' Ästhetizismus des fin de siècle wurde die parfümierte und elegante Kurtisane zum Symbol des antibürgerlichen und antichristlichen Hohns, eine glorreiche Göttin der Schönheit, die Louys der schmutzigen Anbetung des Geldes entgegensetzte. Diese Einstellung wird vom vitalistischen Expressionismus übernommen. Wedekinds Lulu, der »Erdgeist«, verkörpert die ungezügelte Herrschaft des Sexuellen über Geld, Achtbarkeit und Macht; sie ist die Lebenskraft und herrscht tyrannisch über alle Männer. Für den Vitalisten ist die Prostituierte eine Variante der dionysischen Selbsterhöhung und die ekstatische Bestätigung der Allmacht unbewußter Vitalität. Unter Dostojewskijs Einfluß betrachtete dagegen der kommunionistische Expressionist (der häufig der Vitalist in einem andern Abschnitt seines Lebens war) die Prostituierte in einem völlig neuen Licht, das sich von dem sentimentalen Bedauern des Proto-Naturalismus, der soziologischen Anklage des reifen Naturalismus und der amoralischen Idealisierung des Ästhetizismus und des Vitalismus unterschied. Gewiß war für Dostojewskij und den kommunionistischen Expressionismus die Prostituierte wie für Dumas, Sue und Verdi immer noch das rührende Opfer einer hartherzigen und brutalen Gesellschaft; da jedoch Dostojewskij (und die kommunionistischen Expressionisten) die Opferung stärker vom christlichen als vom sozialen Standpunkt aus betrachtete, erlebte ihre Bedeutung eine tiefgreifende Veränderung.

Das Leiden war für Dostojewskij kein Übel, das durch Sozialreformen gemildert oder beseitigt werden sollte; es war vielmehr ein Tor zur Erlösung. Es war die Nachfolge Christi. Die gemarterten Sündenböcke der Gesellschaft, die Marmeladows und Sonjas, wurden die wahren Nachfolger Christi auf Erden. Die Erniedrigung, die Sonja auf sich nahm, um ihre Familie zu retten, ähnelt der Selbstaufopferung des Erlösers. Für ihre Liebestat wird Sonja von der Menschheit geächtet und ans Kreuz der Schmach und Entwürdigung geschlagen. Doch es strahlt heilende Kraft von ihr aus und läßt Raskolnikow langsam von seiner seelischen

Krankheit genesen und zu geistig-seelischer Heilung wiedergeboren werden. Die Prostituierte heilt und wandelt jene, die der geistige Hochmut innerlich versteinert und ihrer Liebesfähigkeit beraubt hat. Durch den ganzen Expressionismus zieht sich das Sonja-Raskolnikow-Verhältnis in vielen Variationen. In der Prostituierten begrüßt und verherrlicht der Expressionist die erlösende Macht der Liebe, die zu lernen und zu erleben er selbst sich verzweifelt sehnt. Der Dichter in Johsts Roman *Der Anfang* feiert die Prostituierte als die Erlöserin ihrer Brüder, des ganzen Männergeschlechts. Sie ist jedermanns Opfer und stellt das menschliche Leiden, die menschliche Erniedrigung im höchsten Ausmaß dar. Ihre Selbstaufopferung sichert das Wohlbefinden der Männer und die Ehre der »achtbaren« Frauen. Ihre Stellung als gemarterter Sündenbock der Gesellschaft entspricht der Christi. Sie feiert ihre Auferstehung, um ihre Verleumder und Verfolger zu erlösen. Auf die Erniedrigung, die andere ihr zufügen, erwidert sie mit unermüdlicher und erlösender Liebe.

In Paul Kornfelds Drama *Himmel und Hölle* — in seiner extremen Form eine unbeabsichtigte Karikatur des kommunionistischen Expressionismus — ist die Erlöserin ein armes Straßenmädchen, alternd und verwelkend, und lesbisch noch dazu. Passanten schlagen bei ihrem Anblick das Kreuz, und Mütter befehlen ihren Kindern wegzuschauen. »Ich bin ein weggeworfenes Ding, ein abgehetztes Tier!« sagt sie. »Ein Ding, ein Tier!« Diese Frau — Maria — ist in vielen Punkten das niedrigste, erbärmlichste Geschöpf, das man sich vorstellen kann. Und dennoch kommt durch sie wie durch ihre Namensschwester Maria die Erlösung auf diese Erde.

Der Held des Dramas, Graf Umgeheuer, stellt den Menschen in seiner Gottverlassenheit dar. Eine innere Last von Scham und Stolz hindert ihn, die Zuneigung auszudrücken, nach der sich seine Frau, wie er weiß, sehnt. Gedemütigt durch sein seelisches Unvermögen, ist er dahin gelangt, sich selbst zu hassen; deshalb verletzt er, wo er lieben möchte. Er äußert die Erkenntnis so vieler expressionistischer Helden: »Ich hasse mich und also hasse ich die Welt!«

»Ah, dieses Ragout aus Peinlichkeit und Scham! Dies Wissen: Andere geschlagen haben und selbst geschlagen sein, geopfert haben und selbst geopfert sein!«[1])

[1]) Kornfeld, »Himmel und Hölle: Eine Tragödie in fünf Akten und einem Epilog«, Die Erhebung, I (1919), 118.

Um seine Frau zu demütigen und sich dadurch in die Lage zu bringen, sich selbst noch mehr zu verachten, nimmt er die häßliche Prostituierte ins Haus auf, obwohl es ihn vor ihr ekelt.
Kornfelds Maria verkörpert das kommunionistische Ideal in seiner extremsten und bizarrsten Form. Indem sie sich für das Glück anderer aufopfert, setzt sie eine Beziehung zwischen sich selbst und der Menschheit, die sie ausstößt. Sie will die gescheiterte Ehe des Grafen heilen und »die Brücke« sein, auf der die Ehegatten »sich begegnen können«. Sie nimmt die Verantwortung und die Strafe für einen Mord auf sich, den die Gräfin begangen hat. Marias Entschluß, für die Gräfin zu sterben, erlöst alle Personen um sie her. Sie lehrt die Gräfin, an die verschüttete Liebe ihres Mannes zu glauben. Der Anstoß ihres Opfers zerbricht den Panzer um die Seele des Grafen. Er überwindet seine inneren Schranken, bricht von seinen Gefühlen überwältigt zusammen und gesteht seiner Frau seine Liebe zu ihr. Marias lesbische Freundin Johanna, die sich danach sehnt, mit Maria zu sterben, begeht ein Verbrechen, damit sie mit ihr zusammen hingerichtet werden kann. Die beiden Frauen schreiten zum Schafott wie zu einem Liebesfest. Sie haben das freudige, unbezähmbare Heldentum der frühchristlichen Märtyrer erreicht. Im Augenblick von Marias Hinrichtung erfüllt auch die Gräfin ihren Wunsch und geht ins ewige Leben ein. In dem opernhaften Epilog schweben die drei Frauen auf einer Wolke hernieder, erheben den Grafen und nehmen ihn mit sich in den Himmel. So versetzt die häßliche lesbische Prostituierte Gott in die Lage, seinen Willen an den Menschen zu erfüllen. Sie liefert den schlüssigen Beweis für die kommunionistische These, »daß man das Himmelreich durch das Martyrium gewinnt, das man für seine Mitmenschen auf sich nimmt«.
Wenn man auch die Wiederentdeckung der Barock-Literatur und den Einfluß von Strindberg, Claudel und Péguy nicht außer acht lassen darf, so war es doch in verschiedener Hinsicht russisches Christentum, das die Expressionisten entdeckten. Mehr als jeder andere Schriftsteller führte Dostojewskij die Expressionisten zum Ethos und zur Anschauung des apostolischen Christentums. Der Dostojewskijkult in Deutschland, der durch die deutsche Ausgabe seiner Gesammelten Werke vor dem ersten Weltkrieg eingeleitet wurde, erreichte seinen Gipfel in den Jahren nach Kriegsende, als Hermann Hesse in seiner semi-expressionistischen Periode den russischen Schriftsteller zum Rang eines Propheten erhob. Die komplizierten Intellektuellen und leidenschaftlich vitalistischen

Heiligen, die Bekehrungen und geistigen Wandlungen, die man allenthalben in Dostojewskijs Werken findet, die gewaltsame Intensität seines Stils, die scheinbar naturalistische Oberfläche und das tief bohrende, visionäre Wesen seiner Form hinterließen einen bleibenden Eindruck auf den deutschen Expressionismus. Von allen Dichtern der Weltliteratur, außer Strindberg, wirkte Dostojewskij auf die deutschen Expressionisten am stärksten ein. Wassermann, Kornfeld, Kafka, Trakl, Däubler, Werfel, Wolfenstein und Leonhard Frank zeigen seinen Einfluß in ihren Werken oder bezeugen unmittelbar die Faszinierung, die er auf sie ausgeübt hat.
Auch Tolstoi übte mächtigen Einfluß auf das Entstehen des ethisch-kommunionistischen Expressionismus aus. Des großen Russen Selbstdemütigung und aufsehenerregende Bekehrung zur apostolischen Lebensweise bilden das Vorbild der zahlreichen Wandlungen und Widerrufungen der eigenen Vergangenheit, die Leben und Werk der Expressionisten kennzeichnen. Die Verwerfung der Goetheschen Tradition in der deutschen Literatur und der deutschen Vergangenheit im allgemeinen, die Heinrich Mann und Carl Sternheim von einem lateinischen, insbesondere französischen Standpunkt aus unternahmen, praktizierten andere Expressionisten, wie etwa der russisch sprechende Ludwig Rubiner vom Gesichtspunkt der russischen Tradition im allgemeinen und Tolstois Beispiel im besonderen her. Rubiner begrüßt in Tolstoi den Prototyp des »verantwortungsbewußten«, »sittlichen« Künstlers und stellt ihn in scharfen Gegensatz zu dem aristokratischen deutschen Dichter Stefan George. Tolstoi, der Prophet einer primitiv-christlichen Lebensweise, ersetzt als expressionistisches Ideal Zarathustra, den Propheten der Selbsterhöhung und den Antichrist. Genau wie Italien und Frankreich für Heinrich Mann und Italien für Werfel zu idealisierten Gegenvorbildern für ein Deutschland wurden, in dem der Künstler nur als einsamer Halbgott am Leben zu bleiben vermochte, so erfüllte die russische Dorfgemeinschaft, auf die Tolstoi seine Aufmerksamkeit richtete, ganz ähnliche Funktionen für andere Expressionisten. Um die Jahrhundertwende hatte das Erlebnis der russischen Bauern — durch Tolstois Einfluß vermittelt — eine entschiedene seelisch-geistige Befreiung in Rainer Maria Rilkes Leben hervorgerufen. Wenige Jahre später befreite es Barlach von der künstlerischen Sterilität und ließ ihn seinen expressionistischen Stil finden.
Die Wandlung, die Barlach auf einer Reise durch Rußland erlebte, bedeutete für ihn sowohl eine Befreiung als auch eine Bestätigung

seiner religiösen Gefühle und schöpferischen Kräfte. Rußland verlieh ihm den Mut, die Spannungen und Ekstasen seines tiefsten Ich anzuerkennen. »Dieser Durchbruch des religiösen Gefühls« befreite seine lange unterdrückte künstlerische Energie. Für diesen Deutschen aus dem schweigsam nüchternen protestantischen Norden war Rußland eine Offenbarung von Schrecken und Reichtümern, eine Welt starker Formen, schriller Emotionen und extremer Einstellungen, ein archaisches Schlachtfeld, auf dem Engel und Dämonen Krieg um den Besitz der menschlichen Seele führten.
»Die unerhörte Erkenntnis ging mir auf, die lautete: du darfst alles Deinige, das Äußerste, das Innerste, Gebärde der Frömmigkeit und Ungebärde der Wut, ohne Scheu wagen, denn für alles, heiße es höllisches Paradies oder paradiesische Hölle, gibt es einen Ausdruck, wie denn wohl in Rußland eines von oder beides verwirklicht ist...«[1])
Für Barlach ist es wie für Trakl, Kafka und Kornfeld das mystisch-dämonische Rußland Dostojewskijs, für Rubiner, Goll, Becher und Frank das Rußland Tolstois und die Dorfgemeinschaft und wenige Jahre später die bolschewistische Revolution, die als Befreier erscheinen. Doch innerhalb und jenseits des russischen Erlebnisses in beiden Formen lag das, was sowohl Dostojewskij wie Tolstoi verkündeten und was die Dorfgemeinschaft darstellte: das Bild der brüderlichen Lebensweise des apostolischen Christentums. Für die deutschen Expressionisten wies Rußland auf Christus zurück.
Die Vorstellung der Wandlung, die den Kern des kommunionistischen Expressionismus bildet, ist eine christliche Vorstellung, und die Form des expressionistischen Dramas, in der das Erlebnis der Wandlung üblicherweise dargestellt wird, das Strindbergsche Ich-Drama, stammt ursprünglich von dem christlichen Passions- und Mysterienspiel. Strindbergs *Nach Damaskus* beschäftigt sich mit dem Problem der Wandlung. Das hochmütige, halsstarrige, leidenschaftliche und isolierte Ich des Unbekannten muß zerbrochen werden, um in Demut und Liebe wiedergeboren werden zu können. Der Titel dieses ersten expressionistischen Dramas weist auf das Vorbild der geistigen Wiedergeburt, und der erste deutsche expressionistische Dramatiker, Reinhard Sorge, wiederholte in seinem eigenen Leben das Beispiel des heiligen Paulus, als ihn eine plötzliche Erleuchtung im Winter des Jahres 1912 von Nietzsche zu Christus bekehrte.

[1]) Ein selbsterzähltes Leben, p. 41.

Sorges Konversion bildet eine mystisch-religiöse Parallele zu Heinrich Manns Umkehr vom neuromantischen Ästhetizismus zur Sozialdemokratie. Ebenso wie Manns Aktivismus eine geistig-ethische Grundlage besitzt, so weist Sorges Christentum aktivistische Aspekte auf. Für Mann soll die Kunst nach seiner Bekehrung Propaganda für die Sozialdemokratie sein, für Sorge nach seiner Konversion *propaganda fidei:* »Nun war und ist meine Feder nur noch Christi Griffel — bis zum Tod!«[1]). Doch nicht nur die missionarische Auffassung von der Literatur ist Mann und Sorge nach ihrer Wandlung gemeinsam; auch der Feind, gegen den sie revoltieren, ist der gleiche — die deutsche Tradition, die in der Lehre vom Übermenschen gipfelt.

Sorges erstes Werk nach seiner Bekehrung ist ein Werk der Agitation gegen den Mythos vom Übermenschen. Er versuchte, seine Verwerfung Nietzsches zunächst in Briefen zu propagieren, doch da er feststellte, daß das auf diesem Wege erreichte Publikum allzu klein war, entschloß er sich zu seinem Buch *Gericht über Zarathustra: Vision* (1912). Die Intensität von Nietzsches Kult des Übermenschen wird hier zu einer »Radikalität des Dienstes am Du« umgekehrt[2]); das heißt, die Inbrunst des Lebens, die Nietzsche vertritt, soll die gleiche sein, doch ihre Richtung und ihr Zweck werden umgedreht. Sorge selbst hielt das *Gericht* für eins seiner bedeutendsten Werke.

Wie Heinrich Manns Verurteilung Goethes ist auch Sorges Verurteilung Nietzsches gleichzeitig eine Ablehnung der Vergangenheit des Autors selbst:

»Weißt du auch, wer der Knabe ist? Sieh, Zarathustra, er liebte dich, er war dein Jünger. Deine Inbrunst nahm die seine, da vertat er alles, um deinetwillen. Weil seine Inbrunst solche war, daß er dich über alles liebte ... Dein Geist war niederwärts gewandt, mein Geist ließ sich betören. Um deiner Inbrunst willen betörte er sich.

Da kam die Stunde, da wandte er sich aufwärts, frage nicht wie, der Geist hat nur sich selbst zur Antwort. Wiederum von oben kam ihm der Befehl, Streiter zu sein gegen den Brudergeist Zarathustra, mit Kraft der Höhe ihn zu richten.«[3])

Nach Sorges Ansicht waren Nietzsches Kult der Kraft, seine Vision eines sterblichen Übermenschen, seine Verkündung einer

[1]) Zitiert nach Susanne M. Sorge in Reinhard Johannes Sorge: Unser Weg, p. 46.
[2]) Cysarz, Geistesgeschichte des Weltkrieges, p. 83.
[3]) Gericht über Zarathustra, p. 7.

Herrschaft mitleidloser Macht Kompensationen für seine physische Minderwertigkeit:
»Ein tobender Buckliger durch die Straßen: ›Fegt aus die Krüppel! Grade Glieder!‹ O deine Mannes-Würde, Zarathustra!« (pp. 10 bis 11.)
Wer am Geist teilhat, braucht sich nicht seines Körpers zu rühmen. Er versteht die Einheit der Menschheit und weiß, daß Athlet und Krüppel, König und Bettler Brüder sind, weil Gott ihr Vater ist.
»Denn eine Brücke richtet der Geist von Mensch zu Mensch...
Der Geist siehet und zeugt:
›*Ein* Geist ist wahrhaftig. Die zu Mir sich mühen, die mühen sich auch zueinander, und wer in Mir ruhet, der ruhet mit vielen.‹« (pp. 14—15.)
Diese Gemeinschaft aller Menschen, die dem selbstverständlich ist, der Gott gefunden hat, ist die zwingendste Antwort auf die unglückselige Isolierung des Nietzscheanhängers, der nur sich selber hat und in der Wüste seiner Einsamkeit nach einem einzigen Freund schreit. Die fundamentale Gleichheit aller Menschen außer acht gelassen zu haben, ist die tragische Verirrung Nietzsches. Sein hervorragender Verstand, der dem Geist so nahe war, richtete sich gegen sich selbst und zerstörte sich durch die wahnwitzige Verherrlichung des bloß leiblichen Lebens.
Das Drama *Guntwar,* das später im gleichen Jahr entstand (1912), ist eine Fortführung des Gedankens des *Gerichts.* Das Christentum hat der verschwommenen, ziellosen Mission des Bettlers Inhalt und Bedeutung gegeben, und der Bettler ist zur konkreten Mission des christlichen »Propheten« und Apostels verwandelt worden, der Seelen für Gott wirbt. Insbesondere beschäftigt sich das Drama mit den Bemühungen des kürzlich bekehrten Dichters Guntwar, seinen sündhaften Freund, den Maler Peter, zu retten und ihn zur Gnade zu führen. Diese schwierige Bekehrung ist Guntwars Lehrzeit für die weltweite Mission, die, wie er seiner mütterlichen Freundin Mirjam, Peters Frau, erklärt, bei seinem besten Freund beginnen muß.
Genau wie Guntwar in der Haupthandlung des Dramas einen Mitmenschen durch seine unerbittliche Verfolgung rettet, baut er im zweiten Zwischenspiel die moderne Welt nach ihrer Zerstörung wieder auf. Die neue Welt soll auf wahrhaft christlichen Fundamenten errichtet werden. Durch Christus werden die Menschen geeint werden. Die wahrhaft wiedererlebte und erfahrene Qual des Einen — Christus — macht jeden Menschen zum Bruder aller

andern. »Der Schmerz des Einen, der Schmerz Christi, / Hat solche Flut gegossen um die Sterne, / Bespült sie alle, alle verbindet sie; / Wer in sie taucht, ward wahrhaft all-gemein.«[1])
Der verwandelte Expressionist, ob er sich nun zu Christus oder zum Aktivismus bekehrt hat, bemüht sich, »wahrhaft all-gemein« zu werden; d. h. er bemüht sich, alles in sich selbst auszulöschen, was ihn von seinen Mitmenschen trennt. Er lehnt den Goethesch-Nietzscheschen Kult der Persönlichkeit und den Stolz auf die Individualität völlig ab, die den größten Teil der deutschen Kulturtradition im neunzehnten und frühen zwanzigsten Jahrhundert erfüllten und im Kult des »großen Mannes« oder des Übermenschen gipfelten. Gemeinsam mit dieser Tradition wies der Expressionist auch die aristokratische Weltanschauung Stefan Georges und seines Kreises ab. Der Expressionist bekämpft die aristokratische Neuromantik Nietzsches so heftig, weil er selbst, wie wir sahen, darin aufgewachsen ist und unter ihrem Druck gelitten hat. Weil er ihrer »Qual« näher steht, ist die Neuromantik für ihn der viel bösartigere Feind als der Naturalismus. Zum Beispiel unterscheidet Wolfenstein die »neue Kunst« stärker von der Romantik als vom Naturalismus.
»... Diese Kunst des menschenbrüderlichen Wesens ist *nicht mehr selbstisch romantisch.* Ihr Ton und ihr Inhalt weiß von der Menschlichkeit des Leidens. Nicht auf reizende Verwirrung, sondern auf Wesentlichkeit ist sie gestellt. Nicht ironischer Ferne, sondern männlicher Umarmung gleicht sie ... Statt romantischer Ichvollendung des Künstlers ist ihr Sinn die Erhebung des Menschen zum Weltbringer.«[2])
Unter »Romantik« versteht der Expressionist gewisse Elemente im kulturellen Leben, die im wilhelminischen Deutschland besonders stark hervortraten und gegen die er ebenso heftig rebellierte, wie der Vitalist sie zu verkörpern und überwinden suchte: Priorität des Ästhetischen über das Ethische oder des Vitalen über das Sittliche; die Verehrung des amoralischen »großen Mannes« einfach, weil er stark und erfolgreich ist; die Anbetung der Kraft in der Natur wie auch im Menschen; der Stolz auf eine scharf bestimmte Persönlichkeit; die aristokratische Verachtung der Masse.
Im gleichen Jahr wie Sorges *Gericht über Zarathustra* erschien eine Zeitschrift, *Der Lose Vogel,* dessen Mitarbeiter nur anonyme

[1]) Sorge, Guntwar: Die Schule eines Propheten, p. 122.
[2]) Wolfenstein, »Das Neue«, Die Erhebung, I, (1919) 4. (Hervorhebung vom Verf.)

Beiträge lieferten. Der Aktivist Rubiner begrüßte ihr Erscheinen als »die deutsche Revolution von 1912«[1]). Die Anonymität, so argumentiert Rubiner, verzichtet auf Eitelkeit und übernimmt Verantwortung. Die Publizierung einer anonymen Zeitschrift läuft auf eine Ablehnung Nietzsches und Georges hinaus. Die Sache — das darzustellende Thema — triumphiert über die Persönlichkeit des Schriftstellers. Auf ähnliche Weise will der »neue Mensch« Kaisers »aufgehen in der Menschheit, will in nichts über die Gesamtheit emporragen«[2]). Der »neue Mensch« gibt nichts auf Namen und Ruhm, weil diese Schranken zwischen Mensch und Mensch errichten und niemand in der Isolierung menschlich zu bleiben vermag. Durch Anonymität und Selbst-Auslöschung hofft der Expressionist *wahrhaft all-gemein* zu werden. Guntwar-Sorge sagt nach seiner Bekehrung:
»Ich bin so nichts! Nur mehr als je ein Bettler! Doch von meinem Reichtum muß ich schenken ... Ach, ich bin nun wohl reich genug zur Spende, ich nicht aus mir, aber der Lebendige steht bei mir. Mitten unter die Menschen muß ich treten, es zu künden; ich weiß, wer in mir ist ... und was ich weiß, wird bescheiden sein. Ich will fort, Wasser tragen helfen.«[3])
Diese neue unromantische Demut erscheint zu Beginn des Expressionismus und entwickelt sich allmählich zur *Neuen Sachlichkeit*, die den Expressionismus ablösen sollte. Der Rat, mit dem Guntwar seine Freundin und Jüngerin Mirjam vor Selbstberauschung und ungestümer Begeisterung warnt, kann nur *sachlich* im besten Sinn dieses komplizierten und umfassenden Ausdrucks genannt werden.
»Aber zuerst laß uns nüchtern werden! Mutter, gut klar! Ruhig wach! Die Rüstung anlegen, die so gut beschützt, — laß uns mit geruhigen Schritten gehen! Daß es uns nicht überwältige, fliegen voreilig und liegen dann vergehend im Trocknen.«[4])
Sachlichkeit ist die letzte Konsequenz der kommunionistischen Tendenz im Expressionismus[5]). Der Kommunionist hat eine menschliche Realität außerhalb seines Ich in seinem Mitmenschen entdeckt. In seiner heftigen Ablehnung der »romantischen Agonie«

1) Rubiner, »Die Anonymen«, Die Aktion, II, 299—302.
2) Zitiert nach Lewin, Die Jagd nach dem Erlebnis, p. 133.
3) Sorge, Guntwar, p. 80.
4) Ibidem, p. 81.
5) Detlev W. Schumann weist Tendenzen der Sachlichkeit im späten Expressionismus, z. B. in Werfels Verdi, nach. Doch wie Sorges Beispiel zeigt, ist die Tendenz zur Sachlichkeit von Anfang an im Expressionismus enthalten. Werfels Ausbruch im Verdi gegen die Romantik darf also nicht als eine Ablehnung des Expressionismus gesehen werden, sondern vielmehr als Gipfel und Testament des kommunionistischen Expressionismus. Vergl. Schumann, »Expressionism and Post-Expressionism in German Lyrics«, Germanic Review, IX (1934), 56 ff., 115 ff.

— der Isolierung und Sterilität — entdeckt er die Gemeinschaft, entweder die bereits bestehende oder doch die potentielle. Sein Stil ist immer noch explosiv. Aber die Richtung, die der Rückschlag des Pendels von der Romantik fort nimmt, führt schließlich weg vom expressionistischen Subjektivismus. Als Sorge einen festen Grund in der katholischen Kirche gefunden hatte, änderte sich auch sein Stil. Es wurde sein Ehrgeiz, einen unpersönlichen und objektiven Stil zu entwickeln. In einem seiner drei weihnachtlichen Mysterienspiele unter dem gemeinsamen Titel *Metanoeite* sagte Sorge mit einem Gefühl der Befriedigung: »Ich glaube, hier ist es mir zum erstenmal gelungen, objektiv zu dichten.«[1]) Er hatte aufgehört, Expressionist zu sein.

Sachlichkeit im Sinn von demütiger Hingabe an das äußere, besonders das menschliche Leben durchdringt die Dichtung Ernst Stadlers. Stadler warnt davor, den wirklichen Tag um lebensfeindlicher Phantasien willen zu vernachlässigen.

»Wenn mich willkommner Traum mit Sammethänden streicht,
Und Tag und Wirklichkeit von mir entweicht,
Der Welt entfremdet, fremd dem tiefsten Ich,
Dann steht das Wort mir auf: Mensch, werde wesentlich!«[2])

Entfremdung von der Welt läuft auf Entfremdung vom »tiefsten Ich« des Dichters hinaus; umgekehrt kann der Mensch nur im aktiven Kontakt mit dem »Tag« und der »Wirklichkeit« real und wesentlich sein. Tiefes Mitgefühl mit den Leidenden und Benachteiligten der Menschheit inspiriert eine Anzahl von Stadlers Gedichten[3]). Sehr schön bezeugt sich liebevolles Interesse an den kleinen, handgreiflichen Dingen des täglichen Lebens unter dem entschiedenen Einfluß von Walt Whitman in Gedichten, wie »Hier ist Einkehr«, »Kleine Stadt« und »Herrad«. Die Liebe zu seiner heimischen elsässischen Landschaft mischt sich mit einer mystischen Hingebung an das Alltägliche; das unterscheidet Stadler völlig von Expressionisten wie Trakl, Heym, Lichtenstein oder Benn. Wie Werfel ist auch Stadler kein eigentlicher Moderner. Er ist der Natur nicht entfremdet und verspürt nicht das Bedürfnis, künstliche Welten der Expression zu schaffen. In den vertrauten Einzelheiten des Lebens ist Gott immanent und Seligkeit strahlt

[1]) Zitiert nach Karl Muth, »Nachwort« in Susanne M. Sorge, Reinhard Johannes Sorge, p. 178.
[2]) Stadler, »Der Spruch« in Der Aufbruch, p. 12.
[3]) Vergl. »Abendschluß«, »Judenviertel in London«, »Kinder vor einem Londoner Armenspeisehaus«, ibidem, pp. 65—68.

von ihnen aus[1]). Stadlers Werk bereitet mehr als das jedes andern Expressionisten die Sachlichkeit vor.
Max Brod, der unter Martin Bubers Einfluß den sterilen Intellektualismus seiner *Nornepygge*-Periode überwand, indem er sich einem universellen, missionarischen und messianischen Judentum hingab[2]) — einem Judentum, das viel Ähnlichkeit mit Sorges apostolischer Form des Christentums aufweist —, stellt die Demut und das lebhafte Interesse Kafkas an den fortschrittlichen Tendenzen seiner Zeit in scharfen Kontrast zu Stefan Georges neuromantischem Haß auf die »heilige Vulgarität« des modernen Alltagslebens[3]). Brod sah in Kafka Größeres als einen Dichter. Wie Sorge überwand er das Stadium der Kunst und war auf dem Weg, ein Heiliger zu werden. Doch der expressionistische Heilige, wie Brod ihn in dem Bild seines toten Freundes zeichnet, ist kein Eremit; er ist tief an allen Bemühungen interessiert, die ein gesunderes und glücklicheres Leben auf Erden aufbauen wollen. Kafka beschäftigte sich mit modernen Erziehungstheorien, verfolgte voller Sympathie den tschechischen Kampf um Unabhängigkeit[4]), nahm an tschechischen Massenversammlungen und Diskussionsgruppen teil und zeichnete einen Plan für ein Arbeiterkollektiv auf, in dem sich moderne sozialistische und asketisch-apostolische Vorstellungen miteinander verbinden. Die Heiligkeit, der Kafka, laut Brod, nachstrebte und die er sogar verkörperte, setzte voraus, daß er sein eigenes Leben mit unbedingtem Verantwortungsgefühl führte. Der Heilige ist kein Sondergeschöpf, von allen andern abgesondert, kein Superman oder Übermensch, sondern nichts anderes als eine sehr weit vorangeschrittene Form des gewöhnlichen Menschen. Brod führt Kafkas extreme Selbstkritik, seine »fast übernatürliche Bescheidenheit und Zurückhaltung« auf sein Ideal der Heiligkeit zurück. Für diesen Typ des Heiligen bedeutet Religion befriedigende »Einordnung« in das Universum, vor allem soweit es sich in der menschlichen Gemeinschaft

[1]) Vergl. vor allem »Herrad«.
[2]) Vergl. Brod, »Vom neuen Irrationalismus«, *Die weißen Blätter*, I/8 (April 1914), 749 ff., wo seine Stellung im Jahr 1914 festgelegt ist.
[3]) Brod, *Franz Kafka*, p. 127. Ludwig Rubiner benutzt den Ausdruck »heilige Vulgarität«, um die Richtung zu beschreiben, in der der neue Künstler vorangehen sollte. Rubiner, »Der Kampf mit dem Engel«, *Die Aktion*, VII/16—17 (1917), 228.
[4]) Sympathie für die unterdrückten slawischen Minderheiten in der österreichisch-ungarischen Monarchie war ein gemeinsames Kennzeichen der Prager Expressionisten. Werfels Vorwort zu der deutschen Übersetzung der Sammlung *Die schlesischen Lieder des Petr Bezruč* (übersetzt von Rudolph Fuchs) ist ein flammendes Manifest für die Sache der unterdrückten Minderheiten. Otto Pieck machte tschechische Autoren durch seine Übersetzungen in *Die Aktion* bekannt. Der tschechische Komponist Janáček wurde stark von Max Brod unterstützt. Vergl. Lutz Weltmann »Kafka's Friend Max Brod: The Work of a Mediator«, *German Life and Letters*, New Series, IV/1 (Oktober 1950), 46—50.

darstellt, »eine Religion des erfüllten Lebens ... der Einordnung in ein richtiges Leben der Volks- und Menschengemeinschaft«.[1]) Diese Einordnung, von der Brod uns berichtet, wird von Kafka natürlich niemals wirklich erreicht. Anders als Sorge, der »das erfüllte Leben« in der »universellen Gemeinschaft« der katholischen Kirche, und anders als Brod, der es in Palästina fand, sehnte sich Kafka intensiv nach solchem Glück, erlangte es aber nie. Sein Bemühen, »das Schloß« zu erreichen und die Bürgerschaft in der menschlichen Gemeinschaft zu gewinnen, trug niemals Früchte. Infolgedessen blieben Thema und Tenor von Kafkas Werk trotz der scheinbaren Sachlichkeit des Stils und trotz des zunehmenden Realismus seiner letzten Periode bis zum Ende expressionistisch. Objektivierung von subjektiven Zuständen kennzeichnet natürlich die besten Werke der Expressionisten und unterscheidet sie von dem ungeschminkten Subjektivismus der rhetorischen Expressionisten. Doch diese klare Konkretheit des Details, die das Werk Kafkas, Barlachs, Trakls, Heyms vor der wirren und blutlosen Abstraktheit vieler geringerer Expressionisten auszeichnet, ist keineswegs *sachlich.* Es ist eine Methode, subjektive Zustände wirksamer auszudrücken; aber die Werke von Kafka und Barlach — oder die sprachliche Kondensierung Kaisers und der *Sturm*-Dichter oder die erlesenen Kontraste Benns — sachlich zu nennen wäre ebenso irreführend, wie einen Traum deshalb »objektiv« zu nennen, weil seine Bilder in lebhafter Deutlichkeit sichtbar werden. All diese Autoren abstrahieren die volle Konkretheit der objektiven Wirklichkeit von ihrer subjektiven Emphase, von ihrer »Idee« oder *Vision* der Wirklichkeit, die allein sie auszudrücken bemüht sind. Sachlichkeit dagegen ist der Versuch, eine »ent-emphatisierte« objektive Realität darzustellen, d. h. das leidenschaftslose Verständnis der äußeren »Welt«. Sie gründet sich auf die bescheidene Unterordnung unter ein äußeres Universum. Das Verlangen, das den Expressionismus erfüllt, ist, Zugang zu einer solchen Welt zu finden. Mehr als jede andere moderne Gruppe fühlen sich die Expressionisten unglücklich in ihrem ästhetischen Subjektivismus und bemühen sich, aus ihm auszubrechen. Die Geschichte des expressionistischen Dramas in Deutschland läßt sich durchaus als eine Bewegung definieren, die fort von ihrem Ausgangspunkt gerichtet ist — fort also von Strindbergs Traumspiel — hin zu einer weniger dunklen und leichter zugänglichen Form: zum parabolischen oder allegorischen Drama. Ein ähnlicher Prozeß läßt sich in

[1]) Brod, Franz Kafka, p. 118.

Kafkas Werk beobachten. Die metaphorischen Vergegenwärtigungen seiner frühen Periode werden durch die realistischeren Parabel-Erzählungen seiner letzten Lebensjahre ersetzt; »Der Hungerkünstler« und »Josephine« sind gute Beispiele für diese späte parabolische Form Kafkas.
Wie das Beispiel Sorge zeigt, geben viele Expressionisten bereits am Anfang der Bewegung sehr bereitwillig die expressionistische Form auf, sobald sie das ersehnte Ziel der Integration in eine objektiv existierende Welt und Gemeinschaft erreichen. Das begeisterte Aufgeben der subjektiv-expressionistischen Form durch einen ihrer Begründer wird wenige Jahre später von zahlreichen andern Expressionisten wiederholt, als auch sie die Integration in einer objektiven Gemeinschafts-Realität finden — in der Dritten Internationale, der Zionistischen Bewegung oder der nazistischen »Volksgemeinschaft«. Dieses Verlangen nach Integrierung in eine Gemeinschaft macht die meisten Expressionisten (mit Ausnahme der *Sturm*-Dichter, die davon frei waren) im Grund zu Feinden der Moderne, die, wie wir sahen, aus der Überzeugung entsteht, daß die Isolierung von jedem Publikum die natürliche Heimat eines jeden Künstlers sei. Kants »unumschränkte Freiheit« des Künstlers, dessen einziges Ziel es ist, dem selbsterwählten Schaffensgesetz gemäß zu schaffen, war keineswegs das Ziel von Sorges Bettler-Dichter. Im Gegenteil, er sehnte sich nach einem Theater, das im Mittelpunkt einer kultischen Gemeinschaft stehen sollte. Ihn verlangte es nicht nach freiem Schaffen, sondern nach Kommunikation. Gewiß, er strebte nicht nach einer Kunst, die Mimese war. Dennoch war es eine Art der Kunst, die die Theorie der Mimese des Aristoteles hatte entstehen lassen und ihr gemäß war — nämlich die kultische Feier von Volksfesten der Gemeinschaft als Teil eines gemeinsamen Glaubens und Rituals. Eine solche Kunst setzt das Vorhandensein eines gesellschaftlichen Mittelpunkts, einer politisch-religiösen Gemeinde voraus. Sorges Bettler besaß eine solche Gemeinde nicht, aber er tastete danach; und dieses tastende Suchen nahm die Form eines expressionistischen Dramas an, genau wie Strindbergs *Nach Damaskus* zur Form für dessen existentielles Suchen wurde. Doch kaum hatte Sorge diese objektive Gemeinschaft in der katholischen Kirche gefunden, als er auch schon die abstrakt-subjektive Form seines Werkes überwand und aufhörte, Expressionist zu sein. In Sorges Fall erwies sich der Expressionismus als die Form eines Suchens, nicht als die eines Besitzes.

Im Gegensatz zu Sorge glaubten die meisten Expressionisten, daß die kultische Gemeinschaft, nach der sie sich sehnten, bisher in keiner Institution vorhanden sei. Sie empfanden es vielmehr als Aufgabe ihrer Kunst, eine solche Gemeinschaft zu schaffen. Dieses Bemühen manifestierte sich als messianischer Expressionismus, als jene Phase, die die Bewegung vor allem gegen Ende des ersten Weltkriegs kennzeichnet und die man noch heute mit dem Expressionismus insgesamt gleichsetzt. Der messianische Expressionismus übertrug das Visionäre des Expressionismus in die soziale und politische Sphäre. Die *Sichtbarmachung* unbewußter oder existentieller Zustände wurde zur *Vision* der sozialen Erneuerung. Obwohl der messianische Expressionismus einige der schlimmsten rhetorischen Exzesse der ganzen Bewegung hervorrief, bietet er doch mehr als bloße Dokumente eines turbulenten und fieberhaften Geisteszustandes, der natürlich an sich schon von beträchtlichem sozialhistorischem Interesse ist. Die Verbindung von ethischem Idealismus und psychologischer Einsicht — zum Teil unter dem unmittelbaren Einfluß von Freud und Jung —, die in diesen Dramen und Erzählungen von innerer Wandlung durch äußere Revolte geboten wurde, enthält für den heutigen Leser eine Faszination, die einen vieles schwer Erträgliche — die geschraubte, schwulstige Sprache, die zahlreichen Geschmacklosigkeiten und grotesken Übertreibungen — in dieser Literatur wenigstens zeitweise vergessen läßt.

DIE REVOLTE

In seinem *Gericht über Zarathustra* erklärt Sorge, daß Nietzsches Kult des Übermenschen die Kompensation für ein Gefühl physischer Inferiorität sei. Heinrich Mann deutet in seinem Essay über Goethe und Voltaire an, daß der deutsche, auf dem Olymp, hoch über der Menschheit thronende Künstler-Intellektuelle seinem menschlichen Status nicht traue. In der Selbstachtung des Übermenschen liege die Selbstverachtung des »Untermenschen« verborgen. Um Mensch zu werden, müsse der Künstler-Intellektuelle sowohl hinauf- wie auch herabsteigen. Er habe ebenso sein Gefühl der Unwürdigkeit wie seinen Stolz zu überwinden.
Heinrich Mann rät dem Geistigen dringend an, sich bewußt zu werden, daß er ein höheres Stadium der menschlichen Entwicklung vertrete als der praktische Tatmensch, dem es der handfeste

Glaube an sich selbst erlaubt, spontan zu handeln, was jedoch sowohl in persönlichen wie in öffentlichen Angelegenheiten zu schädlichen und destruktiven Ergebnissen führt. Er hält selbst die Lähmung des Intellektuellen, die durch zuviel Überlegung hervorgerufen wird, noch für wirksamer als die geistlose Betriebsamkeit des praktischen Menschen. Arnold Acton, der intellektuelle Held von Heinrich Manns *Zwischen den Rassen* (1907), verachtet das Heroische als atavistisch und findet Gewaltanwendung abstoßend. Die Geschichte ist voller Unmenschlichkeiten, weil jene, die handelten, keinen Verstand besaßen, und die, die Verstand hatten, nicht tätig wurden. Doch wenn sich der Geist erst entschließt, zu handeln, verwandelt er das Antlitz der Welt. Die Fortschritte in Demokratie und Menschlichkeit sind den starken Männern, den Helden, von Intellektuellen, körperlich schwachen und häufig neurotischen Typen, abgerungen worden. »... es ist klar«, sagt Arnold Acton, »daß mit der Abnahme der rohen Kraft auch die Grausamkeit an Gebiet verloren hat. Was hindert mich zu glauben, daß der Geist, der die Folterkammer sprengte ... auch die Waffenmagazine sprengen wird?«[1]) Nach Manns Ansicht ist der Geist die Hoffnung der Welt. Der Intellektuelle, in dem sich der Geist verkörpert, kann keinen Mißerfolg haben, wenn er sich nur entschließt, zu handeln, wiedergutzumachen, was die Helden der Muskelkraft, die militärischen und athletischen »Tatmenschen« falsch gemacht haben.

Eins muß der Intellektuelle in sich überwinden: seine unselige Liebe zu dem Gewaltmenschen als einer ästhetisch-faszinierenden Erscheinung. Wie Mario Malvolto in Manns *Pippo Spano,* der einem rohen Soldaten der Renaissance nacheiferte, kann Arnold nicht umhin, seinen Gegner, den skrupellosen Conte Pardi zu bewundern, der, nachdem er Arnold die geliebte Frau genommen hat, diese schlecht behandelt und demütigt. Doch Arnold betrachtet Pardi, wie ein Zoobesucher eine prächtige Raubkatze ansieht. Diese ästhetische Bewunderung und ethische Unparteilichkeit verbergen einen Mangel an Liebe und männlichem Verantwortungsgefühl, der aus fehlendem Selbstvertrauen herrührt.

Die Wandlung findet statt, als Arnold erkennt, daß der Intellektuelle, wenn sich seine menschlichen Werte durchsetzen sollen, für sie kämpfen muß. Der Geistige muß zum Helden werden und die verhaßte Waffe in die Hand nehmen, um die Welt und sich selbst vor jenen zu retten, die ihn und die Welt zu zerstören suchen.

[1]) Heinrich Mann, Zwischen den Rassen, p. 186.

Wenn der Geist nach der Waffe greift, ist er unüberwindlich. Arnolds Geliebte, Lola, spürt den Augenblick, da Arnold sich nach Jahren des Zauderns entschließt, Pardi zu trotzen, als den Augenblick ihrer und ihres Geliebten Wiedergeburt. Arnolds Tat fällt mit den triumphalen Demonstrationen der Sozialdemokraten zusammen, die der reaktionäre Pardi als seine Erzfeinde betrachtet. In diesem Zusammentreffen sieht Lola den Auftakt zu einem besseren Zeitalter auf Erden. In der demokratischen und sozialistischen Gemeinschaft der Zukunft, die von Arnolds Werten inspiriert ist, wird auch der Intellektuelle seine Wurzeln und die Erlösung finden.

»Lola atmete tiefer in dieser bewegten Luft: bewegt von der ungeheuren Güte der Demokratie, ihrer Kraft, Würde zu wecken, Menschlichkeit zu reifen, Frieden zu verbreiten. Sie fühlte es wie eine Hand, die sie befreien wollte: auch sie. Allem Volk sollte sie gleich werden, sollte erlöst sein. Ringsum sahen alle sie frei und derb an, ohne Vorbehalt, ohne jene höfliche Fremdheit. Sie war keine Fremde; sie war eine Frau wie die anderen; wie die Mädchen mit den Veilchen unter der Wange, konnte jeder sie begehren. Da erinnerte sie sich, wie einst, vor Jahren, Arnold in seiner Einsamkeit und auszehrenden Geistigkeit ihr von Menschennähe, vom warmen und tätigen Bündnis mit Menschen vorgeschwärmt hatte... Was er erlebt hatte, erlebte auch sie. Nur ihm glich sie...« (pp. 552—53.)

In Alfred Wolfensteins autobiographischer *Novelle an die Zeit* verwandelt die Zuflucht zu einer Gewalttat einen schüchternen, sich selbst verachtenden Intellektuellen in einen sich selbst achtenden, unabhängigen Denker. Zu Anfang ist der Held, ein Liberaler und Pazifist, nicht überzeugt, daß es ihm erlaubt ist, gegen die große vom Chauvinismus hingerissene Mehrheit seines Volkes Stellung zu nehmen. Er hegt den Verdacht, daß sein Pazifismus nur eine von der Vernunft gefundene Rechtfertigung seiner mangelnden Anpassungsfähigkeit sei. Er weiß, daß er schwach ist und verachtet seine Schwäche. Wäre es nicht möglich, daß sein Pazifismus nur die Tarnung seiner neurotischen Angst ist?

Seine Geliebte bestärkt ihn in seinen Zweifeln an sich selbst — er sei, so behauptet sie, der Gemeinschaft entfremdet —, und sie nennt ihn »mit sich selbst liegend«[1]). Er nehme nicht an den Gefühlen der andern teil, sagt sie. Die Liebe zur Menschheit, deren er sich rühme, sei nur seine Selbstrechtfertigung dafür, daß er unfähig

[1]) Wolfenstein, »Novelle an die Zeit«, Die weißen Blätter, II/6 (Juni 1915), 704.

sei, mit seinen Landsleuten mitzufühlen. Sie selber hat den Weg zurück zu »den andern« gefunden. Sie will ihn verlassen und sich unter die Menge mischen, die sich in den Straßen drängt und den Ausbruch des ersten Weltkrieges bejubelt.
In diesem Augenblick unaussprechlicher Qual steigt in dem Dichter-Intellektuellen blinde Wut auf. Die Raserei der Chauvinisten geht auf ihren Gegner über und befähigt ihn zur Tat. Er selber »war zum Kriege geworden und riß [die Geliebte] herein, zu Boden, mit sinnloser Umarmung drückte er sich über sie«. (p. 706.)
Später begreift er, daß dieser Ausbruch seine Befreiung, die Antwort auf seine Zweifel an sich selbst gewesen ist, daß »sein Wunsch, sich abzusondern, weder Armut noch Feigheit noch Kälte gewesen war. Nichts hatte sich gegen die Menschlichkeit gerichtet. Nur gegen Taumel, gegen Bewußtlosigkeit, gegen Finsternis, die die Geister dem dumpfen Schicksal gleichmachte«. Durch seinen Ausbruch hat der Intellektuelle bewiesen, daß das menschliche Herz ebenso leidenschaftlich für Gerechtigkeit und Vernunft schlagen kann wie für Gewohnheit und Tradition. Die Schuldgefühle des Dichters und Intellektuellen verwandeln sich in das triumphierende Bewußtsein, recht zu haben und moralisch richtig zu handeln. Der Intellektuelle erkennt, daß die gegenwärtige soziale Ordnung, die ihn auf einen Platz an der Peripherie abgedrängt hat, nicht die Gemeinschaft sein kann, die er erstrebt. Der wahnwitzige Tumult vom August 1914 beweist, daß die Wertmaßstäbe seiner Umwelt falsch sind. Dagegen sind die verachteten Werte des Intellekts, die verhöhnten Ansichten des Ausgestoßenen, die einzig wahren.
Der Aktivist hört auf, seine Intellektualität zu verachten, und erklärt sie im Gegenteil als eine Wohltat für sich und die Welt. Die Parallele zu Benns Übergang vom Vitalismus zum Abstraktionismus ist offensichtlich, und es ist interessant, zu wissen, daß Benn stilistisch von dem Aktivisten Heinrich Mann beeinflußt wurde, was von einer gewissen Verwandtschaft der Mentalität dieser beiden sonst so anders gearteten Persönlichkeiten zeugt. Sowohl der Aktivist wie der Abstraktionist bejahen radikal das, was sie vom »Normalen« abgehoben hat. Sie nehmen das »Gegebene« weder in der Natur noch in der Gesellschaft hin, wo sie sich immer als Fremde und Ausgestoßene gefühlt haben. Doch zwischen den beiden besteht ein wesentlicher Unterschied: während der Abstraktionist nicht einmal davon träumt, irgend etwas in der empirischen Wirklichkeit zu ändern, rebelliert der Aktivist gegen

das herrschende System der Gesellschaft und hofft gleichzeitig, sich selbst zu wandeln. Er gewinnt nicht nur eine neue Weltanschauung, die seine geistigen Maßstäbe umwandelt; er bemüht sich vielmehr, selber ein besserer, gesunderer und tüchtigerer Mensch zu werden. Genau wie der Expressionist der kommunionistischen Phase sich dadurch zu heilen sucht, daß er lernt, zu lieben und andern zu dienen, so strebt er in seiner aktivistischen Phase danach, sich zu erlösen, indem er die Selbstverachtung in gerechte Entrüstung verwandelt. In beiden Fällen setzt er sich zu andern in Beziehung; und das unterscheidet ihn deutlich vom Abstraktionisten. Während Kommunionisten und Aktivisten häufig dieselben Dichter in verschiedenen Phasen ihrer Laufbahn waren, so hielten sich die abstrakten Dichter des Sturmkreises von diesen beiden Aspekten des Expressionismus fern, und auch Benn machte weder eine kommunionistische noch eine aktivistische Phase durch.

Leonhard Frank bietet das beste Beispiel der Wandlung des Expressionisten von Selbstverachtung zur Menschenwürde als Folge seiner Revolte und zeigt uns damit die Entstehung der aktivistischen Einstellung. Auf Franks Jugend lasteten schwer die Armut und der Druck einer bigotten provinziellen Umgebung. Ebenso haben Armut und kleine Statur in der Hauptgestalt seines autobiographischen Erstlingsromans *Die Räuberbande* (1914) ein chronisches Minderwertigkeitsgefühl erzeugt. Der Name Old Shatterhand, den Franks Held trägt, stammt von dem Helden der Karl-Mayschen Wildwestromantik; May schrieb, von Cooper inspiriert, zahllose Romane über ein imaginäres Amerika, das er nie besucht hatte. In diesen Geschichten kämpft ein edler, männlicher Deutscher — Old Shatterhand —, mit edlen Indianern verbündet, häufig gegen böse Engländer und Angloamerikaner und besiegt sie. Karl May begeisterte mehrere Generationen deutscher Jungen und übte nächst Wagner den stärksten Einfluß auf Hitlers Phantasiewelt aus. Zunächst beschwört Frank in dem Namen Old Shatterhand das Knabenparadies der Trapper- und Indianerspiele herauf, von dem sein Held sich niemals frei machen kann; doch dann unterstreicht er damit auch den ironischen Gegensatz zwischen seinem schwächlichen und ewig verhinderten Helden und dem männlich-heroischen Ideal der deutschen Jugend. Franks Old Shatterhand, der einerseits einen verzweifelten Kampf um seine künstlerische Sendung kämpft, wird anderseits von dem Bewußtsein gepeinigt, daß ihm das Lebensrecht verwehrt ist. Er vermag sich niemals von der unheilvollen Selbstverachtung freizumachen, die frühe Unterdrückung und schlechte Behandlung und später die Demütigungen der Armut in ihm erzeugt haben. Schon als Junge unterzieht er sich barbarischen Züchtigungen mit masochistischem Eifer. Als er Jahre später eines Verbrechens beschuldigt wird, das er nicht begangen hat, kommt er so weit, an seine Schuld zu glauben und sich selbst zu richten.

Der Gegensatz zu diesem kafkaschen Selbsthaß und zu dieser Resignation ist der kalte Hochmut des Fremden, Old Shatterhands *alter ego*, der die ihn ablehnende bürgerliche Welt verachtet, sich auf seine eigene Kraft verläßt und ein Leben völliger Einsamkeit führt. Doch die traurige Wahl zwischen den beiden Möglichkeiten, selbst zu verachten oder verachtet zu werden, schafft in Old Shatterhand eine unerträgliche Spannung, die zu seinem geistigen Zusammenbruch und Selbstmord führt[1]).

Es gibt jedoch noch eine dritte Möglichkeit, die in Franks erstem Werk nur angedeutet, doch zum Hauptthema seines zweiten wird. Es ist das Bestreben, die tiefreichende Ursache des Gefühls der Unwürdigkeit aufzudecken und den Gegenangriff zu wagen gegen die Kräfte, die einem das Leben verderben und vernichten. Old Shatterhands lähmendes Schuldgefühl hat seine Wurzeln in grausigen Kindheitserlebnissen, die um den sadistischen Lehrer Mager kreisen. Mager symbolisiert die bedrückende Gesellschaftsstruktur des provinziellen Deutschlands mit seinen mittelalterlichen Anachronismen, seinem frömmlerischen Terror und seiner autoritären Brutalität:

»Old Shatterhands zusammengepreßte Lippen wurden wie ein Strich. ›Der Lehrer Mager hat mich einmal ins Gesicht geschlagen mit dem Rohrstock, immerzu, bis ich am Boden lag, weil ich meinen Schulfreund nicht auf dem Stuhl festgehalten habe, für ihn. Bis ich am Boden lag! ...‹

› ... Vielleicht ist der Lehrer so, lebt so, geht so in dieser Stadt herum, weil es die Atmosphäre der Stadt anders nicht zuläßt ... Der Katholizismus, die Klöster, Mönche und Priester, die engen Kurven der Gassen mit den feuchten Schatten, die gotischen Kirchen, die hohen, grauen Mauern, aus denen unvermittelt gotische Fratzenbildwerke springen, all dies zusammen wirkt auf den Menschen von Jugend an ... So eine Stadt bringt Böse hervor, die schon als siebenjährige Kinder Sünden beichten mußten, Ver-

[1]) In der Szene mit dem Psychiater sieht Oldshatterhand sich als gekreuzigten Christus. »Manchmal weiß ich, daß ich der Gemeinste bin und der Niedrigste! Und manchmal weiß ich, daß ich der Größte bin. Der Größte von der Welt!« Räuberbande, p. 278.

blödete, religiös Irrsinnige, Ehrgeizige, bucklig Geborene, heimliche Mörder, Krüppel, Asketen, Kinderschänder ... und auch Künstler. Und Menschen wie den Lehrer Mager ... Rächen Sie sich! Wehren Sie sich! Prügeln Sie! Mit dem Rohrstock ins Gesicht! Bis er am Boden liegt!‹« (pp. 239—40.)

Die Verzerrung und Intensität der expressionistischen Form in der Literatur steht im Zusammenhang mit jener lastenden Atmosphäre der Schuld, die eine bedrückende und sadistische Erziehung in empfindsamen jungen Menschen in einer Periode hervorruft, da die rationale Kritik zum erstenmal auf traditionelle Verhältnisse angewendet wird. Der groteske Stil ist mindestens teilweise Ausdruck großer Spannungen. Er ist ein Ventil der Angst, doch gleichzeitig ein Mittel der bewußten oder halb bewußten Revolte. Bezeichnenderweise findet sich der grotesk übersteigerte expressionistische Stil in jenen Stellen von Franks Erstlingsroman, in denen Old Shatterhand von seiner irrationalen Schuld gequält wird[1]).

Wenn er imstande wäre, gegen den Lehrer und die Gesellschaft, die dieser vertritt, zu rebellieren, würde Old Shatterhand die menschliche Würde wiedergewinnen, die er in seiner Kindheit verloren hat. Aber er ist zu schwach und zu gebrochen, um das zu tun — doch der Schriftsteller Anton Seiler in Franks nächstem Roman *Die Ursache* (1915) vermag es. Der Schriftsteller, ein armer, geächteter und tief unglücklicher Mensch, nimmt allmählich eine aggressive Haltung der Gesellschaft gegenüber ein und wird Agitator und Verfasser revolutionärer Artikel. Während seine politischen Ansichten seine Isolierung von allen achtbaren Leuten vertiefen, schmieden sie ein Bindeglied zwischen ihm und andern Entrechteten und Verzweifelten. Seiler hat Freundinnen unter den Dirnen und sagt von einem blinden Bettler: »Der gehört ja zu uns.«[2])

Doch sein Radikalismus vermag das an ihm nagende Minderwertigkeitsgefühl und die trotz aller politischen Aggressivität immer wiederkehrenden Anwandlungen von Selbstverachtung und Abscheu vor sich selbst nicht zu erklären. Seiler unterliegt in einer Diskussion mit einem wohlgenährten und selbstzufriedenen Bürger, weil plötzlich ein sonderbares Schuldgefühl in ihm erwacht, auf Grund dessen er die Nerven verliert und sich in schmählicher Erniedrigung zurückzieht. »Wie immer nach solchen

[1]) Es ist vielleicht interessant, zu wissen, daß die grausame Gestalt der Autorität, zu böser und dämonischer Macht erhoben, den wahnsinnigen Helden des expressionistischen Films Das Cabinet des Doctor Caligari hetzt.
[2]) Frank, Die Ursache, p. 30.

Erlebnissen schien es ihm unmöglich zu sein, Würde in sein Leben zu bringen, und der Ekel vor sich selbst versetzte ihn in letzte Hoffnungslosigkeit.« (p. 28.)
Es ist nicht genug, der Gesellschaft die Schuld an dem eigenen Schicksal zu geben. Wenn es für einen Menschen wie Seiler überhaupt eine Heilung gibt, dann darin, daß er die besonderen Ereignisse, die seinen Charakter formten — oder richtiger: deformierten —, aufdeckt und genau erkennt. Seilers Wandlung ist das Ergebnis einer bohrenden Selbstanalyse. Er benutzt seine Träume als Wegweiser und entdeckt die Ursache seines Versagens und Unglücks in einer schlimmen Demütigung, die ihm sein sadistischer Lehrer Mager in der Kindheit zufügte. Diese — für viele andere symptomatische — Erniedrigung verkrüppelte seinen Charakter und machte aus ihm einen Menschen, der sich des Glücks für unwürdig hielt.
Seiler beschließt, sich dadurch zu heilen, daß er seinen Lehrer nach zwanzig Jahren aufsucht und den Kindheitsvorfall mit ihm bespricht. Er will Mager zwingen, ihn um Vergebung zu bitten und dadurch das Stigma der Selbstverachtung von seiner Seele zu nehmen. Mager soll die Ungerechtigkeit seines Verhaltens und das Ausmaß seiner Schuld einsehen. Seilers Aufgabe ist es sozusagen, Mager zu bekehren. Nicht nur das Opfer, sondern auch der Schuldige soll ein besserer Mensch werden.
Doch der sadistische Lehrer erweist sich als unverbesserlich. Als Seiler sieht, daß Mager einen ängstlichen kleinen Jungen mit der gleichen sadistischen Lust mißhandelt, die er schon vor langen Jahren zeigte, beschließt er, den Lehrer zu töten. Der Mord ist sowohl für Seilers persönliche Regeneration — denn mit dem Mord befreit er sich von seinem alten in Furcht verstrickten Ich — als auch für eine universelle Mission symbolisch. Da im deutschen Schulsystem seiner Zeit keinerlei Rechtsmittel gegen Ungeheuer wie Mager möglich waren, gab es nur einen einzigen Weg, künftige Kinder zu retten: das Ungeheuer zu vernichten. In dieser Hinsicht ist Franks Roman, der äußerlich viele Elemente des reinen Naturalismus aufweist, ein Mythos, ein Märchen, das davon erzählt, wie der Held sich opfert und das Ungeheuer der Finsternis erschlägt, damit der Mensch wieder glücklich auf Erden leben kann[1]).

[1]) Der künstliche und mythische Grundzug von Seilers Mord unterscheidet Franks Geschichte von den vitalistischen Vätermorden Hasenclevers und Bronnens. Bronnens Walter Fessel handelt, um sich selbst zu befreien. Seine Tat hat keinerlei soziale oder universelle Bedeutung außer der, daß sie zu anarchistischer Freiheit anreizt, und sie setzt keine Selbstaufopferung voraus. An Fessels Mordtat ist etwas von sadistischer Raserei, die Seilers Tat völlig fehlt.

Nach Seilers Verhaftung wird seine bisher nur persönliche Wandlung zur Mission gesellschaftlicher Wiedergeburt. Seiler benutzt seinen Prozeß dazu, ein leidenschaftliches Plädoyer für den sozialen Umsturz zu halten, der eine Kindheit wie die seine mit all ihren grausigen Konsequenzen unmöglich machen würde. Indem Seilers Akt der Revolte ihn von der Selbstverachtung befreit hat, bewirkt er, daß aus dem unglücklichen Ausgestoßenen ein Fürsprecher der Menschheit wird. Für die Dauer des Prozesses besteht eine Gemeinschaft zwischen dem Angeklagten und den Zuschauern im Gerichtssaal. Er ist ihr Führer. Als der Gerichtsvorsitzende Seiler ermahnt, keine Zeit auf Allgemeinheiten zu verschwenden, erwidert der Angeklagte, er habe jedes Interesse an sich selbst verloren. Er spreche nicht zu seiner eigenen Verteidigung, sondern zur Verteidigung des Menschen.

Der typisch expressionistische Inhalt von Frank-Seilers Botschaft ist die Universalität der Schuld und damit die Universalität der Unschuld. Verbrecher sind Opfer einer Gefühldeformierung, die in einem Alter, als sie noch wehrlos waren, die Grausamkeit der Erwachsenen an ihnen begangen hatte. Niemand besitzt die Freiheit, sich seinen Charakter selbst zu wählen; er ist das Ergebnis von Kindheitserlebnissen; und der Charakter, den man hat, bestimmt die Handlungen, die man begeht. Von diesem Freudschen Ausgangspunkt gelangt Seiler zu der Überzeugung: »So werden die Menschen schuldig, ohne schuldig zu sein.« Wenn wir sie als Opfer ihrer Vergangenheit betrachten, sind alle Verbrecher und Missetäter unschuldig. Anderseits kann man die sogenannten guten Menschen als Verbrecher betrachten, wenn man sich ihre Träume und geheimen Gedanken ansieht, in denen fast jede Art von Verbrechen geschieht. Günstige Umstände haben die sogenannten guten Menschen davor geschützt, zu jenem äußersten Unglück getrieben zu werden, das sein Ventil in Verbrechen und Gewalttätigkeit findet:

»Ihr eigenes Verdienst ist es nicht, daß — Sie die Richter sind und ich der Mörder... Es könnte schrecklich leicht umgekehrt sein... Alle Seelen sind verwundet. Die ganze Welt riecht nach Karbol!... Man muß daran arbciten, daß die Ursachen der Verbrechen beseitigt werden; denn sonst wird weiter eingesperrt, geköpft, noch in hunderttausend Jahren... Sind denn die Menschen dazu da?« (pp. 100—102.)

Alle Menschen, vom Staatsanwalt bis zum Verurteilten, sind in Schuld verstrickt. »Schuld ist das ganze Menschengeschlecht. Am

Einzelnen bricht die Schuld aller nur aus.« Die Schuld vererbt sich von Generation zu Generation und wird sich ewig weitervererben, wenn nicht ein drastischer Bruch stattfindet. Dieser plötzliche Bruch muß die Erkenntnis sein, daß wir, genau wie wir alle schuldig sind, auch alle Opfer und deshalb unschuldig sind. Dadurch, daß die Menschen zugleich Schuldige und Opfer sind, besitzen sie ein Band, das sie eint. Werden wir uns unserer Gleichartigkeit erst voll bewußt, dann werden wir uns ändern und damit, daß wir uns ändern, unsere irdische Hölle in ein irdisches Paradies verwandeln. Denn genau wie die Hölle die absolute Isolierung in Schuld und Opferung anderer ist, ist das Paradies die absolute Kommunion und die auf jedes Lebewesen ausgedehnte Einfühlung.

Franks Seiler ist unser erstes Beispiel des Künstler-Intellektuellen, der sein Heil in der offenen Rebellion gegen die Gesellschaftsordnung sucht. Darin befolgt er das von Heinrich Mann angeratene Prinzip. Doch während Mann seinen Angriff noch auf den Snobismus und die Mängel des Künstlers konzentriert, zerstört Franks Held die bürgerliche Gesellschaft selber und übernimmt die aktive Führung aller unzufriedenen Elemente dieser Gesellschaft. Weit davon entfernt, wie Brods Nornepygge oder Benns Rönne mit sehnsüchtigem Neid auf die Gefühlsrobustheit der Philister zu blicken, findet er in der sogenannten »normalen« Welt allzuviel Krankes. Seine Stärke leitet sich aus der Tatsache ab, daß er diese Welt nicht mehr für normal hält. Er sieht sie von Verderbtheit und Unglück erfüllt und betrachtet seine eigene mangelnde Anpassungsfähigkeit lediglich als Teil der allgemeinen Ungereimtheit. Glück und Seelenheil — d. h. Sachlichkeit als das im vorigen Kapitel besprochene Ziel der Künstler — sind nur möglich nach einer gründlichen Wiedergeburt und Rekonstruktion der Gesellschaft, wozu gerade der den Weg weisen kann, den das Leiden mit größerer Bewußtheit begabt hat als die andern.

Den Höhepunkt der expressionistischen Wandlung als Folge der Revolte bildet die Auflehnung gegen den Krieg. Der Expressionist sieht im Krieg die logische Konsequenz einer Gesellschaftsordnung, die einigen Menschen gestattet, im Überfluß zu leben, während andere aus Not Selbstmord begehen[1]). Der Krieg ist nur die äußerste Konsequenz des Mangels an Mitgefühl. Überdies führt die Umkehrung der Bewertung des Geistes, wie wir an den Werken

1) Vergl. Kaisers Drama Hölle Weg Erde als Angriff auf diese Situation im Sinne einer »Wohlfahrts-Gesellschaft«.

von Wolfenstein und Heinrich Mann sehen, zur Verachtung des Kriegertyps und zur Erhebung des Mannes der Vernunft und des Friedens. Diese Ansicht wird sehr deutlich in Walter Hasenclevers Drama *Der Retter* (1915), in dem der ehemalige Vitalist die bereits am Ende von *Der Sohn* spürbare sozial-humanitäre Tendenz weiterentwickelt.

Seit den Anfängen der Geschichte, sagt der Dichter in dem Drama, besteht eine Kluft zwischen der Welt der körperlichen Tapferkeit und der Welt der geistigen Leistung. Der Dichter redet den Feldmarschall mit diesen Worten an: »Wir sind Gegner von alters her. Die Kaste des Schwerts gegen den Geist. Nie war diese Trennung größer als in unsrer Zeit. Der Sieg des Einen wird das Andre knechten.«[1]) Geist und Kraft wetteifern miteinander um die Führung. Der Dichter sucht den Männern aus dem »Reich der Kanonen« das Szepter zu entwinden. Doch die vom Staatsminister vertretene bürgerliche Ansicht geht dahin, daß der Dichter nicht qualifiziert dazu sei, in wichtigen Dingen Ratschläge zu erteilen. Er besitze keine geistige Disziplin und sei »angenehm unwissend« in Sachen der Statistik. Ihm wird geraten, Nationalökonomie zu studieren und die »Rednergeste« zu vermeiden.

Doch Geist ist nicht wissenschaftlicher Intellekt. Der Dichter ist ebenso gegen die Naturwissenschaft eingestellt wie gegen den Militarismus. Die Wissenschaft hat sich als unfähig erwiesen, auch nur eine einzige schöpferische Idee zu ersinnen, die imstande gewesen wäre, die Herrschaft des Willens zur Macht und Gewalt zu verhindern. Ja mehr, der moderne Krieg ist geradezu das Kind, das der Atavismus mit der modernen Naturwissenschaft gezeugt hat. Diese Wissenschaft ist zum Werkzeug des Feldmarschalls geworden, der bereits 1915 die Grundzüge des totalitären Staates entwirft, wie er bald Wirklichkeit werden sollte. *Geist,* das Prinzip der expressionistischen Revolte, hat es mit der dichterischen und nicht mit der wissenschaftlichen Vorstellungskraft zu tun. Der Geist ist dem Gefühl nicht entgegengesetzt, sondern krönt es. Er ist ein religiöses Prinzip, das göttliche Element im Menschen, der »Heilige Geist«, und im letzten Gott gleich. Der aktivistische Dichter-Intellektuelle, der danach strebt, zum Retter einer vom Krieg zerrissenen Welt zu werden, findet seine Inspiration bei den Propheten und Aposteln der jüdisch-christlichen Tradition.

Das Bild des alttestamentlichen Propheten befeuert Hasenclevers Vorstellung vom Dichter als dem triumphierenden Führer der

[1]) Hasenclever, Der Retter: Dramatische Dichtung, pp. 18—19.

Völker, der den Massen die Politik verkündet, einen Völkerbund gründet, die Menschenrechte durchsetzt und die Republik ausruft. Diese Konzeption vom »politischen Dichter«, in der der Aktivismus seinen Höhepunkt erreicht, führt zu einer neuen Erhöhung des Dichters und Intellektuellen, die in einem seltsamen Gegensatz zu der oben besprochenen Demut des Kommunionisten steht. Da der Geist das Chaos zähmt und den Kosmos baut, ist der Intellektuelle, der Geistige, der natürliche Führer der Menschheit. Seine Führung bringt Ziel und Ordnung in den Wirrwarr selbstsüchtiger Interessen, der sich Geschichte nennt. Die Mobilisierung des Geistes im Dienst der Menschheitsziele ist das Wesen des Aktivismus, dessen bezeichnendes Motto Kurt Hillers »Geist werde Herr« ist. Der zum Führer gewordene Geistige muß bereit sein, sich für die Menschheit zu opfern, und ist dadurch mit Prometheus und Christus verwandt. Die Selbstaufopferung des neuen Führertyps ist das Thema eines der kraftvollsten Dramen des expressionistischen Pazifismus, Kaisers *Die Bürger von Calais*, das beim Ausbruch des ersten Weltkrieges geschrieben wurde. Die französische Stadt Calais wird vom englischen König belagert. Ihres ausgezeichneten Hafens wegen will der König die Stadt schonen, wenn sie sich ergibt und als Zeichen ihrer Unterwerfung sechs Bürger zur Hinrichtung stellt. Die in der Stadt herrschende Patriotenpartei dringt auf einen Kampf bis zum bitteren Ende; sie will die Stadt lieber zerstört als übergeben sehen.

Doch Eustache de Saint-Pierre, »der neue Mensch«, setzt diesem traditionellem Patriotismus eine neue Vision entgegen. Die nationale Ehre, behauptet er, sei eine zerstörerische Einbildung. Das höchste Ziel des politischen Strebens könne nur die Erhaltung des Menschen und seiner Werke sein, nicht ihre Vernichtung. Er bietet sich als Geisel für den Feind an und will das Opfer seines Lebens zu einem Fundament machen, auf dem das revolutionäre Ideal des Friedens errichtet werden kann. Durch sein Beispiel veranlaßt er weitere sechs Bürger, sich als Geiseln zu stellen, so daß das Leben vieler anderer gerettet werden kann. Doch nun begegnen wir dem typischen »Trick«, um den Kaiser seine Handlungen aufbaut: es werden nur sechs Geiseln gebraucht, während sich sieben freiwillig gemeldet haben. Wer von den sieben soll am Leben bleiben, wenn seine Kameraden sterben? Die sieben kommen überein, sich auf dem Marktplatz zu versammeln und gemeinsam zum feindlichen Lager zu gehen; derjenige, der als letzter eintrifft, soll von seinem Schwur entbunden sein und leben dürfen. Alle treffen früh ein außer Eustache de Saint-Pierre selbst. Schließlich wird er auf einer Bahre herbeigetragen — tot. Er hat sich umgebracht, um den andern den Weg zu zeigen und sicher zu gehen, daß sie ihren Entschluß nicht bereuen. Sein Selbstmord besiegelt ihre Wandlung. Er hat es ihnen unmöglich gemacht, sich selbstsüchtig zurückzuziehen, und sie in ganz und gar gemeinsinnige Menschen, in Männer der Gemeinschaft verwandelt: »Jetzt seid ihr *eins!«* An der Bahre des toten Sohnes sagt Eustaches Vater: »Ich habe den neuen Menschen gesehen — in dieser Nacht ist er geboren!«

In der gleichen Nacht wird dem englischen König ein Sohn geboren, und um dieses Ereignis zu feiern, läßt er die sechs Geiseln frei. Doch als der König in der Kathedrale betet, wird der Sarg Eustaches auf die höchste Altarstufe gestellt, so daß der König vor einem kniet, der »größer ist als er«, »vor seinem Überwinder«. Der gute Mensch überwindet den starken; der Held des Friedens besiegt den Helden des Krieges. Die Inkonsequenz, die darin liegt, daß man den Sarg des demütigen Pazifisten so hoch erhebt, damit er der »Überwinder« wird, spielt eine wichtige Rolle beim Zerfall des Aktivismus, der uns bald beschäftigen wird.

Der »neue Mensch« ist der Geistige, der fähig ist zu handeln. Doch im Gegensatz zum Vitalisten, der die Taten um ihrer selbst willen sucht, wünscht der neue Mensch die von Vernunft geleitete Handlung um der Liebe willen. Der Vitalist sehnt sich nach Spontaneität und Impulsivität, um sich selbst zu beweisen, daß er ein fühlendes menschliches Wesen ist. Der aktivistische neue Mensch, der ein universales Ziel als Wegweiser für seine Tat vor Augen hat, braucht sich dagegen nicht mehr zu beweisen, daß er der Inbrunst fähig ist. Im Gegenteil, die hohe Bedeutung seiner Aufgabe fordert von ihm, mit Ernst und Ruhe zu handeln. Seine Selbstaufopferung soll eine neue Welt heraufführen; deshalb muß er aus tiefer Überzeugung und nur nach strenger Selbsterkenntnis handeln. Der Geist muß alle Gründe für und gegen die Wandlung des Herzens abwägen. Nur wenn Geist und Herz zusammenwirken, kann die Wandlung wirklich und dauerhaft sein. Dieser Unterschied zwischen »vitalistischen« und aktivistischen Motiven ist das zweite große Thema von Kaisers Drama.

Eustache und seine sechs pazifistischen Kameraden haben sich freiwillig auf einen völlig neuen Weg des menschlichen Verhaltens begeben — den Weg der Gewaltlosigkeit. Die Frage, die sich Eustache stellt, ist die, ob sie es im Rausch des Augenblicks getan haben oder ob sie wirklich verwandelte Menschen und sich der Bedeutung ihrer Tat völlig bewußt sind. Haben sie impulsiv, in ungestümem Gefühlsüberschwang gehandelt, dann bildet ihr Tun lediglich die Kehrseite des traditionellen Heroismus und ist für die künftige Menschheit ohne sittlichen Wert. Deshalb zwingt Eustache durch zwei Tricks sechs Freiwillige, eine ganze Nacht meditierend zuzubringen, ehe ihr Opfer vollzogen wird.

Kaisers *Bürger von Calais* ist eine Synthese der abstraktionistischen und der aktivistischen — oder der ästhetischen und der ethischen — Revolution des Expressionismus. Sowohl der Abstraktionismus wie der Aktivismus bestätigen den Intellekt — ja, sie vergöttlichen ihn — im Gegensatz zur Natur und zum »Natürlichen«. In völligem Gegensatz zum Vitalismus verteidigen beide Richtungen die Fähigkeit des Geistes, vernünftig zu planen, und seine stets bereite Selbständigkeit gegenüber Instinkt, Gewohnheit, Konvention und Tradition. Sie vertreten das, was »gemacht« worden, gegen das, was »gewachsen« ist. Beide glauben an das Menschenwerk. Der Konflikt zwischen Kunst und Instinkt bildet das innerste Anliegen von Kaisers Drama. Der Nationalfeind ist bereit, die Stadt um ihres großen »Kunstwerks«, des ausgezeichneten künstlichen Hafens, willen zu schonen. Dieser Hafen ist schön und klug geplant — ein Werk des kunstvollen Entwurfs. Doch außerdem ist er ungemein nützlich. In dieser Synthese des Kunstvollen und des Nützlichen ist der Gegensatz zwischen dem ästhetischen Idealismus und dem ethisch-humanitären Idealismus aufgehoben. Die Patrioten dagegen würden den Hafen lieber zerstört sehen, als die »Ehre« ihres Landes zu verraten. Sie handeln aus einem irrationalen, einem »natürlichen« Instinkt, einem ererbten Glauben heraus. Ihre Reaktion ist unüberlegt und traditionell. Ein solches Verhalten ist, so urteilt Kaiser in seinem Drama, des Menschen nicht nur unwürdig, sondern es bringt zudem das menschliche Leben sowie das menschliche Kunstwerk in Gefahr. Denn in dem patriotischen Kampf bis zum bitteren Ende wird nicht nur der Hafen, sondern auch das Leben der Bürger vernichtet. Das Leben ist nicht vom Kunstwerk zu trennen. Nicht der Instinkt, sondern im Gegenteil das Menschenwerk, die Kunstfertigkeit des Intellekts, rettet und bereichert das Leben. Mit dieser völligen Umkehrung der vitalistischen Einstellung zeigt Kaiser, daß es keinen Konflikt zwischen Vitalität und Intellekt und ebensowenig eine Kluft zwischen dem Ästhetischen und dem Ethischen geben kann. Das Leben muß zu seiner eigenen Erhaltung

das Künstliche hegen und schützen; der Schutz des Künstlichen ist zugleich Schutz des Lebens.
Deshalb ist nach Kaiser der Pazifismus der logische Höhepunkt einer konsequent ästhetischen Einstellung. Kunst und Ethik widersprechen sich keineswegs, sie ergänzen sich vielmehr. Denn wenn der schöpferische menschliche Geist das leitende Prinzip der menschlichen Existenz ist — wie für den modernen Abstraktionisten —, dann muß zu allererst das Gefäß, in dem der Geist enthalten ist, nämlich der menschliche Leib, geschützt und um jeden Preis vor dem Tod bewahrt werden. So entsteht ein expressionistischer Humanismus, der in seiner Verbindung von Ästhetik und Moral gar nicht allzuweit von der Humanität der Weimarer Klassik entfernt ist. Der Mensch ist der Altar der expressionistischen Religion. Allein im Menschen erscheint Gott als Geist, als jenes Ordnungsprinzip, das den Totentanz der blinden Natur überwindet. Der Mensch, sagt Klabunds Bracke, der Held seines Romans *Eulenspiegel,* ist der »Adel der Erde«, und fährt fort: »Entthront wurde die ewige Kaiserin: die Natur.«[1]) »Der Mensch ist auf dem Weg!« ist das triumphierende Motiv in Kaisers Aufsatz »Der kommende Mensch«[2]). In jedem Menschen wird das Chaos zum Kosmos entwickelt und in jedem Menschen offenbart sich Gott. Der Mensch sei, sagte Unruh in einer seiner Reden, Mittelpunkt und Sinn des Kosmos, und zwar nicht der Mensch als abstrakter Begriff, sondern als einer von zwei Milliarden konkreten Menschenwesen:
»Und hat Kopernikus diese Erde aus ihrem Zentrum in den rasenden Tanz des All geschleudert unter Stäubchen und Sonnen: wir stellen den Menschen wieder in das Herz dieser Schöpfung. In uns sind die Stäubchen und Sonnen. In uns ist die Kraft, dämmernde Welten zu bewegen.«[3])
Dieser anthropozentrische Humanismus überbrückt die zwei Ansichten vom Geist, wie sie den Abstraktionisten und den Aktivisten eigen sind. Der Abstraktionist interpretiert Geist im platonisch-ästhetischen Sinn als reine Form oder Idee, die der Mensch schauen, begreifen und sogar schaffen, im Leben jedoch niemals verwirklichen kann. Für ihn ist Geist ein formales Prinzip. Er

1) Klabund, Gesammelte Romane, p. 314.
2) »Dichtung und Energie (Der kommende Mensch)« in Berliner Tageblatt, 25. Dezember 1923. Dieser Aufsatz trug ursprünglich den Titel »Der kommende Mensch« und wurde am 9. April 1922 im Hannoverschen Anzeiger veröffentlicht. Die zweite Fassung enthält leichte Änderungen.
3) Reden, p. 175.

vermag das Entsetzliche der Materie zu verbergen und zu »überdecken«. Er vermag für uns die Lüge zu erfinden, die verschönert, die Illusion, die uns hilft, die Materie zu überwinden — für eine Weile. Aber der Geist kann in der Welt nicht *verwirklicht* werden. Der Aktivist hingegen interpretiert Geist im biblisch-messianischen Sinn als eine dynamische und göttliche Kraft, die die menschliche Natur und die Alltagswirklichkeit verwandelt. Der Lehrer des Aktivisten ist nicht Schopenhauer, sondern die jüdisch-christliche Sicht Martin Bubers und Tolstois und ihre prophetische Tradition. Der Aktivist ist Optimist. Obwohl er die Welt in ihrem jetzigen »natürlichen« Zustand ablehnt und bekämpft, glaubt er an ihre latente Kraft. Geist ist für ihn ein Befruchter und Erlöser der Materie. Er kann die Hölle zum Paradies verwandeln. Indem Kaiser die Sache des »neuen Menschen« mit dem technischen Werk, dem Hafen, verknüpft, verbindet er die beiden Aspekte des Geistes miteinander — Geist als konstruktiver Verstand und Geist als sittlicher Erneuerer und Erlöser.

Um seine messianische Sendung zu erfüllen, muß der Geist »die ewige Kaiserin: die Natur« entthronen. Hier unterscheidet sich der expressionistische Humanismus wesentlich von der Humanität der Weimarer Klassik. Der Aktivist rebelliert gegen die Bejahung übermenschlicher Kräfte und gegen die liebende Unterwerfung unter sie — Natur, Schicksal, Geschichte —, von denen die traditionelle deutsche Kultur charakterisiert wurde. In den Fußstapfen von Heinrich Mann bringt Sternheim Goethes Mangel an politischem Bewußtsein mit seiner Naturverehrung in Verbindung, die ihn veranlaßte, sich dem status quo zu unterwerfen. Seine völlig »banale Weltanschauung« machte ihn von vornherein dazu geneigt, Kriege und andere soziale Katastrophen als unvermeidlich hinzunehmen, und führte zu »Kadavergehorsam« und »Wachtparade«[1]). Max Brod setzt die deutsch-romantische Verherrlichung von Krieg und Heldentum, die er abstoßend findet, in Beziehung zu der »historischen Weltbetrachtung«, die dem deutschen Denken so tief eingewurzelt sei[2]). Hugo Ball verurteilt die ganze geistige Tradition Deutschlands und macht sie für den ersten Weltkrieg verantwortlich[3]).

1) Sternheim, »Tasso oder Kunst des Juste milieu: Vorrede aus dem Jahr 1915«, Tribüne der Kunst und Zeit, XXV (1921), 19.
2) Brod, »Ein menschlich-politisches Bekenntnis: Juden, Deutsche, Tschechen«, Die neue Rundschau, XXIX/2 (1918), 1580 ff.
3) Ball, Zur Kritik der deutschen Intelligenz.

Die deutsch-romantische Tradition der Unterwerfung unter Natur, Schicksal und Geschichte steht im Zusammenhang mit einer gewissen Hingezogenheit zum Tod. Das »Being in love with easeful death« — die Flucht in die passive Egozentrik und Einsamkeit, um der Verantwortung zu entgehen — ist der Feind, den der Expressionist sowohl in der Tradition seines Landes wie im eigenen Herzen bekämpft. Der Pazifismus ist bei den Expressionisten das Ergebnis einer geistigen und seelischen Katharsis, die die tief eingewurzelten und selbstzerstörerischen Impulse des Ichs in nach außen gewandte, lebensbejahende, »sozialisierte« Reaktionen verwandelt. Patriotische Vitalisten verwandeln sich in international eingestellte, revolutionäre Pazifisten[1]). Die auffallendste dieser Bekehrungen ist die Fritz von Unruhs.

Unruh, aus altem preußisch-schlesischem Adel, Sohn eines preußischen Generals und zeitweise Page am kaiserlichen Hof, diente bis 1912 aktiv in der königlich-preußischen Armee, bis er mit siebenundzwanzig den Abschied nahm, um sich der Schriftstellerei zu widmen. Seine ersten Stücke — *Offiziere* (1911) und *Louis Ferdinand von Preußen* (1913) — wurden als Denkmäler für die deutsche Offizierskaste und den preußischen Geist begrüßt und der junge Autor als Nachfolger Heinrich von Kleists bejubelt. Die Hauptgestalten der beiden Dramen sind nahe Verwandte der vitalistischen Helden. Sie sehnen sich nach dem Aufbruch, dem herrlichen Durchbrechen durch die bedrückende Langeweile des Garnisonsleben im Frieden *(Offiziere)* oder durch die unerträgliche nationale Schmach *(Louis Ferdinand)* zu dem flüchtigen Glanz von Krieg und Tod auf dem Feld der Ehre. Am Ende des ersten Akts der *Offiziere* bricht der Held in einen jubelnden Toast auf den Tod aus; in beiden Stücken wird der Krieg als Befreiung ersehnt und beide Helden suchen und finden den Tod.

Man hätte erwarten dürfen, daß Unruh beim tatsächlichen Kriegsausbruch im Jahre 1914 nun in den Reihen der begeisterten Patrioten stehen würde. Doch inzwischen war er weit über den Nationalismus hinausgewachsen. In einem fast religiösen Augenblick der Erleuchtung und Bekehrung war der tatenhungrige Offizier von 1911 zum Kämpfer für das Leben gegen die lebensnegierenden Mächte Thron und Altar geworden, die das Leben lähmen und unterdrücken. Unruhs existentielle Wandlung stellt sich in dem dramatischen Gedicht *Vor der Entscheidung* dar,

[1]) Vergl. Klabunds »Bußpredigt«, *Die weißen Blätter*, V/2 (Juli 1918), 106 ff. Dieses erschütternde Bekenntnis der einst vom Autor begangenen Sünde des Nationalismus wurde im Sommer 1917 geschrieben.

das er im Oktober 1914 an der Front schrieb, der Kriegszensur wegen jedoch erst 1919 veröffentlichte. In diesem Werk, das Rechenschaft über seine Wandlung gibt, entwickelt Unruh die expressionistische Form, von der sich in den früheren Stücken nur Spuren finden.

Die Erfahrung hat Unruh gelehrt, den Nationalismus mit einer morbiden Liebe zum Tod in Verbindung zu bringen. Die leidenschaftliche Hingabe an die eigene Nation ist getarnter Haß auf die Menschheit. Die Verherrlichung des Krieges ist maskierte Furcht vor dem Leben. Kein Autor konnte als überzeugenderes Beispiel für diese Zusammenhänge dienen als der Dichter, dem der jugendliche Unruh nacheiferte, der glänzende Fürsprecher des Hauses Hohenzollern und Verfasser eines blutrünstigen »Katechismus« chauvinistischen Hasses — Heinrich von Kleist, der sich für seinen Selbstmord vorbereitete wie für einen Liebesakt. Kleist beeinflußte nicht nur Unruh, sondern den deutschen Expressionismus insgesamt. Edschmid nennt ihn zusammen mit Hölderlin, Büchner und Nietzsche als einen der Propheten der Bewegung. Kleists Prosa — ruhig, nüchtern die Tatsachen berichtend und höllische Spannung verhüllend — und vor allem sein Meisterwerk *Michael Kohlhaas* mit seiner juristischen Sprache, seiner lebendigen Erhellung individueller Szenen und dem verwirrend geheimnisvollen Dunkel des Ganzen ist der unmittelbare Vorläufer Kafkas. In seinem Drama *Penthesilea* verschmelzen das hektisch Jähe und die angespannte Übertreibung der Sprache mit dem extremen Charakter und drastischen Entsetzen des Themas, um ein Werk hervorzubringen, das in jeder Hinsicht expressionistisch genannt werden kann. Doch gibt es bei Kleist auch andere Seiten, die ihn unmoderner und fernerliegend erscheinen lassen. Das durch und durch Romantische seines *Käthchen von Heilbronn*, der wütend teutonische Chauvinismus seiner *Hermannsschlacht*, der preußische Royalismus und Patriotismus seines *Prinz von Homburg* sind dem allgemeinen Charakter der Moderne völlig fremd. Doch natürlich wurde Kleist nicht als Vorläufer des Expressionismus, sondern als Idol des deutschen Chauvinismus zum Ziel für Unruhs Angriff. Dem Ulan, Unruhs »existentiellem« Ich in *Vor der Entscheidung*, erscheint Kleist und winkt ihm zu, ihm in den Tod zu folgen, wo allein die wahre Wirklichkeit zu finden sei. Und dennoch sehnt sich Kleists Geist, in dieser Stunde von Deutschlands Not am Leben zu sein, um die Feinde seines Vaterlands töten zu können.

»Brennend vor *Wut* und *Lust*
Schlüg' meine Zähne ich
Tief in die welsche Brust,
Liebe zerstampfte ich!«[1])

Anderseits versichert Kleist, daß auch die Liebe sein Werk inspiriert habe. Er hasse Frankreich, weil er Deutschland liebe. Der Mensch könne nie allmenschlich sein. Er sei ein Teil seines Heimatlandes. Wenn er seinem Vaterland den Rücken wende und von der menschlichen Brüderschaft träume, werde er »ein Bettler ohne Kraft«. Doch wenn er seiner Nation treu bleibe und ihren Gesetzen zur Herrschaft verhelfe, lebe er in Harmonie mit dem Weltgesetz, das die Sterne regierte.

Doch der Ulan, der sein Gewehr als Instrument der Hölle weggeworfen hat, findet eine ganz andere Antwort auf seine schreckliche Frage nach dem Sinn des verwüsteten Schlachtfeldes. Der Geist Shakespeares ist ihm erschienen, und Shakespeares humanistische Leidenschaft für das Leben erweist sich als stärker als die Todesleidenschaft des deutschen Dramatikers. Shakespeare verkündet, daß die Kunst das ewig dem Krieg entgegengesetzte Prinzip sei. Ein Dichter, sagt Shakespeare — und wiederholt damit fast die Worte des Ersten Kritikers aus Sorges *Bettler* —, liebe die Menschheit wie eine Geliebte. Er möchte auf keinen einzigen lebenden Menschen verzichten, da die Vielfalt des Menschengeschlechts seine Schöpferkraft anrege. Doch der Krieg sei die höchste Verschwendung des unersetzlichen Rohmaterials der Kunst — des menschlichen Individuums. Der Krieg schlachte und zermalme, was mit Ehrfurcht und Zartheit behandelt werden sollte. Während der Krieg den Menschen vertiert, vergöttlicht ihn die Kunst. Der Künstler könne kein Soldat sein. Ein Schöpfer vermöge sich nicht für das Werk der Zerstörung herzugeben. So wies der Geist Shakespeares die Richtung, in der Unruh in Zukunft auf das kommunionistische Ideal der Kunst als der Verherrlichung nicht eines besonderen Kults, einer einzelnen Nation oder Religion, sondern der Menschheit zuschreiten sollte.

Liebe vermag nur zu gedeihen, wenn sie ungeteilt und allumfassend ist und wenn ihre Antithese — die Macht — gestürzt wird. Wenn die Liebe — so antwortet der Ulan der Erscheinung Kleists — sich bloß auf eine bestimmte Gruppe richtet, wie es bisher immer gewesen ist, dann ist sie nur die Kehrseite des

[1]) Vor der Entscheidung: Ein Gedicht, p. 104. (Hervorhebung vom Verf.)

Machthungers. Die Macht ist das beschränkende Prinzip an sich. Die Macht gewinnt nur im Verhältnis zur Ohnmacht Bedeutung. Ein Mensch oder ein Volk ist nur dann mächtig, wenn andere Menschen oder Völker machtlos sind. So ist die Macht die Ursache jeden Hasses und jeder Unterdrückung, aller Grausamkeit und Unzufriedenheit. Solange die Macht beschränkt ist — und ist sie unbegrenzt, so ist sie keine Macht mehr —, wird es Unglück, Furcht und als Folge davon Krieg geben. Das neue Prinzip, das die Macht stürzen soll, ist die Einfühlung in alles Menschliche, ja in alles Lebende. Allumfassende Einfühlung als revolutionäre Kraft kann nicht umhin, die ganze Gesellschaftsstruktur Europas zu verändern. Also ist das neue Gesetz, nach dem der Ulan gesucht hat, ein dynamisches Gesetz. Es ist nicht mehr die von der Tradition geformte und von der Vergangenheit gestaltete Pflicht. Es ist vielmehr »der Sonne tiefster Sinn«. Die Sonne ist die Schöpferin des Lebens, und »der Sonne tiefster Sinn« ist die Erschaffung und Erhöhung des Lebens. Dies ist der Inhalt der neuen Pflicht, die von der »Gesetzessäule« stammt. Dieses »neue Gesetz« ist nicht vom Menschen gemacht. Es ist absolut. Wenn das traditionelle Gesetz der Regierungen und Gerichte in Widerspruch zu dem Gesetz der Erhaltung des Lebens gerät, wie es im Krieg der Fall ist, muß das traditionelle Gesetz entthront werden. »Überholte Macht« muß man stürzen.

Mit der Formulierung dieses revolutionären Glaubensbekenntnisses hat der Ulan-Unruh seinen Wegweiser zur Tat gefunden. Er ruft die kriegsmüden Soldaten zu einem letzten Kampf auf, nicht gegen den Feind, sondern gegen die eigenen Herrscher, die sie in Mord und Tod geschickt haben.

Der pazifistische Anarchismus, den die Expressionisten während des ersten Weltkriegs entwickelten, ähnelt stark den Ansichten, die Herbert Read und Henry Miller und zum Teil auch Dwight Macdonalds Zeitschrift *Politics* während des zweiten Weltkrieges vertraten. Dieser Zeitschrift entsprachen in Deutschland und Österreich während des ersten Weltkriegs Franz Pfemferts *Die Aktion* und Karl Kraus' *Die Fackel*. Doch die völlig andere soziale Situation verlieh den Expressionisten eine viel weitere Resonanz, als ihre anglo-amerikanischen Nachfolger sie je erlebten. Der tagtägliche Schützengrabenkrieg zwischen zwei ähnlichen Machtgruppen, Monat um Monat und Jahr für Jahr fortgesetzt, erschien gleichzeitig grausiger und sinnloser als der bewegliche, motorisierte und mechanisierte antitotalitäre Kreuzzug des zweiten Weltkriegs.

Unter den Kampfbedingungen des ersten Weltkriegs hatte die Stimme des revolutionären Pazifismus größere Möglichkeiten, sich Gehör zu verschaffen. An diesem Weltkrieg schienen alle die Schuld zu tragen. Doch gleichzeitig war er Strafe für alle. Er war das Inferno. Die Expressionisten waren überzeugt, daß die Menschen die Verluste und die Leiden, die der Krieg ihnen auferlegte, nicht zu ertragen vermöchten, ohne sich bis ins tiefste zu ändern. Da sie das begrenzte Echo, das sie fanden, überschätzten, glaubten die Expressionisten, daß die ganze Nation an dem gleichen Erlebnis teilhabe. Sie unterschätzten die Widerstandskraft der traditionellen Einstellung. Sie besaßen den eschatologischen Glauben an das letzte Ereignis, die Revolution — oder wie sie es sich vorstellten: die Bekehrung, die Wandlung, die das Ende der Geschichte einläuten und die Vollkommenheit bringen würde. Jeder Weg aus der Hölle, meinten sie, müsse ins Paradies führen.

In Leonhard Franks *Der Mensch ist gut* erkennen die Menschen, nachdem sie den Krieg durchgemacht haben, daß sie selbst — jeder einzelne von ihnen — die Schuld an der Orgie des Sterbens tragen. Sie hatten gedankenlos gelebt, ihre Steuern für die Aufrüstung gezahlt, ihrem Kaiser und seinen Generalen zugejubelt und ihren Kindern Spielzeugkanonen und Zinnsoldaten gekauft. Nun sind diese Kinder tot, von niemand anderem — wenn auch unbeabsichtigt und mittelbar — als den eigenen Eltern ermordet. Der Kellner in Franks visionärer Geschichte *Der Vater*, der das ganze Volk symbolisiert, schreit seine Schuld allen beraubten Eltern, Kriegerwitwen, Waisen, Krüppeln und Invaliden entgegen. Die erwachte Menschheit fegt ihre alten Herrscher weg und verkündet den ewigen Frieden.

Wie eine Bestätigung von Franks Vision, daß das ganze Volk bereut und sein Verhalten ändert, erschienen Ende 1917 Fragmente eines bemerkenswerten Dramas, von einem unbekannten ehemaligen Soldaten geschrieben, der als begeisterter Freiwilliger ins deutsche Heer eingetreten war. Dieses Drama, das erst nach dem Krieg vollständig veröffentlicht wurde, wies bereits in seinem Titel auf das expressionistische Grunderlebnis; es hieß *Die Wandlung*. Sein Verfasser, Ernst Toller, hatte es beendet, während er eine Gefängnisstrafe für illegale pazifistische Betätigung absaß.

Um aus seiner Isolierung auszubrechen und von den »andern« anerkannt zu werden, hatte Toller sich den extremen deutschen

Nationalismus zu eigen gemacht[1]). Friedrich — aus Tollers autobiographischem Drama — meldet sich bei Kriegsausbruch freiwillig zum Frontdienst. So möchte er beweisen, daß er *dazugehört*. Im Krieg will der »dreckige Mischling« Gemeinschaft und ein Ziel finden. Für Toller-Friedrich besitzt der Krieg die chiliastische Aura, die später die Revolution gegen den Krieg erhalten wird[2]). Der einsame Jüngling malt sich den Krieg geradezu rasend als die Morgendämmerung eines paradiesischen Zustands nationaler Brüderschaft aus, in dem sich alle Probleme lösen und seine Isolierung für immer ein Ende haben wird. Doch die Realität des Krieges unterscheidet sich sehr erheblich von dem edlen Traum des Patrioten.

Auf dem Schlachtfeld kam Toller — genau wie Unruh — zur expressionistischen Vorstellung vom Einssein der Menschheit. Toller berichtet in seiner Autobiographie grauenvolle Schützengrabenerlebnisse, die seine Vaterlandsbegeisterung schwer erschütterten. Der Anblick eines Verwundeten, der vor seinem Graben drei Tage und Nächte im Stacheldraht hing und unablässig um Hilfe schrie, die ihm nicht gewährt werden konnte, trug zu Tollers Wandlung vom Chauvinisten zum Pazifisten bei. Bei anderer Gelegenheit verfing sich sein Spaten in den Eingeweiden eines toten Soldaten. Das erschütternde Erlebnis überwältigte ihn.

»Ein — toter — Mensch —
Und plötzlich, als teile sich
die Finsternis vom Licht,
das Wort vom Sinn,
erfasse ich die einfache Wahrheit Mensch,
die ich vergessen hatte,

[1]) In dieser Sehnsucht nach Gemeinschaft folgt Toller dem vertrauten expressionistischen Schema. Bei einigen Expressionisten ist das typische Gefühl der Isolierung und Wurzellosigkeit nichts anderes als das des introvertierten, artistisch-intellektuellen Typs in einer philiströsen und materialistischen Gesellschaft. Bei den meisten Expressionisten verstärken jedoch physiologische, soziale, nationale und rassisch-religiöse Faktoren den ursprünglichen Mangel an Anpassung erheblich. Kaiser leidet viele Jahre lang an einer schwächenden Krankheit. Frank muß das Stigma der Armut und niedrigen Geburt bekämpfen. Heinrich Mann, Schickele und Benn leiden an einem nationalen Konflikt; ihre Väter sind Deutsche, ihre Mütter Kreolin, Französin und Französisch-Schweizerin. Ein ähnlich erschwerender Faktor ist die jüdische Abstammung von Expressionisten, wie Brod, Kafka, Werfel, Ehrenstein und Toller. Toller macht in seiner Autobiographie — Eine Jugend in Deutschland, pp. 12—13 — deutlich, daß sein frühestes Erlebnis des »Andersseins« von der antisemitischen Einstellung der Nachbarn gegen ihn und seine Familie stammt. Das verlegene Unbehagen des wohlhabenden jüdischen Kindes einem armen christlichen Spielkameraden gegenüber brachte das Gefühl des »Andersseins« mit Schuldbewußtsein in Verbindung, wodurch die Isolierung noch vertieft wurde.

[2]) Der Krieg erfüllt einen ähnlichen gemeinschaftsbildenden und geistigen Zweck in Franz Theodor Csokors Der große Kampf: Ein Mysterienspiel in acht Bildern, einem der wenigen expressionistischen Werke, in dem das Verhältnis zwischen Krieg und Pazifismus umgekehrt ist. Für Csokor ist der Krieg die Inspiration des Gemeinschaftsgefühls und des Altruismus, während Ego, das Symbol der Selbstsucht, den Pazifismus befürwortet.

die vergraben und verschüttet lag,
die Gemeinsamkeit,
das Eine und Einende.
Ein toter Mensch.
Nicht: ein toter Franzose.
Nicht: ein toter Deutscher.
Ein toter Mensch.
Alle diese Toten sind Menschen,
alle diese Toten haben geatmet wie ich,
alle diese Toten hatten einen Vater,
eine Mutter, Frauen, die sie liebten,
ein Stück Land, in dem sie wurzelten,
Gesichter, die von ihren Freuden und ihren Leiden sagten,
Augen, die das Licht sahen und den Himmel.
In dieser Stunde weiß ich, daß ich blind war,
weil ich mich geblendet hatte,
in dieser Stunde weiß ich endlich,
daß alle diese Toten, Franzosen und Deutsche,
Brüder waren,
und daß ich ihr Bruder bin.«[1])

Nach seiner Bekehrung zum Pazifismus entdeckt der Held von Tollers Drama, daß die Abscheulichkeiten des Friedens den Krieg erst möglich machen. In einer Reihe von traumhaften Szenen erlebt er das Elend des Proletariats. Wie er entdeckt, leben die meisten Menschen in Umständen, die den Militärdienst als eine Verbesserung ihres Alltagslebens erscheinen lassen. Die Große Fabrik, in der die Mehrzahl der Menschheit ihr Leben zubringt, ist von einem Gefängnis nicht zu unterscheiden und verwandelt sich auch bald in ein solches. Der Sozialismus tritt zum Pazifismus, um Friedrichs Wandlung zu vollenden.

Im Herbst 1917, als Toller bereits den größeren Teil der *Wandlung* geschrieben hatte, war er bereits weit von seinem früheren Nationalismus entfernt. Wegen einer nicht näher bezeichneten Krankheit[2]) aus dem Heeresdienst entlassen, hatte er einen Bund pazifistischer Studenten gegründet, war Jünger Kurt Eisners, des Führers der Unabhängigen Sozialisten geworden und hatte sich der Streikbewegung der Münchener Munitionsarbeiter angeschlossen. Er verteilte unter den Arbeitern Flugblätter mit Auszügen

1) Jugend, pp. 75—76.
2) Jugend, p. 79. Toller ist sehr zurückhaltend hinsichtlich der Natur der rätselhaften Krankheit, die zu seiner Entlassung führte. Doch aus dem Zusammenhang geht deutlich hervor, daß der einstige Patriot am Ende seiner Widerstandskräfte war und daß die »Krankheit« sehr wohl psychischer Natur gewesen sein kann.

aus seinem unvollendeten Drama. Kriegsmüdigkeit und der ungeduldige Wunsch, das Gemetzel so rasch wie möglich zu beenden, standen nicht nur bei der aktivistischen Intelligenz, sondern auch bei der deutschen Arbeiterklasse im Vordergrund des Interesses[1]). Die Arbeiter streikten, und Matrosen meuterten und verlangten sofortigen Friedensschluß. Obwohl die Dichter und Intellektuellen von sittlichen und humanitären Motiven inspiriert waren, die Masse dagegen von den Hungerrationen und vom Haß auf grobe Ungerechtigkeit getrieben wurde, standen sich Masse und Dichter in den Jahren 1917 und 1918 näher als jemals sonst in unserm Jahrhundert. Für kurze Zeit schien es, als wollten ihre Bestrebungen miteinander verschmelzen. Der isolierte Künstler fand sich plötzlich auf dem Kamm einer Welle emporgetragen. In seiner eigenen, der bürgerlichen Klasse als Psychopath oder Verräter beargwöhnt[2]), schien er im Proletariat endlich Wurzeln schlagen zu können. Diese Wurzeln griffen jedoch nicht in den Boden eines Landes oder einer religiösen Gruppe, sondern schwammen sozusagen in einem Meer, das sie einer Küste unendlicher Verheißung entgegentrug.

Doch Toller war nicht als Marxist, sondern als spontaner Führer des Massenunwillens gegen die Fortsetzung des Krieges zum erstenmal zu einer hervorragenden Stellung aufgerückt; und dafür wurde er zu seiner ersten Gefängnisstrafe verurteilt. Seine Gemeinschaft war die der ungeheuern Bruderschaft der Geopferten, und zwar gerade zu dem Zeitpunkt, als sie sich in eine Gemeinschaft des Protests und der beginnenden Revolte verwandelte. Erst danach, im Militärgefängnis, versenkte sich Toller in marxistische Werke und machte die marxistische Einstellung zu seiner eigenen. Doch er sollte sich in seiner marxistischen Geistesheimat niemals zu Hause fühlen und blieb immer »der gequälte, unorthodoxe Marxist«, wie Willibrand ihn nannte[3]).

[1]) Vergl. Rosenberg, Die Entstehung der deutschen Republik, pp. 169 ff., 193—200.

[2]) Tollers Mutter ließ den Sohn in ein Sanatorium bringen, da sie nicht verstehen konnte, warum ein junger Mann aus wohlhabender Familie sich mit einer radikalen Bewegung abgab (vergl. Jugend, p. 121). Toller läßt einen hohen Sanitätsoffizier, der ein schönes Gedicht von Werfel, das Toller bei sich trug, gelesen hatte, sagen: »Wer solchen Quatsch liest, kann sich nicht wundern, wenn er im Gefängnis endet«, eine Feststellung, der alle versammelten Ärzte, lauter gebildete Männer, zustimmten (ibidem, p. 114). Ein jüdischer Stabsarzt, der die Insassen des Militärgefängnisses behandelte, in dem Toller seine Strafe verbüßte, erklärte, alle Pazifisten müßten erschossen werden, und verweigerte dem fiebernden Patienten eine zweite Decke (ibidem, p. 112). Im Gegensatz zu dieser bürgerlichen Einstellung stand nach Tollers Bericht die Bewunderung der Tochter des proletarischen Gefängnisschließers für den jungen Revolutionär, der ihr als ein Sagenheld erschien, den man anstaunt und lieben muß (ibidem, p. 115).

[3]) Willibrand, Ernst Toller and His Ideology, in University of Iowa Humanistic Studies, VII, 49.

Wie Toller verwandelt sich der Künstler Friedrich in Tollers *Wandlung* vom »verabscheuten Mischling« in einen Führer der Menschheit, die jubelnd in eine ganz und gar unmarxistische Revolution marschiert. Ja, Friedrich führt seinen Hauptangriff, wie Willibrand nachgewiesen hat, nicht gegen die schwachen und schwankenden Vertreter des status quo, sondern gegen den bolschewistischen Agitator, der die Masse zum Blutvergießen aufhetzt.

Toller-Friedrichs expressionistische Revolution kennt keine menschlichen Feinde. Ihre Feinde sind Institutionen — der Staat, der Kapitalismus, das Militärsystem, der Krieg —, doch sie haßt nicht die Menschen, die diese Institutionen verkörpern oder von ihnen profitieren. Auch sie sind Opfer, und der Expressionist bedauert sie[1]). Er weigert sich, die Bedrücker zu bedrücken oder gar zu morden. Auch sie sind Opfer der Furcht und Opfer ebender Gewalt, die sie ausüben; denn die Gewalt vernichtet den Herrn ebenso wie den Sklaven. Die Angst vor Fehlschlägen und Verarmung quält die Reichen, wie die Furcht vor dem Hunger die Peitsche über die Armen schwingt. Die Hochmütigen verachten alle, weil sie sich selber verachten.

Unter der dionysischen Oberfläche eines großen Teiles des Expressionismus verbergen sich der Rationalismus und Eudämonismus des achtzehnten Jahrhunderts. Der expressionistische Aktivist intensiviert den sokratischen Glauben an Überredung und Beweis, bis dieser Glaube den weißglühenden Glanz der Ekstase erhält; doch diese Ekstase beruht auf Vernunft, diese Flamme ist das weiße Licht des Verstandes. »Es gibt keinen andern Ararat des Friedens als den neuen Bund des Geistes mit dem klopfenden Herzen!« sagt Fritz von Unruh[2]). Obwohl die Wandlung des »neuen Menschen« ursprünglich ein tiefinnerliches und erlösendes Erlebnis ist, versucht er dennoch, diese Wandlung bei seinen Mitmenschen durch sprachliche und intellektuelle Mittel herbeizuführen, durch Überredung, Ansprachen und im Fall von Kaisers Spazierer durch äußerst spitzfindige Tüfteleien. Spazieres Theorie von den Strafanstalten als den Laboratorien, in denen die menschliche Brüderschaft erprobt worden ist, bildet ein schlagendes

[1]) Vergl. Bechers Gedicht »An den Tyrannen«:

Nein! Tyrann! Nicht würgten Barrikaden
Dich zu end. Noch Salven Höllenflug.
Pyramiden Liebe auf dein Haupt wir laden.
Schmilz o schmilz vor freiester Güte Bug!
. . . .
Arme breiten Völker dir Tyrann!

In Becher, Verbrüderung: Gedichte, p. 33.

[2]) Reden, p. 29.

Beispiel dieser Überspitztheit und führt einen leicht dazu, den Ernst und die Ehrlichkeit von Kaisers humanistischem Glauben anzuzweifeln. In diesem Zusammenhang darf auch nicht übersehen werden, daß der pazifistische Held Eustache in Kaisers *Bürger von Calais* die Wandlung seiner Mitmenschen durch ein Vorgehen herbeiführt, dessen dialektische Klügeleien an Spielerei und Laune grenzen.

Ein zweiter, wesentlicher, nicht-marxistischer Aspekt der expressionistischen Revolution ist ihre Betonung der inneren Wiedergeburt des Einzelnen, die nur durch die Liebe möglich ist; und die Liebe als christliche Caritas ist tatsächlich der Angelpunkt der expressionistischen Revolution. In ihrem Verständnis für die Zusammenhänge zwischen Liebe, zerstörender Gewalt und Macht gewinnen die Expressionisten ihre tiefsten Einsichten.

Aggression ist nach Fritz von Unruhs Ansicht Selbsthaß und Haß auf das Leben. Dieser Gedanke, der sich bereits in *Vor der Entscheidung* findet, wird in seinem größten Werk, dem abstrakten und proto-existentialistischen Drama *Ein Geschlecht* (1916), das zusammen mit Kaisers *Bürgern von Calais* zu den Wahrzeichen der Bewegung gehört, kraftvoll und tiefschürfend behandelt. In Unruhs Drama tut der Älteste Sohn den logischen Schritt über den Nationalismus hinaus. Der Nationalismus befreit, ja glorifiziert die individuelle Aggressivität, wenn sie den Zwecken des Staates dient, er fesselt und unterdrückt sie jedoch, wenn sie den Plänen des Staates zuwiderläuft. Indessen begehrt der Älteste Sohn völlige Freiheit für seine Aggressivität. Als Soldat vergewaltigt er ein Mädchen. Durch diese Tat demaskiert der Älteste Sohn den Anspruch des kriegführenden Staats, Gesetz und Ordnung zu vertreten, als gemeine Heuchelei. Eherne Notwendigkeit muß Krieg und Unmenschlichkeit immer wieder miteinander verknüpfen. Das Gesetz, das die Gewalttat befiehlt, kann nicht erwarten, respektiert zu werden, wenn es die Gewalttat verbietet. Notzucht und Mord krönen den Krieg. Etwas anderes zu behaupten, wie es der nationale Staat tut, ist verdammenswerte Doppelzüngigkeit, und der Älteste Sohn rebelliert dagegen.

Dieser Verfechter der zügellosen Aggressivität, der Vorläufer von Camus' Caligula, handelt aus der tiefen Überzeugung von der Absurdität allen Lebens. Denn was immer auch die politische und gesellschaftliche Ordnung sei; alles Leben muß im Tode enden. Deshalb ist es sinnlos. Er bedauert, daß er geboren wurde, nur um den entsetzlichen Streich zu erkennen, den das Leben einem jeden spielt. Er beschimpft seine Mutter, weil sie für sein Leben und damit für seinen Tod verantwortlich ist. Die letzte Wahrheit ist für ihn diese:

»O Mütter, Weiber!
Ihr tragt das Grab in Eurem feuchten Schoß,
was Ihr gebärt, ist Tod und nichts als Tod!«[1])

Seine wilde, sinnliche Energie, die heftig gegen das Gesetz anbrandete, wogt nun gegen sich selbst zurück. Die Felsen, die er zertrümmerte, haben ihn begraben, wie seine Mutter sagt. In der Nacht vor seiner vom Gesetz verhängten Hinrichtung tötet er sich. Der radikale Nihilismus des Sohnes dient dazu, den lebensbejahenden Glauben der Mutter zu stärken. Während er das Leben überhaupt anklagt und verdammt, findet sie in der sich ständig erneuernden Schöpferkraft, die sich im Blut des Weibes ebenso wie in der Ackerscholle immer aufs neue regt, Grund zur Hoffnung. Ihr frommer Glaube an das Leben als einer ewig triumphierenden, ewig neu aufsteigenden Schöpferkraft — dieser weitere und tiefere Vitalismus — versetzt sie in die Lage, die zerstörerische und ziellose Rebellion des Ältesten Sohnes in eine konstruktive Revolution zu verwandeln. Wenn das Leben über den Tod, die Schöpfung über die Zerstörung und die Freude über die Verzweiflung den Sieg davontragen soll, dann muß die Macht vom patriarchalischen Staat auf die Mütter aller Länder übergehen. Nicht Disziplin, sondern Freude und Lust allein können wahre Ordnung bringen. Die Mutter ergreift das Zepter der Herrschaft und zieht die kriegsmüden Soldaten auf ihre Seite. Die Soldaten fordern, daß das Land ihnen, dem Volk, zur Verwaltung übergeben werde. Das militaristische System, bedroht wie nie zuvor, läßt die Mutter hinrichten. Doch ihr Jüngster Sohn wird ihr Werk fortsetzen. Während der Älteste Sohn dem Vater noch zu nahe war, um über einen finsteren, egoistischen Trotz hinauszukommen, ist der Jüngste Sohn die Verkörperung des mütterlichen Traums. Er beseelt ihre heilige Aufgabe mit feurigem Eifer. Die Revolte, die die Mutter ausgelöst hat, wird zu einer »Lawine«, die die »Panzer der Macht« zermalmt. Die meuternden Soldaten heben den Jüngsten Sohn auf ihre Schultern und marschieren gegen den Sitz der Gewalt.

Der pazifistische Revolutionär und Psychoanalytiker Gebhart in Werfels Roman *Barbara* (in dem der Autor einen teilweise kaum verhüllten Bericht über seine Erlebnisse während der Blütezeit des

[1]) Unruh, Ein Geschlecht: Tragödie, p. 48.

Expressionismus in Wien gibt) behauptet, daß die Liebe in unserer Welt unbekannt sei, weil ihre körperliche Äußerung zu einer Demonstration männlicher Gewalt pervertiert worden sei. Im Geschlechtsakt befriedige sich der Mann und beweise seine Kraft, ohne sich um die Gefühle der Frau zu kümmern. Die Geschlechtsliebe sollte beiden Partnern Freude spenden. Doch da all unser Denken auf Macht und Prestige beruhe, sei der Sexualgenuß ins Joch des Machthungers gespannt. Die Herabwürdigung der Geschlechtsliebe wird durch die Institution von Ehe und Familie zum Gesetz erhoben. Außereheliche Sexualenergie wird entweder unterdrückt oder als schmutzig erklärt. Tabus sichern die Diktatur der Starken, indem sie den Schwachen den Genuß verwehren. Die Tyrannei des Mannes über die Frau führt zur Tyrannei des Vaters über den Sohn. Die Unterwürfigkeit, Askese, der Neid und die Selbstverachtung des Sohnes und Sklaven sind ebenso böse wie die Arroganz, Brutalität und die eigensinnigen Launen des Vaters und Herrn. Da die Frauen ihr natürliches Recht auf Liebe gegen Tand und wirtschaftliche Sicherung ihrer Existenz verkaufen, sind auch sie Mitschuldige an dieser Grundtyrannei, aus der sich alle andern Tyranneien ableiten.

Einst gab es ein Goldenes Zeitalter, als die Frauen herrschten und das Geschlechtsleben im Mittelpunkt der Religion stand. Doch dann erschienen Männer, die nicht zu lieben vermochten. Um sich für diese Mängel zu entschädigen, brandmarkten sie die Fleischeslust als Sünde und erfanden den Krieg. Mit Leichtigkeit unterjochten sie sich das friedvolle Matriarchat und errichteten an seiner Stelle die strenge Despotie der Väter. Mit diesem *coup d'état* der Aggressivität gegen den Genuß begann die Geschichte. Der hebräische Monotheismus lieferte die endgültige religiöse Grundlage für die Diktatur der Väter.

Werfels Romanfragment *Die Schwarze Messe*, 1919 geschrieben, nimmt Gebharts Theorie vorweg. In dieser Erzählung wird die Erschaffung der Welt einem *coup d'état* Jehovahs zugeschrieben, eines labilen und aggressiven Geistes, der die ursprüngliche Demokratie der Geister stürzte und unser Universum erschuf, um als absoluter Despot zu herrschen. Die Urschuld geht also auf Gott selber zurück. Gott, der sich »Herr der Heerscharen« nennt, hat sein Regiment »auf den Polizeigewalten des Schreckens und der Gnade« errichtet[1]).

[1]) Werfel, Gesammelte Werke, I, 100.

Der Gegner des Militarismus muß seine tiefste Wurzel treffen, das Urbild aller Tyrannei — die patriarchalische Familie und die auf ihr beruhende patriarchalische Religion. Die Diktatur des Mannes über das Weib und des Vaters über die Kinder bildet die Wurzel des sozialen Unrechts, der Gewalttätigkeit und des Krieges. In der Novelle *Nicht der Mörder, der Ermordete ist schuldig,* ebenfalls 1919 geschrieben, führt die anarchistische Gruppe, mit der der Held zusammenarbeitet, Krieg gegen »die Herrschaft des Vaters in jedem Sinn«[1]). Armeen und Staaten sind nach dem Bild der patriarchalischen Familie geformt. Ohne die Tyrannei, die in der Familie herrscht, würde die politische und militärische Tyrannei niemals entstehen:

»Was versteht ihr unter — Herrschaft des Vaters? — Alles. Die Religion: denn Gott ist der Vater der Menschen. Der Staat: denn König oder Präsident ist der Vater der Bürger. Das Gericht: denn Richter und Aufseher sind die Väter von jenen, welche die menschliche Gesellschaft Verbrecher zu nennen beliebt. Die Armee: denn der Offizier ist der Vater der Soldaten. Die Industrie: denn der Unternehmer ist der Vater der Arbeiter!... Die Patria potestas, die Autorität, ist eine Unnatur, das verderbliche Prinzip an sich. Sie ist der Ursprung aller Morde, Kriege, Untaten, Verbrechen, Haßlaster und Verdammnisse, gleichwie das Sohntum der Ursprung aller hemmenden Sklaveninstinkte ist, das scheußliche Aas, das in den Grundstein aller historischen Staatenbildungen eingemauert wurde. Wir leben aber, um zu reinigen!« (pp. 207—08.)

Gebhart verachtet Jesus, weil Jesus »der Sohn« blieb[2]). Er verewigte die patriarchalische Diktatur. Vom Vater geängstigt, bekräftigte er nur die Sexual-Tabus, die der Vater aufgestellt hatte. Der Sohn, der die geschlechtlichen Dinge fürchtet und haßt, findet sich mit dem Vater ab, der sie verbietet. Das auf der Liebesunfähigkeit beruhende Patriarchat hat den Sexualtrieb in sadistische Angriffslust oder masochistische Selbsterniedrigung verwandelt. Es erreicht den Höhepunkt seiner Entwicklung im Weltkrieg, in dem die Väter aller Vaterländer ihre Söhne in das Massengrab schicken.

1) Werfel, Erzählungen aus zwei Welten in Gesammelte Werke, I, 207.

2) Die von dem anarchistischen Führer in Nicht der Mörder, von dem Satanisten in Die Schwarze Messe — beide 1919 in der höchsten Blütezeit des Expressionismus geschrieben — und von Gebhart in dem späteren Roman Barbara geäußerten Ideen bilden ein zusammenhängendes Ganzes. Man muß Gebhart also nicht als Exzentriker, sondern als Sprachrohr gewisser Glaubensüberzeugungen oder mindestens gewisser tief beunruhigender Vorstellungen betrachten, die Werfel in seiner expressionistischen Periode am Ende des ersten Weltkriegs bewegten. Einige Gedanken über Musik, die in der Schwarzen Messe ausgesprochen werden (p. 90), nehmen den Verdi vorweg.

Doch ebendieser grausige Höhepunkt führt auch zum Zusammenbruch des Systems. Die Wirtschaftsrevolution des Kommunismus ist ein Vorspiel zu der bald folgenden sexuellen Revolution. Alle Tabus werden fallen; die Familie wird verschwinden, und der Geschlechtsakt wird in voller Freiheit und Gleichheit vollzogen werden. Um das Heraufkommen dieses Zeitalters der Gewaltlosigkeit zu beschleunigen, analysieren Gebhart und seine zahlreichen Schülerinnen eingehend ihre sexuellen Affären. Jedes geschlechtliche Erlebnis wird sorgfältig studiert und bis in alle Einzelheiten erörtert. Die vollkommene Liebe — Gegenseitigkeit des Genusses — ist das zu erreichende Ziel. Wenn unbefriedigende Liebe oder Spuren von Aggression und Egozentrik zu finden sind, empfiehlt Gebhart sofortige weitere sexuelle Erlebnisse, die frühere Fehler berichtigen sollen. Die völlige Hingabe in der Geschlechtsliebe führt die Erlösung herbei.

Gebhart ist ein expressionistischer Führer gegen Gewalt und Unglück. Ein Echo der deutschen romantischen Philosophie — der Theorie vom Matriarchat, die der spätromantische Schriftsteller Bachofen aufstellte —, das sich auch bei Unruh und im deutschen Vitalismus findet, verbindet sich bei Gebhart mit Urkommunismus und Pazifismus, und diese drei bilden ein typisch expressionistisches Gemisch. Wie Franks Seiler ist auch Werfels Gebhart der Psychoanalyse tief verpflichtet. Sein Glaube an die Erlösungskraft des Orgasmus und seine Gegenüberstellung von Geschlechtsliebe und aggressivem Willen zur Macht ahnen die kürzlich mondän gewordenen Theorien des Psychoanalytikers Wilhelm Reich voraus.

Der Kranke in Tollers *Wandlung* kann nicht an die Liebe glauben. Das beste Heilmittel für die Welt wäre, davon ist er überzeugt, ihre Zerstörung. Doch als Friedrich ihm voller Mitleid statt scheltend oder verächtlich antwortet, schreit der Kranke die Ursache seiner Krankheit heraus. Er ist nie geliebt worden. In der nächsten Szene steht Friedrich der Dame gegenüber, die ihm versichert, daß Liebe nichts mit Mitleid zu tun habe. Liebe und Güte, das Sinnliche und das Sittliche, seien seit Beginn der Zeiten Todfeinde. Die Liebe ist wild und erbarmungslos. Sie sucht nur den Genuß, verachtet die Schwachen und umwirbt die Starken. Friedrich ist, wie die Dame sagt, »ein gequälter Narr«. Doch das entsetzliche Verlangen des Kranken nach Zuneigung ist die Reaktion auf die Verherrlichung des unbarmherzigen Sexus durch die Dame. Der Kranke wünscht Massenselbstmorde, und andere Kranke bereiten Kriege vor, weil sie, die niemals Zuneigung gefunden haben, sich nun selbst hassen. Friedrich will die Studentin, eine seiner ergebenen Anhängerinnen, bitten, den Kranken mit Liebe zu pflegen. Denn der Mensch kann nur gut sein, wenn er geliebt wird. Doch um geliebt zu werden, müssen wir zunächst lernen, selbst zu lieben; das hat die bittere Isolierung den Expressionisten gelehrt. In diesem Kernstück der expressionistischen Weltanschauung mischt sich das christliche Ideal der Caritas mit dem psychoanalytischen Ideal der Sozialisierung und Reifung unseres infantilen Egoismus.

Durch die ganze Weltgeschichte hindurch haben die Menschen — nach Toller — geduldet, daß Mangel an Liebe und die daraus erwachsende Furcht ihre Gefühle verzerren und durchkreuzen. Aus Angst haben sie zugelassen, daß ihre Institutionen und Mechanismen — ihre eigenen Schöpfungen — sie zu Opfern machen. Und wenn die Menschen gequält werden, werden sie selbst zu Zerstörern. Dieser Circulus vitiosus beginnt in frühester Kindheit in der autoritären Familie und Schule, wo die Furcht geweckt wird, eine Furcht, die das ganze Leben begleitet. Jeder einzelne führt ein verkrüppeltes Leben und ist die mitleiderregende Karikatur der Person, die er sein könnte. Wandlung bedeutet »Entzerrung« unseres Lebens und volle Entwicklung der menschlichen Potenz. Das ist der Inhalt von Friedrichs Botschaft an das auf dem Domplatz versammelte Volk.

»Und so seid ihr alle verzerrte Bilder des wirklichen Menschen! / Ihr Eingemauerte, ihr Verschüttete, ihr Gekoppelte und Atemkeuchende, ihr Lustlose und Verbitterte / Denn ihr habt den Geist vergraben ... / Gewaltige Maschinen donnern Tage und Nächte / Tausende von Spaten sind in immerwährender Bewegung, um immer mehr Schutt auf den Geist zu schaufeln / Eure eignen Herzen sind auf Schusterleisten gespannt. Die Herzen eurer Mitmenschen sind für euch Klingelzüge, an denen ihr nach Belieben ziehen könnt ...

Ihr pflanzt Haß in eure Kinder, denn ihr wißt nicht mehr um die Liebe. Ihr habt Jesus Christus in Holz geschnitzt und auf ein hölzernes Kreuz genagelt, weil ihr selbst den Kreuzweg nicht gehen wolltet, der ihn zur Erlösung führte ... Ihr baut Zwingburgen und setzt Zwingherren ein, die nicht Gott, nicht der Menschheit dienen, sondern einem Phantom, einem unheilvollen Phantom.

. . . . .

Ihr seid alle keine Menschen mehr, seid Zerrbilder eurer selbst. / Und ihr könntet doch Menschen sein, wenn ihr den Glauben an euch und den Menschen hättet, wenn ihr Erfüllte wäret im Geist. — / Aufrecht schrittet ihr durch die Straßen und heute kriecht ihr gebückt. / Froh leuchteten eure Augen und heute sind sie halb erblindet. / Beschwingt wären eure Schritte und heute schleppt ihr Eisenklötze hinter euch her. / O, wenn ihr Menschen wäret, — unbedingte, freie Menschen!«[1])

Mit der gleichen phantastischen Plötzlichkeit, mit der Friedrichs Schwester seine eigene Wandlung zuwege gebracht hatte, bekehrt Friedrichs Ansprache die Menschen. Sie bereuen, vergraben die Gesichter in den Händen oder liegen auf dem Boden hingestreckt. Plötzlich springen sie auf, verwandelt, »neue Menschen«. Nichts anderes war für die Veränderung der Welt nötig, als daß sich die Menschen ihrer Menschlichkeit erinnerten. Nun sind sie reif für die blutlose, die wahrhaft herrliche Revolution.

Doch nach wessen Bild soll der Mensch wiedergeboren werden? Welcher Menschentyp ist überhaupt und gerade jetzt, vor der Revolution, ein »unverzerrtes« Menschenwesen?

»Und du Soldat, eingezwängt in künstlichen Rock, der alles freudige Leben erstarren macht. Ich weiß um deinen erstaunten Blick, wenn du schreitenden Jüngling sahst, den ein Künstler geschaffen. — / Warum konnte der ihn gestalten? / Weil er da ist, wirklich da ist!« (p. 90.)

Der Künstler ist der dem Soldaten entgegengesetzte Pol. Er ist der am wenigsten in Institutionen Eingezwängte, der freieste, der wirklichste Mensch. In ihm ist der Geist, die schöpferische Fähigkeit, die den Menschen vom Tier unterscheidet, nicht erstickt worden. Im Schaffen sichert sich der Mensch seine unbedingte Freiheit und wird Gott gleich. Wandlung und Revolution werden alle Menschen zu Künstlern machen. Befreit von Furcht und Haß werden alle Menschen fähig sein, die ihnen eingeborene Schöpferkraft frei und stolz auszuüben und, indem sie vollkommen menschlich sind, göttlich werden. Der Dichter ist nur der Vorläufer aller Menschen, sagt Georg Kaiser.

»Fortschritte einzelner werden von der Gesamtheit eingeholt. Der Berg wird zur Ebene, auf der alle siedeln. Dann reguliert sich die Energie irdisch und erhaben. Der Mensch ist da!«[2])

Da Gott nach aktivistisch-expressionistischer Ansicht in der Menschheit immanent ist, führt die volle Verwirklichung des

[1]) Toller, Die Wandlung: Das Ringen eines Menschen in Der dramatische Wille, III, pp. 91—93.
[2]) Dichtung und Energie.

menschlichen Potentials zur Vergegenwärtigung Gottes im Menschen[1]).

Der Schritt des Künstlers in den politischen Aktivismus ist, wie sich herausstellt, kein Betrug an der Kunst, sondern ihre Erhöhung zum Leitstern einer aufsteigenden sozialen Realität. Der Rang, den der Künstler als die Verkörperung der schöpferischen Vernunft im aktivistischen Denken von Kaiser, Unruh, Hasenclever und Toller einnimmt, ist nicht weniger erhaben als die einsame Höhe, auf der wir ihn als poeta dolorosus fanden. Doch die Einsamkeit ist ihm abgenommen. Wenn er den revolutionären Massen die Kraft zu schauen schenkt, so geben sie ihm wiederum eine Gemeinschaft. Das plötzliche Gefühl des Kontakts, der Heimkehr und des Dazugehörens, das der wurzellose Künstler-Intellektuelle erlebte, als er sich gewisser Parallelen zwischen seinen Bestrebungen und denen des Proletariats bewußt wurde, erfüllen ihn mit einer Verzückung, die ihn für die diesem *rapprochement* eigenen Schwierigkeiten und Widersprüche ein wenig blind macht[2]). Das hymnische Entzücken, mit dem Schickele die Ausrufung der Deutschen Sozialistischen Republik am 9. November 1918 begrüßt, äußert sich in den Ausdrücken der Heimkehr des isolierten Schriftstellers in seine *verwandelte* Nation[3]). In einer Lobpreisung des Sozialismus bemerkt Holitscher, daß die Vertreter von Kunst und Intellekt immer verachtete Ausgestoßene in der bürgerlichen Welt gewesen seien; deshalb sei es leicht zu verstehen, weshalb sie sich den proletarischen Bewegungen anschlössen und die Sache der Arbeiter zu der ihren machten. In der Klasse, der sie sich angeschlossen haben, finden sie »wahrscheinlich zum erstenmal in ihrem Leben Glück und Ungemach einer Gemeinschaft«[4]). Daß die Dichter und Intellektuellen zum Proletariat

1) Über Die Wandlung sagt Willibrand in seiner Studie zu Tollers Ideologie: »Vom christlichen Standpunkt aus betrachtet klingt dies alles ziemlich traditionell.« (p. 39.) Doch die Aktivisten sind keine Christen. Sie erkennen einige Aspekte des Christentums an, vor allem die Vorstellung von der geistigen Wiedergeburt und die von der Caritas, andere dagegen lehnen sie ab. Vor allem weisen sie die übernatürliche Basis des Christentums zurück. Sie glauben an die Menschlichkeit Gottes oder an die Göttlichkeit des Menschen. In ihren Augen ist die doppelte Natur Christi der Besitz eines jeden Individuums. »Herr, ich bin wie Du!« sagt Kurt Heynicke (»Lieder an Gott« in Menschheitsdämmerung, p. 154), und in dem gleichen Gedicht spricht er von dem »Menschen-Gott«. Die aktivistischen Expressionisten sind Humanisten. Aber sie überhitzen den Humanismus, bis er wie eine ekstatische Religion wirkt.

2) Hinsichtlich der Verschwommenheit aktivistischer Ziele vergleiche etwa Iwan Golls ekstatisch-hymnische »Prozession« (Die Aktion, VII [1917], 51). Das Gedicht, das mit einer sozialistischen oder kommunistischen Massenversammlung beginnt, endet mit einer Vision kosmischer Seligkeit.

3) Vergl. Schickele, »Der neunte November«, Tribüne der Kunst und Zeit, VIII (1919), mehrmals. Schickele kehrte tatsächlich aus einem mehrjährigen Exil in der Schweiz zurück und feierte so auch seine physische Rückkehr nach Deutschland.

4) Holitscher, »Das Religiöse im sozialen Kampf«, Die Erhebung, II (1920), 330.

stoßen, solange es ihnen noch »unbehagliche« Probleme des Sich-Anpassens stellt, befreit sie aus ihrer narzißtischen Isolierung und bringt sie in heilende Berührung mit der Menschheit. Holitscher unterstreicht auch die Verwandtschaft, ja Identität des Sozialismus mit der Kunst. Die Triebe und Instinkte der Künstler beseelen den revolutionären Führer, der die Zukunft gestalten und Traum und Vision in die Wirklichkeit übertragen will. Wie der Künstler schafft er etwas, was vorher nicht vorhanden war.

Ferner glaubt der Aktivist, daß Kunst, Kultur und Intellekt, von der bürgerlichen Klasse verachtet oder geschwächt, allein in der Arbeiterklasse noch eine Zukunft hätten. In seinem Prozeß wegen Hochverrats im Jahr 1919 rühmte Toller lebhaft den Hunger der Arbeiter nach Schönheit, Kultur und Wissen, einen Hunger, der in der saturierten Bourgeoisie seit langem unbekannt war[1]). Man sah in der Arbeiterklasse das Streben nach Geist. Der Sozialismus, ihr Endziel, konnte als Triumph des Geistes betrachtet werden, als ein Sozialsystem, in dem zum erstenmal in der Geschichte der planende, ordnende und verantwortliche Verstand das Alltagsleben der Menschheit gestalten würde. Da die Arbeiterklasse darüber hinaus mehr Einzelmenschen umfaßte als jede andere Klasse, symbolisierte ihr Aufstieg für den Aktivisten den Aufstieg der ganzen Menschheit zu einer vergeistigten Existenzform.

Doch während der kurzen Zeitspanne chiliastischer Erwartung, die mit der Russischen Revolution im Oktober 1917 begann und mit der Unterdrückung der Bayerischen Räterepublik im Mai 1919 endete, ging eine Kluft quer durch das aktivistische Lager und beschleunigte seine Niederlage. Einige Aktivisten, wie Becher, Frank und Rubiner, glaubten, daß die Wandlung oder Erlösung der Menschheit bereits erfolgt sei — in Rußland; sie schlossen sich dem Kommunismus an und schieden mit dieser Entscheidung aus dem Geistes- und Gefühlsklima des Expressionismus aus. Rubiners Anthologie aus dem Jahr 1919, *Kameraden der Menschheit,* hatte mehr den Charakter »proletarischer« als expressionistischer Dichtung; und *Die Aktion,* bis dahin die hervorragendste Zeitschrift der expressionistischen Literatur, begann mit Band IX (1919) die kommunistische Parteipolitik zu spiegeln. Doch andere Aktivisten — vor allem Toller, Unruh, Schickele, Brod — konnten die Gewalttätigkeiten und den Militarismus der Kommunisten nicht mit ihren pazifistischen Idealen in Einklang bringen. So waren sie bald gezwungen, Abrechnung mit der proletarischen

[1]) Toller, Jugend, p. 230.

Revolte und schließlich mit sich selber zu halten. Ihre tiefe Enttäuschung ist ebenso symptomatisch für den Expressionismus wie die Illusion, die ihr voraufging.

DER RÜCKSCHLAG

Die Ekstase der aktivistisch-expressionistischen Vision dauert nur einen kurzen Augenblick in der Geschichte. Kaum ist sie aufgelodert, flackert sie schon, trübt sich und erlischt. Nur einen Monat nach dem Ausbruch seiner Begeisterung über die Ausrufung der Sozialistischen Republik sieht René Schickele Künstler und Intellektuelle bedroht wie nie zuvor und deutet an, daß sie bald würden in Klöster fliehen müssen, um dem eisernen Stiefel des siegreichen Kommunismus zu entgehen — der sie schließlich selbst dort zermalmen wird. Die große Ernüchterung über den »Gott, der keiner war«, die die abendländische Intelligenz in den dreißiger Jahren und danach erlebte, hatten die deutschen Expressionisten bereits geahnt, kaum daß der »Gott« geboren war. »Dann, meine Freunde«, schreibt Schickele im Jahre 1919, »wollen wir ins Kloster gehn, bis die klassenbewußten Gardisten irgendeines Lenin die dringende Notwendigkeit empfinden, uns arme Kirchenmäuse des Ideals auszurotten.«[1])
Das berühmteste Drama der gesamten expressionistischen Literatur, Kaisers *Gas I* (1918), ist das erste in der Reihe der expressionistischen Werke, die sich mit dem Schwinden der messianischen Hoffnung der Jahre 1917 und 1918 beschäftigen. Die beiden bezeichnendsten Merkmale dieser Werke sind die zweite Wandlung des Helden, d. h. seine Erkenntnis, daß die große Bekehrung, die ihn zum Aktivisten machte, entweder unzureichend oder falsch gerichtet war, und die traurige Entdeckung einer Kluft zwischen ihm und der Masse, die er zur Wandlung und zum Bau einer neuen Welt führen wollte.
In *Gas I* teilt der Sohn des Milliardärs die Profite seines ungeheuren Gaswerks, das die ganze Welt mit Energie versorgt, mit seinen Arbeitern. Diese Hinwendung zum praktischen Sozialismus bildet seine erste Wandlung, eine Folge der Rebellion gegen die Wertmaßstäbe seines Vaters, des Milliardärs aus eigener Kraft in der *Koralle*. Doch wenn der Sohn des Milliardärs auch aus dem richtigen Motiv gehandelt hat — aus Mitleid mit seinen Mit-

[1]) Schickele, Der neunte November, pp. 79—80.

menschen —, so hat er doch den falschen Kurs gewählt. Der Sozialismus ist nicht die geeignete Lösung für die Krise des Menschen im zwanzigsten Jahrhundert. Indem der Sozialismus die Arbeiter zu Teilhabern des kapitalistischen Profits macht, beschleunigt und intensiviert er die Schwächung und Enthumanisierung des modernen Menschen. Um ihre Profite zu erhöhen, schuften die Arbeiter Tag und Nacht an ihren Maschinen wie Roboter, die sich kaum Zeit zum Essen und Schlafen lassen. Eines Tages tötet eine ungeklärte Explosion Tausende von Arbeitern. Diese Katastrophe ruft die zweite Wandlung in dem Milliardärsohn hervor. Nun predigt er die wirkliche Änderung des Menschen. Die Mechanisierung hat die Katastrophe verursacht; die Maschine, die dem Menschen die Seele geraubt hat, fordert nun auch seinen Körper. Die Erlösung liegt in einer prä-industriellen Lebensweise. Die Arbeiter sollen die Städte verlassen und kleine Siedlungen in den grünen Feldern des Landes bauen.
Doch die Arbeiter sind noch nicht reif für den Ruf des Führers. Begrenzung und Trägheit des alten Massenmenschen hemmen und gewinnen die Oberhand über den expressionistischen »neuen Menschen«. Die Arbeiter verstehen nicht, daß es der Industrialismus selber ist, der die Explosion verursacht hat; statt dessen suchen sie nach einem Sündenbock. Sie fordern die Bestrafung des Ingenieurs, obwohl er keine Schuld an der Katastrophe trägt. Um die Entlassung des Ingenieurs zu erzwingen, rufen sie einen Streik aus. Die großen Rüstungstrusts fürchten, daß die Unterbrechung der Gasproduktion die Aufrüstung aufhalten und das Kriegspotential vermindern werde; deshalb stimmen sie den Forderungen der Arbeiter zu. Dieses seltsame Bündnis überzeugt den Milliardärsohn, daß nie wieder Gas produziert werden dürfe.
Der Ingenieur führt den Umschwung der Dinge herbei, die bereits begonnen hatten, sich zugunsten des Sohnes zu entwickeln. Der Ingenieur ist sein größter Gegner. Während der Milliardärsohn an menschliches Glück glaubt, glaubt der Ingenieur an das unbegrenzte Anwachsen der menschlichen Macht. Das Gas ist sowohl das Symbol wie der Brennstoff für den atemberaubenden Fortschritt des Menschen. Die Produktion des Gases darf nie aufhören, ganz gleich, zu welchen Opfern an Menschenleben und menschlichem Glück das führt. Um die Wiederaufnahme der Arbeit zu sichern, fordert der Ingenieur seine eigene Bestrafung.
In der glänzenden Dialektik der Debatte zwischen Ingenieur und Milliardärsohn prallen zwei Visionen von der menschlichen Be-

stimmung aufeinander — die Vision von schrankenloser Macht durch industrielle Spezialisierung des Technikers und die expressionistische Vision des Glücks durch einfache spontane Schöpferfreude. Der Appell des Ingenieurs an den Hochmut des modernen Proletariats gewinnt die Oberhand über das Ziel des Milliardärsohns, der die Arbeiter zu einem ruhigen Glück führen möchte. Voller Verachtung für die Vision eines Hirten- und Ackerbauernparadieses bestehen die Arbeiter auf ihrer industriellen »Hölle«, der Quelle materieller Macht, wenn sie auch von der Arbeit zu erschöpft sind, um die Reichtümer zu genießen, die sie produzieren, und wenn sie auch wissen, daß eine weitere Explosion sie eines Tages töten kann. Sie folgen dem Ingenieur zurück »ins Werk ... von Explosion zu Explosion«. Nichts kann sie von ihrem Kurs abbringen.

»*Milliardärsohn (auf die Bühne taumelnd):* Erschlagt nicht den Menschen! ! — — Macht keine Krüppel! — — Du Bruder bist mehr als eine Hand! ! — — Du Sohn bist mehr als Augen! ! — — Du Mann lebst mehr als e i n e n Tag! ! — — Ewig und vollkommen seid ihr alle von Ursprung her — — verstümmelt euch nicht in die Zeit und die Handreichung! ! — — Seid größer begierig — — nach euch — — — — — nach euch! ! ! ! *(Leere Halle.)«*[1])

In *Gas I* erleidet der aktivistische Glaube an die Güte und Klugheit des Menschen eine vernichtende Niederlage. Doch der Optimismus des Führers bleibt im Wesen unverändert. Er schiebt seine Hoffnung zwar hinaus, gibt sie jedoch nicht auf und modifiziert sie auch nicht. Seine Vision wird einfach in eine günstigere Zukunft projiziert. In der Schlußszene des Dramas sagt der Milliardärsohn zu seiner Tochter, die seinen Idealismus teilt, daß die Herrschaft des neuen Menschen nicht mehr fern sein kann:

»Bin ich nicht Zeuge für ihn — und für seine Herkunft und Ankunft — — ist er mir nicht bekannt mit starkem Gesicht? ! — — — — Soll ich noch zweifeln? ! !

Tochter (nieder in Knie): Ich will ihn gebären!« (S. 118)

Alle Zweifel sind beseitigt und die melodramatische Ankündigung der Tochter, daß sie den »neuen Menschen« gebären will, symbolisiert den unerschütterten Glauben an die Zukunft, die über die Enttäuschung durch die Gegenwart die Oberhand gewinnt. Dieses Hinausschieben der Hoffnung hat *Gas I* mit den andern expres-

[1]) Kaiser, G a s I, 102.

sionistischen Meisterwerken gemeinsam, die zwischen 1918 und 1920 geschrieben worden sind und sich mit dem Erlebnis der Ernüchterung beschäftigen. Doch in mancher wichtigen Hinsicht steht Kaisers Drama für sich. Trotz seiner glänzenden Technik und seiner Bedeutung als Markstein in der Geschichte des experimentellen Dramas ist *Gas I* in einigen Punkten zu oberflächlich, als daß es beispielhaft für das Problem wäre, mit dem wir uns hier beschäftigen.

In *Gas I* wird der aktivistische Führer sich nicht selber zum Problem. Nie bezweifelt er sein Recht, den andern die Erlösung vorzuschreiben, und wenn ihm etwas mißlingt, liegt die Schuld ausschließlich bei seinen Mitmenschen. Seine Vision wird nicht in Frage gestellt und der Führer ist ohne Tadel. Dieser unverbesserliche Eigendünkel wird unbewußt durch das Gelübde der Tochter widergespiegelt, daß sie, in deren Adern das Blut des Führers fließt, den neuen Menschen gebären werde. Die Wandlung der Menschheit wird nicht zur gemeinsamen Aufgabe der Menschheit, sondern zum geheimnisvollen Monopol einer auserwählten Familie. Im Gegensatz zu den Helden späterer Werke macht Kaisers Führer keine echte Wandlung im Lauf des Dramas durch. Seine Wandlung ist, wenn wir sie überhaupt so nennen dürfen, keine Wiedergeburt des Herzens, sondern eine Veränderung der Weltanschauung, ein bloßes Umschalten der Politik. Die Persönlichkeit des Helden und seine Einstellung zum Menschen bleiben genau die gleichen, die sie vorher waren. Das gleiche phantastische Vertrauen in die Überredung, der gleiche naiv ekstatische Rationalismus, die wir bereits im ersten Stadium des Aktivismus fanden, erfüllen auch das Drama *Gas I*.

Diese Oberflächlichkeit, die die Wandlung des Milliardärsohns zu einer Änderung der Politik herabmindert, beeinträchtigt auch den Gehalt seiner Vision. Sein pseudo-rousseausches Idyll ist nichts anderes als der moderne Glaube an den materiellen Fortschritt — lediglich auf den Kopf gestellt. Beide suchen die Lösung sittlicher Fragen in materiellen Umständen. Beide machen die innere Wandlung von äußeren Faktoren abhängig. Kaisers einfaches Schema, Industriearbeiter in Bauern und Gärtner zu verwandeln, geht an dem Grundproblem des aktivistischen Expressionismus, an der Erneuerung des Gefühls und der Seele, an der völligen Vermenschlichung des Menschen, vorbei. Es gelingt Kaisers *Gas* nicht, aufzuzeigen, wie die Umstellung von der industriellen zur landwirtschaftlichen Produktion dieses seelische und psychologische

Ziel erreichen könnte[1]). Die Übel des Industrialismus sind häufig die Zielscheibe expressionistischer Angriffe[2]). Doch seelische Rettung im Aufgeben einer bestimmten Produktionsweise zu suchen, heißt die Vorherrschaft der Materie und der Umstände über den Geist zugeben; und gerade das will der Expressionist, wie wir gesehen haben, nicht zugestehen. Das Reaktionär-Pastorale von Kaisers *Gas I* liegt keineswegs im Mittelpunkt der expressionistischen Sehweise. Das Ziel des expressionistischen Aktivisten ist die bis zu einem solchen Grad entwickelte Brüderlichkeit der Menschen, daß das Unrecht, das irgendeinem zugefügt worden ist, von jedem als Schmerz empfunden wird. Das gesellschaftlich-wirtschaftliche System, in dem sich diese Brüderlichkeit verwirklichen läßt, ist sekundär und nebensächlich. Sie ist in der modernen Fabrik ebenso möglich wie im primitiven Dorf. Gewiß, die Unmenschlichkeit des Menschen zeigt sich im Milieu der modernen Industrie besonders kraß, in Werken, in denen die Arbeiter ausgebeutet werden, am Fließband, in der stark mechanisierten Fabrik und auf den Schlachtfeldern des technisierten Krieges. Doch der Sieg über die Unmenschlichkeit kann nur ein innerer Sieg sein, der in jedem Wirtschaftssystem möglich ist. Das klarzumachen gelingt Kaisers *Gas* nicht. Ernst Toller geht in dem andern großen Drama, das den Expressionismus berühmt gemacht hat, *Masse Mensch* (1919), viel tiefer, wenn er seine Heldin sagen läßt:

»Denn seht: wir leben zwanzigstes Jahrhundert.
Erkenntnis ist:
Fabrik nicht mehr zu zerstören.«

Und sie setzt hinzu:

»Fabriken dürfen nicht mehr Herr,
und Menschen Mittel sein.
Fabrik sei Diener würdigen Lebens!
Seele des Menschen bezwinge Fabrik!«[3])

Ernst Toller erlitt die Erschütterung des Widerspruchs zwischen dem revolutionären Traum und der Wirklichkeit vielleicht hefti-

[1]) Vergl. Fivian, Georg Kaiser und seine Stellung im Expressionismus, p. 88. Fivian hat auch (p. 258) auf den Widerspruch zwischen Kaisers »neuem Menschen«, der ein Muster an Altruismus und Demut ist, und den monomanischen, narzißtischen Personen seiner Dramen hingewiesen. Hölle Weg Erde ist vielleicht als einziges Drama Kaisers frei von diesem Widerspruch, der, wie wir zeigten, sogar den Schluß der Bürger von Calais beeinträchtigt. (Vergl. S. 213 des vorliegenden Werkes.) Es ist allerdings ein Widerspruch, der einen Schlüssel zu den psychologischen Wurzeln des Expressionismus bildet.

[2]) Das wildeste und symptomatischste Beispiel dieser Angriffe findet sich vermutlich in Karl Ottens »Thronerhebung des Herzens«, Der rote Hahn, IV (1918), 13: »Die Maschine: wie wir dieses Vieh hassen, diese kalte Eisenmordschnauze. / Nieder mit der Technik, nieder mit der Maschine! ... Fluch auf euch, ihr Erfinder, ihr eitlen, kindisch mordgierigen Konstrukteure! ...«

[3]) Toller, Masse Mensch, Kiepenheuer, 1930.

ger als jeder andere Expressionist, weil er darum kämpfte, den Traum Wahrheit werden zu lassen. Seine »Sowjetdemokratie« in Bayern sollte die Republik der Liebe und allumfassenden Brüderlichkeit sein, die die expressionistischen Dramen, Gedichte und Manifeste so häufig prophezeit hatten[1]). Doch sofort erhob sich das Problem der Gewalt. Wie sollte sich der neue Staat gegen jene sichern, die sich darauf vorbereiteten, ihn durch Gewalt zu vernichten, ohne seinerseits zur Gewalt zu greifen?

Die expressionistische Überzeugung, der Mensch könne zu Güte und Vernunft überredet werden, bestand die Erprobung an der Wirklichkeit nicht, und sobald diese Ausgangsvoraussetzung zusammenfiel, mußte der aktivistische Expressionist tragisch enden, ganz gleich welchem Kurs er folgte. Wenn er versuchte, seinem Ideal der Gewaltlosigkeit nachzuleben, mußte er zulassen, daß das Ergebnis seines Experiments zunichte gemacht wurde; entschloß er sich, es zu schützen, mußte er Gewalt anwenden und damit sein Ideal verraten. »Wird der ethische Mensch politischer Mensch, welcher tragische Weg bleibt ihm erspart?«[2]) Als Toller die Führung einer »Roten Armee« übernahm, um eine Gesellschaft des Friedens und der Brüderlichkeit zu errichten, wußte er, daß er das Wesen *seiner* Revolution verriet. Aber er sah keine andere Möglichkeit. Doch noch nach seinem Entschluß versuchte Toller den Bürgerkrieg dem expressionistischen Traum gemäß zu führen.

»Autorität und blinder Gehorsam regierten das Kaiserliche Heer, auf Freiwilligkeit und Einsicht soll die rote Armee sich gründen, wir dürfen den alten verhaßten Militarismus nicht übernehmen, der rote Soldat darf keine Maschine sein, er hat erkannt, daß er für seine Sache ficht, sein revolutionärer Wille wird die notwendige Ordnung schaffen[3]).«

Aber die roten Soldaten vermißten die gewohnte Disziplin, die Dienstgrade und Strafen und murrten; viele weigerten sich, unter so liberalen Bedingungen zu kämpfen und gingen nach Haus. Die schwersten Schläge gegen Tollers Glauben an den neuen Menschen kamen von seinen Mitrevolutionären. Diese Kämpfer und Märtyrer für eine neue Lebensweise zeigten durch ihre Taten bald, daß ihnen das Ideal der Brüderlichkeit und Liebe nicht einmal bis unter die Haut gedrungen war. Sie wurden nicht vom Traum von der Göttlichkeit des Menschen, sondern vom Haß gegen den Bürger geleitet. Sie wollten alle bürgerlichen Geiseln erschießen, die

[1]) Toller, Jugend, p. 137.
[2]) Toller, Briefe aus dem Gefängnis, p. 63.
[3]) Jugend, pp. 176—177.

Toller unter Einsatz des eigenen Lebens zu retten versuchte. Wegen seiner Menschlichkeit klagten ihn seine kommunistischen Kampfgefährten als »kleinbürgerlich« an und ließen ihn verhaften. Gegenseitige Beschuldigungen unter den Revolutionären und unnütze Blutopfer gingen dem Tag der endgültigen Niederlage vorauf. Diese entmutigenden Erlebnisse bilden die autobiographische Grundlage für Tollers Stück *Masse Mensch.* Die Heldin ist nach der Ehefrau eines Universitätsprofessors gezeichnet, die sich im Gefängnis erhängte, doch ihre Erlebnisse mit der Revolution sind die von Toller selbst, auf eine symbolische und allgemeine Ebene projiziert. »*Masse Mensch* war nach Erlebnissen, deren Wucht der Mensch vielleicht nur einmal ertragen kann, ohne zu zerbrechen, Befreiung.«[1])

In diesem Drama ist der Konflikt zwischen der Frau und dem Namenlosen, wie der Bolschewist genannt wird, der Konflikt zwischen dem expressionistischen Geistigen und der proletarischen Masse, die für seine Vision noch nicht reif ist.

Die Frau hat sich von ihren bürgerlichen Wurzeln losgerissen und der proletarischen Bewegung angeschlossen, um das Ideal einer brüderlichen Welt ohne Krieg und Ausbeutung zu verwirklichen. Der Namenlose ist ein Teil der Masse. Er hat die Qual der Ausbeutung am eigenen Körper verspürt. Er kann nicht verzeihen; ihn treibt die Rachsucht. Die Frau und der Namenlose folgen zwei einander widersprechenden Methoden der Revolution. Die Frau wünscht den blutlosen Generalstreik, der die Kapitalisten zwingen würde, dem Krieg ein Ende zu machen. Der Namenlose wünscht einen gewaltsamen Aufstand, um die revolutionäre Clique an die Macht zu bringen. Diese beiden weichen auch in ihren wesentlichen Zielen voneinander ab. Die Frau ersehnt vor allem andern das Ende des schon im sechsten Jahr wütenden Krieges. Der Namenlose begehrt in erster Linie die Bestrafung und Ausrottung der bürgerlichen Klasse. Wie die Frau später erkennt, lebt der Geist des Krieges in ihm unter einer neuen Maske weiter. Er möchte den Schauplatz der Gewalttätigkeit nur von den internationalen Schlachtfeldern auf die des Bürgerkriegs verschieben. Sie nennt ihn »den Bastard des Krieges«[2]).

Die tragische Schuld der Frau liegt in der Vergottung des Massenmenschen, so wie er hier und jetzt lebt. Sie fügt sich den Forderungen des Namenlosen, weil er einer aus den schwer arbeitenden

[1]) Briefe, p. 43.
[2]) Masse Mensch (wörtlich: »Dein Vater der hieß: Krieg. / Du bist ein Bastard.«)

Millionen und in ihren Augen deshalb geheiligt ist. Infolgedessen stimmt sie der Bewaffnung der Arbeiter und der Anwendung von Gewalt zu:

»Du ... bist ... Masse
Du ... bist ... Recht.«[1])

Doch bald empfindet sie Entsetzen vor den Exzessen, an denen sie durch ihre Zustimmung zur Gewaltanwendung mitschuldig ist, und kehrt zu ihrem ursprünglichen Glauben an die unbedingte Gewaltlosigkeit zurück. Sie widersetzt sich dem Namenlosen und tritt seinem Klassenhaß entgegen. Die Anwendung von Gewalt, so behauptet sie, löse stets einen Circulus vitiosus aus. Das Opfer von gestern ist der Zerstörer von heute, doch die, die er heute verfolgt, werden morgen ihre Rächer finden; so geht es in alle Ewigkeit weiter, wenn nicht endlich Schluß gemacht wird und die Vergeltung sich zu Verzeihung wandelt. Sonst würde es nicht viel ausmachen, ob Kapitalisten oder Arbeiter an der Herrschaft sind. Gewalttätigkeit läßt keine echte Revolution zu; sie verübt lediglich Staatsstreiche, bei denen die Peitsche von einer Hand in die andere übergeht. Die wirklich revolutionäre Tat gründet sich auf Mitgefühl. Mitgefühl erwägt die Zukunft, während Vergeltung in die Vergangenheit schaut:

»Rache ist nicht Wille zur Umgestaltung,
Rache ist nicht Revolution,
Rache ist die Axt, die spaltet
Den kristallnen, glutenden,
Den zornigen, erzenen Willen zur Revolution.«

Doch die Masse ist taub für den Idealismus der Frau. Sie hört auf den Namenlosen, der ihre Sprache spricht und ihrem Begehren Ausdruck verleiht. Er weckt ihren Klassenhaß und lenkt ihren schlummernden Argwohn gegen die Frau. Er sagt den Genossen, sie schütze die Geiseln, weil sie Mitglieder ihrer eigenen Klasse sind. Sie wird als Intellektuelle niedergeschrien, als Verräterin angeklagt und vor ein Revolutionstribunal gestellt.

Der unüberbrückbare Abgrund, der sich zwischen dem Geistigen und der Masse öffnet, unterscheidet die Grundstimmung in *Masse Mensch* von der in Tollers *Wandlung*. Friedrich aus *Die Wandlung* beeinflußt und bekehrt das Volk ohne Schwierigkeit; der Frau aus *Masse Mensch* gelingt es nicht, die Menschen mitzureißen und sie findet sich völlig allein. So tritt die ursprüngliche Isolierung des Expressionisten wieder an den Tag. Er ist ein Füh-

[1]) Masse Mensch.

rer ohne Gefolgschaft. Von der Bourgeoisie abgeschnitten, vom Proletariat nicht aufgenommen. Abermals steht er in dem Vakuum, aus dem er zu entrinnen suchte[1]).

Die Revolution ist niedergeschlagen. Der Namenlose verschwindet, doch die Frau wird wegen angeblicher Beteiligung an dem Geiselmord zum Tode verurteilt. Durch ihren Tod wird sie eine wirkliche Schuld sühnen, denn mittelbar war sie für die Tötung der Geiseln verantwortlich, weil sie, von der romantischen Verherrlichung des Massenmenschen verführt, die Gewaltanwendung gebilligt hatte[2]). Sie verriet das Menschenideal an die Masse. Als der Namenlose sie im Gefängnis besucht und ihr einen Fluchtplan vorschlägt, bei dem die Tötung eines Wärters nötig ist, weist sie ihn zurück:

> »Ich hab kein Recht,
> Durch Tod des Wächters Leben zu gewinnen.
> Höre: kein Mensch darf töten
> Um einer Sache willen.
> Unheilig jede Sache, die's verlangt.
> Wer Menschenblut um seinetwillen fordert,
> Ist Moloch:
> Gott war Moloch.
> Staat war Moloch.
> Masse war Moloch.«

Durch ihren Entschluß, lieber zu sterben als einem andern Menschen das Leben zu nehmen, hat die Frau ihre zweite Wandlung erreicht. Die erste veranlaßte sie, Ehe, Klasse, Behagen und Ansehen aufzugeben und sich der revolutionären Bewegung gegen den Krieg anzuschließen. Die zweite Wandlung krönt die erste, da sie die Gewaltlosigkeit zum unbedingten Verhaltensprinzip macht — sogar für die Revolution, die aller Gewalt ein Ende setzen soll. Doch der hochgestimmte Optimismus der ersten Wandlung ist gedämpft. Die Frau glaubt noch immer, daß die ideale Gemeinschaft eines Tages geschaffen werden wird, wenn die gewalttätige Erbitterung der Masse dem Mitgefühl und der Liebe gewichen sein wird; doch dieser Tag ist in eine unbekannte ferne

1) Es bestehen auffallende Ähnlichkeiten zwischen Heinrich Mann und Toller, den beiden hervorragendsten expressionistischen Aktivisten. Daß sie keiner bestimmten Partei und keinem Programm zugehören, ist bezeichnend. Beide stehen nicht nur »zwischen den Rassen«, sondern auch »zwischen den Klassen«. Sie bleiben wurzellose Rebellen, die in keine nationale oder soziale Gemeinschaft passen. Heinrich Manns spät-expressionistischer Roman Der Kopf (1925) zeigt wie Tollers Dramen das Versagen des intellektuellen Idealisten, der die Wirklichkeit nach seinem Ideal umzuformen versucht. Zu Heinrich Mann vergl. Rosenhaupt Heinrich Mann und die Gesellschaft.

2) Auch Toller betrachtete sich als verantwortlich für die Opfer des bayerischen Bürgerkriegs. Vergl. Jugend, p. 271.

Zukunft gerückt. Er wird nicht morgen heraufsteigen. Unendliche Geduld wird nötig sein. Der Mensch, wie er jetzt ist, der Massenmensch, ist für die Errichtung einer neuen Welt nicht reif.

»*Die Frau:* Masse ist nicht heilig.
Gewalt schuf Masse.
Besitzunrecht schuf Masse.
Masse ist Trieb aus Not,
Ist gläubige Demut...
Ist grausame Rache...
Ist blinder Sklave...
Ist frommer Wille...
Masse ist zerstampfter Acker,
Masse ist verschüttetes Volk.

Der Namenlose: Und Tat?

Die Frau: Tat! Und mehr als Tat!
Mensch in Masse befrein,
Gemeinschaft in Masse befreien.

.....

Der Namenlose: Du lebst zu früh.

.....

Die Frau: Du lebtest gestern.
Du lebst heute.
Und bist morgen tot.
Ich aber werde ewig,
Von Kreis zu Kreis,
Von Wende zu Wende,
Und einst werde ich
Reiner,
Schuldloser,
Menschheit sein.«

Die Frau bleibt also Optimistin. Gewiß, die Erfahrung hat das Axiom »Der Mensch ist gut« Lügen gestraft; aber man darf sagen, *er bemüht sich, gut zu sein:*

»Der Mensch will gut sein.
Er will gut sein. Auch wo er Böses tut,
Hüllt er sich in die Maske des Guttun.«

Wie um ihren unerschütterlichen Optimismus noch angesichts des Mißlingens zu bekräftigen, verwandelt ihre Hinrichtung auf dem Gefängnishof die beiden neuen Insassen ihrer Zelle in bessere Menschen. Die Botschaft der aktivistischen Heldin, mit der sie zur Wandlung aufruft, bleibt auch noch im Tode wirksam.

In Tollers Dichtung und in seinen Briefen bricht indessen die Verzweiflung häufig aus und zerreißt die dünne Schale des aktivistischen Optimismus. Während seiner zweiten Gefängnisstrafe nach dem Zusammenbruch des bayerischen Sowjets blickte er voller Sehnsucht auf seine erste Zeit im Gefängnis zurück, als er noch auf eine baldige Wiedergeburt der Menschheit hoffen konnte:

»Könnte ich nur wie früher an Neugeburt, an reineres Werden glauben.

Menschheit — immer hilflos, immer gekreuzigt. Gerechtigkeit — ein bitterer Geschmack ist auf meiner Zunge.

Ich habe an die erlösende Kraft des Sozialismus geglaubt, vielleicht war das meine ›Lebenslüge‹, vielleicht . . .«[1])

Toller erkennt, daß die Bedürfnisse der Intellektuellen und der Masse nicht die gleichen sind und daß die herrliche Freude von 1918, da sie miteinander zu verschmelzen schienen, sich als grausame Enttäuschung erwiesen hat. Der Dichter, der die Menschheit liebt, muß immer ein unglücklich Liebender sein, weil die Menschheit und er in Wahrheit nichts gemeinsam haben.

»Den Dichtern gleichet Ihr, meine Schwalben.
Leidend am Menschen lieben sie ihn mit nie erlösender Inbrunst,
Sie, die den Sternen, den Steinen, den Stürmen tiefer verbrüdert sind
Als jeglicher Menschheit.«[2])

Toller bewahrt sich nur eine Hülle seines humanistischen Glaubens; unter ihr lauert die alte entsetzliche Isolierung des expressionistischen poeta dolorosus, die er jetzt, nach dem Zusammenbruch seiner aktivistischen Hoffnung, als allgemein und unheilbar betrachtet:

»Einsamkeit ist. Keine Brücke führt zum andern. — . . . Ich glaube nicht mehr an die Wandlung zu ›neuem‹ Menschentum . . . Tiefer als je spüre ich den Sinn des tragischen und gnädigen Worts: Der Mensch wird, was er ist.«[3])

Der isolierte Dichter und Geistige erkennt, daß es keine Heilung und kein Entrinnen für ihn gibt. Ganz gleich welche Umwege er macht, er »wird, was er ist«. Doch immer hält Toller diesen Pessimismus durch seinen gemäßigten, in die Weite gerichteten Glauben an den Sozialismus am Zügel. Die Spannungen und das

1) Briefe, p. 42.
2) Toller, Das Schwalbenbuch, o. J.
3) Briefe, pp. 31, 85.

Wechselspiel zwischen diesem Glauben und seinem Pessimismus führen dazu, daß er das Tragische als Fundament des Seins hinnimmt; selbst in der vollkommensten Gesellschaft wird es immer ein Element tief verwurzelter Tragik geben[1]).

Im Gegensatz zu Toller versinkt Kaiser in ungehemmten Pessimismus. Für ihn ist die Tragik kein Überbleibsel, sondern das ausschließliche Schicksal des modernen Menschen. 1919 schrieb er sein glühend aktivistisches Drama *Hölle Weg Erde;* im Jahr 1920 begrub er mit *Gas II* endgültig die Hoffnung[2]). *Gas II,* das radikalste Beispiel expressionistischen Stils und dramatischer Technik, zeigt eine dem Menschen bestimmte düstere Zukunft. In diesem futuristischen Drama hat die Mechanisierung zum totalen Krieg geführt, doch die beiden Machtblöcke unterscheiden sich ausschließlich durch die Farbe ihrer Uniformen. Die Blauen besiegen die Gelben und besetzen das berühmte Werk, den Schauplatz von *Gas I.* Sie befehlen den Besiegten, die Gasproduktion für den Gebrauch der Sieger wieder aufzunehmen.

Der Milliardärarbeiter, der »neue Mensch«, den die Tochter am Schluß von *Gas I* zu gebären gelobte, warnt seine Mitarbeiter vor dem Sirenengesang der Rache. Ihre Erlösung liegt darin, die andere Wange auch noch hinzuhalten, Bedrückung mit Ergebung hinzunehmen und die Niederlage durch die Umarmung des Feindes zu überwinden. Denn »das Reich ist nicht von dieser Welt«. Doch der Großingenieur bietet eine andere Hoffnung. Er hat eine tödliche Waffe, ein Giftgas erfunden, das die Sieger beseitigen könnte. Er gewinnt die Arbeiter. Sie beschließen, das Giftgas herzustellen. In einem verzweifelten Appell versucht der Milliardärarbeiter, sie vom Weg der Vergeltung abzubringen. Als es ihm nicht gelingt, sprengt er das Gaswerk und vernichtet sich zusammen mit seinen Arbeitsgenossen. Hinter dem mystischen Quietismus des Milliardärarbeiters erscheint als Ziel ein wörtlich zu nehmender »Quietismus«. Die Ruhe des Grabes senkt sich auf eine Welt, deren wahre Erlösung die Vernichtung ist.

In dem grausigen Ende des »neuen Menschen« finden wir die Verbitterung des einsamen und ausgestoßenen Übermenschen wieder, der die Menschheit, die ihn beharrlich abgelehnt hat, seinerseits

1) Das zeigt sich treffend in Hinkemann, dem Drama des entmannten Kriegskrüppels, den keine gesellschaftliche Ordnung zu menschlicher Würde und zum Glück zurückführen kann.

2) Kaiser sollte seinen sozialen Optimismus von 1919 nie wiedergewinnen. Alle Dramen seiner spät-expressionistischen Periode nach Gas II sind tief pessimistisch, zynisch und hoffnungslos. Vergl. besonders Nebeneinander (1923), in dem das Thema von Hölle Weg Erde einer verbittert zynischen und tragischen Abwandlung unterzogen wird, und Gats (1925).

verwirft. Dem *poeta dolorosus,* der sich als Messias, als »neuer Mensch«, maskiert, ist es nicht gelungen, die Menschheit zu sich emporzuheben. Die Menschheit, die ihn als Künstler und Genie verachtet hat, verschmäht ihn auch als Prophet und Führer. Die einzige Tat, die ihm bleibt, wenn er nicht in die Stummheit äußerster Isolierung zurückfallen will, ist die Zerstörung. Im allgemeinen Triumph des Todes erreicht der »neue Mensch« jene Vereinigung mit der Menschheit, die er nicht zu errichten vermochte, solange er sie zu einer neuen Lebensweise zu bekehren strebte. So stellt es sich heraus, daß der »neue Mensch« des Expressionismus kein anderer ist als der Kranke aus Tollers Wandlung, der Mensch, der die Welt vernichten will, weil er keine Liebe in ihr gefunden hat[1]).

Völliger Nihilismus ist jedoch nur dann das Ende der messianischen Ekstase, wenn der »neue Mensch«, weil er es ablehnt, sich selbst zu prüfen, alle Schuld der Menschheit zuschreibt. Ein völlig anderes Bild bietet sich dagegen, wenn der »neue Mensch« nach den Ursachen seines Versagens in sich selbst, in seinen Idealen und in seinen Methoden, sie durchzusetzen, sucht. In diesem Fall kann eine echte zweite Wandlung und Erneuerung stattfinden, wie wir bereits in Tollers Drama sahen. Das optimistischste der dichterischen Dokumente einer »zweiten Wandlung« stellt Fritz von Unruhs Stück *Platz,* die Fortsetzung von *Ein Geschlecht,* dar.

In ebendem Augenblick, da die Revolution durchgeführt werden soll, macht ihr Führer, Dietrich, eine tiefgreifende Wandlung durch. Auf dem Platz, wo die Denkmäler jahrhundertealter Macht auf ihn herniederblicken, erkennt er, daß die Revolution das entsetzliche Machtproblem nicht lösen kann. Die Revolution wechselt zwar die Personen aus, aber nicht das System selbst. Im Geist sieht Dietrich sich und seine Gefährten viele Jahre später auf dem Platz verschanzt und ebenso tyrannisch, korrupt und voller Furcht wie die Herrscher von heute. Nichts wird sich im Leben des Volkes verändert haben außer den Namen und persönlichen Merkmalen seiner Bedrücker. Das Erlebnis, das Dietrich die »wahre Revolution« offenbart, ist die Liebe. Er liebt Irene, die Tochter des Oberherrn, und seine Liebe wird erwidert.

Ehe Dietrich, der messianische Aktivist, Irene begegnete, glaubte er, der Menschheit Liebe bringen zu können, ohne zu wissen, was wirkliche Liebe sei. Darin war er typisch für alle kommunionisti-

[1]) Vergl. Lauckners szenische Bilderfolge Schrei aus der Straße, in der ein aktivistischer Student schließlich den menschlichen Abschaum der Großstadt zum Massenselbstmord führt.

schen und aktivistischen Helden. Für sie war Liebe nicht Eros, sondern Agape — Caritas. Nicht das Brautbett, sondern (wie in Johsts *Der junge Mensch)* das Spital war der angemessene Ort ihrer Vollziehung. Diese Liebe war allgemein und abstrakt und erstreckte sich auf jeden in der gleichen Weise und Intensität. Es fehlte ihr die konkrete verwandelnde Kraft der sinnlichen Liebe zu einem einzelnen und besonderen Menschen. Doch als Dietrich Irene begegnet, wird seine Agape zum Eros. Seine Liebe ist kein Gewissenszwang mehr, sondern wird zu einem spontanen natürlichen Trieb. Sie fürchtet sich nicht mehr vor dem Genuß des Fleisches und den Lockungen weiblicher Schönheit. Dietrich und Irene geben sich ungehemmt dem »selbstsüchtigen« Glück des Körpers hin. Sie genießen ihre Jugend und Schönheit, spielen und scherzen miteinander und gründen ihr Verhältnis auf die geteilte Lust, nicht auf Mitleid und Selbstaufopferung.

Unruh-Dietrich faßt die »neue Liebe« als monogame Vereinigung auf, in der Geist und Fleisch, »Himmel und Erde« sich gegenseitig durchdringen und »freiestes Glück« schaffen[1]). Diese Liebe steht in der Mitte zwischen zwei expressionistischen Extremen — der vitalistischen Promiskuität und der aktivistisch-kommunionistischen Entsagung. Durch die Verschmelzung von Sexus und Agape zum Eros, durch die Verbindung der sinnlichen Hingabe des Vitalisten mit dem Verantwortungsbewußtsein und Mitgefühl des Kommunionisten, führt diese »neue Liebe« beide Extreme zur idealen Normalität zurück. Sie entspricht der Synthese von Geist und Herz, für die Unruh in seinen Reden nach dem ersten Weltkrieg als der einzigen Hoffnung für ein neues Europa wirbt[2]).

Eine vollkommene und erfüllte Liebe zwischen Mann und Frau sichert den Nachkommen eine glückliche Kindheit und bildet damit eine greifbarere Hoffnung für die Zukunft als abstrakte Pläne für eine allgemeine Verbrüderung. Wie in Tollers *Masse Mensch* wird die Hoffnung von der Gegenwart in die Zukunft verlegt. Doch während sich Tollers Heldin in ihrer einsamen Gefängniszelle, von Ehemann und Gefährten verlassen, nur an einen religiösen Glauben an ein abstraktes Ideal klammern kann, *leben* Dietrich und Irene für die Zukunft. In ihrer Liebe besitzen sie nicht nur ein Morgen, sondern auch ein Heute. Wenn auch auf einer schmaleren Basis errichtet — auf Ehe und Familie —, ist ihre

1) Unruhs Wandlung von der Rebellion zur »neuen Liebe« zeigt sich in der letzten Fassung seines Schauspiels Stürme, die kurz nach Platz geschrieben wurde. Dort heißt die Frau, die den rebellischen Helden lieben lehrt, Iris. Vergl. auch Gutkind, Fritz von Unruh: Auseinandersetzungen mit dem Werk, p. 35.
2) Reden, p. 29.

Hoffnung auf ein Paradies auf Erden wirklicher als die von Tollers Heldin. Sichtbare Freude und sichtbares Glück zweier Menschen sind ein stärkeres Argument als abstrakte Ideen in einem Vakuum. Dadurch, daß Dietrichs und Irenes »neue Liebe« allen Männern und Frauen ein begeisterndes Beispiel gibt, wird sie, wie Dietrichs Schwester sagt, »neue Menschen« schaffen.

Seinen früheren Gefährten und Anhängern dagegen, die glauben, daß allein die gewaltsame Revolution die Menschheit retten könne, erscheint Dietrichs neuer Kurs als Verrat ihrer Mission und als Unterwerfung unter die konservativen Grundsätze. Schleich, einst sein begeistertster Jünger, wird zu seinem bittersten Feind und prangert Dietrich als sentimental und reaktionär an. Doch in dem Gesamtablauf von Unruhs Drama ist es gerade Schleichs Extremismus, der die Reaktion darstellt. Wie der Namenlose in Tollers Drama baut auch Schleich nicht für eine neue Zukunft, sondern *reagiert* auf die Vergangenheit. Wenn Tollers Namenloser ein gesellschaftlicher Proletarier war, könnte man Schleich einen Sexual-Proletarier nennen; die Frauen haben ihn stets verschmäht, und er will sich an ihnen rächen. Er ähnelt Expressionisten wie Ehrenstein, dessen mangelnde sexuelle Anpassung wir bereits besprochen haben; und es ist überaus bemerkenswert, daß Ehrenstein, der heftig unter dem Gefühl sexueller Unzulänglichkeit litt, zeitweise zum kommunistischen Aktivisten wurde. Und Schleich greift nach der Revolution als nach einer Kompensation für die Enttäuschungen und Mängel seines ganzen Lebens. Sie soll ihm als Leiter dienen, auf der er zur Macht hinansteigen kann. Er gibt offen vor sich selbst zu, daß er pazifistische Schlagworte als Mittel des demagogischen Betrugs benutzt. Er verwandelt den Schlachtruf »›kein Krieg‹ zum Herrscherstab« für sich. »Ich liebe« ist nur »ein Wort« für ihn, das ihn, oft genug verwendet, in den Augen des Volkes zum Heiligen machen und ihm den Weg zur Macht bahnen wird[1]).

Einmal auf dem Gipfel, läßt der »pazifistische« Revolutionär seiner Raserei freien Lauf. Er ordnet Säuberungsaktionen und Verhaftungen an und zeigt den Frauen, die ihn einst zurückgewiesen haben, daß er ihr unumschränkter Herr ist. Unter dem

1) Umschaffe
den Schrei »Kein Krieg« zum Herrscherstab für mich.
Kein Krieg; das resultiert: Gefühl, Gefühl.
Ich sag! »ich liebe« — ist das schwer? Ich liebe —
Ein Wort! Lebendig Etwas, solang angewandt,
bis mir der Heiligenschein vom Schädel glotzt
. . . Und Schleich steigt in den Sattel . . .
Platz: Ein Spiel, p. 19.

Vorwand, den Staat zu »sozialisieren«, tyrannisiert er ihn. Dietrich soll als Gegenrevolutionär hingerichtet werden. Doch am Ende des Stückes umzingelt die Armee des Greises die Revolutionäre auf dem Platz. Jetzt legt Schleich, der Erzpazifist, die Rüstung eines feudalen Grafen an und führt seine Truppen in die Schlacht wie jeder Kriegsherr aus dem alten System. Es ist unwesentlich, ob Schleich oder der Greis siegen wird. In beiden Fällen werden die Kerker gefüllt und der Platz unterjocht bleiben. Dietrichs Schwester nennt das Feuer zwischen den »Weißen« des Greises und Schleichs »Roten«: »Gespensterkampf verwester Phantasien!« Wesentlich ist, daß Dietrich und Irene, die der Angriff der »Weißen« aus dem Gefängnis der »Roten« befreit hat, in Sicherheit sind. In ihrer Liebe und deren Frucht, den Kindern und Nachkommen, liegt die Hoffnung der Welt.

Unruhs *Platz* nimmt nicht nur das Grundproblem der antistalinistischen Literatur aus der folgenden Generation vorweg — die berühmten »Klassiker der Ernüchterung« Silone, Koestler und Orwell —, sondern bietet uns gleichzeitig auch das erste Beispiel jener Selbstverurteilung, mit der der späte Expressionismus den eigenen Traum in Frage stellt und sich von ihm abkehrt. Denn im Gegensatz zu Kaisers Ingenieur und Tollers Namenlosem handelt und spricht der Hauptgegner des expressionistischen Helden in Unruhs Spiel selber wie ein Expressionist. Er benutzt das expressionistische Schlüsselwort »Liebe«, um seine Herrschaft des Hasses zu errichten, und seine Sprache ahmt den Telegrammstil von Sternheims und Kaisers Dramen und die äußerste Verdichtung der *Sturm*-Dichtung nach. Schleichs radikaler Stil verleiht seiner radikalen Ideologie Ausdruck: seiner Gegnerschaft zur Tradition, zum Gemüt, zu der auf den Einzelmenschen gerichteten Liebe und zu all den andern romantischen Werten der Vergangenheit, gegen die er sich — als Opium für das Volk — gewaltsam auflehnt. Ein treffendes Beispiel dieser Verbindung von sprachlichem und ideologischem Radikalismus findet sich in der folgenden Stelle, mit der Schleich Dietrichs Bekehrung zu einem einzelnen Mädchen als verräterische Unterwerfung unter die Reaktion anprangert:

> »Anhörten wir Bekenntnis! Edelkitsch!
> Rückführt euch an Gesetze? Willkürbrecher?
> Zersetzt, zerdruckt, zerdenkt Dummseele Volks!
> Ausoperiert Gemüt, Erzfeind uns Neinern!«[1]

[1] Ibidem, p. 77.

Anderseits greift Dietrichs Sprache mit ihrem hymnischen Elan und dem verhältnismäßig konservativen Satzbau trotz ihrer Ausdrücke aus der Umgangssprache und ihrer modernen Entstellungen auf den traditionellen Stil des deutschen dichterischen Dramas zurück, besonders auf Schiller und Kleist, genau wie die allegorisierenden Einfälle und Symbole des Dramas es mit dem *Faust II* und der mythenerfindenden Dichtung der deutschen Romantik verknüpfen, mit denen sein Evangelium der Erlösung durch romantische Liebe durchaus übereinstimmt.

Die stilistische und ideologische Kluft zwischen Dietrich und Schleich ist ein Teil jener scharfen Grenzziehung zwischen »echtem« und »falschem« Expressionismus, mit der sich die letzte Phase der Bewegung leidenschaftlich beschäftigt. Die »echten« Expressionisten werden im ganzen mit Mäßigung, Idealismus und Bewahrung der großen Traditionen abendländischer Kunst und Dichtung gleichgesetzt; die »falschen« Expressionisten mit launenhaftem Extremismus, Unaufrichtigkeit, eitler Schöngeisterei und Experimenten um der Experimente willen. Sogar während der höchsten Blüte der Bewegung schlägt sich in Edschmids programmatischer Definition des Expressionismus bereits die Verachtung für die »Mitläufer« oder »modischen« Expressionisten in Worten der schärfsten Ablehnung nieder: »Schon wird das, was Ausbruch war, Mode. Schon schleicht übler Geist hinein.«[1]) Für Schickele ist der Unterschied zwischen echtem und falschem Expressionismus der gleiche wie der zwischen dem geistigen und dem intellektuellen Menschen: »Die einen [die Geistigen] suchen die innere Einigkeit der Menschen, die andern [die Intellektuellen] begnügen sich mit der äußeren Änderung der andern. Sie können unmöglich zusammen fahren.«[2])

Der falsche Expressionist strebt nach dem Extremen um des Extremen willen und entwickelt sich nie darüber hinaus. Es gibt »falsche« Expressionisten der Form und des Stils, die sich auf schockierende Neuerungen und erzwungene Dunkelheit verlegen; wir dürfen sie der Einfachheit halber unter den Abstraktionisten eingruppieren. Andere »falsche« Expressionisten wieder pflegen eine radikale Einstellung in politischen oder sozialen Fragen. Es ist ihnen nicht gelungen, sich über das einfache aktivistische Stadium hinaus zu entwickeln, das die »echten« Expressionisten abgelegt oder wenigstens in seiner ganzen entsetzlichen Kompliziertheit zu

1) Über den Expressionismus in der Literatur, p. 72. Diese Rede wurde im Dezember 1917 gehalten.
2) Schickele, Die Genfer Reise, p. 157.

sehen gelernt haben. Abstraktionismus und Aktivismus sind eng miteinander verknüpft. Im Abstraktionismus spielt sich der menschliche Geist als Schöpfer eines Reiches reiner Formen auf, für das sich in der Natur kein Vorbild findet; im Aktivismus fordert der Geist eine vollkommene soziale Ordnung, die sich auf absolute Ideale von Glück und Gerechtigkeit gründet, ohne Rücksicht auf die geschichtliche Wirklichkeit zu nehmen.

Max Brod zeichnet in seinem Roman *Das große Wagnis* (1919), das er sein Buch »des Widerrufs« des Aktivismus nennt[1]), eine alptraumhafte Gesellschaft falscher »neuer Menschen«, die an einem vergessenen Abschnitt der Schlachtfront eines endlosen europäischen Krieges in unterirdischen Löchern leben. Diese, Liberia genannte, unterirdische Gemeinschaft soll die vollkommene Verkörperung der Freiheit und Vernunft, die Zuflucht der Brüderlichkeit in einer kriegszerrissenen Welt sein. Der Dichter jener Gemeinschaft der »absoluten Freiheit« hat eine radikal neue Form des Dramas entwickelt, um der Neuartigkeit des liberianischen Experiments gerecht zu werden. Die traditionelle Kunst widerspricht, wie er festgestellt hat, der rationalistischen Einfachheit des utopischen Plans. Die traditionelle Kunst zeigt das Böse mit dem Guten gemischt und preist die vielfältigen Verzweigungen der Seele. Liberia hat diese Vielgestaltigkeit und das Tragische überwunden. Deshalb brauchte Liberia einen neuen Dramentyp, völlig stilisiert und abstrakt. »Das horizontale Drama«, das der Dichter entwickelt hat, besitzt keinerlei menschliche Inhalte. Es ist »sozialistischer Idealismus«, so sehr von allem andern entkleidet, daß nur noch ermahnende Erklärungen übrig bleiben. Die Schauspieler rezitieren diese Erklärungen in liegender Stellung und mit möglichst gleichmäßiger, automatenhafter Modulation; damit erreichen sie eine beschwörende Wirkung:

»›Mir fiel ein [erklärt der liberianische Dichter], daß der *liegende* Mensch mit Armen und Beinen fast gar keine Gestikulationsmöglichkeit hat. Er lebt noch, aber gelähmt gleichsam. Das ideale Symbol des idealen Pflichtmenschen. So richtete ich die horizontale Bühne ein. Das Publikum wird von der Galerie ... hinunterschauen. Die Schauspieler liegen ...‹

›Wie in Gräbern‹, falle ich ein.

›Ja, Sie haben recht‹, meinte er nachdenklich. ›Das ganze Theater erinnert an einen Friedhof.‹«[2])

[1]) Vergl. Brod, Heidentum, Christentum, Judentum: Ein Bekenntnisbuch, I, 61.
[2]) Brod, Das große Wagnis, pp. 201—02.

Nicht nur das »horizontale Theater«, sondern das ganze liberianische Experiment erweist sich als ein Friedhof der menschlichen Seele. Was mit den edelsten Absichten als Verwirklichung des Traumes der menschlichen Brüderlichkeit begann, entartete bald zu einer bösartigen totalitären Gesellschaft, die in den wesentlichsten Aspekten Koestlers *Sonnenfinsternis* und Orwells *1984* vorwegnimmt[1]).

Die Gründe für diese entmutigende Entwicklung, die der Erzähler des Romans, ein Künstler, auseinandersetzt, sind zahlreich, doch insgesamt eng miteinander verbunden. Zunächst sind die an dem Experiment Beteiligten nahezu alle entwurzelte, neurotische Intellektuelle genau wie die Führerschicht der mitteleuropäischen Linksrevolution jener Zeit. In der ersten Begeisterung über ihr Gemeinschaftsbewußtsein wetteiferten diese Intellektuellen miteinander um die untergeordnetsten Arbeiten. Schriftsteller, Universitätsprofessoren, Künstler und Anwälte waren stolz darauf, sich Schuhputzer, Kellner, Tellerwäscher oder Straßenfeger nennen zu können. Doch diese Begeisterung war ausschließlich theoretischer Natur. Statt die entsprechende Arbeit selbst zu verrichten, schmeichelten sie mit diesen proletarischen Titeln nur ihrem demokratischen Hochmut. Sie glaubten, wenn sie die Theorie der demokratischen Nivellierung und Handarbeit vertraten, hätten sie den entscheidenden Schritt getan; die Arbeit selbst sei nebensächlich und könne warten. Und während sie sich prahlend Schuhmacher und Tellerwäscher nannten, wurden weder Schuhe gemacht noch Teller abgewaschen. Die für die theoretische Denkweise typische Verachtung der Praxis und der Einzelheiten führte zum Chaos. Das Chaos führte zum Zwang, da die Gemeinschaft nicht am Leben bleiben konnte, ohne daß gearbeitet wurde. Der Zwang nahm bald abstoßende und scheußliche Formen an, die alles überstiegen, was in dem kapitalistischen System oben im Tageslicht je ersonnen worden war[2]).

Wenn die liberianischen Intellektuellen sich auch von der Egozentrik abgekehrt und ein Kollektiv errichtet haben, haben sie diese Wandlung doch nicht im Herzen erlebt und sind keine »neuen Menschen« geworden. Wie Unruhs Schleich haben sie nicht gelernt zu lieben. Das ist der tiefste Grund für den Fehlschlag ihres Expe-

[1]) Vergl. z. B. das sinnreiche »dionysische Ohr«, eine Erfindung in der Kunst des heimlichen Lauschens, das aus Orwells alptraumhafter Utopie stammen könnte. Das riesige Theater ist als elliptisches Gewölbe konstruiert, dessen Wände selbst geflüsterte Gespräche weit entfernten Lauschern zutragen. (p. 207.)

[2]) Vergl. z. B. die Lage des Kellners in Brods Roman, der als verkörperte Anklage der unheilvollen Kluft zwischen der liberianischen Theorie und Praxis lebt. Ibidem, pp. 184—85, Kapitel VIII, »Roulette«.

riments. »Liberia, die Gemeinschaft der Liebelei, der Staat ohne Liebe! Herzensabwesenheit heißt seine Krankheit.« (p. 191.)
Dr. Askonas, der Diktator von Liberia, gibt zu, daß er niemals gelernt habe, glücklich zu sein, und deshalb eine sadistische Lust dabei empfinde, andere unglücklich zu machen. Er genießt es, Revolten, die sich gegen ihn anbahnen, zu zerschlagen, Säuberungen und Schauprozesse durchzuführen; er hält Dynamit bereit, um den ganzen Staat in die Luft zu sprengen. Und dennoch war dieser Mann einmal von der Sehnsucht inspiriert worden, ein Paradies auf Erden zu errichten. Die mangelnde sexuelle Anpassung der Liberianer, die wiederum eine Folge ihrer allgemein fehlenden Gefühlsgesundheit ist, verurteilt ihr idealistisches Experiment zum Untergang. Es kann keine neue Gemeinchaft ohne neue Seele geben; und diese neue Seele findet sich zuallererst in der Fähigkeit des einzelnen, zu lieben — und zwar nicht die Menschheit als etwas Abstraktes, sondern einen wirklichen Menschen zu lieben:
»›Ohne Liebe geht alles falsch.‹ — Allen Staatsmännern, allen Volksführern, allen Öffentlichkeitsmenschen müßte man es sagen und müßte sie geradezu auf Ehre und Gewissen fragen: › . . . Wie sieht es in deinem Haus aus und (mit voller Offenheit gesprochen) in deinen Lenden? Betäubst du dich nicht am Ende mit politischen Rausch-Gasen, weil dein Geschlecht verunglückt ist?‹«[1])
Ebenso wie Unruhs Irene Dietrich die Leichtigkeit und Freude der Liebe lehrt, so befreit Ruth, eine sanfte, reife und tolerante Frau, den Erzähler aus Brods Roman von der höllischen Utopie. Ruth macht den Künstler, der Brods Roman erzählt, nicht nur zu einem besseren Menschen, sondern auch zu einem bewußten Juden. Die weitere Festigung des universalistischen Aktivismus, seine Verengung zu einer konkreten, national-religiösen Gemeinschaft, ist ein wichtiger Faktor im Spätexpressionismus. Gewiß, der Zionismus spielte bereits in Brods erster Wandlung eine Rolle; doch danach, in seiner uneingeschränkt aktivistischen Phase[2]), betonte er die sozialrevolutionären, universalen und messianischen Aspekte des Judentums. Brod glaubte an eine Welt ohne Schmerz und Tragik[3]). In seiner zweiten Wandlung nach 1918 aber bedeutet die Abkehr

[1]) Brod, Das große Wagnis, pp. 266—67. Vergl. auch Brod, »Liebe als Diesseitswunder. Das Lied der Lieder«, in Heidentum . . ., II, pp. 5 ff.
[2]) Vergl. Brod, »Aktivismus und Rationalismus« in Tätiger Geist: Zweites der Ziel-Jahrbücher, herausgeg. von Kurt Hiller, pp. 56—65. Dieser Artikel zeigt Brods voll ausgewachsenen Aktivismus.
[3]) Brod, Heidentum . . ., I, 59. Brod spricht hier von seinem »Irrweg«, weil er das Judentum fälschlich für eine ausschließlich säkulare, sozialbewußte »Religion der Freiheit« gehalten habe.

vom aktivistischen Universalismus für Brod die erneuerte Bestätigung der geistig-religiösen und mystischen Elemente des Judentums und gleichzeitig die Abwendung von dem unheilbaren Europa. Sie ist also sowohl eine Verengung wie eine Verinnerlichung der Hoffnung.

Der Erzähler aus Brods Roman und Ruth, seine »Braut vom Libanon«, fliehen von dem Kontinent, auf dem die böse unterirdische Diktatur des Dr. Askonas die einzige Alternative zum niemals endenden Krieg ist. Die Sympathien von Brods Erzähler gelten noch immer dem fehlgeschlagenen unterirdischen Experiment; wenigstens den Absichten nach war Liberia groß und voller Verheißung gewesen. Und wenn Liberia auch der Mißerfolg beschieden war, konnte es doch in Palästina gelingen[1]). Palästina wird von einer neuen Generation besiedelt werden, die von dem Versagen der expressionistischen Generation nicht verdorben worden ist. »*Unsere* Generation ist vielleicht schon verloren«, sagt Ruth gegen Ende des Romans; doch sie fährt mit glühender Bestätigung des Glaubens an die Zukunft fort.

So wie Brod sich vom Expressionisten zum geistig-religiösen Zionisten entwickelt, werden Johst, Bronnen und Heynicke Nationalsozialisten. Indem sie Nationalisten wurden — ob jüdische oder deutsche —, zogen sich die Expressionisten von einem Universalismus zurück, der sich als unaufrichtig, weltfremd und bedrückend erwies. Sie lehnten die Treibhausatmosphäre des linkspolitischen Kaffeehauses ab und kehrten aus den utopischen Träumen in die vorhandenen Gemeinschaften zurück. Schon während seiner pazifistischen Periode im ersten Weltkrieg[2]) empfand Johst eine gewisse Abneigung gegen die aktivistischen Intellektuellen und Literaten. Hans, der Held seines autobiographischen Romans aus dem Jahr 1917, spürt heißen Zorn in sich aufsteigen, als er hört, wie blasse Bohemiens in ihrer Kaffeehausecke frivole Themen diskutieren; und er freut sich übermäßig, als ein Komiker ihre abstrakten Erörterungen mit einem groben Witz unterbricht oder die deutschen Klassiker gegen ihre kosmopolitische Respektlosigkeit verteidigt. Hans fühlt sich mehr zu Haus bei

[1]) Eine ähnliche Flucht aus Europa ist in andern expressionistischen Werken um 1920 festzustellen; es handelt sich um eine offensichtliche Reaktion auf den Zusammenbruch der messianischen Hoffnung des Jahres 1918. Vergl. Sternheims Roman Europa, ebenso, wie wir noch sehen werden, den Schluß von Werfels Nicht der Mörder...

[2]) Das beste Beispiel für Johsts revolutionären Aktivismus bildet seine Posse Morgenröte: Ein Rüpelspiel (Das Aktionsbuch, herausgeg. von Franz Pfempfert, pp. 315—27). In Morgenröte schmäht Johst den patriotischen Antisemitismus, dem er später selbst anhängen sollte, und behauptet, daß der Dichter zur schonungslosesten Behandlung des bürgerlichen Chauvinismus berechtigt sei. Damals war er, wie er später sagte, »ein menschheitlich orientierter Europäer«. Vergl. Johst, Ich glaube!, p. 8.

der volkstümlichen Gruppe, die Bier trinkt, Anekdoten erzählt und vaterländische Lieder singt, als bei der kaffeetrinkenden Intelligenz. Als der Krieg länger dauerte, kamen Johst Zweifel an den seelischen Triebfedern seines Pazifismus, der ihn von der Mehrheit seiner Landsleute absonderte. War er nicht ein Zeichen seiner physischen Minderwertigkeit?

»Liebe ich den Menschen jenseits der Grenze, weil ich Krüppel bin? Hat der gesunde Mensch Grenzen? Ist die Begrenzung nicht vielleicht Pflicht? Ist grenzenlose Menschlichkeit nicht vielleicht nur Verkümmerung der Hände, der Augen und des Herzens zugunsten des Gehirns? War der antike Mensch menschlich? War der Christ der Kreuzzüge, war Luther grenzenlos menschlich? Ist Größe nicht Begrenzung . . .«[1])

Schließlich trug der Unwille über das Versagen der linkspolitischen deutschen Bewegungen zu Johsts früher Bekehrung zu Hitler bei. Ein 1919 geschriebener Aufsatz zeigt Johsts Wandlung vom aktivistischen Universalismus zur nationalen »Gesinnung der Grenzen.«[2]) In diesem Aufsatz ruft er nach der Integrierung des Geistes mit dem menschlichen Organismus, besonders dem Blut. Ein Ideal, das den menschlichen Lebensstrom, das Blut, nicht berücksichtigt, wird verdammt. Wie Unruh die Synthese von Geist und Herz fordert, so fordert Johst die Synthese von Geist und Blut, doch mit völlig anderm Akzent. Während Unruh der universal-gesinnte Humanist und Pazifist bleibt, gibt sich Johst der Mystik von »Blut und Boden« hin und wird zum fanatischen Anhänger der neuen Barbarei. Er hält das »deutsche Erwachen« der Hitlerbewegung für das Mittel gegen die grauenvolle Vereinzelung seines poeta dolorosus.

Das deutsche Volk und die deutsche Jugend sind die glühende Hoffnung Kurt Heynickes. Er donnert gegen die »falschen Propheten«, die blassen Literaten der internationalen Brüderlichkeit, die »Klubs mit dem Wort Geist gründen« und mit dem Wort »Liebe« herumgaukeln wie Taschenspieler, die ihre Geschicklichkeit vor der Masse zur Schau stellen. Heynicke ruft das Volk auf, das etwas ganz anderes ist als die Masse, sich gegen seine falschen Führer zu erheben, gegen die entwurzelten Intellektuellen, die es wagen, ohne das Volk und seine wahren Träume und Wünsche zu kennen, im Namen des Volkes phantastische Forderungen zu stellen:

1) Johst, Ich glaube!, p. 15.
2) Johst, »Resultanten«, Die neue Rundschau, XXX/2 (Februar 1919), 1138.

»Das Volk stirbt nie!
Aus ihm allein gebiert sich neue Menschheit,
Nicht aus den blassen Literatenfratzen dieser Tage,
Die schon veraltet, wider uns, die Jugend stehn.«[1])

Während die Zielscheiben der bisher behandelten Expressionisten — die »falschen Propheten« Heynickes, die »Intellektuellen« Schickeles, »die Mitläufer« von Edschmid, Brods liberianische Höhlenbewohner, Unruhs Schleich und Tollers Namenloser — entweder falsche Expressionisten oder bloße aktivistische Revolutionäre waren, führte Werfel seinen Angriff gegen das Herz des »guten Expressionismus« selbst. Gebhart in Werfels Rückschau haltendem Roman *Barbara* verkörpert einige der grundlegenden Ideale der expressionistischen Revolution. Gebharts Lehre vom Matriarchat und von der völligen Freisetzung der menschlichen Liebesfähigkeit als stärkste Waffe gegen die Macht steht Unruhs und Werfels eigenen Ansichten sehr nahe. Dennoch erweist sich dieser Herold der am weitesten gehenden Rebellion des Expressionismus als »Wolf im Schafspelz«[2]). Gebharts zerstörende Kraft liegt in einer viel tieferen Schicht als die von Unruhs Schleich oder Brods Dr. Askonas. Gebharts Egozentrik wird — nicht nur für ihn selbst, sondern auch für andere — stark von Schichten herzlichen guten Willens, des Mitleids und Mitgefühls überdeckt, die von ihm auf alle Mitmenschen ausströmen und ihn sogar dazu veranlassen, sein Leben aufs Spiel zu setzen, um einem bedrängten Gefährten zu helfen. Doch diese Hilfsbereitschaft, diese sich selbst aufopfernde Wärme und Kameradschaftlichkeit des expressionistischen Propheten ist der Ausfluß eines heimlichen, größenwahnsinnigen Willens zur Macht, der lasterhafter ist als jeder andere, weil er sich hinter einer trügerischen Ähnlichkeit mit christushafter Liebe verbirgt.

Gebhart, der unaufhörlich von Liebe spricht, verurteilt aus mangelnder Liebe sein eigenes Kind zum Tode. Als das Schreien des vernachlässigten Kindes unerträglich wird, drückt Gebhart die Finger in die Ohren, um das Wimmern nicht zu hören, weil es ihn erkennen läßt, daß er kein Herz besitzt. Dieses unterernährte und von Krankheiten geplagte Kind revolutionärer Intellektueller, das in einem Winkel wimmert, während seine Eltern in endlose Gespräche verwickelt sind, öffnet der Hauptgestalt die Augen für die Gebharts schönem Traum von einer neuen Menschheit

1) Heynicke, »Rhythmen gegen die Falschheit«, Die Erhebung, II (1920), 1.
2) Das sich mit Gebhart beschäftigende Kapitel trägt die Überschrift »Gebhart und die Zerstörung«. Werfel, Barbara, pp. 466 ff.

zugrunde liegende Verderbtheit. Denn diese neue Menschheit lebt bereits in dem Kind, das Gebhart zu einem vorzeitigen Tod verurteilt, weil es seine Bohemien-Freiheit beschränkt.
Der Mord lauert in Gebharts Evangelium von der völligen Befreiung durch die Liebe. Sein Zerstörertum zeigt sich nicht nur in dem Behagen, mit dem er über die Möglichkeit nachsinnt, eine ganze Stadt in die Luft zu sprengen, sondern liegt auch in seiner Lehre von der Liebe selbst. Gebhart maßt sich die Rolle des Beichtvaters und Richters über die Liebesbeziehungen seiner Jüngerinnen an. Er allein entscheidet darüber, ob sie genug Liebe schenken. In gewissen Fällen stellt er einen unheilbaren Mangel an Liebesfähigkeit fest. Er überredet solche »impotente« Mädchen, sich zu töten, und beschafft ihnen Gift.
Nach Werfel liegt einem jeden missionarischen Impuls das Begehren zugrunde, andern sein Ich aufzuzwingen. Jedes System einer Welterlösung ist eine versteckte Form von Selbstverherrlichung. Jeder, der glaubt, er habe eine Mission zu erfüllen, drückt damit stillschweigend seine angemaßte Überlegenheit über die Mitmenschen aus. Er allein vermag zu geben, während die andern empfangen müssen. So verletzt er das Verhältnis von Nehmen und Geben zwischen dem Ich und dem Du, das dem guten und heilen Leben zugrunde liegt[1]). Und hier taucht in dem missionarischen Expressionisten der alte nietzschesche Romantiker wieder auf, gegen den sich der kommunionistische Expressionismus so heftig aufgelehnt hatte. Werfels aktivistischer Rebell Gebhart und der magische Ästhet Wagner aus seinem Roman *Verdi* sind nur zwei Manifestationen der gleichen romantischen Agonie — Aufblähung des Ich auf Kosten der Welt oder in freudscher Sicht: das Untergehen des erwachsenen »Wirklichkeitsbegriffs« in infantiler Selbstliebe. Unter der Oberfläche gibt es keine Unterschiede mehr zwischen dem Aktivisten und dem Romantiker.
Auch Wagner fühlt sich kraft seiner »Zukunftsmusik« als Erlöser der Menschheit. Auch er hat eine Weltmission zu erfüllen und seine Kunst züchtet eine Sekte, die gegen jedes andere Genie unduldsam ist. Sowohl in seinem Leben wie in seinem Werk sucht er sich die Welt zu unterwerfen und zu sich zu bekehren. Der expressionistische Prophet Gebhart anderseits zeigt in seinem persönlichen Leben die gleiche Unverantwortlichkeit, Unordnung, Überheblichkeit, physische Unsauberkeit und seelische Unreinheit,

[1]) In den inspiriertesten Augenblicken seiner pazifistischen Rebellion sieht sich Ferdinand, der Held des Romans Barbara, an der Spitze einer ihn bewundernden Armee, als er vortritt, um den Offizieren seine Insubordination ins Gesicht zu schleudern. Barbara, p. 419.

die der Senator aus Werfels *Verdi* als die Laster des romantischen Bohemien à la Wagner geißelt[1]). Das »Schattenreich« des expressionistisch-aktivistischen Kreises in *Barbara,* im Hinterzimmer eines Kaffeehauses versteckt, wohin niemals das Licht des Tages dringt, ist ebenso eine Insel der Isolierung wie Coleridges romantisches »pleasure-dome« oder Stefan Georges neoromantische »hängende Gärten« und »totgesagter Park«. Daß es sich um einen Elfenbeinturm der Häßlichkeit statt der Schönheit handelt, macht ihn um nichts weniger inselhaft und phantastisch. Diese selbsternannten Führer des Volks wissen nicht das mindeste über das Volk. Sie haben nie in seiner Mitte gelebt, nie mit ihm gefühlt. Sie sind das Treibgut der europäischen Mittelklasse, angeschwemmt in den bohemischen Höhlen der Kosmopolis des zwanzigsten Jahrhunderts. Der Bankrott der alten Ordnung, den der Krieg mit sich brachte, gibt ihnen für kurze Zeit die Gelegenheit, Rache an allem zu üben, was physisch und geistig gesund und fromm ist. »In den Gesichtern, von denen wir sprechen, kann ich das Zeichen dieser Verwesung lesen, das luziferische Siegel des Abfalls, die Sucht, Rache zu nehmen für den Zustand unbeschreiblichen Elends, der Gottverlassenheit heißt. Schau dir die moderne Kunst dieser Leute nur an! Ihr Merkmal ist der Haß ohne Grund, der Haß an sich. Du hast das Wort Erlösung mißbraucht. Glaubst du, diese Leute denken an die Zukunft, oder lieben das Volk, das Proletariat, dessen Namen sie immer im Munde führen? Die Schwindler der Politik sind noch Heilige gegen sie! Sie suchen die Revolution, wie der Kranke ein Betäubungsmittel, um den eigenen Greuelzustand loszuwerden.«[2]) Werfels kraftvolle Trilogie *Spiegelmensch* von 1920 veranschaulicht seinen tiefsten Einblick in die Gleichartigkeit jeder Selbstvergötterung, ob sie nun offen als Hybris des nietzscheschen Übermenschen oder in der Maske des weltbefreienden Altruismus auftritt. Thamal, der Held dieser »magischen Trilogie«, ein Dichter, der zwar den Erfolg, doch nicht das Glück und den Seelenfrieden kennengelernt hat, möchte sich von der Welt zurückziehen und in Beschaulichkeit leben. Doch innerlich ist er nicht reif dafür. Der Beweis dafür ist sein eigenes Spiegelbild. Der Mensch, der sich wahrhaft überwunden hat, schaut durch ein Fenster auf eine wahre »höhere Realität«[3]); doch Thamal blickt in einen Spiegel, der nur ihn selber wiedergibt.

1) Vergl. Werfel, Verdi, p. 577.
2) Barbara, p. 512. Doch Alfred Engländer, der die Aktivisten so beredt verurteilt, verfällt schließlich selber dem aktivistischen Irrtum.
3) Werfel, Spiegelmensch: Magische Trilogie, p. 222.

Der Abt des Klosters, in dem Thamal Zuflucht vor der Welt sucht, erklärt ihm, daß es drei Stufen oder »dreifache Schau« für den Menschen gebe (pp. 19 ff.). In der ersten Schau glauben die Menschen, die Welt zu sehen, während sie nur sich selbst erblicken. In der zweiten Schau erkennen sie, daß sie nur sich selbst sehen und werden sich des Gefängnisses bewußt, in dem der Egoismus sie von der Wirklichkeit abschließt. Auf dieser Stufe ficht der Mensch einen verzweifelten Kampf mit sich selbst aus. In seinem Spiegelbild erkennt er seinen bösen Feind, die Selbstliebe, reflektierte Selbstliebe, die ihn in Fesseln hält und die seinem Verlangen, das zu lieben, was außer ihm ist, den Weg versperrt. Doch wenn er den »Spiegelmenschen«, mit dem er im Grunde seines Herzens ringt, erst besiegt hat, wird er zu der wahren »Schau« erwachen, in der sich der Spiegel in ein Fenster verwandelt und Licht in sein Zimmer strömt. Dann ist er reif für die Liebe. Die dritte Schau ist dem Menschen verwehrt. Sie ist die Stufe des wahren Erlösers Christus, der den Kampf mit seinem Spiegel-Ich nicht durchzufechten braucht, sondern gewissermaßen mit einem Fenster statt eines Spiegels auf die Welt gekommen ist. Er sieht die Welt statt sich selber, und indem er sie sieht, erlöst er sie. Doch während er die Welt erlöst, erlöst er gleichzeitig Gott, denn die Welt ist ihrerseits Gottes Spiegel, und all unsere Unzulänglichkeit, unser Leiden stammen von Gottes Kampf mit dem Spiegelbild seiner Eitelkeit, dem Menschen nämlich, her[1]). Die Versöhnung Gottes mit seiner Welt ist die Aufgabe des Heilands.

Thamal glaubt irrigerweise, daß er das letzte Stadium der zweiten Schau erreicht habe, d. h. daß er gelernt habe, zu sehen und zu lieben, was außer ihm ist. Doch sein Spiegelbild verwirrt ihn und erinnert an seine Unvollkommenheit. Er beschließt, auf den Spiegel zu schießen und ihn so zu zerschmettern.

Doch genau wie für Schopenhauer der Selbstmord keine wahre Befreiung von der Tyrannei des Willens darstellt, so wird auch Thamal nicht durch den Schuß auf den Spiegel befreit. Der Spie-

[1]) Die eschatologische Bedeutung der Trilogie Spiegelmensch wird klarer, wenn man sie zusammen mit Werfels Fragment Die schwarze Messe liest, das sich mit der Eitelkeit des Schöpfer-Gottes im Akt der Schöpfung beschäftigt. Er schuf den Menschen sich zum Bilde, so daß der Mensch Gottes schuldiger und unglücklicher Spiegelmensch wurde. Vergl. p. 186 und Fn. 29 ebd. Vergl. auch Klarmann, »Gottesidee und Erlösungsproblem beim jungen Werfel«, Germanic Review, XIV (1939), 192. Der Verfasser ist Adolf Klarmann zu Dank verpflichtet, daß er seine Aufmerksamkeit auf dieses überaus bedeutsame Romanfragment aus dem Jahre 1919, die sehr eng damit verwandte Legende »Die Erschaffung der Musik« und das Fragment »Theologie«, beide ebenfalls aus dem Jahr 1919, gelenkt hat; die genannten Arbeiten finden sich im ersten Band der von Adolf Klarmann veranstalteten Gesamtausgabe von Werfels Werken; man darf sie mit allem Recht Prolegomena zur Trilogie Spiegelmensch nennen.

gelmensch springt vielmehr aus dem zerbrochenen Glas und nimmt dreidimensionale Gestalt an.
Der Spiegelmensch verführt Thamal zum Aktivismus. Da Thamal den Spiegelmenschen aus seinem gläsernen Gefängnis befreit hat, wird es ihm leicht, die Menschheit frei zu machen und ihr erbärmliches Leben aus »Gebrechen, Verbrechen, Gebrest, aus endlosen Plagen, aus Krampf« zum ewigen Fest zu führen.
Die Rolle des Messias dient dem egozentrischen Menschen, dessen Egoismus sich seiner selbst bewußt ist[1]), als Rechtfertigung seiner Selbstverherrlichung, die er als Altruismus und Selbstaufopferung ausgibt und damit beschönigt. Thamal redet sich ein, er handle zum Besten der Menschheit, während er in Wirklichkeit nur seinem geliebten Ich schmeichelt und es verherrlicht. In Werfels Trilogie *Spiegelmensch* vereinigen sich die beiden Hauptrichtungen des Expressionismus, der Vitalismus und der Aktivismus, zu einer einzigen der Selbsttäuschung und der Selbstzerstörung. Sie sind die beiden großen Versuchungen des geistigen Menschen, der danach strebt, mit der wahren Realität in Berührung zu kommen. Weil der Aktivismus das Edelste im Menschen, seine Seele, verführt, ist er der gefährlichere der beiden und die letzte Waffe des bösen Feindes. Doch im Grunde sind Vitalismus und Aktivismus, wie Thamals Leben zeigt, nur zwei verschiedene Stadien der Selbstvergottung des Menschen.
Thamal kehrt in die Welt zurück und fordert sein Erbteil vom Vater. Es ergibt sich eine für den vitalisitischen Expressionismus typische Situation. Der Sohn, der alles verachtet, was der Vater verkörpert, will das Geld seines Vaters, um die Welt zu erleben. Der Vater lehnt ab; Thamal tötet ihn unter Anleitung des Spiegelmenschen, nimmt sein Geld und flieht in die Welt. Unter dem Beifall des Spiegelmenschen verliebt sich Thamal in den Anblick seiner Reize, seines Erfolges und seiner Macht. Von seinem kometenhaften Aufstieg berauscht, verführt Thamal Ampheh, die schöne Gattin seines Freundes, indem er ihr das vitalistische Ideal der vornehmen Welt vor Augen hält, das keine Verbote und Tabus kenne, weil diese ausschließlich für den kleinen Geist des Bourgeois gälten.
Doch Thamal kann nicht lieben. Kaum hat er Amphehs Widerstand besiegt und sie von ihrem Gatten und ihrer Pflicht weggerissen, verliert er das Interesse an ihr. Sie wird ihm zur Last

[1]) »Die zweite Schau ist die des um sich selbst wissenden Egoismus.« Werfel, »Dramaturgie und Deutung des Zauberspiels Spiegelmensch«, zitiert in Klarmann, »Gottesidee und Erlösungsproblem«, pp. 206 ff.

und als Ampheh ihm mitteilt, daß sie ein Kind erwartet, und die von Thamal verlangte Abtreibung verweigert, benutzt er das als längst gesuchten Vorwand, sie zu verlassen. Ampheh erkennt zu spät für ihr eigenes Glück, daß Thamal sie nie geliebt, sondern sie nur verführt hat, um seine Überlegenheit über ihren Mann zu beweisen.

»Selbst- und Geltungsgenuß«[1]) — diese Haupttriebfeder für Thamals Verhalten — bleibt auch noch wirksam, als Thamal vom ich-berauschten Vitalismus zum altruistischen Aktivismus überwechselt. Die Ironie dieses Wechsels liegt darin, daß gerade die verbrecherische Verantwortungslosigkeit denen gegenüber, die ihm am nächsten stehen — die Geliebte und das ungeborene Kind —, Thamal für die Rolle des Befreiers einer ganzen Nation fähig macht. An und für sich bildet diese altruistische Tat die reinste Leistung in Thamals schwarzem Lebenslauf, und der Spiegelmensch, den Thamals andere Handlungen dick und riesig gemacht haben, schrumpft zusammen, als Thamal sich entschließt, unbewaffnet auszuziehen, um den ungeheuerlichen Schlangenkönig Ananthas zu bekämpfen und das Volk zu befreien. Doch die Motive dieser Tat machen ihre positiven Auswirkungen zunichte. Das Leiden und die Bedrückung des Volks sind nur ein Anlaß für Thamals Selbstbewunderung. Kaum ist er von seiner Befreiungsmission zurückgekehrt, als er dem Spiegelmenschen erlaubt, ihn zum Gott zu erklären. Die Priesterschaft wird gestürzt, Verfolgungen setzen ein, und der altruistische Befreier hat sich in einen absoluten Diktator verwandelt. Der Spiegelmensch als Thamals Prophet funkt die Nachricht von Thamals Gott-Werdung an die Zeitungen der Welt:

»Radiogramm sogleich an Times und New York Herald,
An jedes Sternbild, das die Ohren herhält!
›Welterlösung promptest zu erhoffen ...
Gott hier 12 Uhr fünf persönlich eingetroffen!‹«[2])

Thamals Herrschaft als Gott symbolisiert den Höhepunkt des Expressionismus mit seinen inneren Antithesen und Paradoxen, die Werfel in folgenden satirischen Versen verspottet:

»Eucharistisch und thomistisch,
Doch daneben auch marxistisch,
Theosophisch, kommunistisch,
Gotisch kleinstadt-dombau-mystisch,

[1]) »Dramaturgie und Deutung«, ibidem.
[2]) Spiegelmensch, p. 138.

Aktivistisch, erzbuddhistisch,
Überöstlich taoistisch,
Rettung aus der Zeit-Schlamastik
Suchend in der Negerplastik,
Wort und Barrikaden wälzend,
Gott und Foxtrott fesch verschmelzend.«[1])

Unter den äußeren Inkonsequenzen und Paradoxen des Expressionismus — der Verschmelzung von Gott und Foxtrott, von mystischer Religiosität und links eingestellter Politik — erkennt Werfel die tiefe und schicksalhafte Heuchelei in seiner lästerlichen Menschheitsvergottung, die als Tarnung für die Vergottung des Ich dient. Thamal sündigt, als er vorgibt, Utopia zu errichten, und als er sich selbst zum Gott erklärt, nicht nur gegen Gott, sondern auch gegen die Wirklichkeit. In der blasphemischen Vergottung des Menschen liegt die Erzsünde des Expressionismus und die Ursache seines Zerfalls.

Thamals Höhepunkt ist wie der des Expressionismus nur sehr kurz und verwandelt sich fast unverzüglich zur Katastrophe. Wie der aktivistische Expressionist hat auch Thamal die uralten Ungeheuer nicht auszulöschen vermocht; und rasch triumphiert die Reaktion über die falsche und vermessene Revolution. Die Schlangenungeheuer des Königs Ananthas kommen zurück und verwüsten das Land mit größerer Wut als zuvor. Das Volk, das Thamal eben noch zujubelte, verläßt ihn, und das Reich des »sichtbaren Gottes« ist zu Ende. Thamals Sturz geht rasch vor sich und ist vollständig. Von der Polizei wegen des Vatermords verfolgt, wird Thamal jetzt von allen, einschließlich des Spiegelmenschen, aufgegeben, der sich, durch Thamals Verbrechen stark und dreidimensional geworden, kräftig genug fühlt, ein selbständiges Leben voll irdischer Erfolge zu führen. Aktivistische Welterlösung ist nicht mehr die Mode. Der Abstraktionismus herrscht in der Kunst[2]), und die alte feudal-kapitalistische Gesellschaft hat sich siegreich behauptet. Der kurzen Stunde von Thamals Triumph erinnert man sich — wie der ebenso vergänglichen Blüte des aktivistischen Expressionismus — nur in peinlicher Verlegenheit oder voller Hohn.

Sowohl Gebharts als auch Thamals Schuld liegt in beider Verhältnis zu ihren Kindern, d. h. zur sichtbaren Zukunft. Gebhart wollte eine neue Welt bauen, die sich auf Liebe gründete, und haßte

[1]) Ibidem, p. 130.
[2]) Vergl. die Schneemannszene, pp. 153—55.

das eigene Kind. Thamal zog aus, um sein Volk zu befreien, und kümmerte sich nicht darum, was seinem Kind geschah. Beide wollten die Welt erneuern, doch dort, wo sie die unmittelbarste Möglichkeit hatten, es zu tun, nämlich in ihren eigenen Kindern, versagten sie. Die herrliche Zukunft, von der sie träumten, erwies sich als Verkrüppelung und Tod. Hierin lag die unheilvolle Kluft zwischen Theorie und Praxis, die wir auch bei Dr. Askonas' liberianischem Experiment beobachteten und die den ganzen aktivistisch-expressionistischen Traum zu nichts Besserem als einer Bohemien-Vernünftelei machte.

Thamals Sünde gegen die Zukunft enthält und umschließt all seine andern Sünden. Die Verachtung für seinen Vater, die ihn zum Vatermord führte, deutete bereits das Verbrechen gegen seinen Sohn an. Denn, wie der Vater ihm sagte: wer kein Sohn sein kann, vermag auch kein Vater zu sein. Hier finden wir die genaue Umkehrung von Hasenclevers *Sohn* aus dem Jahr 1914. Hasenclevers Sohn lehnte sich im Namen der Zukunft und um seiner ungeborenen Kinder willen gegen den Vater auf. Im Frühexpressionismus also führt die Rebellion gegen die Väter zu einer besseren und gesünderen Welt. In Werfels *Spiegelmensch* aus dem Jahr 1920 hingegen ist nicht der konservative Vater der Schuldige, sondern der rebellische Sohn. Der Spätexpressionismus, der alle Illusionen über die Rebellion verloren hat, lernt erkennen, daß der unbarmherzige Schnitt zwischen Vergangenheit und Zukunft nur zu Chaos und Zerstörung führen kann. Die Zukunft muß organisch aus der Vergangenheit wachsen[1]).

Thamals Bereitschaft zu sterben, um sein Verbrechen gegen die Zukunft zu büßen, rettet ihn vor dem Spiegelmenschen. Als er den Giftbecher leert, zu dem er sich als Richter in seinem eigenen Prozeß verurteilt hat, verschwindet der Spiegelmensch und Thamal erwacht im Kloster. Wo er einen Spiegel gesehen hatte, erblickt er jetzt ein Fenster, das zu einer höheren Wirklichkeit hinausschaut.

Wenn wir von der buddhistischen Mystik am Schluß der Trilogie absehen, die nur eine extreme und vorübergehende Phase in Werfels Entwicklung darstellte, unterstreicht Werfels *Spiegelmensch* — wie Unruhs *Platz* und Brods *Das große Wagnis* — das

[1]) Hasenclever selbst fordert in seinem spätexpressionistischen Stadium Reife statt Rebellion. Vergl. das Gedicht »An die Freunde«, ein Dokument tiefer Resignation, in Verkündung, p. 81:

> Wir haben den Sturm der Freiheit geläutet.
> Wir waren Jünglinge. Jetzt sind wir Mann.
> Ach, die Taten des dröhnenden Mundes
> Sind vergangen. Tritt ein in die Reih! . . .

Ziel einer idealen menschlichen Normalität. Diese ideale Normalität drückt sich in der Bejahung der Kontinuität des Lebens aus, wie sie sich in der Familie offenbart. Aber während Unruhs Schauspiel und Brods Roman diese Normalität als ein neues und revolutionäres Zukunftsziel betrachten, veranschaulicht Werfels Trilogie ihren Zusammenhang mit der Vergangenheit. Die Welt, so lautet die Botschaft der Trilogie *Spiegelmensch*, kann nur im buchstäblichen Sinn des Wortes gerettet werden, d. h. *bewahrt* und von den Vätern an die Söhne weitergegeben. Diese Idee der geheiligten Kontinuität der Generationen verwirft das aktivistisch-expressionistische Ziel vom Reich des Geistes oder das traditionslose Paradies auf Erden. Werfel gelangt dazu, dieses große Ideal abzulehnen, weil es in seiner unerbittlichen Abstraktheit dem Individuum jegliche Verantwortung für seine Alltagsbeziehungen nimmt. Auch der expressionistische Theoretiker und Dramatiker Paul Kornfeld bedauert, daß die deutsche Revolution von 1918 nicht eine größere Anzahl »beschränkter« Menschen erfaßte, die sich, statt an allgemeine und absolute Ziele zu denken, einem einfach richtigen und gewissenhaften Verhalten in ihren persönlichen Angelegenheiten gewidmet hätten.

»Wehe aber einem Menschen und wehe der Welt, wenn ein Mensch die ganze Welt zu seinem Kreise macht, nicht deshalb, weil ihm sein eigener beschränkter Bezirk seines persönlichen Lebens zu eng geworden ist, sondern weil er diesen eigenen Bezirk gar nicht kennt oder ihn mißachtet oder es für unwichtig hält und unmaßgeblich, was in ihm geschieht ... Was ein solcher Mensch tun wird, wird nur Unheil sein.«[1])

Kornfeld geht sogar so weit, einen gewissen realistischen »Egoismus« als heilsames Gegenmittel gegen jenen blinden und unheilvollen Altruismus zu begrüßen[2]).

Das »Ethos der Beschränkung«, wie Johst es nennt und das so bezeichnend für den Spätexpressionismus ist, erscheint, oberflächlich betrachtet, wie eine Umkehrung all dessen, wonach der Expressionismus gestrebt hatte. Doch wenn wir etwas tiefer blicken, stellen wir fest, daß dieses »Ethos der Beschränkung« die grundsätzlichen Bestrebungen des kommunionistischen Expressionismus vollendet. Am Anfang der Bewegung stand Werfels Aufschrei: »Mein einziger Wunsch ist, dir, oh Mensch, verwandt zu sein!« Die Sehnsucht nach der Integrierung des isolierten Ich mit

[1]) Kornfeld, »Gerechtigkeit — Fragment«, Die Erhebung, II (1920), 313.
[2]) Ibidem, p. 315.

»den andern«, dem Nicht-Ich, dem Du, erfüllte Sorge und Kafka, Toller und Kaiser, Hasenclever und Brod, Heinrich Mann und Frank. Die Kommunion mit dem Mitmenschen war das Ziel der inbrünstigen Gebete des unglücklichen Narzißten und seine Hoffnung, von Ekel und Verzweiflung befreit zu werden. Diese Hoffnung inspirierte die aktivistische Revolte, deren Ziel die Herrschaft des Mitgefühls war. Diese Revolte sollte den einsamen Intellektuellen mit seinen Mitmenschen vereinen und ihm jenen Sinn für die Wirklichkeit wiedergeben, nach dem es ihn verlangte. Doch damit, daß der Aktivist die Liebe auf die ganze Welt ausdehnte, schoß er über das Ziel hinaus und verfehlte die Wirklichkeit schließlich vollkommen. Von dem günstigen Ausgangspunkt des grundlegenden gesamtexpressionistischen Strebens aus betrachtet, erwies sich der Aktivismus als ein Irrtum. Der Aktivist hatte sich getäuscht, als er glaubte, vom Narzißmus geheilt zu sein. Tatsächlich hatte er seine Phantasien von Selbstverherrlichung und übermenschlichem Status lediglich auf die ganze Menschheit übertragen. Das war nicht die echte Demut dem Leben gegenüber. Es war nur ein Symptom des Wahnsinns, den allzu großes Leiden hervorruft, und keineswegs sein Heilmittel. Das Grundziel des Expressionismus war, wie wir gesehen haben, *Sachlichkeit* — Gesundheit, Verständnis für die andern, Kommunion mit ihnen und reife Demut angesichts der Wunder des Lebens. Die Revolution war ein Weg, auf dem der Expressionist die Sachlichkeit zu erreichen suchte; er versuchte, die Welt zu heilen, um selbst gesund zu werden. Das erwies sich als das falsche Verfahren.

Dieser Gedankengang wird überaus klar in Werfels Roman *Nicht der Mörder* entwickelt, der zur gleichen Zeit wie *Spiegelmensch* geschrieben wurde und in gewissem Sinn eine Ergänzung dazu ist. Der junge Duschek, ein Möchtegern-Komponist, der sich aus Aufsässigkeit gegen den Vater den Anarchisten angeschlossen hat — das abstoßend autoritäre Verhalten des Vaters hat den Sohn in ein neurotisches Wrack verwandelt —, ist im Begriff, den Vater zu ermorden. Doch als er die Hand hebt, um nach dem Tyrannen seiner Kindheit und Vergifter seines Lebens zu schlagen, sieht er plötzlich nur einen pathetischen alten Mann, der sich in tierischer Todesfurcht duckt. Ein großer Ekel vor seiner eigenen Tat überkommt Duschek junior, und er empfindet eher Mitleid als Haß auf seinen Vater, den er jetzt zum erstenmal in der richtigen Perspektive sieht. Im Gegensatz zu Franks Seiler erkennt Werfels Duschek das Absurde an der Hoffnung, Gemütsgesundung und

Menschenwürde durch einen Mord zu finden. Er kann sich nur dadurch retten, daß er die rachsüchtige Auflehnung ebenso hinter sich läßt wie kniefällige Unterwerfung, weil das eine ebenso versklavt wie das andere; der einzige Weg ist der, das eigene Leben in einer gesunden und realistischen Atmosphäre neu aufzubauen. Er beschließt, nach Amerika auszuwandern, zu heiraten, eine Farm zu kaufen und einen Sohn großzuziehen.

»Ich habe eins erkannt: Alles ist sinnlos, was der Welt nicht neues Blut, neues Leben, neue Wirklichkeit zuführt. Einzig um die neue Wirklichkeit geht es.

Alles andere gehört dem Teufel an. Vor allem aber die Träume, diese entsetzlichen Vampire, denen sich alle Schwächlinge und Memmen hingeben, alle, die niemals aus dem Winkel kriechen wollen.«[1])

Duscheks Weg aus dem verzerrten und revolutionsreifen Europa nach einem jungen Kontinent, wo er in enger Berührung mit dem Boden stehen wird, der Quelle allen Lebens, wo er lernen wird, ein Vater zu sein, ein Erzeuger und Versorger, hat Ähnlichkeit mit Thamals Erwachen zur wahren Wirklichkeit. In beiden Fällen reift das infantile, narzißtische, angst- oder stolzgeplagte Ich zu einem reineren, ruhigeren, unberührteren und echteren Dasein heran. Indem sie ihr Kindheits-Ich — die »Knabenkleider des Scheins« — überwinden, lernen Thamal und Duschek, die Wirklichkeit zu sehen, befreit von dem Inkubus neurotischer Ich-Besessenheit, die wie ein ungeheurer Spiegel zwischen ihnen und der Welt steht.

Die Anarchisten dagegen haben den »Winkel der Kindheit« nicht verlassen. Ihr falsches Verhältnis zur Gesellschaft entspricht Duscheks früherem falschen Verhältnis zu seinem Vater. Die Anarchisten haben sich nicht von der neurotischen Haßliebe freigemacht, die bezeichnend für das Sohn- und Sklaventum ist, für ebendie Rolle, die ihre Revolution zu überwinden strebt. Das erkennen sie genau und bemühen sich, ihr Ich ebenso zu befreien wie die Gesellschaft; doch die gleiche verhängnisvolle Kluft, die wir schon anderswo beobachtet haben, klafft zwischen der intellektuellen Einsicht der Revolutionäre und ihrem tatsächlichen Leben. Sie sehen blaß und kränklich aus, ihre Zusammenkünfte finden in Opiumhöhlen statt, und Sineida, ihre schöne Führerin, ist von tiefer, unheilbarer Schwermut erfüllt. Als junges Mädchen wurde sie dazu ausersehen, einen Erzherzog zu töten, verfehlte

[1]) Werfel, Erzählungen aus zwei Welten, p. 282.

jedoch ihr Ziel und tötete statt des Erzherzogs sein kleines Kind. Die Erinnerung an ihr entsetzliches Versehen verfolgt Sineida durch das ganze Leben, und ihre hoffnungslose Trauer zeigt an, daß ihr Fehlschuß symbolisch für den größeren Fehler des revolutionären Traums selber steht. In seiner Abschiedsbotschaft an Europa bezieht Duschek offensichtlich die revolutionäre Opposition, die Romantik der Linken, mit ein in seine Diagnose der Krankheit der europäischen Kultur.

»Wer kann sagen, was Produktivität ist? Aber was sie auch sein mag, sie ist nur das, was aus gerader unmittelbarer Seele kommt. Drum hütet euch vor den Träumen der Krummen, Zertretenen, Verdrehten, Witzigen, Rachsüchtigen, wenn sie diese Träume als Schöpfertaten feilbieten! ...

Wir haben die Erde verlassen. Sie hat sich gerächt, indem sie uns alle Wirklichkeit nahm, tausend Wahne dafür und schlechte Träume gab.

Ich aber will mein Geschlecht wieder der Erde verschwistern, einer endlosen ungebundenen Erde, damit sie uns entsühne von allen Morden, Eitelkeiten, Sadismen, Verwesungen des dichten Zusammenwohnens.« (p. 283.)

Das Amerika, in das Duschek auswandert, ist nicht der Kontinent der unbegrenzten Möglichkeiten, der den Helden aus Edschmids früh-expressionistische Erzählung *Lasso* lockt. Es ist das Land, in das hundert Jahre früher Goethes Wilhelm Meister zog, um ein gesundes und ausgeglichenes Leben, frei von den »tausend Wahnen und schlechten Träumen« einer allzu reichen Vergangenheit zu finden.

Der Vergleich des spätexpressionistischen »Ethos der Beschränkung«, das man bei Johst, Werfel, Kornfeld, Unruh, Brod und früher bei Sorge und Stadler beobachtete, mit dem praktischen und sozial bewußten »Ethos der Entsagung« des alten Goethe, erlaubt uns, die anti-subjektive, anti-romantische Tendenz des späten Expressionismus ebenso fest in die deutsche Tradition einzuordnen wie ihr subjektives, vitalistisch-romantisches Gegenteil. Denn es gibt im deutschen Leben und in der deutschen Literatur ebenso eine Tradition der Sachlichkeit wie die des idealistischen und romantischen Subjektivismus und sie führt die Bezeichnungen Aufklärung, Klassik, »poetischer Realismus«, neue Sachlichkeit; doch ihre Grundhaltung läßt sich am besten mit dem Hölderlinschen Ausdruck »heilig-nüchtern« umreißen. Frömmigkeit und Nüchternheit, das liebende Umfassen des Kosmos und peinliche

Bemühtsein um das Tatsächliche — das war es, was Wissenschaft für Goethe bedeutete; und in eben diesem Gegensatz zwischen Goethes liebevoller Unterwerfung unter den Kosmos und Kants radikaler Leugnung eines Kosmos zeigt sich die Kluft zwischen der Objektivität und dem Subjektivismus in der deutschen Literatur und Philosophie am deutlichsten. Der Frankfurter Patrizier und Weimarer Höfling hütete sich vor dem subjektiven Radikalismus, der der Denkweise des einsamen Ostpreußen zugrunde lag. Goethe betonte, daß der Künstler nicht nur der Herr, sondern auch der Sklave der Natur sei. Er behauptete, daß Natur und Kunst sich allenthalben entsprächen und daß die griechischen Künstler die größten gewesen seien, weil ihre Werke die Naturgesetze vollendet offenbarten. Goethe, der die romantische Vorliebe für die gotische Kunst krankhaft nannte, hätte für die von Kubisten, Expressionisten und Surrealisten verübten Verzerrungen nur schärfste Ablehnung aufgebracht. Der eigentliche Expressionismus stand, wie wir sahen, auf Kants Seite gegen Goethe; doch im späten Expressionismus von Werfel, Johst, Kornfeld, Unruh, Brod prägte sich die Rückkehr zur Goetheschen Linie der konservativen Objektivität immer stärker aus.

Im Spätexpressionismus erhob sich nicht nur Auflehnung gegen den aktivistischen Inhalt, sondern auch gegen die »revolutionäre Form«, die das Wesen des Expressionismus gewesen war. Diese Gegenrevolution führte die Expressionisten zurück zu der großen Tradition der deutschen und abendländischen Literatur und knüpfte wieder an den konservativen Idealismus der deutschen bürgerlichen Kultur an. Bereits 1919 erklärte Johst, er strebe in seiner Kunst nicht nach dem Neuen, sondern nach dem Notwendigen. Nach Johst ist ein echtes Kunstwerk niemals völlig originell; und er stimmte durchaus mit Goethe überein, als er feststellte, daß es sich bei der Kunst um nichts anderes handle als um den »reinen und ungebrochenen Gesamtausdruck einer Persönlichkeit«[1]). Er forderte, daß die Kunst von den modernen Exzessen zur großen Tradition zurückkehre. Er warf den Expressionisten ihren Intellektualismus und ihre Abstraktheit vor: sie vergäßen, daß der Geist der Natur innewohne und kein ausschließlich menschlicher Besitz sei. Er stellte Novalis als Beispiel für den Dichter hin, der »aus dem tiefsten Naturgefühl heraus Prophet des Hintersinnlichen, des absolut Geistigen wurde«. So wandte sich Johst zurück zu der deutschen romantischen Tradition, die in den Fußstapfen Goethes

[1]) »Resultanten«, Die neue Rundschau, XXX/2 (Februar 1919), 1138.

und Schellings die Natur als Offenbarung des Weltgeistes, als das »lebendige Gewand der Gottheit«, sieht; infolgedessen rückte er sowohl vom Humanismus des Aktivisten ab, der Gott nur in der Menschheit sah und die Natur als ein fremdes Chaos betrachtete, das unterworfen und vermenschlicht werden müsse, als auch vom Formalismus des Abstraktionisten, der der äußeren Natur keinerlei Bedeutung für seine Kunst zugestehen wollte.
Doch selbst in der Blütezeit des Expressionismus waren die konservativen Sympathien seiner letzten Phase bereits zu erkennen. Die wichtigsten programmatischen Erklärungen der Bewegung legten auch den stärksten Nachdruck auf die Kontinuität zwischen Vergangenheit und Gegenwart. Edschmid verkündete in seinem berühmten Manifest der Bewegung, daß der Expressionismus keineswegs eine neue Erscheinung sei. Es habe ihn unter verschiedenen Namen in allen großen Zeiten des menschlichen Geistes gegeben. Er sei fast eins mit dem schöpferischen Impuls selbst. Es sei der falsche Expressionismus, der der modischen und launischen »Mitläufer«, der den Eindruck erwecke, daß die Bewegung völlig neu und ungeheuerlich verderbt sei. Kornfeld griff in seinem programmatischen Aufsatz »Der beseelte und der psychologische Mensch« den modernen Extremismus mit noch größerer polemischer Schärfe an als Edschmid. Nach Kornfeld ist es ein Irrtum, zu glauben, daß die modernen Experimente den Naturalismus verdrängt hätten. Die gleichen alten naturalistischen Postulate lebten unter der Maske des Experiments, der Abstraktion und der Verzerrung fort. Genau wie die soziale Revolution nur eine Reaktion auf den status quo und nicht seine Überwindung sei, so sei auch die experimentelle Bewegung in der Kunst nur eine Reaktion auf den Naturalismus und nicht seine Überwindung. Die Naturalisten geben ein Portrait der Oberflächen-Wirklichkeit; die Experimentellen geben eine Karikatur der gleichen Oberfläche. Verzerrung ist nicht Überwindung. Die falsche Reportage ist der getreuen Reportage nicht überlegen; wenn überhaupt, ist sie wertloser als jene. Die modernen Verzerrer und Experimentierer sind Unfähige, die ihren Mangel an Talent unter der Pose kühner Neuerungen verbergen.
»Denn ihr Untalent für bürgerliche Berufe beweist noch nicht, wie sie es meinen, ihr Talent zur Kunst. Sie finden sich in der Realität nicht zurecht und glauben damit schon die Realität überwunden und das Recht erworben zu haben, sich zur Kunst, diesem Asyl für alle Unfähigkeit, flüchten zu dürfen... Sie glauben revolu-

tionär zu sein, indem sie Lärm machen, und sind doch nur... *entgleiste Bürger.«*[1])

Die antimodernistische Einstellung des Spätexpressionismus erreicht ihren Höhepunkt in dem Werk, das die Bewegung beschließt: in Werfels *Verdi* (1923). In diesem »Roman der Oper« greift Werfel Wagner an, dem die moderne Auffassung in Musik, Literatur und Kunst tief verschuldet ist, und tritt für den volkstümlichen Musikstil und die »einfache« Persönlichkeit Verdis als den Idealen von Kunst und Künstler ein. Werfel setzt experimentelle Form mit Krankheit der Seele gleich und sieht Wagner als einen wurzellosen und pathologischen Abenteurer, einen Neurotiker und Größenwahnsinnigen. Er stellt der verschrobenen, durch und durch krankhaften Gestalt Wagners die menschliche Normalität und Gesundheit Verdis gegenüber und setzt die demütige »Objektivität« oder »Sachlichkeit« von Verdis Musik der aggressiven Subjektivität von Wagners Stil entgegen.

Verdis Ruhm gründet sich auf den unmittelbaren Anklang seiner Melodien. Seine Arien werden bereits nach der Premiere auf der Straße gesungen; sie sind sofort »Schlager«. Er selbst ist ein Gefäß, ein Instrument, eine Wünschelrute, von Gott benutzt, um den Menschen die Schätze der Musik zu offenbaren. »Dem Menschen ist in Wahrheit nicht gegeben, zu schaffen, sondern nur zu finden... Melodien sind. Sie können nicht produziert werden, sondern nur entdeckt... Genialität ist die Fähigkeit des menschlichen Wesens, in gewissen Augenblicken zur Wünschelrute zu werden. Mehr nicht.« (p. 456.)

Genialität ist eine *Gabe* im buchstäblichen Sinn des Wortes. Sie wurde dem Künstler zu treuen Händen übergeben, damit er sie entwickle und zur Freude und zum Wohl seiner Mitmenschen vervollkommne. Nie darf er vergessen, daß er nur ein Mittler (und selbst das nur in inspirierten Augenblicken) ist und nicht Gott. Als Herausforderung für die ganze moderne Tradition, die ihren Ursprung in Kants Ästhetik hat und die göttliche und völlige Autonomie des Genies behauptet, fordert Werfel, daß der Künstler seine Gaben nicht für das zügellose Experiment einsetze, sondern um den Menschen zu erfreuen, eine Auffassung, der Werfel in seinem Schaffen selbst folgen sollte, bis sie ihn zu dem weltweiten Triumph seines Werkes *Das Lied von Bernadette* trug, das jedem modernen Geist und aller expressionistischen Form so fern steht wie nur etwas.

[1]) Kornfeld, »Der beseelte und der psychologische Mensch«, Das junge Deutschland: Monatsschrift für Theater und Literatur, I (1918), 9—10.

In Werfels »Roman der Oper« ist Wagners Kunst der rasende Versuch, sich selbst durch den Ausdruck des eigenen Ich zu retten. Die Wurzeln dieser Kunst liegen in der Neurose. Ihre Wirkung wird dem Bedürfnis des Künstlers, sich von seiner Qual zu befreien und die Seele zu entlasten, völlig untergeordnet. »Im Grunde versuchte Wagner niemals den wirklichen Kampf um die Menschenwelt ... *Denn während er schrieb,* machte er keine Anstrengung für ein reales Volk zu schreiben.« (p. 123.) Wagners Kunst ist Wagners Erlösung. Darin liegt seine Unsachlichkeit. Sein Werk spricht jene an, die an einer ähnlichen neurotischen Veranlagung leiden wie der Künstler, die Hyper-Zivilisierten und Überverfeinerten. Doch es heilt sie nicht und macht sie nicht zu besseren Menschen. Es betäubt oder berauscht sie und steigert die Neurose zur Hysterie. Wenn Italo, ein junger Wagnerianer in Werfels Roman, die Klavierauszüge seines angebeteten Meisters spielt, erlebt er etwas dem Geschlechtsakt sehr Ähnliches; nachher verspürt er die gleiche Entkräftung und Erschöpftheit wie nach einer »Liebesnacht«. Wie eine große Kokotte, eine femme fatale, verbraucht der in Wagner personifizierte moderne Künstler, der von der Romantik herkommt, den gesamten Gefühls- (und materiellen) Reichtum, den die Welt zu bieten hat, und erzeugt dafür Sensationen, Verzückungen und »alle Formen von *unglücklicher* Liebe«. Er arbeitet unaufhörlich, er ist fieberhaft tätig, doch nur, um am Ende passiv zu sein — gerettet, geliebt, vergöttert. Die »Sündigkeit« der romantisch-modernen Kunst, wie Werfel sie auffaßt, liegt in der selbstsüchtigen Passivität ihres Zieles. Sie ist nicht sittlich, sondern narkotisch.

In Werfels »Roman der Oper« entspricht der Gegensatz zwischen dem sittlichen und dem egozentrisch-romantisch-modernen Künstler dem zwischen der lateinischen und der deutschen Zivilisation. Werfel erkennt durchaus an, daß die moderne Ästhetik, wie unsere Untersuchung am Anfang des vorliegenden Werkes gezeigt hat, eng mit der gesellschaftlichen und existentiellen Krise des schöpferischen Menschen verknüpft ist, mit jener Krise, die zuerst in Deutschland sichtbar wurde und sich im Laufe des neunzehnten Jahrhunderts über das andere Europa, besonders über Frankreich, ausbreitete. Wagner »war ein Deutscher. Und deutsch sein heißt: Dir ist alles erlaubt, weil nichts, keine *Beziehung* und keine Form dich bindet.« (p. 123.) Eine gefährliche Charta der Herrlichkeit. Der deutsche Künstler, wie Werfel ihn zeichnet, ist ein Neuerer, weil er in der Isolierung lebt und schafft. Da er nicht für ein

Publikum mit klar bestimmtem Geschmack und festen Konventionen schreibt, besteht nicht die Notwendigkeit, bei traditionellen Formen zu verharren. Um sich in einem Land einsamer Individuen der Aufmerksamkeit würdig zu erweisen, muß er originell sein, mit der Tradition brechen und sich über alles erheben, was vor ihm bestand. Er muß völlig allein sein, ungeheuerlich aus dem Abgrund aufsteigen, ein gigantischer Schatten, der alles andere auslöscht und die Welt einhüllt. Da es den Germanen an einer echten Gemeinschaft fehlt, die sich Duldsamkeit und Vielfalt innerhalb der einenden Grenzen einer breiten Tradition leisten könnte, vermögen sie ihre Schöpferkraft nur in den heftigen Eruptionen rebellischer und diktatorischer Individuen zu zeigen, die das Werk ihrer Vorgänger zerschmettern, die Welt mit bilderstürmerischen Formen in Erstaunen versetzen und, nachdem sie ihren meteorhaften Lebenslauf hinter sich haben, neuen Rebellen unterliegen, noch originelleren, die noch weniger mit der allgemeinen Tradition verbunden sind. Eine solche Schöpferkraft ist wie die »Schöpferkraft« eines Vulkans, der ein wunderbares Schauspiel bietet, aber das Land verwüstet. Verdi, der Erbe jahrhundertealter Mittelmeer-Kultur, betrachtet eine solche zerstörerische Schöpferkraft mit tiefen Befürchtungen, ja mit Haß.

»Also was können sie denn, diese Deutschen? Zerstören! !
Den Maestro durchfuhr ein gewaltiger Haß. Derselbe, den er nach der Schlacht von Sedan gefühlt hatte. Es war der Haß des Römers gegen die Barbaren der Völkerwanderung. Dieser Haß erzeugte den Funken einer sehr tiefen Erkenntnis: ›Der Idealismus dieser Goten ist ein und dasselbe wie ihre Zerstörungswut.‹« (p. 181.)
Der moderne Künstler, der nach Originalität strebt, um die Welt zu zwingen, ihn zu beachten, ist aus ebendiesem Grunde gezwungen, sich an ein immer kleineres Publikum zu wenden. Schließlich ist der Punkt erreicht, wo mangelnde Konventionalität zur Unverständlichkeit führt und jede Gemeinschaft aufhört. In Werfels Roman tut Fischboeck, ein völlig unbekannter, hungernder ehemaliger Deutscher diesen Schritt über den Wagnerianismus hinaus. Als Vorläufer Schönbergs macht er mit aller Harmonie ein Ende. Fischboeck teilt die extrem moderne Einstellung mit Manns Leverkühn. »Ich schreibe nicht für die Zeit!« sagt Fischboeck. Doch ebensowenig schreibt er für die Nachwelt. »Ich erfülle einfach in meinen Kompositionen das Wesen der Musik«, sagt er, »wie ein Baum das Wesen der Natur. Was die Welt damit anfängt oder nicht anfängt, geht mich nichts an.« (pp. 329—30.) Fischboecks

Extremismus erscheint Verdi »ungeheuerlich«. Er kann sich nicht vorstellen, daß ein wahrer Künstler seinen natürlichen Wunsch nach einem Publikum aufgeben kann. Wie Verdi es sieht, ist Fischboecks Verzicht auf Anklang beim Publikum keine wahre Demut. Es ist Haß, Eitelkeit, eigensinnig und nach innen gewandt. Sie ist die letzte Konsequenz der wagnerschen Hybris, die das subjektive Ich des Künstlers zum Gesetz des Lebens und der Schönheit macht. Verdis plebejische Herkunft und seine italienische Nationalität bewahren ihn vor diesem extremen Schicksal des modernen Künstlers. Er ist in einer kräftigen und volkstümlichen Tradition verwurzelt. Auf einem freilich sehr viel höheren Niveau stellt er noch immer den einfachen Spielmann dar, den wandernden Musikanten, der von Dorf zu Dorf zieht und den Bauern zur Hochzeit und zum Jahrmarkt aufspielt. Die musikalische Konvention, die seine Zeitgenossen »mit der Unverfrorenheit letzter Erkenntnisse« zu zerschlagen geneigt waren, weil sie bis zum Überdruß damit vollgestopft worden waren, erfüllte Verdi mit Staunen wie etwas ganz Neues und Herrliches. Er brauchte die alten Schläuche nicht zu zerreißen; er konnte sie mit neuem Wein füllen.

Verdis Publikum ist weder die Gesellschaft, noch die Boheme, sondern das Volk, die ganze Gemeinschaft. In einem solchen Künstler zeichnet Werfel das Ideal, dem er nachstrebt. Doch es ist bezeichnend, daß dieser ideale Künstler nicht Deutscher, sondern Italiener ist. In Verdis Italien sieht der spät-expressionistische Autor die Kunst noch als Teil des Lebens funktionieren, als alltägliche Notwendigkeit für Winzer, Schlachter und Notare, mindestens ebenso notwendig für sie wie ihre Tavernen und Kartenspiele. Die verhängnisvolle Kluft zwischen Kunst und Volk hat sich noch nicht aufgetan, oder sie ist bereits überwunden. Verdi, der italienische Künstler, fühlt sich in seinem Land zu Haus; der deutsche Expressionist fühlt sich in Deutschland nicht daheim. Ein Künstler, der sich unter Menschen zu Haus fühlt, braucht nicht an verblüffende Theorien von »absoluter Kunst« und Zukunftsmusik zu denken. Er schafft wie die Maler der Renaissance oder der Niederlande des siebzehnten Jahrhunderts, »die auch nicht malten, um Probleme des Lichts oder der Form zu lösen, sondern weil die Frommen Bilder für Aug und Herz brauchten. Verdi schrieb für Menschen, nicht für aufgewühlte Intellektuelle, für ganz bestimmte Menschen, die sich in den Theatersälen Italiens drängten.« (pp. 123—24.) Für Werfel ist die Kunst funktionell innerhalb eines menschlichen Zusammenhangs; d. h. sie erfüllt sehr konkrete menschliche Bedürfnisse. Ihre Probleme sind nicht abstrakt, sondern erwachsen aus besonderen Forderungen und Geschmackswünschen, denen der Künstler nachzukommen sucht, ohne deshalb sein Temperament oder seine Auffassung verleugnen zu müssen. »Für den jungen Verdi ..., der sich verpflichten mußte für Saison und Truppe zu schreiben, besaß das Wort ›Kunst‹ ... nicht den romantischen Sinn von Auserwähltheit, Dachkammer-Idealität, Mission, Über-den-Menschen-stehn, diesen so papiernen Sinn, der leider noch immer nicht abgewirtschaftet hat.« (p. 123.) Werfels Roman zeigt die Integrierung des Künstlers in die Gemeinschaft, den Traum, der den aktivistischen Expressionismus von Anfang an angetrieben hatte, und zwar nicht als ein nur durch die revolutionäre Erhebung und die Wandlung der Menschheit erreichbares Ziel, sondern als eine alltägliche Realität, als das Ergebnis zufälliger geographischer, historischer und psychologischer Bedingungen. Diese Bedingungen hatten in Deutschland immer gefehlt und wurden in der ganzen modernen Welt immer seltener; doch weder eine kollektive Revolution noch eine eindrucksvolle persönliche Wandlung konnten sie zuwege bringen. Man konnte sie demütig suchen, sie voller Ehrfurcht beurteilen, wo sie noch vorhanden waren, oder geduldig auf ihr Kommen warten; doch man durfte nicht hoffen, sie herbeizuzwingen oder sie durch persönliche oder kollektive Mittel herzustellen. Mit dieser Erkenntnis war das Pendel von der aktivistischen Euphorie so weit zur andern Seite ausgeschlagen, wie es nur möglich war. Es war über den Punkt hinausgeschwungen, wo die grundlegenden Eigenschaften und Pläne des Expressionismus — das angespannte Drängen, das Extreme und Gewaltsame, das Bedürfnis nach dem Aufschrei, der atemlosen Zusammendrängung, der hektischen Übertreibung, der metaphorischen Sichtbarmachung — noch angemessen waren. Für Werfel und die große Mehrheit der Expressionisten hatte der Expressionismus seine *raison d'être* verloren.

EPILOG: DER SCHEIDEWEG

Werfels Angriff auf Wagner zeigte den grundlegenden Widerspruch auf, der von Anfang an im deutschen Expressionismus verborgen war. Der deutsche Expressionismus wollte zwei Dinge mit einem erreichen: eine Revolution der dichterischen Form und Schau und eine Reformation des menschlichen Lebens. Diese beiden Ziele waren kaum miteinander zu vereinen. Als Teil der stilistischen Revolution der Moderne war der Expressionismus zu schwierig und gewollt, um seine didaktischen und Bekehrungs-Bestrebungen erfüllen zu können; als messianische Revolte mußte er zu sehr moralisieren, als daß er einen echten Teil der Moderne hätte bilden können. Das Ideal des »neuen Menschen« stand im Widerspruch zu dem der »neuen Form«, beide standen sich entweder im Wege oder verwässerten sich gegenseitig. Nur der Nebel der messianischen Begeisterung, der die Bewegung eine kurze Zeit einhüllte, vermochte diese grundsätzliche Widersprüchlichkeit zu verbergen. Der moralische Idealismus des Aktivismus und der ästhetische Idealismus der Moderne konnten während einiger Jahre des Rausches miteinander vermengt und als eines gesehen werden. Beide verschmähten die bestehende Wirklichkeit als Thema der Kunst, und beide strebten danach, durch Abstraktion eine neue Realität zu schaffen. Doch es war unmöglich, daß sich eine echte Symbiose aus ihnen ergab; und das rasche Zusammenbrechen der chiliastischen Illusionen brachte die grundsätzliche Unvereinbarkeit dieser beiden Formen des Idealismus schnell an den Tag. Kurz nach 1920 zeigte sich, daß die beiden Ziele des Expressionismus — Bindung an eine objektive Realität und freie Schöpfung einer Surrealität, einer Überwirklichkeit — voneinander verschieden und unvereinbar waren. Der ethische und der ästhetische Flügel des Expressionismus trennten sich, und diese Trennung bedeutete das Ende der Bewegung. Von nun an sollten die früheren Expressionisten Wege beschreiten, die voneinander abzweigten und sich immer weiter voneinander entfernten. Zwischen den internationalen Bestsellern Werfels, für Hollywood wie geschaffen, dem kommunistischen Kitsch Bechers, dem nazistischen Kitsch Johsts und den esoterischen Abstraktionen Benns gab es keinen gemeinsamen Nenner. Nichts war geblieben, das darauf hingewiesen hätte, daß vier so grundlegend verschiedene Autoren einmal einer gemeinsamen Bewegung angehört hatten.

Und dennoch hatte ein und dieselbe Bewegung den Keim für diese vier Entwicklungsmöglichkeiten enthalten.

Werfel, Becher, Johst und viele andere Expressionisten hatten sich für die Bindung an eine objektive äußere Wirklichkeit entschieden. Sie mieden die experimentelle Form und kehrten zu den konventionellsten und »volkstümlichsten« Dichtungsformen zurück. Werfels geistiger Ankergrund wurde eine glückliche und einträgliche Mischung aus Kommerzialismus und judäo-christlichen Gefühlen. Becher und Johst fanden einen geistigen und materiellen Hafen in den totalitären Bewegungen. Trotz der ungeheuren Unterschiede zwischen ihnen hatten diese drei Autoren (und viele andere ebenso) Lösungen für die Krise des ernsthaften Schriftstellers gefunden, die in einer grundlegenden Hinsicht gleich waren: sie erkannten entschieden eine objektive gemeinschaftliche Wirklichkeit an, die sie zwar veranlaßte, auf Formexperimente zu verzichten und sie völlig abzulehnen, ihnen dafür jedoch als Ausgleich geistige Heimat, ein riesiges Publikum und materiellen oder gesellschaftlichen Erfolg bot. Millionen von Ladenmädchen von Zürich bis Kalifornien weinten und freuten sich über Werfels *Lied von Bernadette,* während einige Jahre später Millionen von ostdeutschen Schulkindern Bechers Lobeshymnen auf Stalin und das Proletariat auswendig lernten. Der weltberühmte Einwohner Hollywoods und der kommunistische Kommissar der ostdeutschen Literatur — beide frühere Expressionisten — hatten sich von der Moderne und der experimentellen Phase ihrer Jugend so weit entfernt, wie es nur möglich war; dafür war es ihnen gelungen, in verschiedenen gesellschaftlichen Strukturen und durch verschiedene Mittel wahrhaft »volkstümliche« Autoren zu werden. Doch daß sie die expressionistische Form aufgaben, bedeutete keineswegs eine völlige Abkehr von allen Tendenzen, die sie als Expressionisten inspiriert hatten; im Gegenteil, es bedeutete die Erfüllung des tiefsten Verlangens ihrer expressionistischen Phase. Für sie war Expressionismus nicht experimentelle Form, sondern sittliche Überzeugung und moralischer Glaube gewesen; und diese wurden erst in ihrer nach-expressionistischen Zeit voll und konsequent entwickelt.

Werfels *Lied von Bernadette* war die triumphierendste Veranschaulichung der in seinem *Verdi* geäußerten Ansicht, daß der Mensch die Wahrhaftigkeit seines Daseins erreicht, wenn er als Gefäß Gottes lebt und handelt. Indem Werfel einen Roman in einem Stil, so einfach, naiv und konventionell wie den von *Bernadette,* schrieb und ein Thema benutzte, das wie geschaffen war, die Phantasie von Millionen von Lesern zu fesseln, eiferte er mit Erfolg seinem Ideal des Künstlers nach, das er im *Verdi* aufgestellt hatte. Ironischerweise stimmte der wirkliche Komponist Verdi keineswegs mit dem Ideal seines österreichischen Bewunderers überein. Anders als Werfels Bild von ihm und anders als Werfel selber gelangte Giuseppe Verdi nicht zu immer größerer

Einfachheit, sondern im Gegenteil zu immer ausgesprochenerer Raffiniertheit und Kompliziertheit. Wenn *Othello* und *Falstaff* vielleicht auch nicht unbedingt modern sind, so entfernen sie sich jedenfalls weit von dem leichten volkstümlichen Stil der früheren Werke Verdis; in ihnen fand man nicht die Musik, die von der Menge auf der Straße gepfiffen und gesungen wird. Das Verdi-Bild Werfels (das man sorgfältig von dem historischen Verdi unterscheiden muß) war das Ideal von Werfels gesamter expressionistischer Periode gewesen. Es entstand aus seinem Verlangen, »dem Menschen verwandt zu sein«. Das gleiche Ideal bestimmte das geplante »Theater der Masse«, von dem Sorges Bettler zu Beginn des Expressionismus geträumt hatte. Für Sorge wie für Werfel lag das Ziel der »neuen Kunst« in einer Richtung, die der Hauptentwicklung der Moderne entgegengesetzt war. Das Ziel dieser Expressionisten war die Erlösung des Künstlers aus der Isolierung und seine Vereinigung mit der Menschheit. Die Kunstform, die in der Lage war, ihn aus seiner Vereinzelung zu erlösen, würde auch geeignet sein, lindernder Trost der Unglücklichen, Erhebung und Aufschwung der Unbemittelten und Unterdrückten zu werden. Nicht bei den Kunstkennern, sondern bei der Masse hofften diese (und die meisten) Expressionisten Anklang zu finden. Es läßt sich kaum bezweifeln, daß *Das Lied von Bernadette* dieses expressionistische Ziel besser erreichte als irgendein anderes, in der expressionistischen Periode selbst geschriebenes Werk. Da es sein Ziel war, die Masse anzurühren und nicht die Ästheten und Kunstkenner anzuregen, läßt sich nicht leugnen, daß der gefällige Bestseller und Hollywood-Film geeigneter für den Kommunionismus war als die esoterische Strindbergsche Form, in der er ursprünglich erschien.

Auch jene Expressionisten, die sich den totalitären Bewegungen anschlossen und dort zur Höhe der Macht gelangten, verrieten genau genommen nie ihre expressionistische Vergangenheit. Nicht die experimentelle Form, sondern der ekstatische Geist der Revolte war das Bemerkenswerteste an Johsts expressionistischem »Szenarium« *Der junge Mensch* gewesen. Der Nazismus versprach eine Verewigung dieses ekstatischen Zustandes in nationalem und schließlich weltweitem Ausmaß. Im Gegensatz zu der geruhsamen bürgerlichen Welt erhob der Nazismus das Leben zu fieberhafter Intensität und verlieh dem Alltäglichen grellen Anstrich. Er löschte das Für-Sich-Sein der Person aus, das auch der Expressionismus gehaßt und verachtet hatte, und erstickte die Isolierung in einer Orgie kollektiver Feste. Gleichzeitig bestätigte er die Einsicht des späten Expressionismus, der erkannt hatte, daß der Utopismus der aktivistischen Phase an eine vorhandene objektive Realität geknüpft werden müsse, wenn er nicht untergehen oder entarten sollte. Diese Realität war die nationale, rassische und sprachliche Gemeinschaft Großdeutschlands, die der Nazismus etwa um die gleiche Zeit zu fordern begann. Die Vereinigung von Spätexpressionismus und Nazismus war infolgedessen weder ein Zufallsereignis noch eine Umkehrung des expressionistischen Stroms, sondern eine natürliche Fortführung fundamentaler expressionistischer Tendenzen.

Die konsequente Kontinuität zwischen dem aktivistischen Expressionismus und dem Kommunismus ist sogar noch ausgeprägter als die zwischen dem späten Expressionismus und dem Nazismus. Während der Nazismus eine enge Beziehung zur zweiten Wandlung oder Rückwendung des Expressionisten hatte, erreichten viele Expressionisten den Kommunismus in gerader Linie von ihrer ersten Wandlung aus. Die Rebellion gegen sein nationalistisch-bürgerliches Herkommen und seine Familie, die Becher zum aktivistischen Utopismus getrieben hatte, führte ihn später zum Kommunismus; und als er sich der kommunistischen Bewegung im Rausch seiner aktivistischen Periode anschloß, war Becher überzeugt, daß er weiter dem gleichen Ziel zuwandere — der universalen Brüderlichkeit der Weltgemeinschaft. Nach seinem Entschluß brauchte er nur unbeugsam an ihm festzuhalten und alle Widersprüche zu übersehen, die zwischen dem aktivistischen Traum und der kommunistischen Wirklichkeit entstanden. Sein Weg vom einsamen Ausgestoßenen und Außenseiter im bürgerlichen Deutschland zum Kulturbonzen im kommunistischen Mitteldeutschland erschien ihm als grade und logische Straße. Die kraftvolle Rhetorik seines jugendlichen Expressionismus mußte über Bord geworfen werden und zur hohlen Rhetorik des »sozialistischen Realismus« verwandelt werden, und dabei verlor seine Dichtung alle Lebendigkeit und Kraft, die sie einst besessen hatte. Doch die Ideologie, der politisch-moralische Inhalt seiner expressionistischen Dichtung, die für Becher wie für die meisten Expressionisten von weit entscheidenderer Bedeutung war als die expressionistische Form, war seiner Ansicht nach einfach reifer geworden; sie war von der jugendlichen Naivität befreit, mit »konkretem Inhalt« gefüllt, »im Glühofen der sozialen Realität« gehärtet, der »Wahrheit des Klassenkampfes« verbunden. Die kommunistische

Wirklichkeit hatte den expressionistischen Traum zur Erfüllung gebracht. Wie Werfel konnte auch Becher das Gefühl haben, daß er seine expressionistischen Anfänge niemals verraten hatte; und seine schließliche Würde und Macht als kommunistischer Kulturkommissar erschien ihm wahrscheinlich als wohlverdienter Lohn für die unwandelbare Treue seinen jugendlichen Idealen und lebenslangen Überzeugungen gegenüber. Betrachtet man Bechers Lebenslauf, dann fragt man sich, ob man diese verbissene Beharrlichkeit anerkennen, diese blinde Unbeugsamkeit verachten oder diese Geschicklichkeit der Selbsttäuschung bewundern soll.

Werfel, Johst und Becher merzten alle Spuren expressionistischer Form aus ihren reifen Werken aus; doch sie bewahrten etwas von den sittlichen Bestrebungen, die ihnen bereits in ihrer expressionistischen Periode wichtiger gewesen waren als der Stil. Aber die Anhänger totalitärer Systeme unter ihnen stellten die Ideale, die sie bewahrten, je nach den Erfordernissen der Wirklichkeit bloß, bis nur eine beschwichtigende Selbsttäuschung ihnen einreden konnte, daß diese Ideale im Wesen unverändert geblieben seien. Alle gewannen persönlichen Erfolg, ein Massenpublikum, den Triumph der persönlichen Integrierung und Macht in der Welt. Im Reich des Ästhetischen aber verloren sie — sie tauschten den anhaltenden künstlerischen Erfolg ihrer Werke gegen den des Augenblicks ein. Keiner von ihnen, nicht einmal Werfel, dessen literarische Kraft die der andern weit übertrifft, hat den Rang eines Klassikers erworben.

Jene Expressionisten, die sich weigerten, das Ideal des »neuen Menschen« zu kompromittieren, gewannen weder persönlichen noch ästhetischen Erfolg. Als 1939 die Hitlersche Lawine ganz Europa zu verschlingen begann, beging Toller in New York Selbstmord. Doch schon lange vorher war er ein völlig geschlagener und desillusionierter Mensch. Bereits 1919 hatte er erlebt, wie seine Sache sich im Augenblick ihres illusorischen Erfolgs selbst umbrachte. Bald darauf war seine schöpferische Energie aufgezehrt. Nachdem er seinen Zweifeln und seiner Enttäuschung in *Masse Mensch, Hinkemann* und *Hoppla, wir leben!* Ausdruck verliehen hatte, flossen nur noch blasse Gespenster der früheren dramatischen Kraft aus seiner Feder.

Noch schärfer als Toller erlebte Unruh den vorzeitigen Abstieg von Werk zu Werk. Unruh kompromittierte nie die Symbiose des sittlichen Idealismus und der experimentellen Form, die der hervorstechende Zug des Expressionismus gewesen war. Er weigerte sich, den gefälligen Formeln des Kommerzialismus oder den verunstaltenden Verzerrungen, wie sie die totalitären Systeme verewigten, Konzessionen zu machen. Er blieb dieser Symbiose treu und damit bis zum Ende Expressionist. Doch dieses Ende war ergreifend und ohne Ruhm. Es erwies sich, daß es dieser Symbiose am Lebensodem mangelte. Sie brachte keine genießbaren Werke hervor. Das Krebsgeschwür hochtrabenden und verschwommenen Geredes, das dem Expressionismus von Anfang an geschadet hatte, fraß bei Unruhs späteren Werken all die Substanz auf, die seine früheren Werke besessen hatten. Während Toller mit seinem Selbstmord die persönliche Niederlage und gleichzeitig die historische Katastrophe eingestand, erlitt Unruh eine schlimmere Tragödie, weil er sich diese Tragödie nicht eingestand. Er überlebte seine eigene Bedeutung, ohne sein Schicksal zu erkennen. Unerkannt in seinem amerikanischen Exil und vergessen in der Heimat, fuhr er fort, allen Ernstes Werke zu produzieren, die man nicht mehr ernst nehmen konnte. Da Unruh weiter den sittlichen Idealismus mit dem ästhetisch-formalen Experimentalismus der Bewegung verband, verkörpert er besser als alle seine früheren Gefährten das schließliche Versagen des Expressionismus. Die weiterbenutzte Verbindung des »neuen Menschen« mit der »neuen Form« hatte in die Vergessenheit geführt — gleichzeitig zum kommerziellen Fehlschlag und zum ästhetischen Bankrott.

Völliges Versagen — oder im besten Fall vergänglicher Erfolg — war das Schicksal der früheren Expressionisten, die das sittliche Ideal, das Evangelium der moralischen Wandlung, in den Vordergrund gestellt hatten. Ein ganz andersartiger Erfolg wurde jenen Expressionisten zuteil, die sich niemals mit der Hoffnung auf den »neuen Menschen« beschäftigt, sondern neue Formen entwickelt hatten, in denen sie ihrer Verzweiflung Ausdruck gaben. Die Dichtung Heyms, Trakls, Stramms und Benns und die Prosa Kafkas bilden den Aspekt des Expressionismus, der bis auf den heutigen Tag lebendig und bedeutend ist[1]).

Trotz seines zeitweiligen Kokettierens mit dem Nazismus im Jahr 1933 gab Benn die experimentelle Form seiner Dichtung niemals auf; im Gegenteil, er entwickelte und reifte sie zu immer größerer Vollendung. Nach dem ihm von den Nazis auferlegten Schweigen

[1]) Wie Wolfgang Paulsen in seinem kürzlich erschienenen Buch über Georg Kaiser gezeigt hat, könnte Georg Kaisers nach-expressionistisches Drama hier eingeschlossen werden. Vergl. Paulsen, Georg Kaiser: Die Perspektiven seines Werkes, Tübingen, Max Niemeyer Verlag, 1960. Es besteht kein Zweifel, daß Kaiser in seinem Schweizer Exil bedeutenden Einfluß auf die interessante Gruppe junger deutsch-schweizer Experimentaldramatiker ausgeübt hat, die seit dem zweiten Weltkrieg in Europa hervorragen — Fritz Hochwälder (geborener Österreicher, der in der Schweiz zur Reife gelangte), Max Frisch und Friedrich Dürrenmatt.

trat er Ende der vierziger Jahre als der repräsentativste Dichter der expressionistischen Generation wieder hervor, der einzige, der sowohl ein großer Künstler als auch sich selber treu geblieben war. Er wurde ein inspirierendes Vorbild für die nachhitlersche Generation deutscher Dichter, und nur sehr wenige vermochten sich seinem Einfluß zu entziehen. Sein Stil — dem von Pound und Eliot nahe verwandt — erhielt auch durch den entscheidenden Einfluß, den die anglo-amerikanische Literatur und besonders T. S. Eliot im besiegten Deutschland gewannen, großes Ansehen. Benn bildete in Deutschland das kraftvolle lebendige Bindeglied zwischen der neuen anglo-amerikanischen Moderne und der einst in Deutschland heimischen, jedoch längst vergessenen expressionistischen Moderne, und er wurde nicht müde, seine Verwandtschaft mit der Bewegung, aus der er stammte, zu betonen. Seine unablässige und immer reifer werdende Produktivität im nachhitlerschen Deutschland brachte ein Wiederaufleben des Interesses an den Wurzeln seiner Dichtung zuwege. Ausgaben der Werke von Heym, Trakl und Stramm erschienen, und Fritz Martinis gelehrte und kritische Studie der großen Dichter des frühen Expressionismus (1948) bildete einen Meilenstein in der Wiederentdeckung der Bewegung in dem Land, das sich bemüht hatte, alle Erinnerungen an sie auszumerzen.

Der erfolgreichste aller Expressionisten war jedoch der im Leben am wenigsten Erfolgreiche — Franz Kafka, dessen Werk aus dem gleichen Boden erwachsen war wie das der frühen Expressionisten Strindberg, Trakl und Heym, und dessen Tod im Jahr 1924 mit dem Erlöschen der Bewegung zusammenfiel. Im Gegensatz zu der Benns stimmt Kafkas Kunst nicht mit der Form überein, die die Moderne in andern Ländern angenommen hat. Sie bildet das eigentümlichste Geschenk des deutschen Expressionismus an die Welt. Wie die meisten expressionistischen Dramen sind Kafkas Romane und späte Erzählungen parabolische Formulierungen existentieller Fragen. Doch eins unterscheidet Kafka von seinen Zeitgenossen unter den Dramatikern und begründet seine einzigartige Bedeutung: er geht nie über die Formulierung von Fragen hinaus. Kafkas Parabeln zeigen, daß sich nichts zeigen läßt. Sie übermitteln nicht sittliche Lehren und Moralgebote, sondern das Bruchstückhafte, das Unbestimmte und Dunkle als letzten (aber nicht absoluten) Sinn, zu dem wir überhaupt durchdringen können. Damit drücken sie die tiefste Wahrheit eines Zeitalter aus, das eins gelernt hat: Das Wesen jeder Antwort ist das Stellen neuer Fragen.

BIBLIOGRAPHIE

Aktion, Die: Zeitschrift für freiheitliche Politik und Literatur (späterer Titel: *Wochenschrift für Politik, Literatur und Kunst).* Bände I—IX (1911—1919), herausgegeben von Franz Pfempfert.

Aktionsbuch, Das. Herausgegeben von Franz Pfempfert. Berlin-Wilmersdorf, Verlag der Wochenschrift *Die Aktion,* 1917.

Anders, Günther, *Kafka: Pro und Contra.* München, C. H. Beck'-sche Verlagsbuchhandlung, 1951.

Arendt, Hannah, *The Origins of Totalitarianism.* New York, Harcourt Brace, 1951.

Auerbach, Erich, *Mimesis: The Representation of Reality in Western Literature.* Princeton, Princeton University Press, 1953.

Bab, Julius, *Die Chronik des deutschen Dramas.* Vier Teile, Berlin, Oesterheld & Co, 1922.

— *Neue Wege zum Drama.* Berlin, Oesterheld & Co, 1911.

— *Der Wille zum Drama: Neue Folge der Wege zum Drama, deutsches Dramenjahr 1911—1918.* Berlin, Oesterheld & Co, 1919.

Bahr, Hermann, *Expressionismus,* München, Delphin-Verlag, 1920 (1. Aufl., 1916).

Ball, Hugo, *Hermann Hesse: Sein Leben und sein Werk.* Mit einem Anhang von Anni Carlsson, Berlin, S. Fischer, 1927.

— *Zur Kritik der deutschen Intelligenz.* Bern, Der freie Verlag, 1919.

Barlach, Ernst, *Der arme Vetter.* Drama, Berlin, Paul Cassirer, 1918.

— *Ernst Barlach: Leben und Werk in seinen Briefen.* Herausgegeben von Friedrich Dross, München, R. Piper, 1952.

— *Ein selbsterzähltes Leben.* München, R. Piper, 1948.

— *Der tote Tag.* Drama in fünf Akten, Berlin, Paul Cassirer, 1919 (1. Aufl. 1912).

Becher, Johannes Robert, *An Europa: Neue Gedichte.* Leipzig, Kurt Wolff, 1916.

— *Ein Mensch unserer Zeit: Gesammelte Gedichte.* Berlin, Universum-Bücherei für Alle, 1930.

— *Verbrüderung: Gedichte.* Leipzig, Kurt Wolff, 1916.

Benn, Gottfried, *Doppelleben: Zwei Selbstdarstellungen.* Wiesbaden. Limes Verlag, 1950.

— *Essays.* Wiesbaden, Limes Verlag, 1951.
— »Gehirne«, *Die weißen Blätter,* II/2 (1915), 210 ff.
— *Gesammelte Gedichte.* Wiesbaden, Limes Verlag, 1956.
— »Die Insel«, *Die weißen Blätter,* III/1 (1915), 241 ff.
— *Nach dem Nihilismus.* Berlin, Kiepenheuer, 1932.
— *Der neue Staat und die Intellektuellen.* Stuttgart, Deutsche Verlagsanstalt, 1933.
— *Probleme der Lyrik.* Wiesbaden, Limes Verlag 1954 (1. Aufl. 1951).
— *Der Ptolemäer.* Wiesbaden, Limes Verlag, 1949.
— »Die Reise«, *Die weißen Blätter,* III/3 (1916), 244 ff.
Benn, Gottfried, Herausgeber, *Lyrik des expressionistischen Jahrzehnts von den Wegbereitern bis zum Dada.* Wiesbaden, Limes Verlag, 1955.
Blei, Franz, »Reichtum und Literatur«, *Die Aktion,* VII/49—50 (1917), 666 ff.
— *Über Wedekind, Sternheim und das Theater.* Leipzig, Kurt Wolff, 1915.
Brod, Max, »Aktivismus und Rationalismus«, in Kurt Hiller (Herausgeber), *Tätiger Geist,* 56 ff.
— »Commentary on Extracts from Franz Kafka's Letter to My Father«, translated by Sophie Prombaum, in *A Franz Kafka Miscellany: Pre-fascist Exile,* rev. und erw. 2. Aufl., von Harry Slochower u. a. New York, Twice A Year Press, 1946[1]).
— *Novellen des Indifferenten* oder *Die Einsamen.* München, Kurt Wolff, 1919.
— *Franz Kafka: Eine Biographie (Erinnerungen und Dokumente).* Prag, Heinrich Mercy & Sohn, 1937.
— *Das große Wagnis.* Leipzig, Kurt Wolff, 1919.
— *Heidentum, Christentum, Judentum: Ein Bekenntnisbuch.* 2 Bde, München, Kurt Wolff, 1921.
— »Ein menschlich-politisches Bekenntnis: Juden, Deutsche, Tschechen«, *Die neue Rundschau,* XXIX/2 (1918), 1580 ff.
— *Schloß Nornepygge: Der Roman des Indifferenten.* Leipzig, Kurt Wolff, 1918 (1. Aufl. 1908).
— »Vom neuen Irrationalismus«, *Die weißen Blätter,* I/4 (1914), 749 ff.
— *Zauberreich der Liebe.* Berlin, Wien und Leipzig, Paul Zsolnay, 1928.
Bronnen, Arnolt, »Die Geburt der Jugend«, *Die Erhebung,* II (1920), 218 ff.

— »Vatermord«, *Die Erhebung*, II (1920), 155 ff.
Bruggen, Max Ferdinand Eugen van, *Im Schatten des Nihilismus. Die expressionistische Lyrik im Rahmen und als Ausdruck der geistigen Situation Deutschlands.* Dissertation, Amsterdam, 1946.
Buber, Martin, *Daniel: Gespräche von der Verwirklichung*, 2. Aufl., Leipzig, Insel-Verlag, 1919.
— *Ekstatische Konfessionen.* Jena, E. Diederichs, 1909.
Camus, Albert, *L'homme révolté.* Paris, Gallimard, 1951.
— *Le malentendu.* Pièce en trois actes, 15. Aufl., Paris, Gallimard, 1944.
Carls, Karl D., *Ernst Barlach: Das plastische, graphische und dichterische Werk.* Berlin, Rembrandt Verlag, 1931.
Corrinth, Curt, *Potsdamer Platz oder die Nächte des neuen Messias: Ekstatische Visionen.* München, Georg Müller, 1919.
Csokor, Franz Theodor, *Der große Kampf: Ein Mysterienspiel in acht Bildern.* Berlin, S. Fischer, 1915.
Cysarz, Herbert, *Zur Geistesgeschichte des Weltkrieges.* Halle, Max Niemeyer, 1931.
Dahlström, Carl Enoch Wm. Leonard, *Strindberg's Dramatic Expressionism.* Diss., Michigan, 1930.
Däubler, Theodor, *Wir wollen nicht verweilen: Autobiographische Fragmente.* Dresden-Hellerau und Leipzig, Insel-Verlag, 1915.
Deri, Max, »Naturalismus, Idealismus, Expressionismus«, in Max Deri u. a., *Einführung in die Kunst der Gegenwart.* Leipzig, E. A. Seemann, 1919.
Diebold, Bernhard, *Anarchie im Drama.* Frankfurt/M, Frankfurter Verlags-Anstalt, 1921.
— *Der Denkspieler Georg Kaiser.* Frankfurt/M, Frankfurter Verlags-Anstalt, 1924.
Edschmid, Kasimir, *Die sechs Mündungen.* Novellen, Leipzig, Kurt Wolff, 1917 (1. Aufl. 1915).
— *Timur.* Novellen, Leipzig, Kurt Wolff, 1916.
— *Über den Expressionismus in der Literatur und die neue Dichtung.* Berlin, Erich Reiß, 1919, *Tribüne der Kunst und Zeit* Nr. 1.
Ehrenstein, Albert, *Die Gedichte.* Leipzig und Wien, Ed. Strache, 1920.
— *Der Mensch schreit.* Leipzig, Kurt Wolff, 1916.
— *Der Selbstmord eines Katers.* München, Georg Müller, 1912.

— *Tubutsch*[2]). Translated by Eric Posselt and Era Zistel, New York, Ben Abramson — The Profile Press, 1946 (1. Aufl. 1911).

Eliot, Thomas Stearns, *Collected Poems, 1909—1935*. New York, Harcourt Brace, 1934 und 1936.

— *The Three Voices of Poetry*. New York, Cambridge University Press, 1954.

Emrich, Wilhelm, »Die Literaturrevolution und die moderne Gesellschaft«, *Akzente*, III (1956), 173 ff.

— »Die poetische Wirklichkeitskritik Franz Kafkas«, *Orbis Litterarum*, XI (1956), 215 ff.

— »Zur Ästhetik der modernen Dichtung«, *Akzente*, I (1954), 371.

Erhebung, Die: Jahrbuch für neue Dichtung und Wertung, herausgegeben von Alfred Wolfenstein, 2 Bde, Berlin, S. Fischer, 1919—1920.

Expressionistische Dichtungen vom Weltkrieg bis zur Gegenwart, herausgegeben von Herwarth Walden und Peter A. Silbermann, Berlin, C. Heyman, 1932.

Fivian, Erik A., *Georg Kaiser und seine Stellung im Expressionismus*. München, Kurt Desch, 1946.

Fowlie, Wallace, *The Age of Surrealism*. New York, The Swallow Press & William Morrow & Co., 1950.

Frank, Leonhard, *Bruder und Schwester*. Leipzig, Insel-Verlag, 1929.

— *Der Mensch ist gut*. Potsdam, Kiepenheuer, 1919 (1. Aufl. 1918).

— *Die Räuberbande*. Leipzig, Insel-Verlag, 1920 (1. Aufl. 1914)[3]).

— *Die Ursache*. Erzählung, München, Georg Müller, 1916 (1. Aufl. 1915).

Friedmann, Hermann, und Otto Mann, Herausgeber, *Expressionismus: Gestalten einer literarischen Bewegung*. Heidelberg, Wolfgang Rothe Verlag, 1956.

Gilbert, Stuart, *James Joyce's Ulysses: A Study*. 2. rev. Aufl., New York, Alfred Knopf, 1952.

Goethe, Johann Wolfgang, »Maximen und Reflektionen über Kunst« in Weimarer Ausgabe, I. Abtlg., Bd. 48.

Goethes Märchen, mit Einführung und Anhang. Herausgegeben von Johannes Hoffmeister, Iserlohn, Silva Verlag, 1948.

Gogh, van, Als Mensch unter Menschen, Briefe, Bd. I und II, München, Albert Langen / Georg Müller Verlag, (1960).

Goll, Iwan, *Dithyramben.* Leipzig, Kurt Wolff, 1918.

— *Der neue Orpheus: Eine Dithyrambe.* Berlin-Wilmersdorf, Verlag der Wochenschrift *Die Aktion,* 1918, »Der rote Hahn«, Nr. 5.

— »Die Prozession: Dithyrambe«, *Die Aktion,* VII/51—52 (1917), 684.

Greulich, Helmut, *Georg Heym (1887—1912): Leben und Werk: Ein Beitrag zur Frühgeschichte des deutschen Expressionismus.* Berlin, E. Ebering, 1931, »Germanische Studien«, Nr. VIII.

Gronicka, André von, »Thomas Mann's Doctor Faustus«, *Germanic Review,* XXIII/3 (1948), 206 ff.

Gutkind, Curt Sigmar, »Fritz von Unruh« in C. S. Gutkind u. a., *Fritz von Unruh: Auseinandersetzung mit dem Werk.* Frankfurt/M, Frankfurter Societäts-Druckerei, 1927.

Haftmann, Werner, Alfred Hentzen and William S. Lieberman, *German Art of the Twentieth Century.* Andrew Carnduff Ritchie, Herausgeber, New York, Museum of Modern Art, 1957.

Hain, Mathilde, *Studien über das Wesen des frühexpressionistischen Dramas.* Frankfurt/M, Moritz Diesterweg, 1933.

Hasenclever, Walter, *Dramen.* Berlin, Die Schmiede, 1924.

— »Der politische Dichter«, in Kurt Pinthus, Herausgeber, *Menschheitsdämmerung,* 64 ff.

— *Der Retter.* Dramatische Dichtung, Berlin, E. Rowohlt, 1919.

— *Der Sohn.* Leipzig, Kurt Wolff, 1917 (1. Aufl. 1914).

Heidegger, Martin, *Sein und Zeit.* 7. Aufl. Tübingen, Niemeyer, 1953.

Henschke, Alfred (Pseud. Klabund), »Bußpredigt«, *Die weißen Blätter,* V/2 (1918), 106 ff.

— *Gesammelte Romane.* Wien, Phaidon-Verlag, 1929.

— *Gesammelte Werke in Einzelausgaben.* Bd. III: *Romane der Sehnsucht;* Bd. IV: *Erzählungen und Grotesken;* Bd. V: *Gesammelte Gedichte: Lyrik, Balladen, Chansons.* Wien, Phaidon-Verlag, 1930.

— *Kunterbuntergang des Abendlandes: Grotesken von Klabund.* München, Roland-Verlag, 1922.

Hentzen, Alfred, *siehe* Haftmann.

Heym Georg, *Gesammelte Gedichte.* Herausgegeben von Carl Seelig, Zürich, Verlag der Arche, 1947.

Heynicke, Kurt, »Lieder an Gott«, in Kurt Pinthus, Herausgeber, *Menschheitsdämmerung,* p. 154.

— »Rhythmus gegen die Falschheit«, *Die Erhebung,* II (1920), 1 ff.

Hiller, Kurt, *Geist werde Herr! Kundgebungen eines Aktivisten vor, in und nach dem Kriege.* Berlin, Erich Reiß, 1920, *Tribüne der Kunst und Zeit,* Nr. XVI, XVII.

Hoffmeister, Johannes, *Die Heimkehr des Geistes: Studien zur Dichtung und Philosophie der Goethezeit.* Hameln, Seifert, 1946.

Hoffmeister, Johannes, Herausgeber. Siehe *Goethes Märchen.*

Horney, Karen, *Neurosis and Human Growth: The Struggle toward Self-Realization.* New York, Norton, 1950.

Horwitz, Kurt, *siehe* Trakl.

Huelsenbeck, Richard, »Die dadaistische Bewegung: Eine Selbstbiographie«, *Die neue Rundschau,* XXXI/2 (1920), 972 ff.

Humfeld, Maria Seraphica, *Reinhard Johannes Sorge: Ein Gralsucher unserer Tage.* Paderborn, Ferdinand Schöningh, 1929.

Johst, Hanns, *Der Anfang.* Roman, München, Delphin-Verlag, 1917.

— *Der Einsame: Ein Menschenuntergang.* München, Albert Langen, 1925 (1. Aufl. 1917).

— *Ich glaube!* München, Albert Langen/Georg Müller, 1928.

— *Der junge Mensch: Ein ekstatisches Szenarium.* München, Albert Langen, 1924 (1. Aufl. 1916).

— »Morgenröte: Ein Rüpelspiel«, in *Das Aktionsbuch,* pp. 315 ff.

— *Mutter.* Gedichte, München, Albert Langen, 1921.

— »Resultanten«, *Die neue Rundschau,* XXX/2 (1919), 1138.

Joyce, James, *Ulysses in Nighttown.* New York, Modern Library Paperback, 1958.

Junge Deutschland, Das: Monatsschrift für Theater und Literatur. Herausgegeben vom Deutschen Theater, Bde I—II (1918—19), Herausgeber, Arthur Kahane und Heinz Herald.

Kafka, Franz, »Brief an den Vater«, *Die neue Rundschau,* LXIII/2 (1952), 191 ff.

— *Briefe an Milena.* Herausgegeben von Willy Haas, New York, Schocken Books, 1952.

— *Dearest Father: Stories and Other Writings.* Translated by Ernst Kaiser and Eithne Wilkins, New York, Schocken Books, 1954[4]).

— *Gesammelte Schriften.* Herausgegeben von Max Brod, New York, Schocken Books, 1946 (1. Aufl. 1935).

— *Hochzeitsvorbereitungen auf dem Lande und andere Prosa aus dem Nachlaß.* New York, Schocken Books, 1953.

— *The Diaries of Franz Kafka, 1914—1923.* Herausgegeben von Max Brod, translated by Joseph Kresh, New York, Schocken Books, 1948[5]).
— *The Diaries of Franz Kafka, 1914—1923.* Herausgegeben von Max Brod, translated by Martin Greenberg, with the cooperation of Hannah Arendt, New York, Schocken Books, 1949[5]).
Kaiser, Georg, *Die Bürger von Calais.* Berlin, Kiepenheuer, 1931 (1. Aufl. 1914).
— »Dichtung und Energie (Der kommende Mensch)«, *Berliner Tageblatt,* 25. Dezember 1923[6]).
— *Es ist genug.* Berlin, Transmare Verlag, 1932.
— *Die Flucht nach Venedig.* Berlin, Die Schmiede, 1923 (1. Aufl. 1922).
— *Der Geist der Antike.* Komödie in vier Akten, Potsdam, Kiepenheuer, 1923.
— *Der gerettete Alkibiades.* Stück in drei Teilen, Potsdam, Kiepenheuer, 1920.
— *Gesammelte Werke.* 2 Bde, Potsdam, Kiepenheuer, 1928.
— »Historientreue«, *Berliner Tageblatt,* 4. 9. 1923, Abendausgabe.
— *Hölle Weg Erde.* Stück in drei Teilen, Potsdam, Kiepenheuer, 1919, »Der dramatische Wille«, Nr. II.
— *Die jüdische Witwe.* Bühnenspiel in fünf Akten, Berlin, S. Fischer, 1911.
— *König Hahnrei.* Berlin, S. Fischer, 1913.
— *Konstantin Strobel (Der Zentaur).* Lustspiel in fünf Aufzügen, Potsdam, Kiepenheuer, 1920 (zuerst als *Der Zentaur* veröffentlicht, Berlin, S. Fischer, 1916).
— *Nebeneinander: Volksstück 1923 in fünf Akten.* Potsdam, Kiepenheuer, 1923.
— *Noli me tangere.* Stück in zwei Teilen, Potsdam, Kiepenheuer, 1922.
— *Der Protagonist.* Ein-Akt-Oper von Georg Kaiser. Musik von Kurt Weill. Wien, Universal-Edition, 1925 (als Bühnenmanuskript 1920).
— *Rektor Kleist.* Berlin, S. Fischer, 1918.
— »Vision und Figur«, *Das junge Deutschland,* I (1918), 314.
Kaiser, Hellmuth, *Franz Kafkas Inferno: Eine psychologische Deutung seiner Strafphantasie.* Wien, Internationaler Psychoanalytischer Verlag, 1931.
Kameraden der Menschheit: Dichtungen zur Weltrevolution. Herausgegeben von Ludwig Rubiner, Potsdam, Kiepenheuer, 1919.

Kandinsky, Wassily, *Über das Geistige in der Kunst.* Bern, Benteli-Verlag, 1956, (1. Aufl. 1912).

Kant[7]), Immanuel, *Critique of Aesthetic Judgment.* Translated by James Creed Meredith, Oxford, Clarendon Press, 1911.

— *Die drei Kritiken: In ihrem Zusammenhang mit dem Gesamtwerk.* Herausgegeben von Raymund Schmidt, Stuttgart, Alfred Kröner Verlag, 1952.

— *Träume eines Geistersehers, erläutert durch Träume der Metaphysik.* Herausgegeben von Karl Kehrbach, Leipzig, Reclam, 1880.

Kaufmann, Walter, *Nietzsche: Philosopher Psychologist Antichrist.* Princeton, Princeton University Press, 1950.

Kayser, Rudolf, Herausgeber, siehe *Verkündigung.*

Kayser, Wolfgang, *Das Groteske, seine Gestaltung in Malerei und Dichtung.* Oldenburg, G. Stalling, 1957.

Klabund, *siehe* Henschke, Alfred.

Klages, Ludwig, *Der Geist als Widersacher der Seele.* Leipzig, Barth, 1929.

Klarmann, Adolf D., »Franz Werfel's Eschatology and Cosmogony«, *Modern Language Quarterly,* VII/4 (1946), 385 ff.

— »Gottesidee und Erlösungsproblem beim jungen Werfel«, *Germanic Review,* XIV (1939), 192 ff.

Klee, Wolfhart Gotthold, *Die charakteristischen Motive der expressionistischen Erzählungsliteratur.* Dissertation, Leipzig, 1933 (gedruckt Berlin, 1934).

Klemm, Wilhelm, *Ergriffenheit.* München, Kurt Wolff, o. J.

— *Verse und Bilder.* Berlin-Wilmersdorf, Verlag *Die Aktion,* 1916.

Koch, Thilo, *Gottfried Benn.* München, Albert Langen / Georg Müller, 1957.

Koenigsgarten, Hugo F., *Georg Kaiser. Mit einer Bibliographie von Alfred Löwenberg.* Potsdam, Kiepenheuer, 1928.

Kondor, Der. Gedichte von Ernst Blass u. a. Herausgegeben von Kurt Hiller, Heidelberg, R. Weißbach, 1912.

Kornfeld, Paul, »Der beseelte und der psychologische Mensch«, *Das junge Deutschland,* I (1918), 1 ff.

— »Himmel und Hölle. Eine Tragödie in fünf Akten und einem Epilog«, *Die Erhebung,* I (1919), 93 ff.

— *Die Verführung.* Eine Tragödie, Berlin, S. Fischer, 1916.

Krieger, Murray, *The New Apologists for Poetry.* Minneapolis, University of Minnesota Press, 1956.

Kutscher, Artur, *Frank Wedekind.* 3 Bde, München, Georg Müller, 1922—1931.

Landauer, Gustav, *Der werdende Mensch: Aufsätze über Leben und Schrifttum.* Herausgegeben von Martin Buber, Potsdam, Kiepenheuer, 1921.

Lasker-Schüler[8]), Else, *Die gesammelten Gedichte.* München, Kurt Wolff, 1920.

— *Gesichte: Essays und andere Geschichten.* Berlin, Paul Cassirer, 1920 (1. Aufl. 1913).

— *Mein Herz: Ein Liebesroman mit Bildern und wirklich lebenden Menschen.* München-Berlin, Heinrich F. S. Bachmair, 1912.

— *Die Nächte der Tino von Bagdad.* Berlin, Paul Cassirer, 1919 (1. Aufl. 1907).

— *Der Prinz von Theben.* Leipzig, Verlag der weißen Bücher, 1914.

Lauckner, Rolf, *Schrei aus der Straße.* Berlin, Erich Reiß, 1922.

Law-Robertson, Harry, *Walt Whitman in Deutschland.* Gießen, 1935, »Gießener Beiträge zur deutschen Philologie«, XLII.

Lehmann, A. G., *The Symbolist Aesthetics in France, 1885—1895.* Oxford, Basil Blackwell, 1950.

Lewin, Ludwig, *Die Jagd nach dem Erlebnis: Ein Buch über Georg Kaiser.* Berlin, Die Schmiede, 1926.

Liebermann, William S., *siehe* Haftmann.

Lindenberger, Herbert, »Georg Trakl and Rimbaud: A Study in Influence and Development«, *Comparative Literature,* X (1958), 21 ff.

Lohner, Edgar, »Die Lyrik des Expressionismus«, in Hermann Friedmann und Otto Mann, Herausgeber, *Expressionismus,* pp. 57 ff.

— »Gottfried Benn und T. S. Eliot«, *Neue deutsche Hefte,* XXVI (1956), 100 ff.

Lotz, Ernst Wilhelm, *Wolkenüberflaggt.* Leipzig, Kurt Wolff, 1916.

Mallarmé, Stéphane, *Divagations.* Paris, Fasquelle, 1897.

Mann, Heinrich, *Die kleine Stadt.* Roman, Berlin, Wien und Leipzig, Paul Zsolnay, 1925 (1. Aufl. 1910).

— *Der Kopf.* Roman, Berlin, Wien und Leipzig, Paul Zsolnay, 1925.

— *Madame Legros.* Drama in drei Akten, Leipzig, Kurt Wolff, 1913.

— *Macht und Mensch.* München, Kurt Wolff, 1919.

— *Die Novellen.* Leipzig, Kurt Wolff, o. J. »Gesammelte Romane und Novellen«, Nr. IX.

— *Professor Unrat oder das Ende eines Tyrannen.* Roman, Leipzig, Kurt Wolff, 1905.

— *Zwischen den Rassen.* Roman, Berlin, Wien und Leipzig, Paul Zsolnay, 1925 (1. Aufl. 1907).

Mann, Otto, *siehe* Friedmann.

Mann, Thomas, *Doktor Faustus: Das Leben des deutschen Tonsetzers Adrian Leverkühn, erzählt von einem Freunde.* Stockholm, Bermann-Fischer Verlag, 1948.

— *Doctor Faustus ...* Translated by H. T. Lowe-Porter, New York, Knopf, 1948.

Martini, Fritz, *Das Wagnis der Sprache.* Stuttgart, Ernst Klett, 1956.

— *Was war Expressionismus?* Urach, Port Verlag, 1948.

Meidner, Ludwig, *Septemberschrei: Hymnen — Gebete — Lästerungen.* Berlin, Paul Cassirer, 1920.

Menschheitsdämmerung: Eine Symphonie jüngster Dichtung. Herausgegeben von Kurt Pinthus, Berlin, E. Rowohlt, 1920[9]).

Myers, Bernard S., *The German Expressionists.* New York, Frederick A. Praeger, 1956.

Nerval, Gérard de, *Selected Writings.* Translated with a Critical Introduction and Notes by Geoffrey Wagner, New York, Grove Press, 1957[10]).

Nietzsche, Friedrich, »The Use and Abuse of History« in *Thoughts Out of Season,* Part 2, 2d ed. Translated by Adrian Collins in *The Complete Works of Nietzsche* (herausgegeben von Oscar Levy), Vol. V, New York, Macmillan, 1911.

— »Vom Nutzen und Nachteil der Historie für das Leben«, *Unzeitgemäße Betrachtungen.* Stuttgart, Alfred Kröner Verlag, 1955.

Otten, Karl, *Die Thronerhebung des Herzens.* Berlin-Wilmersdorf, Verlag der Wochenschrift *Die Aktion,* 1918. »Der rote Hahn«, Nr. IV.

Paulsen, Wolfgang, *Aktivismus und Expressionismus: Eine typologische Untersuchung.* Bern-Leipzig, Gotthelf, 1935.

— »Carl Sternheim: Das Ende des Immoralismus«, *Akzente,* III (1956), 273 ff.

— *Georg Kaiser: Die Perspektiven seines Werkes,* Tübingen, Max Niemeyer Verlag (1960).

Picard, Max, »Expressionismus«, *Die Erhebung,* I (1919), 329 ff.

Pinthus, Kurt, »Rede für die Zukunft«, *Die Erhebung*, I (1919), 398 ff.
— »Zur jüngsten Dichtung«, *Die weißen Blätter*, III/1 (1915), 1502 ff.
Pinthus, Kurt, Herausgeber, siehe *Menschheitsdämmerung*.
Raymond, Marcel, *De Baudelaire au surréalisme*. Paris, Editions R.-A. Corréa, 1933.
Rehm, Walter, »Der Dichter und die neue Einsamkeit«, *Zeitschrift für Deutschkunde*, XLV (1931), 545 ff.
Rockenbach, Martin, *Reinhard Johannes Sorge: Auswahl und Einführung*. Mönchen-Gladbach, Führer Verlag, 1924.
Rosenberg, Artur, *Die Entstehung der deutschen Republik*, 1871 bis 1918. Berlin, E. Rowohlt, 1928.
Rosenhaupt, Hans Wilhelm, *Der deutsche Dichter um die Jahrhundertwende und seine Abgelöstheit von der Gesellschaft*. Bern-Leipzig, Paul Haupt, 1939.
— »Heinrich Mann und die Gesellschaft«, *Germanic Review*, XII (1937), 267 ff.
Rubiner, Ludwig, »Die Anonymen«, *Die Aktion*, II (1912), 299 ff.
— »Aus der Einleitung zu Tolstois Tagebuch«, *Die Aktion*, VIII/1 (1918), 1 ff.
— »Dichter der Unwirklichkeit«, *Der Sturm*, I (1910), 14 ff.
— »Der Dichter greift in die Politik«, *Die Aktion*, II (1912), 646 ff.
— »Der Kampf mit dem Engel«, *Die Aktion*, VII/16—17 (1917), 211 ff.
Rubiner, Ludwig, Herausgeber, siehe *Kameraden der Menschheit*.
Sack, Gustav, *Gesammelte Werke in zwei Bänden*. Herausgegeben von Paula Sack, Berlin, S. Fischer, 1920.
— *Ein verbummelter Student*. Berlin, S. Fischer, 1917.
Samuel, Richard, und R. Hinton Thomas, *Expressionism in German Life, Literature and the Theatre (1910—1924)*. Cambridge, W. Heffer and Sons, 1939.
Schering, Arnold, »Die expressionistische Bewegung in der Musik« in Max Deri u. a. *Einführung in die Kunst der Gegenwart*, pp. 139 ff.
Schickele, René, *Benkal, der Frauentröster*. Roman, Leipzig, Verlag der weißen Bücher, 1914 (1. Aufl. 1913).
— *Der Fremde*. Roman, Berlin, Paul Cassirer, 1913 (1. Aufl. 1909).
— *Die Genfer Reise*. Berlin, Paul Cassirer, 1919 (1. Aufl. 1918).

— *Hans im Schnakenloch.* Schauspiel in vier Aufzügen, Leipzig, Verlag der weißen Bücher, 1915.

— *Der neunte November.* Berlin, Erich Reiß, 1919, *Tribüne der Kunst und Zeit,* Nr. VIII.

Schiller, Johann Christoph Friedrich, *The Aesthetic Letters, Essays, and the Philosophical Letters.* Translated by J. Weiss, Boston, Little and Brown, 1845.

— »Über die ästhetische Erziehung des Menschen in einer Reihe von Briefen«, in Bd XII der *Sämtlichen Werke, Säkularausgabe.* Herausgegeben von Oskar Walzel u. a., Stuttgart, Cotta, 1904—1905.

Schneditz, Wolfgang, *siehe* Trakl.

Schneider, Ferdinand Josef, *Der expressive Mensch und die deutsche Lyrik der Gegenwart.* Stuttgart, J. B. Metzler'sche Buchhandlung, 1927.

Schneider, Karl Ludwig, *Der bildhafte Ausdruck in den Dichtungen Georg Heyms, Georg Trakls und Ernst Stadlers.* Heidelberg, 1954.

Schöffler, Herbert, *Protestantismus und Literatur: Neue Wege zur englischen Literatur des 18. Jahrhunderts.* Leipzig, Täubner, 1922.

Schumann, Detlev W., »Expressionism and Post-Expressionism in German Lyrics«, *Germanic Review,* IX (1934), 54 ff., 115 ff.

Seelig, Carl, *siehe* Heym.

Simon, Klaus, *Traum und Orpheus: Eine Studie zu Georg Trakls Dichtungen.* Salzburg, Otto Müller, 1955.

Slochower, Harry, *siehe* Brod, *A Franz Kafka Miscellany . . .*

Smith, Grover Cleveland, *T. S. Eliot's Poetry and Plays: A Study in Sources and Meanings.* Chicago, University of Chicago Press, 1956.

Soergel, Albert, *Dichtung und Dichter der Zeit: Eine Schilderung der deutschen Literatur der letzten Jahrzehnte,* Neue Folge, *Im Banne des Expressionismus.* Leipzig, R. Voigtländer, 1925.

Sorge, Reinhard, *Der Bettler: Eine dramatische Sendung.* Berlin, S. Fischer, 1928 (1. Aufl. 1912).

— *Gericht über Zarathustra: Vision.* München und Kempten, Verlag Josef Kösel und Friedrich Pustet, 1921.

— *Guntwar: Die Schule eines Propheten.* München und Kempten, Verlag der Kösel'schen Buchhandlung, 1914.

Sorge, Susanne M., *Reinhard Johannes Sorge: Unser Weg.* München, Josef Kösel und Friedrich Pustet, 1927.

Spoerri, Theodor, *Georg Trakl: Strukturen in Persönlichkeit und Werk: Eine psychiatrisch-anthropographische Untersuchung.* Bern, Francke, 1954.

Stadler, Ernst, *Der Aufbruch.* Gedichte, Leipzig, Verlag der weißen Bücher, 1914.

Starkie, Enid, *Arthur Rimbaud.* London, Faber and Faber, 1938.

Sternheim, Carl, *Europa.* Roman, 2 Bde, München, Musarion, 1919—1920.

— *Die Hose: Ein bürgerliches Lustspiel.* Berlin, Paul Cassirer, 1911.

— *1913.* Schauspiel in drei Aufzügen, Leipzig, Kurt Wolff, 1915.

— *Prosa.* Berlin-Wilmersdorf, Verlag der Wochenschrift *Die Aktion,* 1919. »Der rote Hahn«, Nr. XII.

— *Der Snob.* Komödie, München, Kurt Wolff, 1920 (1. Aufl. 1913).

— *Tasso oder Kunst des Juste milieu.* Berlin, Erich Reiß, 1921. *Tribüne der Kunst und Zeit,* Nr. XXV.

Strich, Fritz, *siehe* Wedekind.

Strindberg, August, *Plays.* Translated by Edwin Björkman, New York, Charles Scribner's Sons, 1913[11]).

Sturm, Der: Wochenschrift für Kultur und die Künste. Bd I—VII (1910—1917), herausgegeben von Herwarth Walden.

Stuyver, Wilhelmina, *Expressionistische Dichtung im Lichte der Philosophie der Gegenwart.* Dissertation, Amsterdam, 1939.

Tätiger Geist: Zweites der Ziel-Jahrbücher. Herausgegeben von Kurt Hiller, München, Kurt Wolff, 1918.

Thomas, R. Hinton, *siehe* Samuel, Richard.

Toller, Ernst, »Bemerkungen zu meinem Drama ›Die Wandlung‹«, in *Schöpferische Konfession.* Berlin, Erich Reiß, 1920, pp. 46 ff. *Tribüne der Kunst und Zeit,* XIII.

— *Briefe aus dem Gefängnis.* Amsterdam, Querido Verlag, 1935.

— *Hinkemann.* Eine Tragödie, Potsdam, Kiepenheuer, 1925 (1. Aufl. 1922).

— *Eine Jugend in Deutschland.* Amsterdam, Querido Verlag, 1933.

— *Masse Mensch: Ein Stück aus der sozialen Revolution des zwanzigsten Jahrhunderts.* Berlin, Kiepenheuer, 1930 (1. Aufl. 1920).

— *Seven Plays.* Translated by Vera Mendel u. a., New York, Liveright, o. J.

— *The Swallow-Book.* Übersetzer nicht angegeben, Oxford University Press, o. J.[12]).

— *Die Wandlung: Das Ringen eines Menschen.* Potsdam, Kiepenheuer, 1925. »Der dramatische Wille«, Nr. III. (1. Aufl. 1920; Teile des Dramas wurden 1917 als Broschüre gedruckt).

Trakl, Georg, *Die Dichtungen: Gesamtausgabe.* Herausgegeben von Kurt Horwitz, Zürich, Verlag der Arche, 1946.

— *Gesammelte Werke.* Bd I (1953) *Die Dichtungen;* Bd II *Aus goldenem Kelch: Die Jugenddichtungen;* Bd III (1949) *Nachlaß und Biographie: Gedichte, Briefe, Bilder, Essays,* herausgegeben von Wolfgang Schneditz, Salzburg, O. Müller, 1949 bis 1953.

Trilling, Lionel, *The Liberal Imagination: Essays on Literature and Society.* New York, Viking, 1950.

Unruh, Fritz von, *Flügel der Nike: Buch einer Reise.* Frankfurt am Main, Frankfurter Societäts-Druckerei, 1925.

— *Ein Geschlecht.* Tragödie, München, Kurt Wolff, 1922 (1. Aufl. 1917).

— *Louis Ferdinand Prinz von Preußen.* Ein Drama, Frankfurt am Main, Frankfurter Societäts-Druckerei, 1925 (1. Aufl. 1913).

— *Offiziere.* Ein Drama, Frankfurt/M, Frankfurter Societäts-Druckerei, 1925 (1. Aufl. 1912).

— *Platz.* Ein Spiel, München, Kurt Wolff, 1920.

— *Reden.* Frankfurt/M, Frankfurter Societäts-Druckerei, 1924.

— *Stürme.* Ein Schauspiel, München, Kurt Wolff, 1922.

— *Vor der Entscheidung.* Ein Gedicht, Berlin, Erich Reiß, 1919.

Valéry, Paul, *Poésies.* Paris, Gallimard, 1950.

— *Variété.* 14. Aufl., Paris, Gallimard, 1924.

Verkündigung: Anthologie junger Lyrik. Herausgegeben von Rudolf Kayser, München, Roland-Verlag, 1921.

Walzel, Oskar, »Eindruckskunst und Ausdruckskunst in der Dichtung«, in Max Deri u. a., *Einführung in die Kunst der Gegenwart,* pp. 26 ff.

Wassermann, Jakob, *Caspar Hauser oder die Trägheit des Herzens.* Roman, Berlin, S. Fischer, 1924 (1. Aufl. 1908).

— *Das Gänsemännchen.* Roman, Berlin, S. Fischer, 1920 (1. Aufl. 1915).

— »Offener Brief«, *Die neue Rundschau,* XXI/3 (1910), 999.

Wedekind, Frank, *Gesammelte Briefe.* Herausgegeben von Fritz Strich, München, Georg Müller, 1924.

— *Gesammelte Werke.* München und Leipzig, Georg Müller, 1913[13]).

Weißen Blätter, Die: Eine Monatsschrift. Bd I—V (1913—1918).

Wellek, René, *A History of Modern Criticism.* Bd I und II, New Haven, Yale University Press, 1955.

Weltmann, Lutz, »Kafka's Friend, Max Brod: The Work of a Mediator«, *German Life and Letters, New Series,* IV/1 (1951), 46 ff.

Werfel, Franz, *Barbara oder die Frömmigkeit.* Berlin, Wien und Leipzig, Paul Zsolnay, 1933 (1. Aufl. 1929).

— »Brief an Georg Davidsohn«, *Die Aktion,* VII/11—12 (1917), 152 ff.

— *Einander: Oden, Lieder, Gestalten.* München, Kurt Wolff, 1920 (1. Aufl. 1915).

— *Erzählungen aus zwei Welten.* Bd I—III der *Gesammelten Werke,* Herausgegeben von Adolf D. Klarmann, Stockholm, Bermann-Fischer, 1948—1954.

— *Die Mittagsgöttin.* München, Kurt Wolff, 1923 (1. Aufl. 1919).

— *Nicht der Mörder, der Ermordete ist schuldig.* München, Kurt Wolff, 1920.

— *Spiegelmensch: Magische Trilogie.* München, Kurt Wolff, 1920.

— »Substantiv und Verbum: Notiz zu einer Poetik«, *Die Aktion,* VII/1—2 (1917), 4 ff.

— *Verdi: Roman der Oper.* Berlin, Wien und Leipzig, Paul Zsolnay, 1930 (1. Aufl. 1924).

— *Die Versuchung: Ein Gespräch des Dichters mit dem Erzengel und Luzifer.* Leipzig, Kurt Wolff, 1913.

— »Vorwort« zu *Die schlesischen Lieder des Petr Bezruč, verdeutscht von Rudolf Fuchs.* Leipzig, Kurt Wolff, 1916.

— *Der Weltfreund.* Erste Gedichte, Leipzig, Kurt Wolff, 1918 (1. Aufl. 1911).

— *Wir sind.* Neue Gedichte, Leipzig, Kurt Wolff, 1917 (1. Aufl. 1913).

Willibrand, William Anthony, *Ernst Toller and His Ideology.* University of Iowa, Humanistic Studies, VII, Iowa City, 1945.

Wolfenstein, Alfred, *Jüdisches Wesen und neue Dichtung.* Berlin, Erich Reiß, 1922, *Tribüne der Kunst und Zeit,* Nr. XXIX.

— *Mörder und Träumer.* Drei szenische Dichtungen, Berlin, Verlag Die Schmiede, 1923.

— *Die Nackten.* Eine Dichtung, Leipzig, Kurt Wolff, o. J.

— »Das Neue«, *Die Erhebung,* I (1919), 1 ff.

— »Novelle an die Zeit«, *Die weißen Blätter,* II/3 (1915), 701 ff.

Worringer, Wilhelm, *Abstraktion und Einfühlung: Ein Beitrag zur Stilpsychologie.* München, R. Piper, 1948 (1. Aufl. 1908).

Zech, Paul, *Die eiserne Brücke.* Neue Gedichte, Leipzig, Verlag der weißen Bücher, 1914.

— *Das trunkene Schiff: Eine szenische Ballade.* Leipzig, Schauspielverlag o. J.

Das Ziel: Aufrufe zum tätigen Geist. Herausgegeben von Kurt Hiller, München, Kurt Wolff, 1916.

In folgenden Fällen haben die Übersetzer andere als die im Literaturverzeichnis genannten Ausgaben benutzt:

Brod, Max, »Ein Brief an den Vater«, *Der Monat,* I/8—9 (1949), 98 ff.

Ehrenstein, A., *Tubutsch.* München und Leipzig, Georg Müller, 1914 (1. Aufl. 1911).

Frank, L., *Die Räuberbande.* Auch Hamburg, Rororo, 1953, sonst München, Georg Müller, 1916.

Für das van-Gogh-Zitat: Nemitz, Fritz, *Vincent van Gogh.* München, Desch, 1953.

Kafka, Franz, *Die Verwandlung.* Wiesbaden, Insel-Verlag, 1958.

Kafka, Franz, *Tagebücher 1910—1923.* 2 Bde, Frankfurt/M, S. Fischer, 1954 (2. Aufl.).

Kaiser, G., »Dichtung und Energie (Der kommende Mensch)«, *Hannoverscher Anzeiger,* 9. April 1922.

Kant, I., für alle Werke: Ausgabe der Preußischen Akademie der Wissenschaften, 1902—1941.

Lasker-Schüler, E., auch: *Dichtungen und Dokumente: Gedichte, Prosa, Schauspiele, Briefe, Zeugnis und Erinnerung.* Ausgewählt und herausgegeben von Ernst Ginsberg, München, Kösel-Verlag, 1951.

Menschheitsdämmerung . . ., auch: Rowohlts Klassiker der Literatur und Wissenschaft, Deutsche Literatur, Bd 4, Hamburg, 1959.

Nerval G. de, *Œuvres,* Paris, Bibl. de la Pléiade, 1952.

Strindberg, A., *Sämtliche Werke.* Deutsche Gesamtausgabe. Unter Mitwirkung von Emil Schering als Übersetzer vom Dichter selbst veranstaltet. Erste Abteilung: *Dramen,* Bd I bis XV, München, Georg Müller, 1903—1928.

Strindberg A., *Werke.* Bd I—IX, München, Langen/Müller, o. J.

Toller, E., *Das Schwalbenbuch,* Potsdam, Kiepenheuer, o. J.

Wedekind, F., auch: *Prosa, Dramen, Verse.* München, Langen/Müller, o. J.

REGISTER